Anatomie *et* physiologie humaines

CAHIER D'ACTIVITÉS

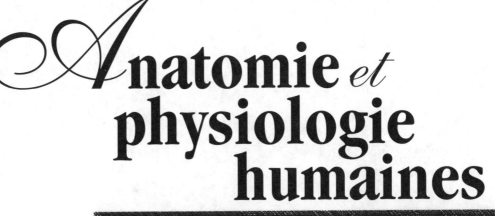

Anatomie *et* physiologie humaines

CAHIER D'ACTIVITÉS

Elaine N. **MARIEB**

Adaptation française:
Linda MOUSSAKOVA

5757, ?PIHOT, SAINT-LAURENT (QUÉBEC)H4S 1R3
TÉLÉPHONE: ? 334-2690   TÉLÉCOPIEUR: (514) 334-4720
erpidlm?.com   w w w . e r p i . c o m
ÉDITIONS DU RENOUVEAU PÉDAGOGIQUE INC.

Direction, développement de produits : Sylvain Giroux

Supervision éditoriale : Sylvie Chapleau

Traduction : Véra Pollak

Révision linguistique : Michel Boyer

Correction d'épreuves : Nathalie Bouchard

Direction artistique : Hélène Cousineau

Supervision de la production : Muriel Normand

Édition électronique : Infographie DN

Conception graphique de la couverture : Sylvie Morissette

Dépôt légal – Bibliothèque et Archives nationales du Québec, 2007
Dépôt légal – Bibliothèque et Archives Canada, 2007
Imprimé au Canada

ISBN 978-2-7613-2036-8

1234567890 HLN 0987
20401 ABCD   0F10

Avant-propos

J'entends, j'oublie.
Je vois, je me souviens.
Je fais, je comprends.

CONFUCIUS

Bien qu'il s'agisse d'une tâche ardue, l'étude du corps humain est fascinante. *Anatomie et physiologie humaines – Cahier d'activités* sert d'outil de récapitulation et de renforcement des apprentissages. Il aidera les étudiants et les professionnels de la santé à maîtriser les notions de base de l'anatomie et de la physiologie humaines.

But

Même si ce cahier vous permet de passer en revue le corps humain dans une perspective microscopique et macroscopique, puisqu'il porte aussi bien sur de simples questions de chimie que sur des cellules et des systèmes d'organes, ce n'est pas une encyclopédie. Ayant pour but de faciliter l'apprentissage, il ne couvre que les aspects les plus importants de l'anatomie et de la physiologie humaines. Des questions portent également sur d'autres disciplines de la biologie telles la cytologie, l'histologie et même la génétique. Pour chacun des systèmes, nous avons introduit quelques notions de physiopathologie afin de permettre à l'étudiant d'intégrer ses apprentissages. Lorsque le sujet est pertinent, nous présentons aussi quelques aspects cliniques (par exemple, les muscles utilisés pour les points d'injection, le rôle des cellules ciliées dans la protection des voies respiratoires ou les causes des ulcérations de la peau). Pour mieux montrer que l'organisme humain est dynamique et en constante évolution, nous abordons également quelques aspects du développement et du vieillissement à tous les âges de la vie.

Outils d'apprentissage

Nous utilisons plusieurs outils pédagogiques qui permettent la vérification des connaissances de base. L'intégration dans un guide traditionnel des exercices de visualisation et de coloriage est une caractéristique inédite. La grande diversité des exercices proposés incite à un apprentissage à plusieurs niveaux, décourage l'apprentissage par cœur et aide à maintenir l'intérêt.

Les exercices permettent à l'étudiant de compléter des énoncés à partir d'un choix de termes, d'associer des termes ou des descriptions, de compléter des tableaux ou de repérer des éléments sur une figure. Les questions par élimination lui permettent de découvrir des similitudes ou des différences entre des structures ou des sujets et d'éliminer ceux qui ne sont pas appropriés. Des questions du type «vrai ou faux» avec leur corrigé ajoutent une nouvelle dimension à cette forme d'exercice plus traditionnel. Par ailleurs, l'étudiant doit aussi définir des notions importantes et répondre à des questions à court ou moyen développement. Pour ce faire, nous avons laissé suffisamment de place pour qu'il puisse inscrire la réponse.

Les exercices de coloriage sont stimulants et efficaces. Chaque illustration a été soigneusement préparée pour présenter suffisamment de détails aidant l'apprentissage, sans que le coloriage devienne une tâche fastidieuse. Le cahier contient plus de cent exercices de coloriage qui devraient s'avérer utiles pour tous les étudiants et leur permettre de développer le sens de l'observation. Les personnes visuelles pourront ainsi mémoriser plus facilement certaines notions. Une fois coloriées, les figures constitueront une source de référence idéale et un très bon outil de récapitulation.

Les exercices de visualisation rendent ce manuel réellement unique en son genre. Tous les chapitres, sauf l'introduction qui porte sur la terminologie et le chapitre sur la génétique, contiennent un exercice intitulé «Un voyage extraordinaire». On demande à l'étudiant de s'imaginer qu'il a été miniaturisé, ce qui lui permet de voyager à l'intérieur de l'organisme humain et de traverser divers organes et systèmes. Ces exercices de visualisation sont facultatifs, mais ils résument souvent le contenu du chapitre et permettant d'assimiler les apprentissages d'une façon inhabituelle et amusante.

À la fin de chaque chapitre, nous présentons des exercices de réflexion et d'application qui permettront à l'étudiant d'intégrer les connaissances nouvellement acquises et de les utiliser à la résolution de problèmes cliniques.

L'autoévaluation immédiate grâce aux réponses données à la fin du cahier permet à l'étudiant de vérifier ses connaissances, de corriger ses erreurs et de cerner ses difficultés. Il saura ainsi quelles notions il devrait réviser à nouveau. Un tableau de correspondance entre le manuel *Anatomie et physiologie humaines* et les exercices du cahier, placé à la fin de celui-ci, indiquera à l'étudiant à quelles sections du manuel il doit se reporter pour faire ce travail de révision.

Remerciements

La réussite de mes étudiants me tenant très à cœur, je remercie profondément Sylvain Giroux, des Éditions du Renouveau Pédagogique de m'avoir donné l'occasion de travailler sur un outil d'apprentissage si utile et si motivant pour l'étudiant. Merci également à Sylvie Chapleau pour son professionnalisme ainsi qu'à Michel Boyer pour son étroite collaboration et sa contribution sur le plan de la clarté de la langue et de la justesse des phrases. Finalement, un grand merci à ma famille, que j'aime tant, de se montrer si généreuse et compréhensive devant le temps consacré à ce projet.

Afin d'appuyer la recherche et l'enseignement, je verserai 20 % de mes droits d'auteur aux fondations de l'hôpital Sainte-Justine et du Cégep de Saint-Laurent.

Linda Moussakova

À l'étudiant

Ce cahier d'activités vous est destiné en particulier. C'est le résultat de nombreuses années consacrées à la recherche et à l'élaboration d'exercices destinés à nos propres étudiants qui devaient se préparer pour un examen.

Bien que nous ne cessons jamais de nous émerveiller devant la perfection du corps humain, son apprentissage est loin d'être facile. L'anatomie et la physiologie humaines ont leur propre terminologie. Les phénomènes et les réactions en jeu sont complexes et nécessitent une certaine compréhension des notions de base de chimie. Nous espérons sincèrement que ce cahier saura vous faciliter la tâche et vous aidera à maîtriser les notions étudiées. Pour tirer le maximum d'avantages de ces exercices, lisez attentivement les consignes qui suivent avant de vous mettre au travail.

Exercices de repérage et de coloriage. Pour certains de ces exercices, on vous demande tout simplement de repérer diverses structures sur une illustration, mais pour la plupart d'entre eux, on vous demande aussi de les colorier. Vous pouvez choisir les couleurs à votre guise. Nous vous recommandons d'utiliser des crayons pour que les contours des illustrations restent visibles. Pour la plupart des figures, vous aurez à colorier diverses parties et vous aurez donc besoin de plusieurs couleurs – 18 devraient suffire. Dans les exercices de coloriage, on vous demande de choisir une couleur différente pour chaque structure. Vous utiliserez cette couleur pour colorier les cercles qui se trouvent dans la légende à côté du nom de la structure ou de l'organe ainsi que la structure ou l'organe correspondant sur la figure. Vous pourrez ainsi reconnaître facilement la structure ou l'organe ainsi coloriés et son nom, lorsque l'illustration n'est pas annotée. Dans de rares cas, on vous donne des consignes de coloriage particulières. Lorsque c'est possible, utilisez toujours la même couleur pour une structure particulière à travers le chapitre et même à travers le cahier (par exemple, coloriez les artères en rouge, les veines en bleu et les muscles en rose).

Exercices d'association. Ici, on vous demande de faire correspondre le nom d'une structure ou d'un processus physiologique avec sa définition ou sa description. Puisque vous devez inscrire le terme choisi sur la ligne prévue à cet effet, l'apprentissage sera mieux intégré.

Énoncés à compléter. Dans ce cas, vous choisirez le terme le plus approprié pour répondre à une question précise, ou vous compléterez un énoncé. Dans un grand nombre d'exercices, certains termes s'appliquent à plusieurs énoncés, alors que d'autres ne s'appliquent pas du tout.

Tableaux à compléter. Ici, vous aurez à inscrire la réponse dans un espace à cette fin à l'intérieur du tableau partiellement rempli mais dont le titre de chaque colonne est toujours bien identifié.

Définitions. Dans ces exercices, on vous demande de définir brièvement une structure ou un processus en particulier.

Questions à court développement. Dans ce cas, quelques lignes seront disponibles pour répondre à la question. Réfléchissez bien afin que la réponse soit concise et pertinente. Une fois que vous aurez terminé, relisez-vous et vérifiez l'orthographe.

Vrai ou faux. Dans ces exercices, un mot ou une partie de phrase sont soulignés. Il vous appartient de décider si la phrase est correcte telle quelle. Sinon, vous devez corriger ce mot ou cette partie de phrase.

Trouvez l'intrus. On vous demande ici de trouver le terme qui n'a pas sa place parmi ceux d'un groupe de termes apparentés. Pour ce type d'exercice, vous devez analyser en quoi les divers termes sont similaires ou différents.

Visualisation. «Un voyage extraordinaire» est un type particulier d'exercice où l'on vous demande de compléter des énoncés. Vous le retrouverez dans chaque chapitre, sauf dans le premier et dans le dernier. On vous demande d'imaginer que vous avez été miniaturisé et injecté dans le corps d'un être humain (votre hôte). On décrit des repères anatomiques et des phénomènes physiologiques que vous observez en votre état de chercheur miniaturisé et on vous demande de noter vos observations. Cet exercice est facultatif, mais nos étudiants l'ont trouvé amusant. J'espère qu'il en ira de même pour vous.

Réflexion et application. Ces exercices, qui se trouvent à la fin de chaque chapitre, vous permettront d'intégrer les notions nouvellement acquises et de les utiliser pour résoudre des problèmes cliniques. Là encore, réfléchissez bien afin que la réponse soit précise et pertinente. Relisez-vous ensuite et vérifiez l'orthographe.

Chaque exercice est assorti de consignes précises qu'il faut lire attentivement avant de le commencer (tout comme vous devrez le faire lors des examens). Lorsqu'il comporte plusieurs consignes, travaillez dans l'ordre donné.

Vous aurez peut-être parfois l'impression qu'il y a duplication des notions dans les différents exercices. Bien qu'il puisse y avoir un certain chevauchement, le genre de compréhension que l'exercice cherche à vérifier est chaque fois de nature différente. N'oubliez pas que la compréhension d'une notion sous divers angles vous permet de bien l'intégrer.

Il est important que vous ne consultiez les réponses qu'après avoir effectué l'exercice, car c'est en faisant l'effort de résoudre les problèmes que vous réussirez à apprendre. Une fois la correction terminée, il est également primordial que vous révisiez la matière où vous avez commis des erreurs.

Nous espérons sincèrement que *Anatomie et physiologie humaines – Cahier d'activités* vous incitera à améliorer vos connaissances, votre compréhension et votre capacité de mémorisation de la structure et du fonctionnement du corps humain. Vous pourrez alors plus facilement faire des liens entre chacun des systèmes, vous réaliserez une fois de plus les merveilles du corps humain et votre intérêt pour ce sujet n'en sera que plus grand.

Bonne chance!

Elaine Marieb et Linda Moussakova

Table des matières

Le corps humain : introduction

Le corps humain exerce sur nous une grande fascination, non seulement parce qu'il en va de notre bien-être de nous en occuper, mais également parce qu'il défraie de plus en plus les manchettes de l'actualité. Une meilleure compréhension de l'anatomie et de la physiologie nous permet d'acquérir les connaissances fondamentales qui sont nécessaires pour apprécier à leur juste valeur les découvertes médicales ainsi que les nouvelles méthodes de diagnostic et de traitement des maladies. Les anatomistes ont élaboré une terminologie de référence, universellement acceptée, qui permet de situer les différentes structures du corps humain et de les distinguer très clairement les unes des autres. Bien qu'au départ, on ait du mal à mémoriser les termes anatomiques et physiologiques, un vocabulaire spécialisé est indispensable car, sans lui, le risque de confusion est considérable.

Les sujets abordés dans ce chapitre vous permettront de tester vos connaissances des termes communément utilisés pour décrire le corps humain et ses diverses parties et d'intégrer les notions définissant les fonctions vitales et l'homéostasie. Dans ce chapitre, on traite également des différents niveaux d'organisation structurale du corps humain, allant des plus simples aux plus complexes, et des systèmes qui forment le corps dans sa globalité.

DÉFINITION GÉNÉRALE DE L'ANATOMIE ET DE LA PHYSIOLOGIE

1. Faites correspondre les termes de la colonne B aux descriptions de la colonne A. Inscrivez les lettres ou les termes appropriés sur les lignes prévues à cet effet.

Colonne A

Colonne B

_____ 1. Discipline scientifique qui étudie et décrit le rôle ou le fonctionnement des différentes parties du corps.

A. Anatomie

B. Homéostasie

_____ 2. Étude de la forme et de la structure des diverses parties du corps.

C. Métabolisme

D. Physiologie

_____ 3. Tendance des systèmes à maintenir un milieu interne relativement constant ou équilibré.

_____ 4. Terme qui décrit *toutes* les réactions chimiques se produisant dans l'organisme.

2. Dans la liste ci-dessous, entourez ce qui se rapporte à l'étude de la *physiologie*. Surlignez ce qui se rapporte à l'étude de l'*anatomie*.

A. Description de la forme d'un organe et mesure de sa taille et de son poids

B. Observation d'échantillons prélevés sur un cadavre

C. Étude des sujets vivants

D. Principes de la chimie

E. Mesure du contenu acide de l'estomac

F. Principes de la physique

G. Observation du cœur en mouvement

H. Nature dynamique de l'organisme

I. Dissection

J. Expérimentation

K. Observation

L. Termes relatifs à l'orientation

M. Image statique du corps

NIVEAUX D'ORGANISATION STRUCTURALE

3. On distingue plusieurs niveaux d'organisation du corps humain, qu'on a l'habitude d'ordonner en commençant par le plus simple pour finir par le plus complexe. Mettez en évidence cette hiérarchie en inscrivant les termes appropriés sur les lignes prévues à cet effet.

Niveau chimique ⟶ _____ ⟶ _____

⟶ _____ ⟶ _____ ⟶ Niveau de l'organisme

4. Entourez le terme qui n'a pas sa place dans chacun des groupes suivants:

1. Atome   Cellule   Tissu   Vivant   Organe

2. Cerveau   Estomac   Cœur   Foie   Tissu épithélial

3. Épithélium   Cœur   Tissu musculaire   Tissu nerveux   Tissu conjonctif

4. Humain   Système digestif   Cheval   Pin   Amibe

5. À l'aide des termes proposés, repérez les systèmes correspondant aux énoncés numérotés. Inscrivez les lettres ou les termes appropriés sur les lignes prévues à cet effet.

Termes proposés

A. Système cardiovasculaire

B. Système digestif

C. Système endocrinien

D. Système tégumentaire

E. Système lymphatique/immunitaire

F. Système musculaire

G. Système nerveux

H. Système génital

I. Système respiratoire

J. Système osseux (squelettique)

K. Système urinaire

_____ 1. Élimine de l'organisme les déchets azotés.

_____ 2. Est affecté par l'ablation de la glande thyroïde.

_____ 3. Protège les autres organes ; constitue la charpente sur laquelle
les muscles agissent.

_____ 4. Comprend, entre autres, le cœur.

_____ 5. Protège les autres organes contre le dessèchement et les lésions
mécaniques.

_____ 6. Protège l'organisme ; détruit les microorganismes pathogènes
et les cellules tumorales.

_____ 7. Décompose les aliments en nutriments absorbables.

_____ 8. Extrait le gaz carbonique du sang.

_____ 9. Achemine l'oxygène et les nutriments vers les tissus.

_____ 10. Fait bouger les membres ; permet l'expression faciale.

_____ 11. Conserve l'eau dans l'organisme ou en élimine l'excès.

_____ 12. Assure la reproduction et le développement du fœtus.

_____ 13. Régit les fonctions organiques par l'entremise de substances chimiques,
appelées hormones.

_____ 14. Subit des lésions en cas de coupure ou de brûlure grave.

6. En vous servant des termes proposés à l'exercice 5, trouvez les systèmes auxquels
appartiennent les groupes d'organes suivants. Inscrivez les lettres ou les termes
appropriés sur les lignes prévues à cet effet.

_____ 1. Vaisseaux sanguins, cœur.

_____ 2. Pancréas, hypophyse, glandes surrénales.

_____ 3. Reins, vessie, uretères.

_____ 4. Testicules, canal déférent, urètre.

_____ 5. Œsophage, gros intestin (côlon), rectum.

_____ 6. Sternum, colonne vertébrale, crâne.

_____ 7. Cerveau, nerfs, récepteurs sensoriels.

7. Les figures 1-1 à 1-6, des pages 4 à 6, représentent divers systèmes de l'organisme.
Commencez par repérer et par nommer chacun de ces systèmes, et inscrivez son
nom sous chacune des illustrations. À l'aide de couleurs différentes, coloriez les
organes nommés dans la légende ainsi que les cercles correspondants.

Légende

○ Vaisseaux sanguins
○ Cœur

○ Cavité nasale
○ Poumons
○ Trachée

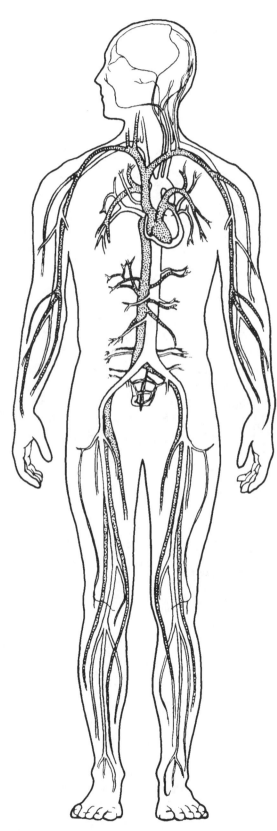

Figure 1-1

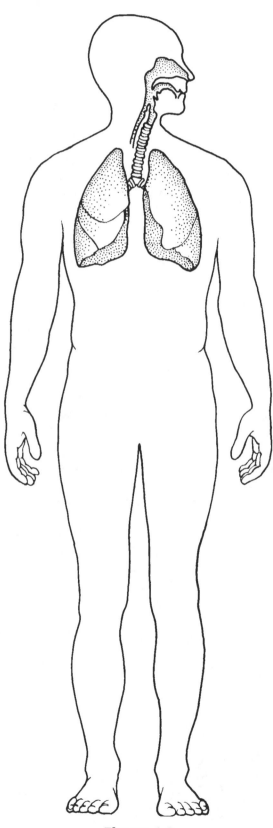

Figure 1-2

Légende

◯	Encéphale
◯	Moelle épinière
◯	Nerfs

◯	Reins
◯	Uretères
◯	Vessie

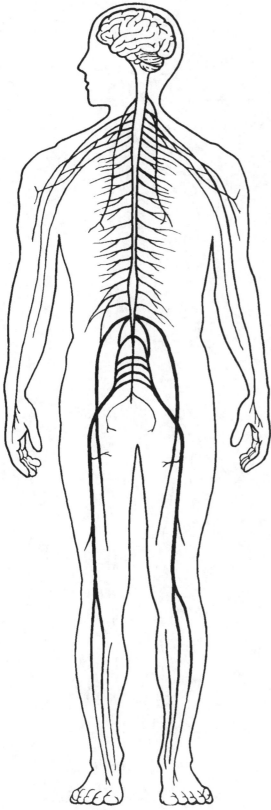

Figure 1-3

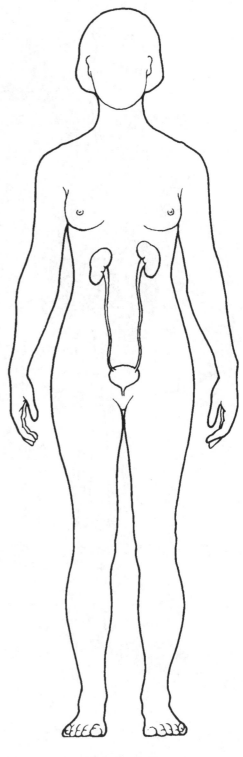

Figure 1-4

Légende

○ Estomac   ○ Œsophage
○ Intestins   ○ Cavité orale

○ Ovaires
○ Utérus

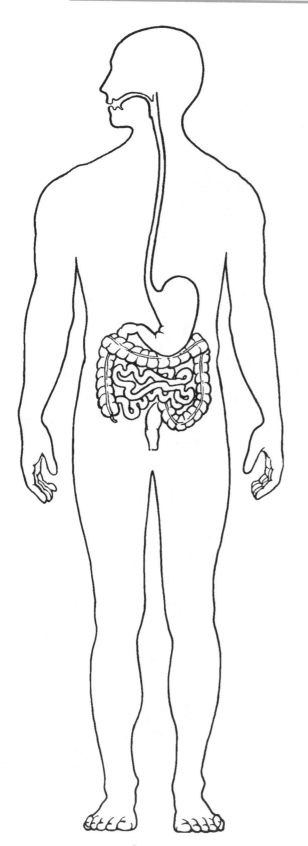

Figure 1-5

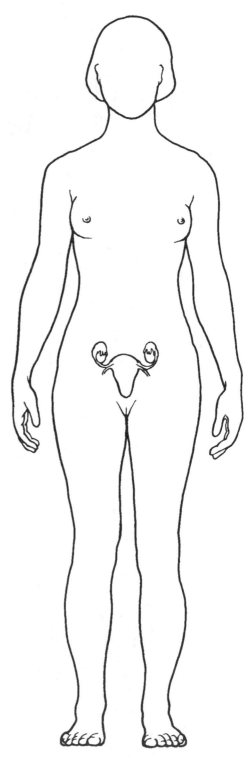

Figure 1-6

MAINTIEN DE LA VIE

8. Faites correspondre les termes ayant trait aux diverses fonctions de l'organisme, de la colonne B, avec les descriptions appropriées de la colonne A. Inscrivez sur les lignes prévues à cet effet les lettres ou les termes qui conviennent.

Colonne A

Colonne B

_____ 1. Sépare le milieu interne du milieu externe.

_____ 2. Fournit les nouvelles cellules nécessaires à la croissance et à la réparation.

_____ 3. A lieu lorsque les activités de synthèse cellulaire sont plus rapides que les activités de dégradation.

_____ 4. Décompose le sandwich au thon que vous venez de manger en ses éléments de base.

_____ 5. Favorise l'élimination du gaz carbonique par les poumons et celle des déchets azotés par les reins.

_____ 6. Permet de réagir aux stimuli; c'est l'un des principaux rôles du système nerveux.

_____ 7. Permet de marcher, de jouer à la balle, de faire du vélo.

_____ 8. Englobe toutes les réactions chimiques de l'organisme.

_____ 9. Est le rôle des membranes au niveau cellulaire et de la peau au niveau de l'organisme tout entier.

A. Digestion

B. Excrétion

C. Croissance

D. Maintien des limites

E. Métabolisme

F. Mouvement

G. Excitabilité

H. Reproduction

9. À l'aide des termes proposés, repérez les besoins vitaux qui correspondent aux descriptions numérotées. Inscrivez les lettres ou les termes appropriés sur les lignes prévues à cet effet.

Termes proposés

A. Température corporelle appropriée

B. Pression atmosphérique

C. Nutriments

D. Oxygène

E. Eau

_____ 1. Notamment, les glucides, les protéines, les lipides et les minéraux.

_____ 2. Condition nécessaire au fonctionnement normal du système respiratoire et à la respiration.

_____ 3. Substance qui compte pour plus de 60 % de la masse corporelle.

_____ 4. Substance nécessaire aux réactions qui permettent de tirer de l'énergie des nutriments.

_____ 5. Substance de base des liquides corporels de quelque type que ce soit.

_____ 6. Facteur qui, s'il est trop élevé ou trop bas, fait cesser les activités physiologiques, parce que les molécules ne sont plus en mesure d'accomplir leurs fonctions.

HOMÉOSTASIE

10. Les phrases qui suivent portent sur les mécanismes de régulation de l'homéostasie. Complétez-les en inscrivant vos réponses sur les lignes prévues à cet effet.

_____ 1.

_____ 2.

_____ 3.

_____ 4.

_____ 5.

_____ 6.

_____ 7.

_____ 8.

_____ 9.

Tous les mécanismes de régulation de l'homéostasie comprennent trois éléments essentiels : un centre de régulation, un récepteur et un effecteur. Le ___(1)___ capte les modifications de l'environnement et, en réaction, achemine l'information (entrée) au ___(2)___ le long de la voie ___(3)___. Le ___(4)___ analyse cette information, établit la réponse appropriée et active l'___(5)___, en acheminant l'information le long de la voie ___(6)___. Si la réaction réduit le stimulus initial, on parle de mécanisme de ___(7)___. Si la réaction amplifie le stimulus initial, on parle de mécanisme de ___(8)___. Les mécanismes de ___(9)___ sont beaucoup plus nombreux.

VOCABULAIRE DE L'ANATOMIE

11. Complétez les phrases suivantes en inscrivant les termes appropriés sur les lignes prévues à cet effet.

_____ 1.

_____ 2.

_____ 3.

Les cavités abdomino-pelvienne et thoracique sont des subdivisions de la cavité ___(1)___ ; les cavités crânienne et vertébrale forment la cavité ___(2)___. La cavité ___(3)___ est entourée d'os et protège adéquatement les structures qu'elle contient.

12. Entourez le terme qui n'a pas sa place dans chacun des groupes suivants :

1. Transversale   Distale   Frontale   Sagittale

2. Lombaire   Thoracique   Antérieure du coude   Abdominale

3. Postérieure de la jambe (mollet)   Brachiale   Fémorale   Postérieure du genou

4. Épigastrique   Hypogastrique   Iliaque droite   Quadrant supérieur gauche

13. À l'aide de deux couleurs différentes, coloriez les cavités postérieure et antérieure de la figure 1-7A et les cercles correspondants dans la légende. Complétez la figure en nommant les subdivisions des cavités indiquées par les lignes de repère.
À la figure 1-7B, inscrivez le nom de chaque région abdominale indiquée par une ligne de repère.

Légende

◯ Cavité postérieure
◯ Cavité antérieure

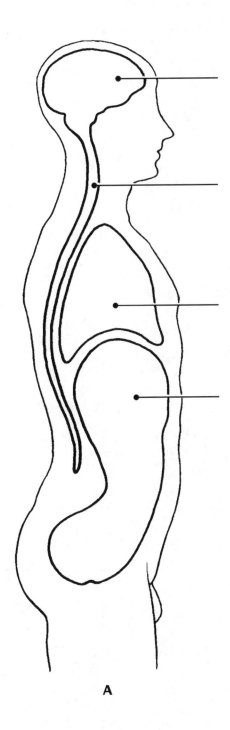

A

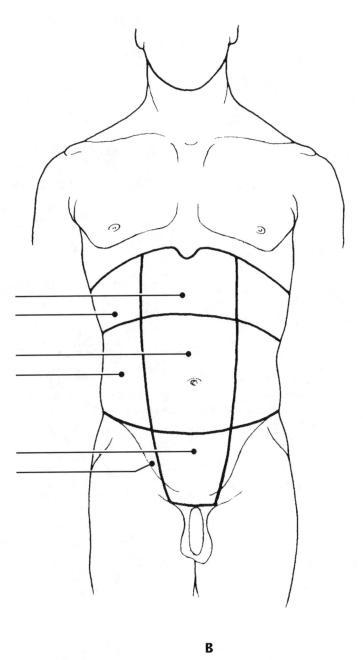

B

Figure 1-5

14. Les termes proposés définissent des parties ou des régions du corps. Inscrivez les lettres ou les termes appropriés sur les lignes prévues à cet effet.

Termes proposés

A. Abdominale

B. Antérieure du coude

C. Axillaire

D. Brachiale

E. Buccale

F. Cervicale

G. Antérieure de la cuisse

H. Glutéale

I. Inguinale

J. Lombaire

K. Occipitale

L. Postérieure du genou

M. Pubienne

N. Scapulaire

O. Postérieure de la jambe (mollet)

P. Ombilicale

Q. Postérieure de la cuisse (fémorale)

_____ 1. Région des aisselles

_____ 2. Deux régions des cuisses

_____ 3. Région des fesses

_____ 4. Région du cou

_____ 5. Région du nombril

_____ 6. Région des organes génitaux

_____ 7. Pli du coude

_____ 8. Région postérieure de la tête

_____ 9. Région où le tronc rejoint les cuisses

_____ 10. Région dorsale, située entre les côtes et les cuisses

_____ 11. Région ayant trait à la joue

15. À l'aide des termes proposés à l'exercice 14, nommez toutes les régions du corps indiquées par des lignes de repère dans la figure 1-8. Nommez aussi les plans A et B de la figure.

Plan A : _____

Plan B : _____

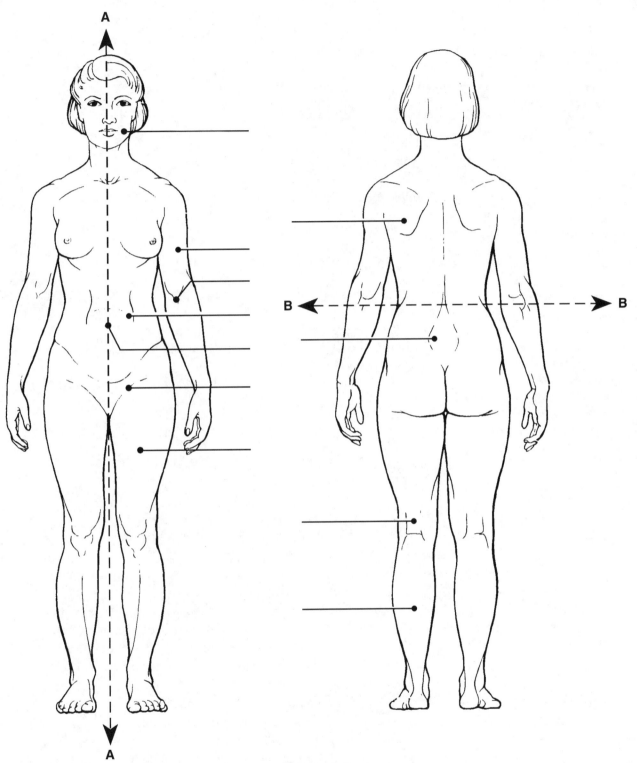

Figure 1-8

16. Parmi les termes proposés, trouvez les cavités où devraient être pratiquées les interventions chirurgicales énumérées. Inscrivez les lettres ou les termes appropriés sur les lignes prévues à cet effet. Soyez précis : trouvez aussi le nom de la subdivision de la cavité, le cas échéant.

Termes proposés

A. Abdominale   B. Crânienne   C. Postérieure   D. Pelvienne

E. Vertébrale   F. Thoracique   G. Antérieure

_____ 1. Ablation de l'utérus.

_____ 2. Pontage coronarien (chirurgie cardiaque).

_____ 3. Ablation d'une grosse tumeur crânienne.

_____ 4. Appendicectomie (ablation de l'appendice).

_____ 5. Intervention en cas d'ulcère gastrique.

17. Complétez les phrases à l'aide des termes proposés. Inscrivez les lettres ou les termes appropriés sur les lignes prévues à cet effet (accordez en genre et en nombre, si besoin est).

Termes proposés

A. Antérieur   D. Inférieur   G. Postérieur   J. Supérieur

B. Distal   E. Latéral   H. Proximal   K. Transverse (transversal)

C. Frontal   F. Médial   I. Sagittal

_____ 1.

_____ 2.

_____ 3.

_____ 4.

_____ 5.

_____ 6.

_____ 7.

_____ 8.

_____ 9.

_____ 10.

_____ 11.

En position anatomique, le visage et les paumes de la main se trouvent sur la face ___(1)___ du corps, les fesses et les omoplates sont situés sur la face ___(2)___ ; le sommet du crâne est la partie la plus élevée du corps ; il se situe donc dans sa partie ___(3)___ . Les oreilles se trouvent au-dessus des épaules : elles sont donc ___(4)___ par rapport à celles-ci. Étant au même niveau que le nez, elles sont situées sur un plan ___(5)___ par rapport à celui-ci. Le cœur se trouve en avant de la colonne vertébrale ; il est donc ___(6)___ par rapport à elle. Il est par ailleurs ___(7)___ par rapport aux poumons. Le coude est ___(8)___ par rapport aux doigts, mais il est ___(9)___ par rapport à l'épaule. Chez l'humain, le terme dorsal et ___(10)___ sont synonymes, mais non chez les quadrupèdes. Chez ces derniers, la face dorsale correspond à la face ___(11)___ .

_____ 12.

_____ 13.

_____ 14.

_____ 15.

Si on coupe le cœur en deux parties, gauche et droite, on dit que cette coupe est ___(12)___, mais si on le coupe de façon à obtenir une partie antérieure et une partie postérieure, cette coupe est ___(13)___ . On vous demande de disséquer un animal sur deux plans, de façon à pouvoir observer les deux reins dans les deux coupes. Ces deux coupes seront la coupe ___(14)___ et la coupe ___(15)___ .

18. À l'aide des termes proposés, nommez les cavités qui enferment les organes énumérés. Inscrivez les lettres ou les termes appropriés sur les lignes prévues à cet effet.

Termes proposés

A. Cavité abdomino-pelvienne

B. Cavité crânienne

C. Cavité vertébrale (canal vertébral)

D. Cavité thoracique

_____ 1. Estomac

_____ 2. Intestin grêle

_____ 3. Gros intestin (côlon)

_____ 4. Rate

_____ 5. Foie

_____ 6. Moelle épinière

_____ 7. Vessie

_____ 8. Trachée

_____ 9. Poumons

_____ 10. Hypophyse

_____ 11. Rectum

_____ 12. Ovaires

19. En utilisant la liste qui figure à l'exercice 18, inscrivez sur les lignes prévues à cet effet les numéros des organes qui se trouvent dans chacune des régions abdominales ci-dessous. Certains organes peuvent se trouver dans deux cavités à la fois.

_____ 1. Région pubienne

_____ 2. Région latérale droite

_____ 3. Région ombilicale

_____ 4. Région épigastrique

_____ 5. Région inguinale gauche

20. Un joggeur a mis le pied dans un trou et s'est fait une entorse. Quels sont les systèmes qui ont subi une lésion?

21. Un nouveau-né est incapable d'avaler le lait qu'on lui donne. L'examen médical révèle qu'en raison d'une anomalie du développement, son œsophage ne pénètre pas dans l'estomac. Quels sont les premiers besoins vitaux qui ne peuvent être comblés?

22. Lors d'un voyage en voiture, la famille Dugas a un accident mineur. Bien que les enfants, assis en arrière, aient été attachés à la taille, ils ont eu des hématomes dans la région abdominale et certains organes internes ont été lésés. Pourquoi cette région est-elle plus vulnérable que les autres?

23. Paul, hospitalisé à l'Hôpital du Sacré-Cœur, est en très mauvais état. Il a une hernie dans la région inguinale, a mal dans la région lombaire à cause d'une infection rénale et présente des ecchymoses étendues dans la région pubienne. Expliquez où se trouve chacune de ces régions.

24. La thyroxine est libérée en réponse à une hormone hypophysaire appelée TSH. Lorsque les concentrations sanguines de thyroxine s'élèvent, elles mettent en branle un mécanisme de retro-inhibition qui régit la libération de TSH par l'hypophyse. Quel en serait l'effet sur la libération de la TSH?

Notions de chimie

Tout ce qui forme l'univers est composé de un ou de plusieurs éléments, qui sont les unités de base de la matière. Bien qu'il existe plus de 100 substances élémentaires, quatre d'entre elles seulement (carbone, hydrogène, oxygène et azote) forment plus de 96 % de la matière vivante.

Le présent chapitre passe en revue certaines notions de base de chimie inorganique et organique. La chimie est la science qui étudie la composition de la matière. La chimie inorganique étudie la composition de la matière inanimée, laquelle (généralement) est dépourvue de carbone. La chimie organique, quant à elle, a pour objet les composés du carbone. Elle comprend, entre autres, la biochimie, c'est-à-dire la chimie des molécules à base de carbone qui forment la matière vivante, qu'il s'agisse d'érables, de poissons ou d'êtres humains.

Les exercices qui suivent vous permettront de vérifier de diverses manières vos connaissances sur la structure de l'atome, les liaisons chimiques, et la structure et les activités des molécules biologiques les plus abondantes (protéines, lipides, glucides et acides nucléiques). Pour comprendre les fonctions de l'organisme, vous devez bien intégrer ces notions.

CONCEPTS DE MATIÈRE ET D'ÉNERGIE

1. Complétez les phrases à l'aide des énoncés proposés. Relevez *tous* les énoncés qui s'appliquent et inscrivez les lettres correspondantes sur les lignes prévues à cet effet.

   _____ 1. L'énergie emmagasinée dans les liaisons des molécules
   d'un aliment :
   A. porte le nom d'énergie thermale.
   B. est une forme d'énergie potentielle.
   C. active les molécules et les met en mouvement.
   D. peut être transférée aux liaisons de l'ATP.

   _____ 2. La chaleur, c'est :
   A. de l'énergie thermique.
   B. un rayonnement infrarouge.
   C. de l'énergie cinétique.
   D. ce qui accompagne le mouvement des molécules.

   _____ 3. Chaque fois que l'énergie est transformée :
   A. la quantité d'énergie utilisable diminue.
   B. une partie de l'énergie se transforme en chaleur (devient inutilisable).
   C. une certaine quantité d'énergie se crée.
   D. une certaine quantité d'énergie est détruite.

2. Parmi les termes proposés, trouvez celui qui correspond à la *forme* d'énergie utilisée dans les exemples suivants :

Termes proposés

A. chimique   B. électrique   C. mécanique   D. de rayonnement

_____ 1. Mastiquer la nourriture.

_____ 2. Voir (deux formes, réfléchissez bien !).

_____ 3. Fermer la main pour serrer le poing.

_____ 4. Rompre les liaisons des molécules d'ATP afin de libérer l'énergie nécessaire à vos muscles pour serrer le poing.

_____ 5. Bronzer sous une lampe solaire.

COMPOSITION DE LA MATIÈRE

3. Complétez le tableau en y inscrivant les données manquantes.

Particule	Position	Charge	Masse (u)
		+1	
Neutron			
	Couche électronique ou orbitale		

4. Inscrivez sur la ligne prévue à cet effet le *symbole chimique* (nomenclature abrégée) de chacun des éléments suivants :

_____ 1. Oxygène   _____ 4. Iode   _____ 7. Calcium   _____ 10. Magnésium

_____ 2. Carbone   _____ 5. Hydrogène   _____ 8. Sodium   _____ 11. Chlore

_____ 3. Potassium   _____ 6. Azote   _____ 9. Phosphore   _____ 12. Fer

5. Parmi les termes proposés, trouvez ceux qui correspondent aux descriptions précédées d'un numéro, et inscrivez la bonne réponse sur la ligne prévue à cet effet.

Termes proposés

A. Atome   C. Élément   E. Ion   G. Molécule   I. Proton

B. Électron   D. Énergie   F. Matière   H. Neutron   J. Couche de valence

_____ 1. Un atome ou un groupe d'atomes ayant une charge électrique.

_____ 2. Tout ce qui occupe un volume et possède une masse (poids).

_____   3. Substance de nature homogène, composée d'atomes ayant le même numéro atomique.

_____   4. Particule ayant une charge négative; un des constituants de l'atome.

_____   5. Particule subatomique, qui détermine la capacité de liaison de l'atome.

_____   6. Capacité d'exécuter un travail.

_____   7. Particule qui constitue l'unité de base d'un élément et qui en possède toutes les propriétés.

_____   8. La plus petite particule d'un composé, formée d'atomes unis par des liaisons chimiques.

_____   9. Particule ayant une charge positive; un des constituants de l'atome.

_____   10. Nom donné à la couche électronique la plus externe, qui renferme les électrons les plus réactifs.

_____   11. _____   12. Particules subatomiques qui déterminent presque toute la masse de l'atome.

6. Pour chacun des énoncés ci-dessous qui est vrai, inscrivez _V_ sur la ligne prévue à cet effet. Pour les énoncés qui sont faux, corrigez le terme souligné, en inscrivant le bon terme sur la ligne prévue à cet effet.

_____   1. Les ions Na^+ et K^+ sont nécessaires aux cellules nerveuses, car ils leur permettent d'acheminer les impulsions électriques.

_____   2. Le numéro atomique de l'oxygène est 8. Par conséquent, les atomes d'oxygène contiennent toujours 8 neutrons.

_____   3. Plus l'électron est éloigné du noyau, moins son énergie est grande.

_____   4. Les électrons sont situés autour du noyau, dans des régions plus ou moins circonscrites, appelées couches électroniques ou orbitales.

_____   5. Un atome instable qui se désintègre et émet de l'énergie est appelé rétroactif.

_____   6. Le fer est nécessaire au transport de l'oxygène par les globules rouges.

_____   7. L'ion négatif le plus abondant dans le liquide extracellulaire est le calcium.

_____   8. L'élément essentiel à la production des hormones thyroïdiennes est le magnésium.

_____   9. On trouve le calcium sous forme de sel dans les os et dans les dents.

MOLÉCULES, LIAISONS CHIMIQUES ET RÉACTIONS CHIMIQUES

7. Faites correspondre les termes de la colonne B aux équations chimiques de la colonne A. Inscrivez les lettres ou les termes appropriés sur les lignes prévues à cet effet.

	Colonne A	**Colonne B**
_____	1. A + B ⟶ AB	A. Dégradation
_____	2. AB + CD ⟶ AD + CB	B. Échange
_____	3. XY ⟶ X + Y	C. Synthèse

8. La figure 2-1 représente un atome. À l'aide de couleurs différentes, coloriez sur l'illustration les structures nommées dans la légende ainsi que les cercles correspondants, puis répondez aux questions qui suivent, en vous référant à la figure. Inscrivez vos réponses sur les lignes prévues à cet effet.

Légende

○ Noyau
○ Électrons

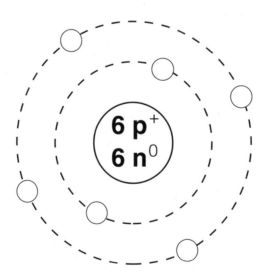

Figure 2-1

1. Quel est le numéro atomique de cet atome? _____

2. Quelle est sa masse atomique? _____

3. De quel atome s'agit-il? _____

4. S'il était doté d'un neutron de plus, mais que ses autres particules subatomiques restaient les mêmes, cet atome légèrement différent (du même élément) serait un _____

5. Cet atome est-il chimiquement actif ou inerte? _____

6. De combien d'électrons aurait-on besoin pour remplir sa couche extérieure (de valence)?

   _____

7. Cet atome aura-t-il tendance à former des liaisons ioniques ou des liaisons covalentes?
   _____Pourquoi? _____

   _____

9. H_2O_2 et $2OH^-$ sont des espèces chimiques qui combinent deux atomes d'hydrogène
   et deux atomes d'oxygène. Expliquez brièvement en quoi ces deux espèces sont
   différentes.

   _____

   _____

10. La figure 2-2 illustre deux types de liaisons chimiques. Indiquez quelle est la liaison
   ionique et quelle est la liaison *covalente*. Dans le cas de la liaison ionique, montrez
   l'atome qui a perdu un électron à l'aide d'une flèche de couleur qui pointe vers
   l'électron transféré. Dans le cas de la liaison covalente, indiquez quels sont les
   électrons partagés.

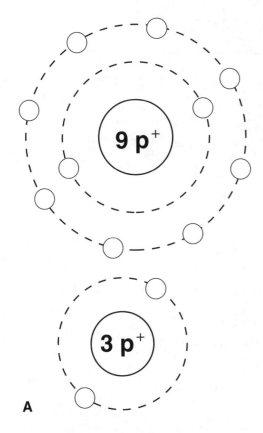

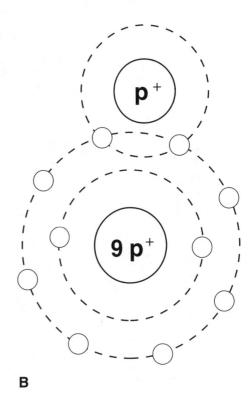

A

B

Type de liaison : _____   **Type de liaison :** _____

Figure 2-2

11. La figure 2-3 illustre cinq molécules d'eau reliées par des liaisons hydrogène. À l'aide de couleurs différentes, coloriez sur l'illustration les structures nommées dans la légende et les cercles correspondants. (Vous pouvez aussi indiquer les structures par des flèches). Inscrivez le symbole atomique des atomes d'oxygène et de ceux d'hydrogène dans les cercles et les ovales de la figure.

Légende

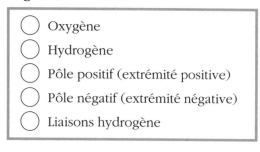

Oxygène
Hydrogène
Pôle positif (extrémité positive)
Pôle négatif (extrémité négative)
Liaisons hydrogène

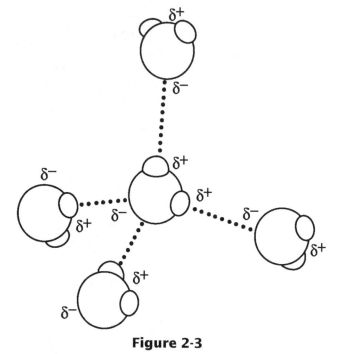

Figure 2-3

12. Entourez chaque formule développée qui *pourrait être* un composé polaire (covalent).

A $\begin{array}{c} Cl \\ | \\ Cl - C - Cl \\ | \\ Cl \end{array}$
B $H - Cl$
C $\begin{array}{c} H \qquad H \\ \diagdown \diagup \\ N \\ | \\ H \end{array}$
D $Cl - Cl$
E $\begin{array}{c} H \\ \diagup \\ O \\ \diagdown \\ H \end{array}$

13. Suivez les consignes indiquées à la suite de l'équation :

$$H_2CO_3 \longrightarrow H^+ + HCO_3^-$$

1. Sur la ligne suivante, inscrivez la (ou les) formule(s) chimique(s) du (ou des) composé(s).

_____

2. Sur la ligne suivante, inscrivez la (ou les) formule(s) chimique(s) des ions.

_____

3. Entourez le(s) produit(s) de la réaction.

4. Modifiez l'équation en ajoutant une flèche de couleur à l'endroit approprié pour indiquer que la réaction est réversible.

BIOCHIMIE : COMPOSITION CHIMIQUE DE LA MATIÈRE VIVANTE

14. Associez les termes proposés aux définitions qui leur correspondent.

Termes proposés

A. Acide   B. Base   C. Tampon   D. Sel

_____ 1. _____ 2. _____ 3. Substances qui s'ionisent dans l'eau ; bons électrolytes.

_____ 4. Accepteur de protons (H^+).

_____ 5. Substance qui libère dans l'eau des ions hydrogène et un ion négatif qui n'est pas un ion hydroxyde (OH^-).

_____ 6. Substance qui libère dans l'eau des ions autres que H^+ et OH^-.

_____ 7. Substance qui se forme lorsqu'un acide et une base se combinent.

_____ 8. Substance telle que le jus de citron et le vinaigre.

_____ 9. Substance qui prévient des changements rapides ou importants dans le pH.

15. Complétez les énoncés suivants concernant les propriétés et le rôle biologique de l'eau.

_____ 1.

_____ 2.

_____ 3.

_____ 4.

_____ 5.

_____ 6.

_____ 7.

_____ 8.

La capacité de l'eau de maintenir une température relativement constante et de prévenir ainsi des changements brusques lui est conférée par sa grande ___(1)___. Les réactions biochimiques qui ont lieu dans l'organisme doivent se produire dans ___(2)___. Environ ___(3)___ % du volume d'une cellule vivante sont composés d'eau. Les molécules d'eau se lient à d'autres molécules d'eau en raison de la présence de liaisons ___(4)___. L'eau, composée d'ions H^+ et OH^-, est essentielle à des réactions chimiques comme ___(5)___ et ___(6)___. En raison de sa ___(7)___, l'eau est un excellent solvant et se trouve à la base du mucus et d'autres ___(8)___ de l'organisme.

16. À l'aide des termes proposés, caractérisez les acides forts et les acides faibles.

Termes proposés

A. S'ionisent complètement dans l'eau.

B. S'ionisent partiellement dans l'eau.

C. Sont des composantes des systèmes tampons.

D. Dans l'eau, ils changent toujours le pH.

E. S'ionisent lorsque le pH est élevé.

F. S'ionisent lorsque le pH est bas.

G. S'ionisent à un pH de 7.

Acides faibles :_____

Acides forts :_____

17. Marquez d'un *X* les composés organiques :

_____ Gaz carbonique _____ Lipides _____ Protéines _____ H_2O

_____ Oxygène _____ KCl _____ Glucose _____ ADN

18. Faites correspondre les termes de la colonne B avec les énoncés de la colonne A.
Inscrivez les lettres ou les termes appropriés sur les lignes prévues à cet effet.
(Dans certains cas, plusieurs termes peuvent s'appliquer.)

Colonne A

_____ 1. Unité de base des glucides.

_____ 2. Unités de base (ou éléments constitutifs) des lipides.

_____ 3. Unité de base des protéines.

_____ 4. Unité de base des acides nucléiques.

_____ 5. Principal constituant du cytoplasme.

_____ 6. Source principale d'énergie des cellules.

_____ 7. Substance insoluble dans l'eau.

_____ 8. Substance qui contient des atomes de C, H et O dans un rapport : CH_2O.

_____ 9. Substance qui contient des atomes de C, H et O, mais la quantité d'oxygène est relativement faible.

_____ 10. _____ 11. Unités de base qui renferment des atomes de N, en plus de ceux de C, H et O.

_____ 12. Unités de base qui contiennent des atomes de P, en plus de ceux de C, H, O et N.

_____ 13. Substance qui sert d'isolant et se trouve dans toutes les membranes cellulaires.

_____ 14. Principale composante de la viande et du fromage.

_____ 15. Principale composante du pain et des sucettes.

_____ 16. Principale composante du jaune d'œuf et de l'huile d'arachide.

_____ 17. Le collagène et l'hémoglobine en sont des exemples.

_____ 18. Type de substance qui comprend, entre autres, le cholestérol.

Colonne B

A. Acide aminé

B. Glucide

C. Lipide (graisse)

D. Acide gras

E. Glycérol

F. Nucléotide

G. Monosaccharide

H. Protéine

19. Parmi les termes proposés, trouvez *tous* ceux qui correspondent aux descriptions numérotées. Inscrivez les lettres ou les termes appropriés sur les lignes prévues à cet effet.

Termes proposés

A. Cholestérol   D. Enzyme   G. Hormones   J. Maltose

B. Collagène   E. Glycogène   H. Kératine   K. ARN

C. ADN   F. Hémoglobine   I. Lactose   L. Amidon

_____ 1. Protéine fibreuse (structurale).

_____ 2. Protéine globulaire (fonctionnelle).

_____ 3. Catalyseur biologique.

_____ 4. Glucide emmagasiné dans les plantes.

_____ 5. Glucide emmagasiné dans les organismes animaux.

_____ 6. Support matériel des gènes.

_____ 7. Stéroïde.

_____ 8. Disaccharide (sucre double).

20. La figure 2-4 illustre cinq modèles simplifiés de molécules biologiques. Commencez par les nommer et inscrivez les réponses correctes sur les lignes prévues à cet effet. À l'aide de couleurs différentes, coloriez sur l'illustration les structures nommées dans la légende ainsi que les cercles correspondants.

Légende

◯ Lipide   ◯ Nucléotide   ◯ Monosaccharide

◯ Protéine fonctionnelle   ◯ Polysaccharide

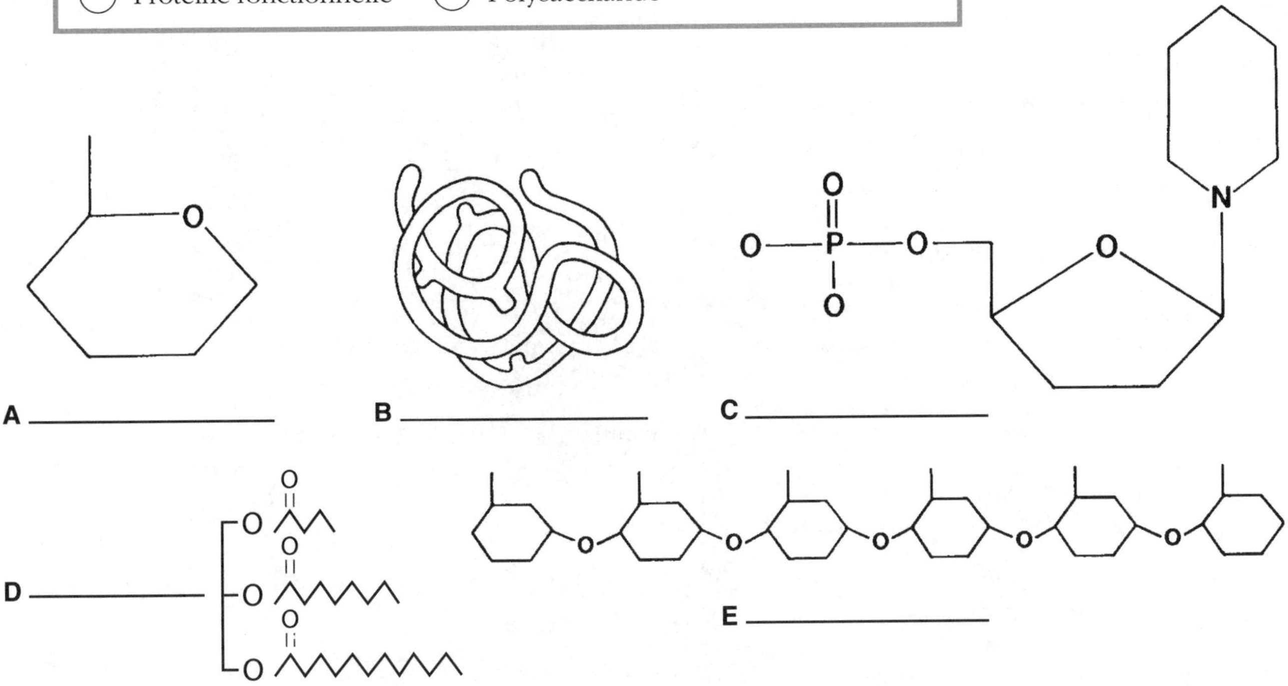

A _____   B _____   C _____

D _____   E _____

Figure 2-4

21. Entourez le terme qui n'a pas sa place dans chacun des groupes suivants:

1. Adénine   Guanine   Glucose   Thymine

2. ADN   Ribose   Phosphate   Désoxyribose

3. Galactose   Glycogène   Fructose   Glucose

4. Acide aminé   Polypeptide   Glycérol   Protéine

5. Glucose   Sucrose   Lactose   Maltose

22. Pour chacun des énoncés ci-dessous qui est vrai, inscrivez *V* sur la ligne prévue
à cet effet. Pour les énoncés qui sont faux, corrigez le terme souligné, en inscrivant
le bon terme sur la ligne prévue à cet effet.

_____ 1. Les phospholipides sont des molécules polarisées.

_____ 2. Les stéroïdes constituent la principale forme sous laquelle les lipides
sont emmagasinés dans l'organisme.

_____ 3. L'eau est le composé le plus abondant de l'organisme.

_____ 4. Les molécules non polaires sont généralement solubles dans l'eau.

_____ 5. A, G, C et U sont les bases de l'ARN.

_____ 6. La forme d'énergie utilisable par toutes les cellules vivantes est l'ARN.

_____ 7. L'ARN est constitué d'un seul brin.

_____ 8. Les quatre éléments qui forment 90 % de la matière vivante sont le C,
le H, le N et le Na.

23. La figure 2-5 montre la structure moléculaire de l'ADN, qui est un acide nucléique.

A. Écrivez le nom de deux bases azotées manquantes dans la légende et leur symbole.

Légende

◯ Désoxyribose (d-R)   ◯ Adénine (A)   ◯ _____ ( )
◯ Phosphate (P)   ◯ Cytosine (C)   ◯ _____ ( )

B. Complétez l'illustration, en inscrivant les symboles des bases dans les espaces
situés à droite.

C. À l'aide de couleurs différentes, coloriez sur l'illustration les substances nommées
dans la légende et les cercles correspondants.

D. Indiquez par des lignes de repère où se trouvent la molécule de désoxyribose (d-R)
et le groupement phosphate (P) d'un des nucléotides de la chaîne d'ADN.

E. Entourez le nucléotide identifié en D.

Répondez ensuite aux questions qui suivent la figure; inscrivez vos réponses sur les lignes
prévues à cet effet.

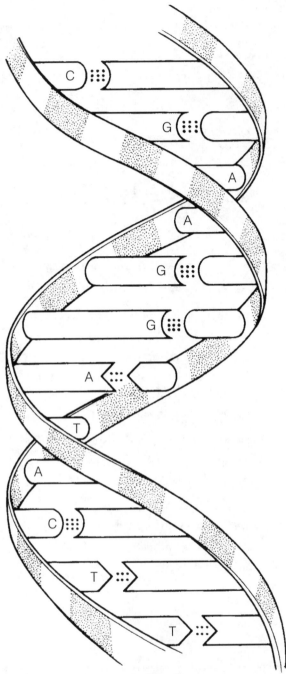

Figure 2-5

1. Quelles sont les liaisons qui aident à retenir ensemble les deux brins d'ADN?

_____

2. Quelle est la forme tridimensionnelle de la molécule d'ADN? _____

3. Combien de paires de bases trouve-t-on dans ce segment d'ADN? _____

4. Quel mot emploie-t-on pour qualifier chacune des bases qui forment une paire?

_____

24. La réaction biochimique illustrée à la figure 2-6 représente la digestion complète d'un polymère (grosse molécule comme celles qui entrent dans la composition des aliments) et sa dégradation en monomères ou unités de base. À l'aide de couleurs différentes, coloriez sur l'illustration le monomère et le polymère ainsi que les cercles correspondants dans la légende. Ensuite, inscrivez la réponse correcte pour chaque énoncé sur la ligne prévue à cet effet.

Légende

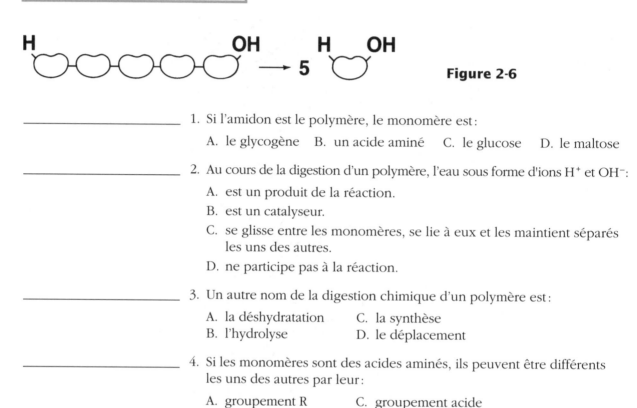

Figure 2-6

_____ 1. Si l'amidon est le polymère, le monomère est :

  A. le glycogène   B. un acide aminé   C. le glucose   D. le maltose

_____ 2. Au cours de la digestion d'un polymère, l'eau sous forme d'ions H^+ et OH^- :

  A. est un produit de la réaction.

  B. est un catalyseur.

  C. se glisse entre les monomères, se lie à eux et les maintient séparés les uns des autres.

  D. ne participe pas à la réaction.

_____ 3. Un autre nom de la digestion chimique d'un polymère est :

  A. la déshydratation   C. la synthèse
  B. l'hydrolyse   D. le déplacement

_____ 4. Si les monomères sont des acides aminés, ils peuvent être différents les uns des autres par leur :

  A. groupement R   C. groupement acide
  B. groupement amine   D. liaison peptidique

UN VOYAGE EXTRAORDINAIRE

Exercice de visualisation pour tester vos connaissances en biochimie

… soudainement, vous faites une culbute et êtes emporté à une vitesse incroyable au milieu d'une mer de molécules d'eau…

25. Complétez le récit en inscrivant les mots qui manquent sur les lignes prévues à cet effet.

Pour vous permettre de faire ce voyage, des collègues qui veulent rester en contact avec vous par radio vous ont miniaturisé. Vous êtes maintenant aussi petit qu'une molécule d'eau, dont vous allez assumer les fonctions. Pendant que vous jouez votre rôle, vous allez prendre en note toutes les

_____ 1.

_____ 2.

_____ 3.

_____ 4.

_____ 5.

_____ 6.

_____ 7.

_____ 8.

_____ 9.

_____ 10.

_____ 11.

_____ 12.

_____ 13.

_____ 14.

_____ 15.

réactions auxquelles vous êtes appelé à participer. Vous êtes habillé d'une combinaison isothermique en caoutchouc, mais puisque la molécule d'eau est une molécule polaire, vous portez une charge ___(1)___, en haut de votre casque, et deux charges ___(2)___, une à chaque pied.

Dès que vous êtes injecté dans le sang de votre hôte, vous avez l'impression que vous êtes écartelé. Des forces d'attraction de grande puissance, venant de directions opposées, tirent sur vos jambes. Vous regardez autour de vous, mais ne voyez que des molécules d'eau. Après un moment de réflexion, vous vous rappelez que votre combinaison est faite d'un matériau polaire et que ces forces sont probablement des ___(3)___ qui se forment et se brisent facilement dans l'eau.

Après cette surprise initiale, voilà que soudainement vous faites une culbute et êtes emporté à une vitesse incroyable au milieu d'une mer de molécules d'eau. Vous venez à peine d'observer quelques structures volumineuses (probablement des ___(4)___) qui captent des molécules d'O_2, quand vous êtes propulsé dans un milieu très turbulent. Vos collègues vous transmettent par radio que vous vous trouvez dans l'intestin grêle. Avec beaucoup de difficulté, car vous entrez souvent en collision avec d'autres molécules, vous commencez à prendre en note les divers types de molécules qui vous entourent.

Vous notez en particulier une très grosse molécule hélicoïdale, composée d'unités qui se distinguent les unes des autres par leurs groupements R. Vous la reconnaissez et notez qu'il s'agit d'une ___(5)___, constituée d'unités appelées ___(6)___, qui sont réunies par des liaisons ___(7)___. Comme vous vous approchez trop de l'hélice, pour mieux l'observer, vous êtes presque coupé en deux ions, ___(8)___, mais vous poussez un «ouf» de soulagement, en voyant que deux ions d'une autre molécule d'eau prennent votre place. Vous observez ces ions qui s'introduisent entre deux unités de la longue molécule hélicoïdale. Ensuite, en une fraction de seconde, la liaison qui réunit ces deux unités se brise. Pendant que vous notez cette réaction chimique, qui porte le nom d'___(9)___, vous êtes poussé dans une autre direction par une énorme protéine globulaire. Il s'agit sans doute, pensez-vous, de l'___(10)___ qui régit et accélère la réaction chimique que vous venez d'observer.

Une fois de plus, vous êtes emporté par le sang et vous vous dirigez vers un organe, qui selon vos collègues, est le foie. À l'intérieur d'une cellule hépatique, vous découvrez de très petits monomères constitués uniquement d'atomes de C, H et O. Vous reconnaissez qu'il s'agit de molécules de ___(11)___, puisque les cellules hépatiques les lient les unes aux autres pour former un très long polymère, ayant plusieurs branches, qui porte le nom de ___(12)___. Vous vous rappelez que ce type de réaction chimique porte le nom de ___(13)___, et c'est avec joie que vous constatez qu'elle produit aussi des molécules de ___(14)___ qui vous ressemblent.

Vous continuez votre expédition accélérée dans le sang et arrivez à la peau. Vous y pénétrez en profondeur et parvenez jusqu'à une glande sudoripare où vous entrez en collision avec des millions de molécules d'eau et quelques molécules de sel ionisées qui sont constamment attirées vers vos charges positives et négatives. Brusquement, la température interne s'élève, et les collisions moléculaires ___(15)___ à un rythme effarant, vous propulsant par le pore de la glande sudoripare vers la surface de la peau. Pour ne pas périr par évaporation, vous appelez vos collègues qui viennent rapidement vous sauver.

RÉFLEXION ET APPLICATION

26. On détermine qu'une personne souffre d'acidose. Qu'est-ce que cela veut dire? Traiteriez-vous ce trouble à l'aide d'une substance chimique qui *élève* ou qui *abaisse* le pH?

27. On pose chez un nouveau-né un diagnostic de drépanocytose. L'hémoglobine de la personne atteinte de cette maladie génétique a une forme anormale en raison de la substitution d'un acide aminé. Expliquez aux parents comment cette substitution peut avoir des effets si terribles sur la structure de la protéine.

28. La température de Pierrot monte en flèche. Lorsqu'elle atteint les 40 °C, sa mère appelle le pédiatre. Il lui recommande de donner à Pierrot de l'ibuprofène ou de l'acétaminophène pour enfants et de l'éponger avec de l'eau à peine tiède pour que sa température arrête de monter. En quoi la fièvre (température corporelle excessivement élevée) peut-elle être nuisible?

29. Le médecin de Mme Gilbert pense qu'elle manifeste les premiers signes d'une sclérose en plaques, maladie caractérisée par la formation de plaques rigides dans les gaines protectrices qui entourent les fibres nerveuses. Quelle technique d'imagerie médicale devrait recommander le médecin pour vérifier si ces plaques sont effectivement présentes?

30. Stanley souffre d'indigestion et il a mal à l'estomac. Comment un antiacide peut-il soulager cette douleur?

3

Les cellules et les tissus

L'unité fondamentale structurale et fonctionnelle de l'organisme humain est la cellule. La cellule tout entière et toutes ses parties, ou organites, sont organisées en vue de l'accomplissement d'une fonction particulière. Les cellules sont capables de métaboliser et de croître. Elles peuvent se reproduire, bouger et répondre aux stimuli. Elles se distinguent les unes des autres par leur forme, par leur taille et par le rôle particulier qu'elles jouent dans l'organisme. Les cellules dont la structure et la fonction sont similaires forment des tissus, lesquels, à leur tour, forment les organes.

Les questions de ce chapitre portent sur la structure et sur la fonction d'un modèle général de cellule animale ainsi que sur l'agencement habituel des tissus et sur leur rôle dans les activités de divers organes.

LES CELLULES

Caractéristiques générales des cellules

1. Répondez aux questions suivantes en utilisant les lignes prévues à cet effet.

Quels sont les quatre éléments qui constituent l'essentiel de la matière vivante ?

1. _____

2. _____

3. _____

4. _____

Quelle est la substance qu'une cellule vivante contient en plus grande quantité ?

5. _____

Quel est l'élément dont le rôle est de durcir les os ?

6. _____

Quel est l'élément qu'on trouve en petites quantités dans l'organisme et qui entre dans la composition de l'hémoglobine, nécessaire au transport de l'oxygène?

7. _____

Bien que certaines cellules soient capables d'accomplir un grand nombre de fonctions particulières, quelles sont les cinq qui sont communes à toutes les cellules?

8. _____

9. _____

10. _____

11. _____

12. _____

Quelles sont les formes que peut revêtir une cellule (trois exemples)?

13. _____

14. _____

15. _____

Quel est le liquide, semblable à l'eau de mer, dans lequel baignent toutes les cellules de l'organisme.

16. _____

Que reflète la structure d'une cellule

17. _____

Anatomie de la cellule (modèle général)

2. Remplissez le tableau ci-dessous afin de décrire dans le détail les différentes parties de la cellule. Inscrivez vos réponses dans les espaces blancs.

Partie de la cellule	Emplacement	Fonctions
	Limite externe de la cellule	Elle délimite le volume de la cellule; régit l'entrée et la sortie des diverses substances.
Lysosomes		
	Organites dispersés dans la cellule	Elles régissent la libération d'énergie des aliments; elles synthétisent l'ATP.
	Projections de la membrane plasmique	Elles agrandissent la surface cellulaire.
Complexe golgien		
Noyau		
	Paire de corps cylindriques se trouvant près du noyau	Lors de la mitose, ils forment le fuseau mitotique.
Nucléoles		
Réticulum endoplasmique lisse		
Réticulum endoplasmique rugueux		
	Particules qui flottent librement dans le cytoplasme ou qui sont attachées au réticulum endoplasmique	Ils constituent le siège de la synthèse des protéines.
Chromatine		
	Sacs membraneux dispersés dans le cytoplasme	Ils neutralisent certaines substances toxiques comme l'alcool, le peroxyde d'hydrogène, etc.
Inclusions		

3. Nommez les parties de la cellule indiquées par des lignes de repère sur la figure 3-1 en vous servant des termes qui apparaissent dans la légende. Ensuite, à l'aide de couleurs différentes, coloriez ces structures ainsi que les cercles correspondants.

Légende

◯ Membrane plasmique	◯ Mitochondrie
◯ Centriole(s)	◯ Enveloppe nucléaire
◯ Filament(s) de chromatine	◯ Nucléole
◯ Complexe golgien	◯ Réticulum endoplasmique rugueux
◯ Microvillosités	◯ Réticulum endoplasmique lisse

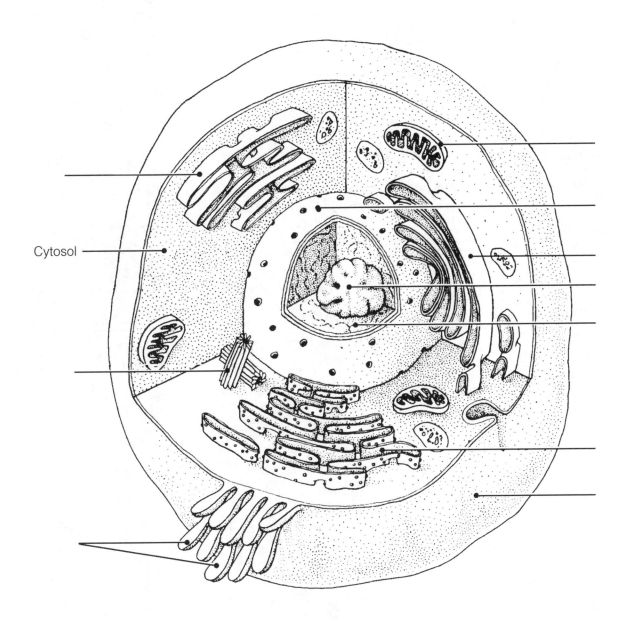

Cytosol

Figure 3-1

Physiologie de la cellule

Transport membranaire

4. Un sac semi-perméable, contenant du NaCl à 4 %, du glucose à 9 % et de l'albumine à 10 %, baigne dans une solution dont la composition est la suivante : NaCl à 10 %, glucose à 10 % et albumine à 40 %. Le sac est perméable à toutes les substances, *sauf* à l'albumine. À partir des énoncés proposés ci-dessous, inscrivez sur les lignes prévues à cet effet la lettre qui correspond à la direction du mouvement de chacune des substances.

Énoncés proposés

A. Entre dans le sac. B. Sort du sac. C. Demeure au même endroit.

_____ 1. Glucose   _____ 3. Albumine

_____ 2. Eau   _____ 4. NaCl

5. La figure 3-2 illustre trois champs microscopiques (A, B et C) contenant des globules rouges. Les flèches indiquent la direction du mouvement osmotique net. Répondez aux questions suivantes, en vous référant à la figure. Inscrivez vos réponses sur les lignes prévues à cet effet.

1. Lequel des champs contient une solution *hypertonique*? _____

   Les cellules du champ sont dites _____ .

2. Lequel des champs contient la solution isotonique? _____

   Que veut dire *isotonique*? _____

   _____

3. Lequel des champs contient une solution *hypotonique*? _____

   Qu'arrive-t-il aux cellules de ce champ, et pour quelle raison? _____

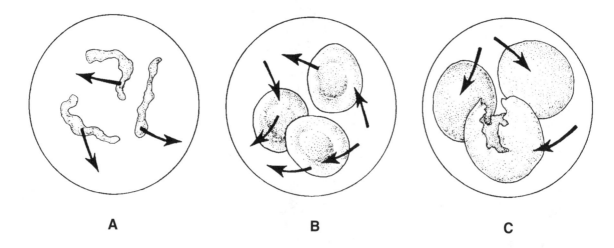

| A | B | C |

Figure 3-2

6. Parmi les termes proposés, trouvez *tous* ceux qui caractérisent les énoncés numérotés. Inscrivez les lettres ou les termes correspondants sur les lignes prévues àcet effet.

Termes proposés

A. Diffusion simple   C. Endocytose   E. Filtration

B. Osmose   D. Exocytose   F. Transport actif

_____ 1. L'ATP (énergie cellulaire) lui est nécessaire.

_____ 2. A pour moteur l'énergie cinétique des molécules.

_____ 3. A pour moteur la pression hydrostatique.

_____ 4. S'effectue suivant le gradient de concentration.

_____ 5. S'effectue contre le gradient de concentration; nécessite une pompe.

_____ 6. Permet la sécrétion des substances présentes dans la cellule.

_____ 7. Permet le passage de l'eau à travers une membrane semi-perméable.

_____ 8. Permet le passage des acides aminés, de certains sucres et de Na$^+$ à travers la membrane plasmique.

_____ 9. Permet le captage de solides ou de particules volumineuses qui se trouvent à l'extérieur de la cellule.

_____ 10. Permet le passage de petites particules liposolubles à travers la membrane.

_____ 11. Comprend la phagocytose, la pinocytose et une forme de transport par récepteur membranaire interposé.

7. La figure 3-3 représente une portion de membrane plasmique. À l'aide de deux couleurs différentes, coloriez sur l'illustration les molécules de lipides et les molécules de protéines ainsi que les cercles correspondants dans la légende.

Au moyen d'une flèche de couleur différente pour chaque substance (oxygène, gaz carbonique, glucose, acide aminé, graisse), indiquez

(a) la *direction* du déplacement à travers la membrane (vers l'intérieur ou l'extérieur de la cellule) et

(b) le *mode de transport* (à travers la portion lipidique ou grâce à un transporteur protéique).

Légende

◯ Molécules de lipide
◯ Molécules de protéine

Les deux autres types de molécules qui contribuent à la structure de la membrane plasmique, mais qui ne sont pas illustrés ici, sont _____ et _____ .

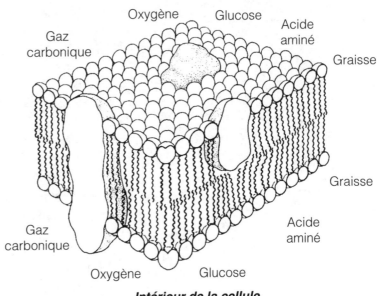

Extérieur de la cellule

Oxygène   Glucose   Acide aminé

Gaz carbonique

Graisse

Gaz carbonique

Graisse

Acide aminé

Oxygène   Glucose

Intérieur de la cellule

Figure 3-3

Division cellulaire

8. Les énoncés qui suivent résument la structure de l'ADN (matériel génétique) et son rôle dans l'organisme. Trouvez, parmi ceux qui sont proposés, le terme qui complète chaque énoncé et inscrivez-le sur la ligne prévue à cet effet.

Termes proposés

A. Adénine	G. Enzymes	M. Nucléotides	S. Ribosome
B. Acides aminés	H. Gènes	N. Vieux	T. Sucre (désoxyribose)
C. Bases	I. Croissance	O. Phosphate	U. Matrice ou modèle
D. Codons	J. Guanine	P. Protéines	V. Thymine
E. Complémentaire	K. Hélice	Q. Réplication	W. Transcription
F. Cytosine	L. Nouveau	R. Réparation	X. Uracile

1. _____
2. _____
3. _____
4. _____
5. _____
6. _____
7. _____
8. _____
9. _____
10. _____
11. _____
12. _____
13. _____
14. _____
15. _____
16. _____
17. _____
18. _____

Les molécules d'ADN contiennent les instructions nécessaires à la synthèse des __(1)__. Dans une perspective tridimensionnelle, la molécule d'ADN ressemble à une échelle ou plutôt à un escalier en colimaçon, appelé __(2)__. Les éléments invariables de cette molécule sont les groupements __(3)__ et les molécules de __(4)__, qui forment les parties verticales de «l'échelle» ou squelette de l'ADN. L'information contenue dans l'acide désoxyribonucléique est en réalité codée par quatre __(5)__ azotées, qui sont liées entre elles pour former les «barreaux» de l'échelle. Seules les bases qui sont __(6)__ peuvent s'assembler ou interagir pour créer ces «barreaux». De façon plus précise, cela signifie que la __(7)__ se lie toujours à la guanine et l'adénine à la __(8)__. Lors de la synthèse des protéines, la nature et l'ordre des __(9)__ sont déterminés par la séquence des bases azotées. Ces dernières se suivent par groupes de trois, appelés triplets, codant chacun pour un acide aminé. Par ailleurs, la synthèse des protéines ne peut se faire sans une «coopération» étroite entre l'ADN et l'ARN. L'ARN est un autre type d'acide nucléique qui sert de «décodeur et de messager» à l'ADN, ce qui veut dire qu'il quitte le noyau et qu'il exécute les instructions de l'ADN pour la synthèse d'une protéine sur une structure cytoplasmique, appelée __(10)__. Avant de se diviser, la cellule doit s'assurer que ses cellules filles auront toutes les instructions qui leur seront nécessaires. En conséquence, elle doit surveiller la __(11)__ de son ADN et se doter d'une «double quantité» de gènes pendant un bref laps de temps. Pour que la synthèse de l'ADN puisse avoir lieu, sa double hélice doit se dérouler, et les liaisons entre les bases azotées doivent se rompre. Ensuite chacun des deux brins (ou chaînes) de __(12)__ devient une __(13)__ servant à la construction d'une molécule complète d'ADN. Une fois achevée, chaque nouvelle molécule d'ADN est composée d'un __(14)__ brin et d'un brin __(15)__. Le fait que la réplication de l'ADN ait lieu avant la division cellulaire permet de doter chaque cellule fille d'un ensemble complet de __(16)__. La division cellulaire qui suit donne naissance à de nouvelles cellules, rendant possible la __(17)__ et la __(18)__ des tissus.

9. Quelles sont les phases de la mitose illustrées à la figure 3-4? Inscrivez vos réponses sur les lignes prévues à cet effet en dessous de chaque illustration. À l'aide de couleurs différentes, coloriez sur l'illustration les structures nommées dans la légende et les cercles correspondants.

Légende

○ Enveloppe(s) nucléaire(s), s'il y en a   ○ Centrioles

○ Nucléole(s), s'il y en a   ○ Fuseau mitotique

○ Chromosomes

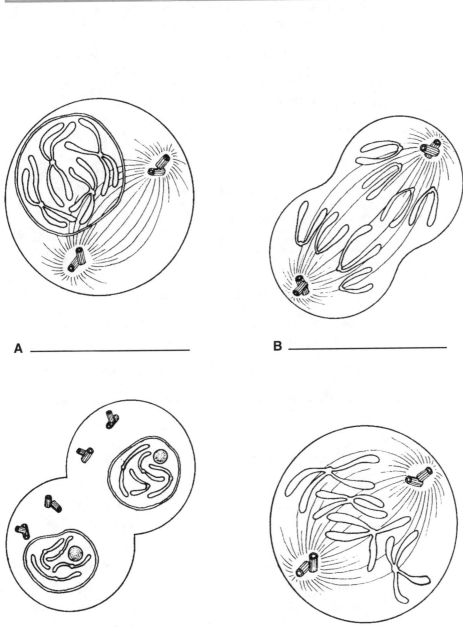

A _____   B _____

C _____   D _____

Figure 3-4

10. Les énoncés qui suivent décrivent les différentes phases de la mitose. Associez chaque phase avec le terme correspondant parmi ceux proposés ci-dessous et inscrivez la lettre ou le terme approprié sur la ligne prévue à cet effet.

Termes proposés

A. Anaphase   C. Prophase   E. Aucune de ces réponses

B. Métaphase   D. Télophase

_____ 1. Les filaments de chromatine commencent à s'enrouler et à se condenser pour constituer des chromosomes .

_____ 2. Les centromères se séparent et les chromosomes commencent à se diriger vers les extrémités opposées de la cellule.

_____ 3. L'enveloppe nucléaire et les nucléoles réapparaissent.

_____ 4. Phase qui commence au moment où les chromosomes arrêtent de se diriger vers les extrémités opposées de la cellule.

_____ 5. Les chromosomes s'alignent au milieu du fuseau mitotique.

_____ 6. Les nucléoles et l'enveloppe nucléaire se désintègrent.

_____ 7. Le fuseau mitotique se forme par la migration des centrioles.

_____ 8. Le matériel chromosomique se réplique.

_____ 9. Phase au début de laquelle les chromosomes sont des structures doubles.

_____ 10. Les chromosomes s'attachent au fuseau mitotique.

_____ 11. Deux phases au cours desquelles on assiste à la formation d'un sillon de clivage (ou sillon annulaire).

_____ 12. Phase au cours de laquelle l'enveloppe nucléaire n'existe plus.

_____ 13. Phase au cours de laquelle la cellule mène ses activités métaboliques *habituelles.*

11. Complétez les phrases suivantes. Inscrivez vos réponses sur les lignes prévues à cet effet.

_____ 1.

_____ 2.

_____ 3.

_____ 4.

_____ 5.

_____ 6.

_____ 7.

La division du __(1)__ porte le nom de mitose. La cytocinèse est la division du __(2)__. La principale différence structurale entre la chromatine et les chromosomes est que ces derniers sont __(3)__. Les chromosomes se fixent au fuseau mitotique par des corpuscules appelés __(4)__. Si le noyau de la cellule s'est divisé, mais non son cytoplasme, la cellule ainsi formée est __(5)__. La structure qui joue le rôle d'un échafaudage sur laquelle les chromosomes se fixent et se déplacent porte le nom de __(6)__. On appelle __(7)__ la période de la vie cellulaire pendant laquelle la cellule ne se divise pas.

Synthèse des protéines

12. La figure 3-5 illustre le processus de synthèse des protéines. À l'aide de couleurs différentes, coloriez sur l'illustration les structures nommées dans la légende et les cercles correspondants. Ensuite, à l'aide des lettres du code génétique, indiquez quelles sont les bases azotées sur le deuxième brin de la double hélice d'ADN, sur les brins d'ARNm et sur les molécules d'ARNt. Répondez enfin aux questions qui se trouvent au-dessous de l'illustration et inscrivez vos réponses sur les lignes prévues à cet effet.

Légende

◯ Squelette de la double hélice d'ADN   ◯ Molécule d'ARNt

◯ Squelette du brin d'ARNm   ◯ Molécule d'acide aminé

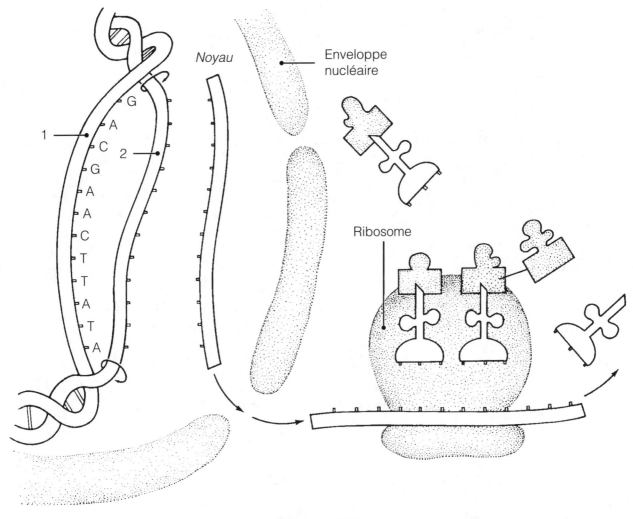

Figure 3-5

1.   Le transfert du message génétique de l'ADN à l'ARNm porte le nom de _____.

2.   L'assemblage des acides aminés selon les instructions génétiques acheminées par l'ARNm porte le nom de _____.

3.   L'ensemble de trois bases azotées sur l'ARNt qui est complémentaire à un codon d'ARNm porte le nom de _____. Sur l'ADN, la séquence de trois bases complémentaire au codon porte le nom de _____.

13. Parmi les termes proposés, trouvez celui qui correspond à chacun des énoncés
ci-dessous.

Termes proposés

A. Promoteur   B. ARN polymérase II   C. ARNt d'initiation   D. AUG   E. UAG

_____ 1. Séquence d'ARNm qui donne le signal de départ de la synthèse des protéines.

_____ 2. Séquence d'ADN qui détermine le point de départ de la transcription.

_____ 3. Enzyme qui permet l'élongation de l'ARNm.

_____ 4. Molécule qui transporte la méthionine et qui se lie à l'ARNm.

_____ 5. Séquence d'ARNm qui donne le signal d'arrêt de la synthèse des protéines.

14. À partir de la portion du brin matrice d'ADN ci-dessous, trouvez tout d'abord
l'ARNm correspondant et inscrivez dans les cercles vides l'abréviation des acides
aminés qui s'assembleront lors de la synthèse des protéines ?

Remarque: Seules les bases azotées des acides nucléiques sont indiquées.

ADN parental	A	C	G	T	C	C	A	T	G
ARNm	__	__	__	__	__	__	__	__	
Acides aminés		◯			◯			◯	

15. Entourez le terme qui n'a pas sa place dans chacune des listes de matériaux extra-
cellulaires.

1. Plasma sanguin   Liquide interstitiel   Mucus   Liquide cérébro-spinal

2. Sécrétions intestinales   Salive   Sucs gastriques   Urine

3. Os   Cartilage   Muscle   Sang

LES TISSUS

16. La figure 3-6 illustre douze types de tissus. Inscrivez leur nom sur la ligne prévue à cet
effet sous chacune des illustrations. À l'aide de couleurs différentes, coloriez sur l'illustration les structures nommées dans la légende ainsi que les cercles correspondants.

Légende

◯ Cellules épithéliales   ◯ Matrice (Chaque fois que la matrice est présente, vous devez la
colorier à l'aide d'une autre couleur que celle que vous avez
◯ Cellules nerveuses   choisie pour représenter les cellules vivantes. Faites bien attention, cette tâche pourrait s'avérer plus ardue qu'elle n'en a l'air!)
◯ Cellules musculaires

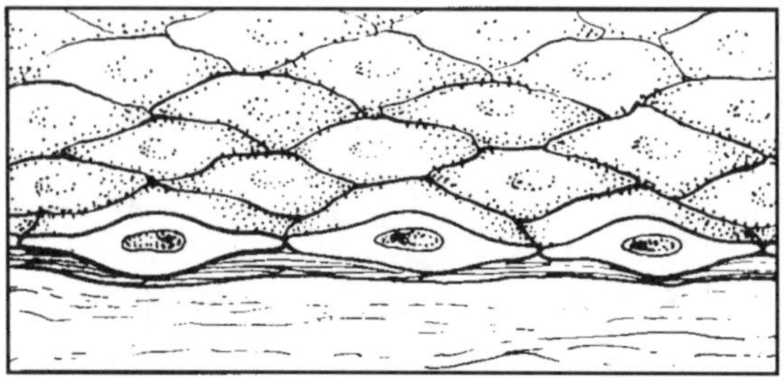

A 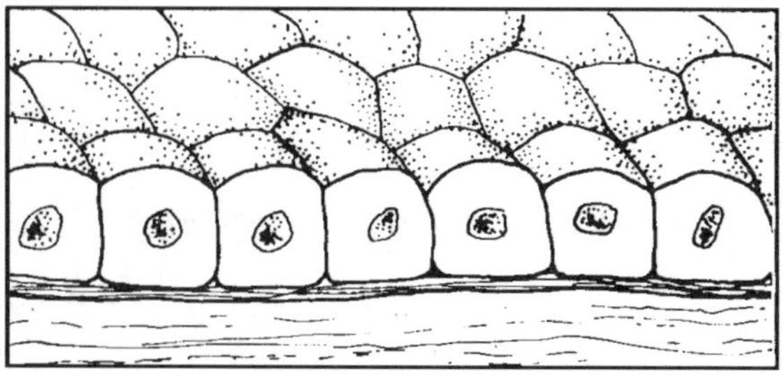 _____   B _____

Figure 3-6 A et B

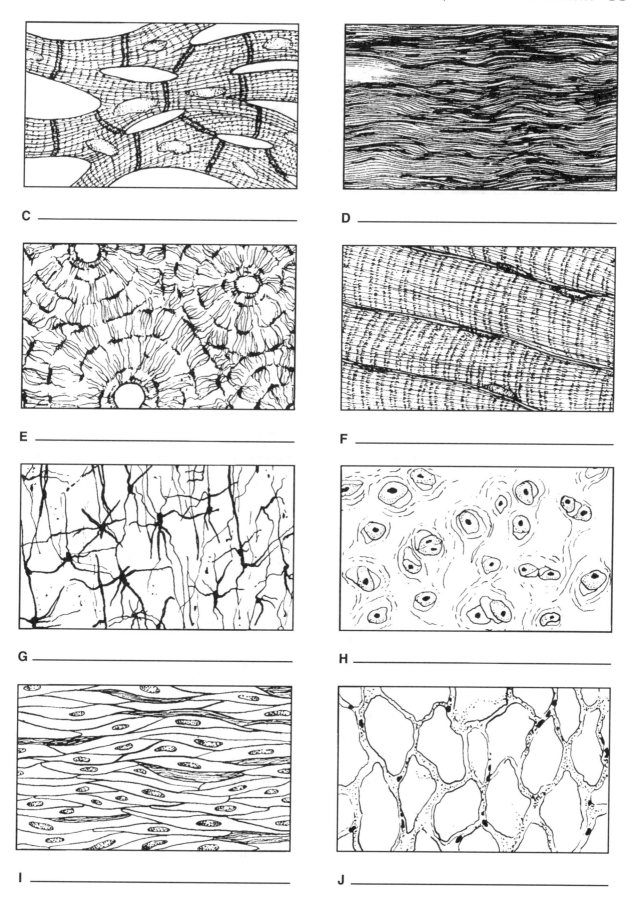

C _____

D _____

E _____

F _____

G _____

H _____

I _____

J _____

Figure 3-6 C à J

21. Les trois types de tissu musculaire présentent des similitudes, mais aussi des diffé-rences. Marquez d'un crochet (√), dans l'espace approprié du tableau, les types de muscles qui possèdent la caractéristique en question.

Caractéristique	Muscle squelettique	Muscle cardiaque	Muscle lisse
1. Il répond à des commandes volontaires			
2. Il obéit à des commandes involontaires.			
3. Il présente un aspect strié.			
4. Chaque cellule possède un seul noyau.			
5. Ses cellules renferment plusieurs noyaux.			
6. Il est attaché aux os.			
7. Il rend possible les mouvements des yeux.			
8. Il fait partie des parois de l'estomac, de l'utérus et des artères.			
9. Il contient des cellules fusiformes.			
10. Il contient des cellules cylindriques ramifiées.			
11. Il contient des cellules cylindriques longues et non ramifiées.			
12. Il contient des disques intercalaires.			
13. Il rend possible le mouvement du corps dans son ensemble.			
14. En se contractant, il change le volume interne de l'organe qu'il forme.			
15. Il permet à un organe de jouer le rôle de pompe.			

22. Entourez le terme qui n'a pas sa place dans chacun des groupes suivants :

    1. Collagène   Cellule   Matrice   Sécrétion

    2. Cils   Flagelle   Microvillosités   Fibres élastiques

    3. Glandes   Os   Épiderme   Muqueuses

    4. Adipeux   Hyalin   Osseux   Nerveux

    5. Sang   Lisse   Cardiaque   Squelettique

23. Parmi les termes proposés, repérez les types de tissu conjonctif dont il est question dans les énoncés. Inscrivez les lettres ou les termes appropriés sur les lignes prévues à cet effet.

Termes proposés

A. Tissu adipeux   C. Tissu conjonctif dense   E. Tissu réticulaire

B. Tissu aréolaire   D. Tissu osseux   F. Cartilage hyalin

_____ 1. Ce tissu est très résistant, grâce aux rangées parallèles de fibres de collagène qu'il contient ; il forme les tendons.

_____ 2. Ce tissu emmagasine les graisses.

_____ 3. Ce tissu compose le derme.

_____ 4. Ce tissu forme le squelette.

_____ 5. Ce tissu constitue la membrane basale et enveloppe les organes ; il renferme une matrice gélatineuse, ainsi que toutes les catégories de fibres et de nombreux types de cellules.

_____ 6. Ce tissu forme le squelette de l'embryon et recouvre les extrémités des os aux points de jonction avec les articulations ; il renforce la trachée.

_____ 7. Ce type de tissu isole l'organisme, le protégeant ainsi de la chaleur et du froid extrêmes.

_____ 8. Du point de vue de sa structure, ce tissu est composé d'une matrice amorphe, abondamment remplie de fibres ; il est d'aspect vitreux et lisse.

_____ 9. Ce tissu est formé de couches concentriques de cellules, disposées autour d'un canal nourricier ; la matrice est très dure puisqu'elle contient des sels de calcium.

_____ 10. Ce tissu forme le stroma (ou «squelette interne») des nœuds lymphatiques, de la rate et d'autres organes lymphoïdes.

Réparation des tissus

24. Les énoncés suivants portent sur la réparation des tissus. Pour chacun de ceux qui sont vrais, inscrivez *V* sur la ligne prévue à cet effet. Pour ceux qui sont faux, corrigez le terme souligné, en inscrivant le bon terme sur la ligne prévue à cet effet.

_____ 1. La réponse non spécifique de l'organisme à une lésion porte le nom de régénération.

_____ 2. Les capillaires intacts aux abords de la lésion se dilatent, et libèrent du plasma, des cellules sanguines et des anticorps, qui favorisent la coagulation du sang et la formation d'un caillot. La partie externe du caillot, qui est exposée à l'air, sèche et forme une croûte.

_____ 3. Pendant la première phase de la réparation des tissus, les capillaires nouvellement constitués éliminent le caillot, formant un tissu rose et fragile, appelé endoderme.

_____ 4. Lorsque la lésion n'est pas trop grave, l'épithélium superficiel s'infiltre sous la croûte et recouvre le tissu de granulation. Ce processus de réparation porte le nom de prolifération.

_____ 5. Lorsque la lésion tissulaire est très grave, la réparation se fait plutôt par <u>fibrose</u>, le tissu lésé étant remplacé par du tissu cicatriciel.

_____ 6. Pendant la fibrose, les fibroblastes contenus dans le tissu de granulation produisent des fibres de <u>kératine</u>, qui forment une masse dense et résistante, mais rigide.

_____ 7. La réparation du muscle cardiaque et du tissu nerveux se fait uniquement par <u>fibrose</u>.

DÉVELOPPEMENT ET VIEILLISSEMENT DES TISSUS

25. Complétez ces énoncés en inscrivant vos réponses sur les lignes prévues à cet effet.

_____ 1.

_____ 2.

_____ 3.

_____ 4.

_____ 5.

_____ 6.

_____ 7.

_____ 8.

_____ 9.

_____ 10.

_____ 11.

_____ 12.

_____ 13.

_____ 14.

_____ 15.

_____ 16.

_____ 17.

_____ 18.

_____ 19.

_____ 20.

Pendant le développement embryonnaire, les cellules commencent à se spécialiser pour donner naissance à des __(1)__. La mitose est un processus essentiel à la __(2)__. Tous les tissus, sauf le tissu __(3)__, continuent à croître par division cellulaire jusqu'à la fin de l'adolescence. Ensuite, même le tissu __(4)__ devient amitotique. Lorsqu'il subit des lésions, le tissu amitotique est remplacé par du tissu __(5)__, mais celui-ci n'est pas en mesure de remplir le même type de fonctions que la structure d'origine. Il s'agit là d'un problème grave lorsque des cellules cardiaques sont endommagées.

Le vieillissement est un processus qui commence pratiquement au moment de la naissance. Plusieurs théories essaient de l'expliquer. Selon l'une d'entre elles, des substances __(6)__, comme les toxines contenues dans le sang, jouent un rôle important. Selon une autre, des facteurs __(7)__ externes, comme les rayons X, contribuent au vieillissement, alors que selon une autre encore, il s'agit d'un phénomène qui est programmé dans nos __(8)__. La plupart des tissus sont touchés. C'est ainsi que (a) les tissus __(9)__ s'amincissent et se fragilisent, (b) au niveau du tissu conjonctif, la quantité de __(10)__ diminue, et (c) d'autres tissus dont les tissus __(11)__ et nerveux s'atrophient.

Les néoplasmes se forment à la suite d'une prolifération cellulaire anarchique, du fait que certaines cellules cessent d'obéir aux mécanismes de régulation de la __(12)__ cellulaire. Les néoplasmes peuvent être __(13)__ ou __(14)__. S'ils sont __(15)__, ils sont localisés et encapsulés. S'ils sont __(16)__, les cellules qui s'en détachent peuvent envahir d'autres tissus et atteindre des organes situés à distance. Pour diagnostiquer adéquatement ce type de néoplasme, il faut habituellement effectuer un examen microscopique du tissu, qui porte le nom de __(17)__. Chaque fois que cela est possible, les néoplasmes doivent être éliminés par voie __(18)__.

Une croissance tissulaire qui n'est pas de type néoplasique est appelée __(19)__. À l'opposé, la diminution du volume d'un organe ou d'un tissu, qui survient à la suite d'une absence de stimulation, est appelée __(20)__.

UN VOYAGE EXTRAORDINAIRE

Exercice de visualisation pour tester vos connaissances sur la cellule

… Et voilà que vous apercevez une longue membrane sinueuse couverte de granules sombres…

26. Complétez le récit en inscrivant les mots qui manquent sur les lignes prévues à cet effet.

_____ 1.

_____ 2.

_____ 3.

_____ 4.

_____ 5.

_____ 6.

_____ 7.

_____ 8.

_____ 9.

_____ 10.

Pour votre deuxième voyage, vous êtes de nouveau miniaturisé pour atteindre la taille d'une petite molécule de protéine. Vous voyagerez dans un sous-marin microscopique qui peut traverser les membranes vivantes. On vous injecte dans l'espace intercellulaire, entre deux cellules épithéliales, et on vous demande d'observer d'abord l'une de ces cellules et de définir autant de caractéristiques de sa structure qu'il vous est possible.

Après quelques manœuvres hésitantes, vous prenez la commande de votre sous-marin et vous pénétrez par le haut dans l'une des cellules, pour vous retrouver dans une sorte de «mer». L'eau salée qui vous entoure est le __(1)__ de la cellule.

Au milieu de cette mer, bien loin de l'endroit où vous vous trouvez, vous apercevez une immense structure sombre, de forme ovale, bien plus volumineuse que toute autre chose que vous voyez autour de vous. Vous concluez qu'il s'agit du __(2)__. Pendant votre descente, vous passez à côté de drôles de petites structures en forme de cigare dont la face interne se replie bizarrement vers l'intérieur pour former des crêtes. Vous êtes pratiquement sûr qu'il s'agit de __(3)__, mais vous vous dites que vous devriez pousser vos investigations un peu plus loin. Vous traversez donc la membrane externe de cette structure, pour vous retrouver devant une autre membrane. Vous la traversez, elle aussi, et vous êtes enfin à l'intérieur. Vous activez l'analyseur de votre sous-marin pour déterminer la nature des molécules qui vous entourent. Comme vous le soupçonniez, ces nombreuses molécules gorgées d'énergie sont des molécules d' __(4)__. Une fois votre curiosité satisfaite, vous quittez cette structure pour continuer votre expédition.

Et voilà que vous apercevez une longue membrane sinueuse couverte de granules sombres. Vous vous approchez et immobilisez votre sous-marin pour mieux l'observer. Vous voyez des acides aminés qui se lient les uns aux autres pour construire une longue molécule filiforme de protéine. Vous vous dites que ces granules doivent être des __(5)__, et que la membrane est par conséquent le __(6)__. Vous vous dirigez maintenant vers l'immense structure sombre que vous avez repérée plus tôt, et en vous approchant d'elle, vous constatez que sa paroi externe est transpercée de gros orifices. Vous vous dites que ce sont ses __(7)__. Vous vous infiltrez par l'un de ces orifices et vous découvrez que la couleur de cette immense structure lui vient de masses de __(8)__, de couleur sombre, entortillées et entrelacées. Votre analyseur vous confirme que ces masses contiennent du matériel génétique, c'est-à-dire des molécules d' __(9)__. Vous vous faufilez entre ces masses, et vous passez à côté de deux sphères denses qui semblent contenir le même type de granules que ceux que vous avez vus à l'extérieur; ce sont les __(10)__. Toutes ces données confirment vos soupçons de départ à propos de cet organite, vous pouvez donc le quitter et continuer vos observations.

_____   11.   Juste devant vous se dresse un monticule fait de petits sacs aplatis, dont le sommet est entouré de centaines de minuscules vésicules

_____   12.   sacculiformes. Ces vésicules semblent s'envoler vers les bordures de la cellule. Le monticule doit être le ___(11)___, vous dites-vous.

Vous êtes maintenant près d'un sac membraneux, de forme assez banale. Bien qu'il ne porte aucun signe distinctif, il ne ressemble à aucune des structures que vous avez observées auparavant. Avant d'y pénétrer, vous vous dites qu'il serait sage d'en faire l'analyse chimique. Vous activez votre analyseur et, sur l'écran, vous lisez : «enzymes – enzymes – hydrolases – hydrolases – danger! – danger!». Cette structure d'apparence banale est sans doute un ___(12)___.

Vous voilà à la fin de votre périple. Vous comptez les organites que vous avez identifiés et vous êtes content de vous : vous en avez reconnu un bon nombre. Vous demandez maintenant à vos collègues de vous sortir de l'espace intercellulaire.

RÉFLEXION ET APPLICATION

27. Pierrot vient de se lacérer le bras et court vite à la maison pour demander à sa maman de lui «réparer» la peau. Sa maman verse du peroxyde d'hydrogène sur la plaie. Lorsque la solution entre en contact avec les tissus à vif, elle se met à bouillonner fortement. Puisqu'il y a sûrement des cellules déchirées dans la lésion, quel est, *à votre avis*, le phénomène auquel nous assistons?

28. L'épiderme (couche superficielle de la membrane cutanée ou peau) est un épithélium stratifié squameux kératinisé. Pourquoi ce type d'épithélium est-il mieux adapté à la protection de la surface externe de notre corps que ne le serait une muqueuse constituée d'un épithélium simple prismatique?

29. La streptomycine (un antibiotique) se lie à une sous-unité des ribosomes de la bactérie (mais non aux ribosomes des cellules de l'hôte infectées par cette bactérie). Il en résulte une erreur de lecture de l'ARNm de la bactérie et la dislocation des polysomes. Quel est le processus qui en est affecté et comment cette erreur de lecture peut-elle détruire la bactérie?

30. Le lupus érythémateux disséminé (souvent appelé simplement lupus) est une maladie qui affecte entre autres les jeunes femmes. Il est caractérisé par une inflammation chronique (persistante) de tous les tissus conjonctifs de l'organisme ou, du moins, de la majorité d'entre eux. Suzy, à qui on a annoncé qu'elle souffre de lupus, demande au médecin si l'affection se disséminera ou si elle restera localisée. Quelle sera la réponse du médecin?

31. Mme Grenier va voir son gynécologue, car elle ne peut pas devenir enceinte. Celui-ci découvre qu'un tissu de granulation s'est formé dans le vagin de la jeune femme et il lui apprend que les spermatozoïdes sont sensibles à quelques-unes des mêmes substances chimiques que celles qui détruisent les bactéries. Comment expliquez-vous cette inhibition des spermatozoïdes?

32. Sandrine, stagiaire à l'hôpital local, apprend à se servir du microscope électronique. Elle est en train de visionner des images de cellules musculaires et de macrophagocytes (cellules phagocytaires). Elle constate que les cellules musculaires sont remplies de mitochondries alors que les macrophagocytes regorgent de lysosomes. Pourquoi?

33. Basile est tombé et s'est déchiré un des tendons qui entourent la cheville. Il a horriblement mal et demande à son médecin s'il guérira vite ou non. À votre avis, que lui a répondu le médecin et pourquoi?

34. On a pu traduire le coupable d'un crime devant les tribunaux grâce à des analyses de laboratoire portant sur les pièces à conviction recueillies par le détective Max sur les lieux du délit. Quelle technique a-t-on utilisée et quel type de pièces à conviction peut-on analyser de la sorte?

La peau
et les membranes
de l'organisme

Les membranes qui recouvrent le corps, tapissent ses cavités et forment une couche protectrice autour des organes se divisent en deux principaux groupes : les membranes de nature épithéliale (épiderme, muqueuses et séreuses) et les membranes synoviales de nature conjonctive.

Les exercices de ce chapitre vous permettront de comparer la structure et les fonctions des diverses membranes et de récapituler les caractéristiques anatomiques de la peau (comprenant l'épiderme et le derme constitué de tissu conjonctif) et de ses annexes. Grâce à eux, vous pourrez également mieux comprendre la manière dont la peau répond aux stimuli internes et externes afin de protéger l'organisme.

CLASSIFICATION DES MEMBRANES DE L'ORGANISME

1. Remplissez le tableau sur les diverses membranes. Inscrivez vos réponses dans les espaces laissés en blanc.

Membrane	Type de tissu (épithélial/conjonctif)	Emplacement habituel	Fonctions
Muqueuse			
Séreuse			
Cutanée			
Synoviale			

2. La figure 4-1 illustre de façon schématique l'emplacement de diverses membranes de l'organisme. À l'aide de couleurs différentes, coloriez ces membranes sur l'illustration et les cercles correspondants dans la légende.

Légende

○ Membrane cutanée   ○ Plèvre pariétale (séreuse)   ○ Membrane synoviale

○ Muqueuse   ○ Péricarde viscéral (séreuse)

○ Plèvre viscérale (séreuse)   ○ Péricarde pariétal (séreuse)

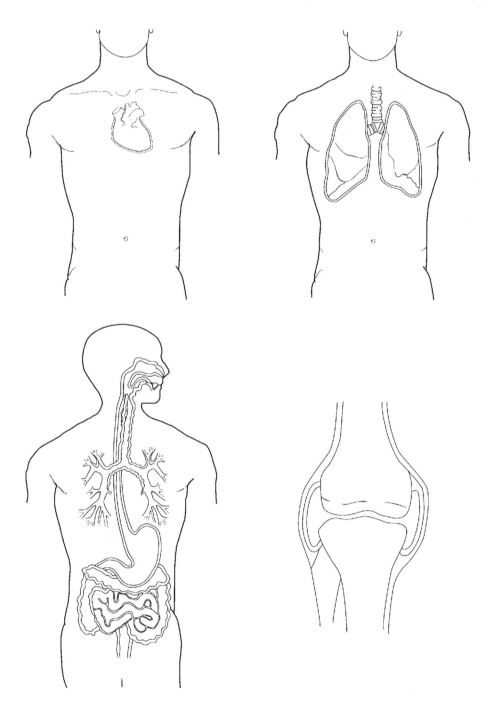

Figure 4-1

SYSTÈME TÉGUMENTAIRE (PEAU)
Structure et principales fonctions

3. La figure 4-2 présente une coupe longitudinale de la peau. Nommez les structures et les régions cutanées indiquées par les lignes de repère et les accolades. À l'aide de couleurs différentes, coloriez sur l'illustration les structures nommées dans la légende ainsi que les cercles correspondants.

Légende

- ◯ Muscle arrecteur du poil
- ◯ Tissu adipeux
- ◯ Follicule pileux
- ◯ Fibres nerveuses
- ◯ Glande sudoripare (sudorifère)
- ◯ Glande sébacée

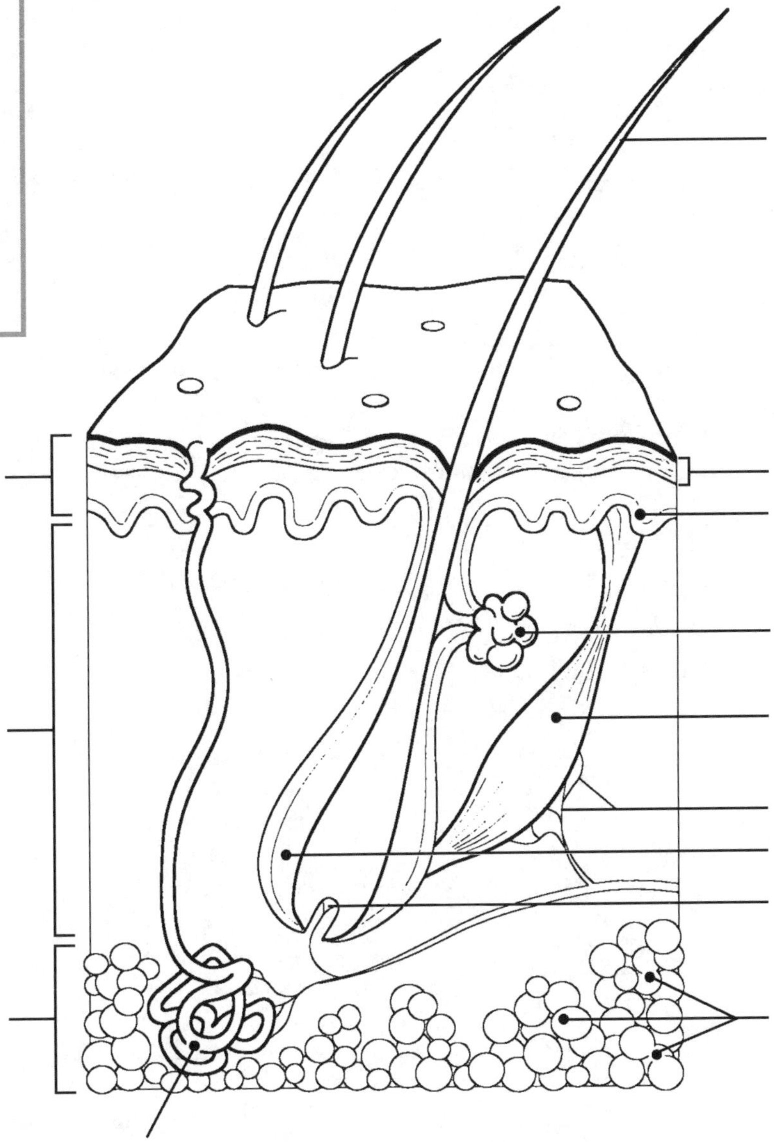

Figure 4-2

4. Les deux couches les plus superficielles de l'épiderme vieillissent et meurent. Quels sont les deux facteurs à l'origine de ce phénomène naturel?

1. _____

2. _____

_____

5. Complétez les énoncés suivants et inscrivez vos réponses sur les lignes prévues à cet effet.

_____ 1. Le rayonnement thermique et l'évaporation de la sueur sont les moyens par lesquels la peau aide l'organisme à éliminer ___(1)___.

_____ 2. La graisse accumulée dans les tissus ___(2)___, situés sous le derme, aide à isoler l'organisme.

_____ 3. La protéine imperméable qu'on trouve dans les cellules épithéliales porte le nom de ___(3)___.

_____ 4. La vitamine synthétisée par la peau est la ___(4)___.

_____ 5. Les ___(5)___ représentent une accumulation locale de mélanine.

_____ 6. Les rides sont dues à une perte d'___(6)___.

_____ 7. Les escarres de décubitus se forment aux endroits où les cellules cutanées sont privées d'___(7)___.

_____ 8. En cas de ___(8)___, la peau prend une couleur bleuâtre à cause d'une oxygénation insuffisante du sang.

6. Parmi les termes proposés, trouvez *tous* ceux qui s'appliquent aux descriptions. Inscrivez les lettres ou les termes appropriés sur les lignes prévues à cet effet.

Termes proposés

A. Couche cornée   D. Couche claire   G. Épiderme dans son ensemble

B. Couche basale   E. Zone papillaire   H. Derme dans son ensemble

C. Couche granuleuse   F. Zone réticulaire

_____ 1. Cellules translucides contenant de la kératine.

_____ 2. Cellules mortes.

_____ 3. Mince couche du derme à l'origine de l'empreinte digitale.

_____ 4. Région vascularisée.

_____ 5. Couche de l'épiderme dont les cellules se divisent rapidement ; c'est la couche la plus profonde de l'épiderme.

_____ 6. Couche de cellules pouvant occuper les trois quarts de l'épaisseur de l'épiderme.

_____ 7. Siège des fibres élastiques et des fibres collagènes.

_____ 8. Siège de production de la mélanine.

_____ 9. Principale partie de la peau d'où émergent ses annexes (poils, ongles).

_____ 10. Couche de cellules située au-dessus de la couche épineuse.

Annexes cutanées

7. Pour chacun des énoncés ci-dessous qui est vrai, inscrivez *V* sur la ligne prévue à cet effet. Pour les énoncés qui sont faux, corrigez le terme <u>souligné</u>, en inscrivant le bon terme sur la ligne prévue à cet effet.

_____ 1. Lorsque la peau est exposée aux rayons du soleil, ses cellules produisent de plus grandes quantités d'un pigment appelé <u>carotène</u>.

_____ 2. La protéine la plus abondante dans les structures épidermiques mortes, comme les poils et les ongles, est la <u>mélanine</u>.

_____ 3. Le <u>sébum</u> est un mélange huileux contenant des lipides, du cholestérol et des fragments cellulaires.

_____ 4. Les cellules épidermiques les plus vieilles se trouvent dans la <u>couche basale</u>.

_____ 5. La partie externe du poil, qui émerge de la peau, est sa <u>racine</u>.

_____ 6. L'<u>épiderme</u> confère à la peau sa résistance mécanique.

8. La figure 4-3 présente la coupe transversale d'un poil dans son follicule. Complétez l'illustration en suivant les consignes suivantes:

1. Repérez les deux gaines qui forment la paroi du follicule et indiquez-en le nom à côté de la ligne de repère correspondante.

2. À l'aide de couleurs différentes, coloriez sur l'illustration les structures nommées dans la légende et les cercles correspondants.

Légende

◯ Cortex   ◯ Cuticule   ◯ Médulla

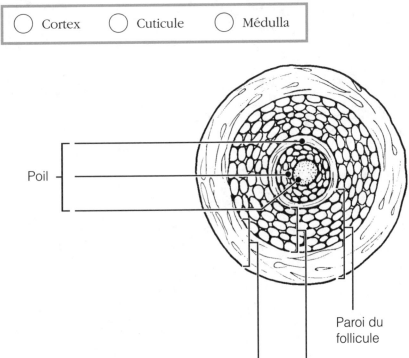

Poil

Paroi du follicule

Figure 4-3

9. Complétez les énoncés à l'aide des termes proposés. Inscrivez les lettres ou les termes appropriés sur les lignes prévues à cet effet.

Termes proposés

A. Muscles arrecteurs du poil

B. Récepteurs cutanés

C. Poils

D. Follicule(s) pileux

E. Glandes sébacées

F. Glandes sudoripares apocrines

G. Glandes sudoripares mérocrines

_____ 1. Le point noir est une accumulation de substances huileuses produites par les __(1)__.

_____ 2. Les petits muscles attachés au follicule pileux, qui le redressent en réaction au froid ou à la peur, sont les __(2)__.

_____ 3. Les glandes sudoripares les plus nombreuses sont les __(3)__.

_____ 4. Le __(4)__ est formé d'une gaine de tissu épithélial et d'une gaine de tissu conjonctif.

_____ 5. Les glandes sudoripares qu'on trouve en plus petit nombre sont les __(5)__. Leurs sécrétions (souvent laiteuses) contiennent des protéines et d'autres substances qui favorisent la prolifération bactérienne.

_____ 6. Les __(6)__ recouvrent toute la surface corporelle à l'exception des paumes de la main, de la plante des pieds et des lèvres. Ils sont surtout constitués de cellules kératinisées mortes.

_____ 7. Les __(7)__ sont des terminaisons nerveuses spécialisées qui réagissent, entre autres, à la température et au toucher.

_____ 8. Les deux types de glandes qui deviennent plus actives à la puberté sont les __(8)__.

_____ 9. Les __(9)__ font partie du système de dissipation de chaleur de l'organisme.

10. Entourez le terme qui n'a pas sa place dans chacun des groupes suivants.

1. Glande sébacée   Poil   Muscle arrecteur du poil   Épiderme

2. Radiation   Absorption   Conduction   Évaporation

3. Couche cornée   Ongle   Poil   Couche basale

4. Taches de rousseur   Points noirs   Grains de beauté   Mélanine

5. Glandes odoriférantes   Glandes mérocrines   Glandes apocrines   Aisselles

6. Cyanose   Érythème   Rides   Pâleur

7. Kératine   Carotène   Mélanine   Hémoglobine

Déséquilibres homéostatiques de la peau

11. L'infection foudroyante est l'une des principales causes de décès chez les personnes brûlées. Quel autre problème majeur peut les affecter et quelles en sont les conséquences?

_____

_____

12. Les énoncés suivants portent sur la gravité des brûlures. Parmi les termes proposés, trouvez le type de brûlure qui correspond à chacune des descriptions. Inscrivez vos réponses sur la ligne prévue à cet effet.

Termes proposés

A. Brûlure du premier degré   B. Brûlure du deuxième degré   C. Brûlure du troisième degré

_____ 1. Type de brûlure qui détruit toute l'épaisseur de la peau, soit l'épiderme et les couches du derme ; la peau blêmit.

_____ 2. Des cloques apparaissent.

_____ 3. L'épiderme est touché ; il y a présence de rougeur et de douleur (habituellement passagère).

_____ 4. L'épiderme et la couche superficielle du derme sont touchés ; la personne ressent de la douleur ; la régénération est possible.

_____ 5. Régénération impossible ; une greffe s'impose.

_____ 6. Aucune douleur puisque les terminaisons nerveuses de la région affectée ont été détruites.

13. Quelle est l'importance de la règle des neuf dans le traitement des personnes brûlées?

_____

14. Quel est le type de cancer de la peau qui correspond à chacune des descriptions suivantes?

_____ 1. La maladie touche les cellules épithéliales qui ne sont pas en contact avec la couche basale ; des lésions se forment, et ensuite des métastases.

_____ 2. Les cellules des couches les plus profondes de l'épiderme envahissent le derme et l'hypoderme ; des lésions cancéreuses apparaissent dans les régions exposées ; les métastases sont lentes à se former.

_____ 3. Cancer rare, mais souvent mortel, qui touche les cellules productrices de pigments.

15. En quoi la règle ABCD peut-elle aider à déterminer si des taches pigmentées sont ou non cancéreuses?

_____

_____

DÉVELOPPEMENT ET VIEILLISSEMENT DE LA PEAU ET DES MEMBRANES

16. Faites correspondre les termes (ou lettres) de la colonne B avec les descriptions appropriées de la colonne A.

Colonne A

_____ 1. Inflammation de la peau dont la fréquence s'élève avec l'âge.

_____ 2. Causes du grisonnement des cheveux.

_____ 3. Petites taches blanches qui recouvrent la peau des nouveau-nés, se formant à la suite de l'accumulation de matière dans les glandes sébacées.

_____ 4. Conséquence de la perte de tissu sous-cutané isolant qui accompagne le vieillissement.

_____ 5. Conséquence courante de l'activité accrue des glandes sébacées au cours de l'adolescence.

_____ 6. Substance huileuse produite par les glandes sébacées du fœtus.

_____ 7. Manteau de poils fins qui recouvre le corps du fœtus.

Colonne B

A. Acné

B. Intolérance au froid

C. Dermatite

D. Gènes à retardement

E. Lanugo

F. Milia

G. Vernix caseosa

UN VOYAGE EXTRAORDINAIRE

Exercice de visualisation pour tester vos connaissances sur la peau

… Vous êtes entouré par d'énormes branches de vigne enchevêtrées… vous vous mettez à grimper…

17. Complétez le récit en inscrivant les mots qui manquent sur les lignes prévues à cet effet.

_____ 1. Pour faire ce voyage, vous êtes de nouveau miniaturisé et injecté dans la peau de votre hôte. Vous êtes, au départ, déposé sur une

_____ 2. substance gélatineuse molle et vous êtes entouré par d'énormes branches de vignes enchevêtrées. Mais en regardant de plus près

_____ 3. une de ces branches, vous constatez qu'il s'agit de fibres de tissu conjonctif. Bien qu'enchevêtrées, la plupart de ces fibres sont assez droites et ressemblent à des câbles résistants. Vous comprenez qu'il s'agit de fibres ___(1)___. Parmi elles, vous notez certaines autres fibres qui ressemblent à des ressorts enroulés. Il doit s'agir de fibres ___(2)___ qui confèrent à la peau son élasticité. À ce moment-là, vous n'avez plus aucun doute, vous vous trouvez dans le ___(3)___ ; d'ailleurs, les vaisseaux sanguins et les fibres nerveuses qui vous entourent ne font que vous le confirmer.

_____ 4.

_____ 5.

_____ 6.

_____ 7.

_____ 8.

_____ 9.

_____ 10.

Très précautionneusement, en vous servant des fibres comme si c'étaient des marches, vous vous mettez à grimper. Vous grimpez pendant un bon moment, sans avoir encore atteint les couches superficielles de la peau. Vous vous asseyez pour souffler quand vous voyez une cellule d'apparence bizarre qui se déplace lentement. Certaines de ses parties avancent et reculent alternativement. Voilà un ___(4)___, vous dites-vous en vous levant bien vite, car la cellule s'apprête à vous dévorer. Il vaut mieux reprendre aussitôt votre ascension. À votre droite, vous apercevez maintenant une structure fibreuse volumineuse qui ressemble à un tronc d'arbre retenu par des fibres musculaires. En écartant cette gaine de ___(5)___, vous pouvez échapper à la cellule menaçante. Puisque vous n'êtes plus en danger, vous pouvez observer votre environnement. Au-dessus de votre tête, vous apercevez des cellules cubiques hautes qui forment une couche continue. Dans votre course folle, vous êtes arrivé à ___(6)___. En regardant l'activité de ces cellules, vous notez qu'un grand nombre d'entre elles se divisent en deux, et que les cellules filles sont attirées vers le haut. Il s'agit évidemment de la couche qui remplace constamment les cellules qui sont éliminées à la surface de la peau, et les cellules que vous observez sont celles de ___(7)___.

En regardant à travers la membrane transparente de l'une de ces cellules, vous apercevez une masse noire qui pend au-dessus du noyau. Vous croyez au début qu'ils s'agit d'une tumeur, mais en examinant les cellules avoisinantes, vous voyez que leurs noyaux s'abritent également sous des parapluies noirs semblables. Pendant que vous vous demandez de quoi il pourrait bien s'agir, une cellule noire ayant de longs tentacules commence à se frayer un chemin parmi les autres cellules. Puis, l'une des cellules transparentes attrape l'extrémité de l'une des tentacules de la cellule noire. En une seconde, une substance noire se répand au-dessus du noyau de la cellule transparente. Vous vous souvenez soudainement que l'une des fonctions de la peau est de protéger les couches cutanées plus profondes des dommages causés par les rayons du soleil. Cette substance noire doit donc être un pigment protecteur, soit la ___(8)___.

Vous grimpez encore, et vous vous apercevez que les cellules deviennent de plus en plus courtes et de plus en plus dures; elles sont remplies d'une substance cireuse. C'est sûrement de la ___(9)___, et c'est elle qui durcit les cellules. Vous continuez votre escalade, et vous êtes maintenant entouré de cellules aplaties, qui ressemblent à d'énormes tuiles. Elles ne sont constituées que de substance cireuse; elles n'ont pas de noyau et semblent inertes. Vous recensez les indices : cellules qui ressemblent à des tuiles, qui n'ont pas de noyau, qui sont remplies d'une substance cireuse et qui sont inertes – il s'agit de toute évidence de ___(10)___ et vous êtes donc très près de la surface de la peau.

Soudainement, autour de vous tout se met à s'agiter fortement. La pression est considérable. Vous regardez vers le haut, par la couche de cellules transparentes, et vous voyez que du bout des doigts votre hôte gratte furieusement la région qui est juste au-dessus de votre tête. Vous vous demandez si vous êtes la cause de démangeaisons et de picotements, mais en l'espace de quelques secondes, les cellules qui vous entourent se séparent et tombent, et vous êtes propulsé en pleine lumière du soleil. Puisque les doigts qui grattent pourraient vous assommer, vous signalez rapidement votre présence à votre hôte.

18. Mme Villard travaille comme bénévole dans un hôpital où sont traités des enfants souffrant de cancer. Quand elle s'est rendue, la première fois, au service d'oncologie, elle a été étonnée de voir que les enfants n'avaient plus de cheveux. Quelle est l'explication de cette alopécie?

19. Une jeune maman emmène son nourrisson à la clinique. Elle est inquiète à cause d'un dépôt graisseux jaunâtre qui s'est formé sur le cuir chevelu de son enfant. De quel problème s'agit-il? Est-il grave?

20. On tourne les patients alités toutes les deux heures pour prévenir la formation d'escarres de décubitus. Pourquoi une telle intervention est-elle efficace?

21. Le personnage de comte Dracula, le plus fameux des vampires de toutes les légendes, est inspiré d'une personne réelle qui vivait en Europe de l'Est, il y a environ 600 ans. Le comte a tué approximativement 200 000 personnes de la région sous sa domination. C'était un véritable «monstre», bien qu'il ne fût pas un vrai vampire. Feuilletez un dictionnaire médical et déterminez duquel des troubles suivants le comte Dracula aurait pu souffrir: (a) porphyrie, (b) mononucléose, (c) mauvaise haleine ou (d) dermatite.

22. Après avoir étudié la peau en cours d'anatomie, Tom serre les grosses «poignées d'amour» qui entourent sa taille et déclare : «Mon hypoderme est très épais, mais c'est tant mieux, car cette couche accomplit quelques fonctions importante». Quelles sont les fonctions de l'hypoderme?

23. Un homme s'est coincé le doigt dans une machine. Fort heureusement, les dommages sont moins graves qu'on aurait pu le penser. Néanmoins, l'ongle de l'index de la main droite a été complètement arraché. Les parties qui manquent sont le corps, la racine, le lit, la matrice et la cuticule. Commencez par définir chacune de ces parties. Dites ensuite si cet ongle peut ou non repousser.

24. Dans le cas d'un appendice éclaté, quelle est la séreuse qui pourrait s'infecter? S'agit-il d'un problème qui peut mettre la vie en danger?

25. Mme Gaucher a été brûlée au deuxième degré sur l'abdomen lorsqu'elle a renversé une bouilloire pleine d'eau bouillante. Très inquiète, elle a demandé au médecin de la clinique si une greffe était nécessaire. Que lui a-t-on répondu, à votre avis?

Le système squelettique

Le squelette est constitué des deux tissus de soutien les plus résistants du corps humain – les cartilages et les os. Il supporte et protège l'intérieur du corps en formant une charpente rigide, mais en plus, il joue le rôle d'un système de leviers que les muscles squelettiques utilisent pour bouger. Par ailleurs, il est le lieu où sont entreposées des substances comme les lipides et le calcium. Enfin, c'est dans certaines de ses cavités, celles contenant la moelle rouge, que se forment les cellules sanguines.

Le squelette est constitué d'os reliés par des articulations. Il est formé de deux parties : le squelette axial et le squelette appendiculaire. Le squelette axial, comme son nom l'indique, suit l'axe longitudinal du corps humain. Le squelette appendiculaire comprend les os des membres inférieurs et supérieurs.

Les exercices de ce chapitre vous permettront de réviser la structure et la fonction des os longs, l'emplacement et le nom des divers os du squelette et les divers types de fractures, tout comme la classification des diverses articulations.

LES OS – CARACTÉRISTIQUES GÉNÉRALES

1. Indiquez, pour chacun des éléments suivants du relief osseux, s'il s'agit d'une protubérance (*P*) ou d'une dépression (*D*). Inscrivez la lettre appropriée sur la ligne prévue à cet effet.

   _____ 1. Condyle   _____ 4. Foramen   _____ 7. Branche

   _____ 2. Crête   _____ 5. Tête   _____ 8. Épine

   _____ 3. Fossette   _____ 6. Méat   _____ 9. Tubérosité

2. On classe les os en quatre grandes catégories. Dites à laquelle appartiennent ceux qui sont nommés ci-dessous. Inscrivez, dans l'espace approprié, *L* pour les os longs, *C* pour les os courts, *P* pour les os plats et *I* pour les os irréguliers.

   _____ 1. Calcanéus   _____ 4. Humérus   _____ 7. Radius

   _____ 2. Os frontal   _____ 5. Mandibule   _____ 8. Sternum

   _____ 3. Fémur   _____ 6. Métacarpe   _____ 9. Vertèbre

3. Parmi ceux qui sont proposés, trouvez le terme qui correspond à chacun des énoncés sur les os longs. Inscrivez les lettres ou termes appropriés sur les lignes prévues à cet effet. (Dans certains cas, plusieurs termes peuvent s'appliquer.)

Termes proposés

A. Diaphyse   C. Épiphyse   E. Cavité médullaire (moelle jaune)
B. Cartilage épiphysaire   D. Moelle rouge

_____ 1. Chez l'adulte, nom de la région constituée principalement d'os spongieux.

_____ 2. Chez l'adulte, nom de la région constituée principalement d'os compact.

_____ 3. Chez l'adulte, lieu de formation des globules sanguins (hématopoïèse).

_____ 4. Nom scientifique du corps d'un os long.

_____ 5. Chez l'adulte, cavité qui sert de réservoir pour le tissu adipeux.

_____ 6. Chez l'enfant, tissu qui assure la croissance en longueur.

4. Complétez les énoncés qui suivent en trouvant la réponse correcte parmi les termes proposés. Inscrivez la lettre ou le terme correspondant sur la ligne prévue à cet effet.

Termes proposés

A. Atrophie   C. Forces gravitationnelles   E. Ostéoclastes   G. Parathormone
B. Calcitonine   D. Ostéoblastes   F. Ostéocytes   H. Torsion ou tension

_____ 1. Lorsque les concentrations de calcium sanguin commencent à chuter en deçà des valeurs homéostatiques, la libération de __(1)__ entraîne la libération de calcium des os.

_____ 2. Les cellules osseuses mûres, appelées __(2)__, entretiennent la matrice osseuse.

_____ 3. Le manque d'utilisation, comme en cas de paralysie ou d'inactivité prolongée, entraîne l'__(3)__ des os et des articulations.

_____ 4. Aux endroits soumis à la __(4)__, se forment de grosses protubérances et (ou) des dépôts accrus de matrice osseuse.

_____ 5. Les cellules osseuses qui ne sont pas encore arrivées à maturité et qui élaborent la matrice portent le nom de __(5)__.

_____ 6. La __(6)__ entraîne la formation de dépôts de calcium sanguin dans les os, sous forme de sels de calcium.

_____ 7. Les cellules osseuses qui liquéfient la matrice osseuse et libèrent le calcium dans le sang sont appelées __(7)__.

_____ 8. Les astronautes doivent faire des exercices isométriques lorsqu'ils se trouvent dans l'espace, car les os s'atrophient en apesanteur ou lorsque les __(8)__ n'exercent plus leur effet.

5. Associez les éléments de structure osseuse nommés dans la colonne B à leur définition dans la colonne A. Passez ensuite à la figure 5-1A, qui présente la coupe transversale d'un os, et à la figure 5-1B, qui est l'agrandissement d'un tissu osseux compact. À l'aide de couleurs différentes, coloriez les éléments dont le nom est suivi d'un cercle dans la colonne B. N'oubliez pas de colorier aussi le cercle. Puisque les lamelles de l'ostéon seront impossibles à colorier sans empiéter sur un autre élément, utilisez une accolade et une ligne de repère pour montrer l'emplacement et l'épaisseur d'une de ces lamelles.

Colonne A

_____ 1. Couches de matrice calcifiée

_____ 2. Espaces qui abritent les ostéocytes

_____ 3. Canal longitudinal où passent les vaisseaux sanguins et les nerfs

_____ 4. Partie inorganique de l'os

_____ 5. Petits canaux qui relient les lacunes

Colonne B

A. Canal de Havers ⭕
   (ou canal central de l'ostéon)

B. Lamelles de l'ostéon ⭕

C. Lacunes ⭕

D. Canalicules ⭕

E. Matrice osseuse ⭕

F. Ostéocyte ⭕

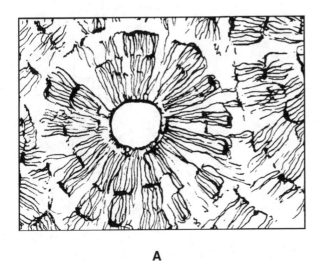

A

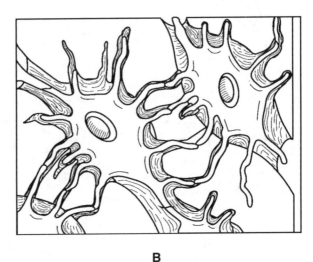

B

Figure 5-1

6. Entourez le terme qui n'a pas sa place dans chacun des groupes suivants :

1. Hématopoïèse   Moelle rouge   Moelle jaune   Os spongieux

2. Lamelles   Canalicules   Circulation   Ostéoblastes

3. Ostéon   Cavité médullaire   Canal central   Canalicules

4. Cartilage épiphysaire   Cartilage articulaire   Périoste   Cartilage hyalin

7. La figure 5-2A présente une coupe transversale à mi-hauteur de la diaphyse du fémur. Nommez la membrane qui tapisse l'intérieur de la cavité et celle qui recouvre la surface externe.

La figure 5-2B présente une coupe longitudinale du fémur. Coloriez en jaune le tissu osseux. Laissez en blanc la ligne épiphysaire et le cartilage articulaire. Puis, à l'aide de couleurs différentes, coloriez sur l'illustration les régions osseuses nommées dans la légende ainsi que les cercles correspondants. Complétez la figure 5-2B en indiquant l'emplacement de l'os compact et de l'os spongieux.

Légende

○ Diaphyse   ○ Cavité qui abrite la moelle rouge
○ Ligne épiphysaire   ○ Cavité qui abrite la moelle jaune

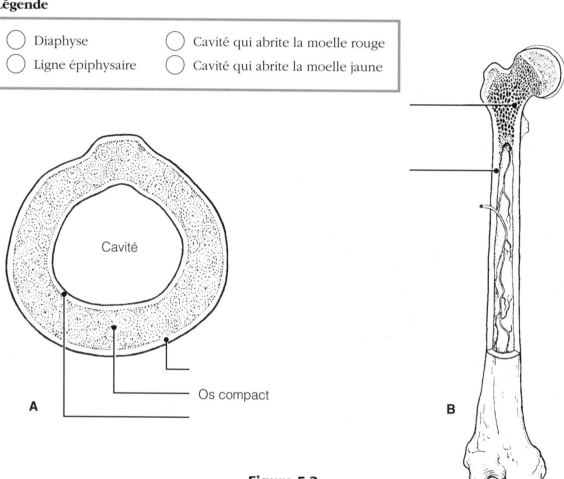

Figure 5-2

LE SQUELETTE AXIAL

Crâne

8. Parmi les termes proposés, trouvez l'os qui correspond à chaque description. Inscrivez la lettre ou le terme approprié sur la ligne prévue à cet effet.

Termes proposés

A. Os ethmoïde	E. Mandibule	I. Os palatin	L. Os temporal
B. Os frontal	F. Maxillaire	J. Os pariétal	M. Vomer
C. Os hyoïde	G. Os nasal	K. Os sphénoïde	N. Os zygomatique
D. Os lacrymal	H. Os occipital		

_____ 1. Os du front.

_____ 2. Os de la pommette.

_____ 3. Os de la mâchoire inférieure.

_____ 4. Arrête du nez.

_____ 5. Partie postérieure du palais dur.

_____ 6. Os qui compose la majeure partie du côté et du sommet du crâne.

_____ 7. Os qui forme la majeure partie de la paroi postérieure du crâne.

_____ 8. Os unique, irrégulier, en forme de papillon, qui occupe une partie de la fosse crânienne.

_____ 9. Petit os qui abrite le sillon par lequel les larmes s'écoulent.

_____ 10. Partie antérieure du palais osseux.

_____ 11. Os dont les cornets nasaux moyen et supérieur sont les projections.

_____ 12. Siège du processus mastoïde.

_____ 13. Siège de la selle turcique.

_____ 14. Siège de la lame criblée.

_____ 15. Siège du foramen mentonnier.

_____ 16. Siège du processus styloïde.

_____ 17.   _____ 18. ⎤
                                                              ⎟ Les quatre os qui contiennent
_____ 19.   _____ 20. ⎦ les sinus paranasaux.

_____ 21. Os dont les condyles s'articulent avec l'atlas.

_____ 22. Siège du foramen magnum.

_____ 23. Siège de l'oreille moyenne.

_____ 24. Septum nasal.

_____ 25. Os qui contient une expansion triangulaire appelée crista galli.

_____ 26. Siège du méat acoustique externe.

9. La figure 5-3 présente trois vues du crâne : latérale, inférieure et antérieure. À l'aide de couleurs différentes, coloriez sur l'illustration les structures nommées dans la légende ainsi que les cercles correspondants. Complétez les figures en nommant les éléments indiqués par des lignes de repère.

Légende

◯ Os frontal	◯ Os sphénoïde	◯ Os zygomatique	◯ Os nasal
◯ Os pariétal	◯ Os ethmoïde	◯ Os palatin	◯ Os lacrymal
◯ Mandibule	◯ Os temporal	◯ Os occipital	◯ Vomer
◯ Maxilllaire			

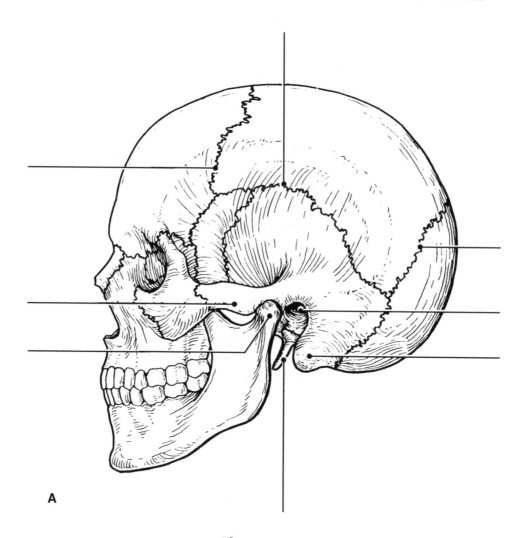

A

Figure 5-3

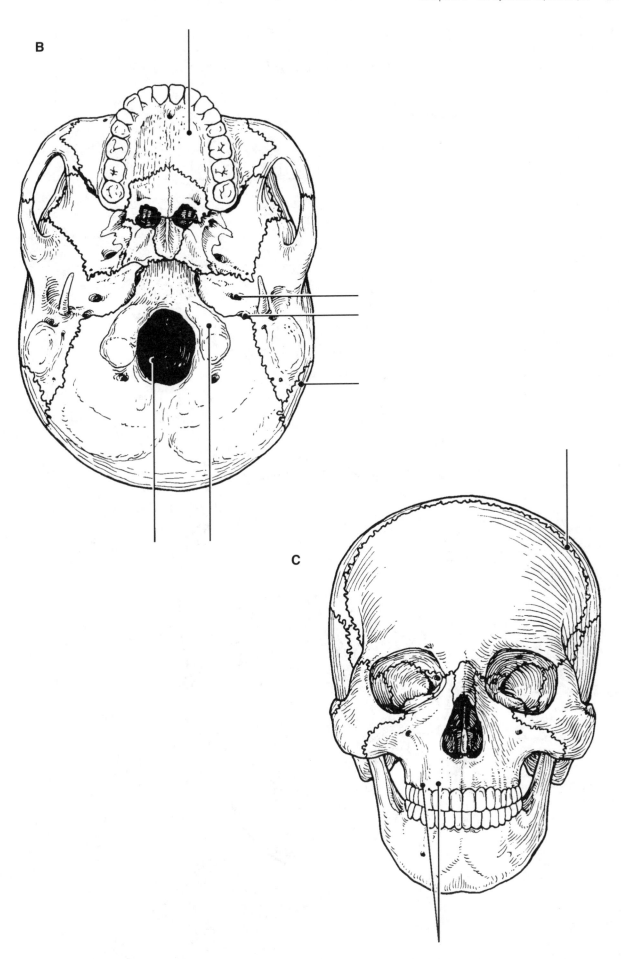

B

C

10. La figure 5-4 présente une vue antérieure du crâne, montrant l'emplacement des sinus. À l'aide de couleurs différentes, coloriez chaque paire de sinus ainsi que les cercles correspondants dans la légende. Répondez ensuite brièvement aux questions suivantes.

1. Quelle est la définition d'un sinus? _____

2. Quel est le rôle des sinus à l'intérieur du crâne? _____

_____

_____

3. Pourquoi les sinus sont-ils prédisposés à l'infection? _____

_____

_____

Légende

◯ Sinus sphénoïdal   ◯ Sinus ethmoïdal

◯ Sinus frontal   ◯ Sinus maxillaire

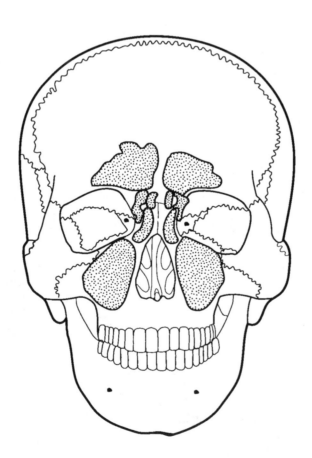

Figure 5-4

Colonne vertébrale

11. À l'aide des termes proposés, repérez les éléments de la colonne vertébrale qui correspondent aux énoncés numérotés. Inscrivez les lettres ou termes appropriés sur les lignes prévues à cet effet.

Termes proposés

A. Corps vertébral   C. Processus épineux   E. Processus transverse
B. Foramen intervertébral   D. Processus articulaire supérieur   F. Arc vertébral

_____ 1. Structure qui renferme la moelle épinière.

_____ 2. Région portante de la vertèbre.

_____ 3. Deux points d'attache des muscles squelettiques qui assurent le mouvement de la colonne.

_____ 4. Deux points d'attache des côtes.

_____ 5. Ouverture par où sortent les nerfs spinaux.

12. Les énoncés suivants portent sur les caractéristiques des vertèbres qui forment les différentes parties de la colonne vertébrale. À l'aide des termes proposés, nommez chaque structure ou région décrite. Inscrivez les lettres ou termes appropriés sur les lignes prévues à cet effet. (Dans certains cas, plusieurs termes peuvent s'appliquer.)

Termes proposés

A. Atlas   D. Coccyx   F. Sacrum
B. Axis   E. Vertèbre lombaire   G. Vertèbre thoracique
C. Vertèbre cervicale (typique)

_____ 1. Vertèbre(s) dotée(s) d'un processus transverse percé d'un trou transversaire par lequel les grosses artères montent vers l'encéphale.

_____ 2. Sa dent constitue un pivot autour duquel peut tourner la première vertèbre cervicale.

_____ 3. Le processus transverse présente une facette qui s'articule avec une côte; le processus épineux se dirige obliquement vers le bas.

_____ 4. Os composé de plusieurs vertèbres soudées; il s'articule sur les côtés avec les hanches.

_____ 5. Vertèbre robuste qui peut porter des charges lourdes.

_____ 6. Vestige de la queue des mammifères.

_____ 7. Vertèbre qui permet l'inclinaison de la tête en s'articulant avec les condyles occipitaux.

_____ 8. Sept vertèbres non fusionnées.

_____ 9. Douze vertèbres non fusionnées.

13. Complétez les phrases ci-dessous. Inscrivez vos réponses sur les lignes prévues à cet effet.

_____ 1.

_____ 2.

_____ 3.

_____ 4.

Lorsqu'on parle de courbures anormales, on peut dire que la ___(1)___ est une courbure thoracique anormale et que la ___(2)___ est une courbure latérale anormale. Les disques intervertébraux sont constitués de tissu ___(3)___. Les disques confèrent à la colonne vertébrale sa ___(4)___.

14. La figure 5-5 présente des vues supérieures de quatre types de vertèbres. Sur la ligne placée au-dessous de chaque dessin, indiquez le type de vertèbre illustré. Donnez aussi le nom précis de la vertèbre représentée en A. Nommez les éléments désignés par des lignes de repère en vous servant des termes suivants: corps vertébral, processus épineux, processus transverse, processus articulaire supérieur et trou vertébral (foramen vertébral).

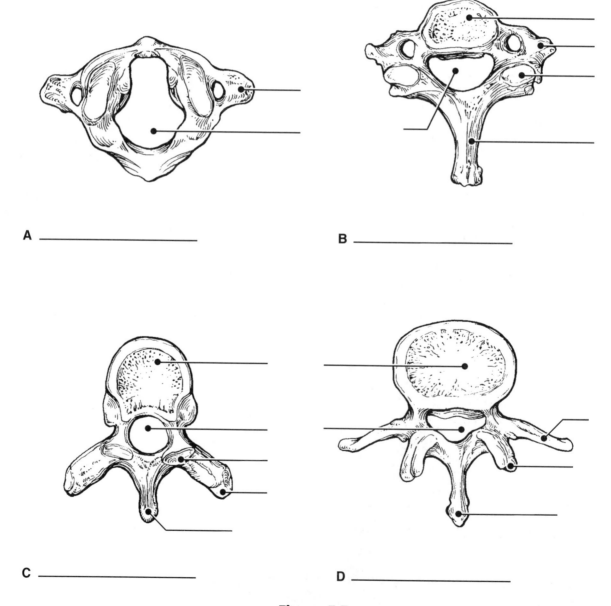

A _____

B _____

C _____

D _____

Figure 5-5

15. La figure 5-6 présente une vue de profil de la colonne vertébrale. Écrivez le nom de chaque région numérotée de la colonne sur la ligne correspondante dans la légende. Précisez ensuite quelles vertèbres composent chaque région (par exemple, sacrum, S_1 à S_5). Donnez aussi le nom des vertèbres modifiées, indiquées par les numéros 6 et 7. À l'aide de couleurs différentes, coloriez les régions vertébrales sur l'illustration ainsi que les cercles correspondants.

Légende

1. _____ ◯

2. _____ ◯

3. _____ ◯

4. _____ ◯

5. _____ ◯

6. _____ ◯

7. _____ ◯

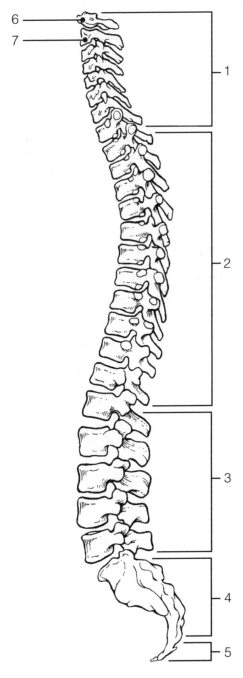

Figure 5-6

Thorax osseux

16. Complétez les énoncés concernant le thorax osseux et inscrivez vos réponses sur les lignes prévues à cet effet.

_____ 1.

_____ 2.

_____ 3.

_____ 4.

_____ 5.

_____ 6.

_____ 7.

_____ 8.

Les organes protégés par la cage thoracique sont le __(1)__ et les __(2)__. Les côtes 1 à 7 sont dites __(3)__ côtes, alors que les côtes 8 à 12 sont dites __(4)__ côtes. Les côtes 11 et 12 sont aussi appelées côtes __(5)__. Toutes les côtes sont attachées postérieurement aux __(6)__, et la plupart se joignent en avant au __(7)__, directement ou indirectement. La cage thoracique a la forme d'un __(8)__.

17. La figure 5-7 présente une vue antérieure du thorax osseux. À l'aide de couleurs différentes, coloriez sur l'illustration les structures nommées dans la légende et les cercles correspondants. Écrivez le nom des parties du sternum à côté des lignes de repère.

Légende

◯ Toutes les vraies côtes
◯ Cartilage costal
◯ Toutes les fausses côtes
◯ Sternum

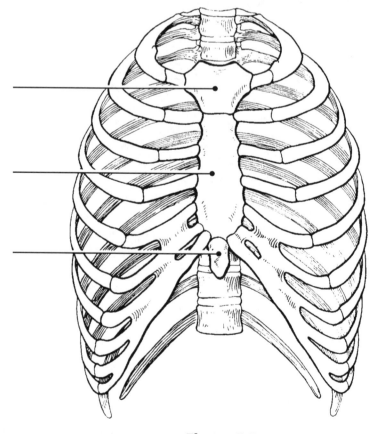

Figure 5-7

LE SQUELETTE APPENDICULAIRE

18. Identifiez l'os de la figure 5-8. Inscrivez votre réponse sur la ligne placée en dessous de l'illustration. À l'aide de couleurs différentes, coloriez sur l'illustration les structures nommées dans la légende ainsi que les cercles correspondants. Nommez les angles indiqués par les lignes de repère.

Légende

◯ Épine scapulaire   ◯ Cavité glénoïdale   ◯ Processus coracoïde   ◯ Acromion

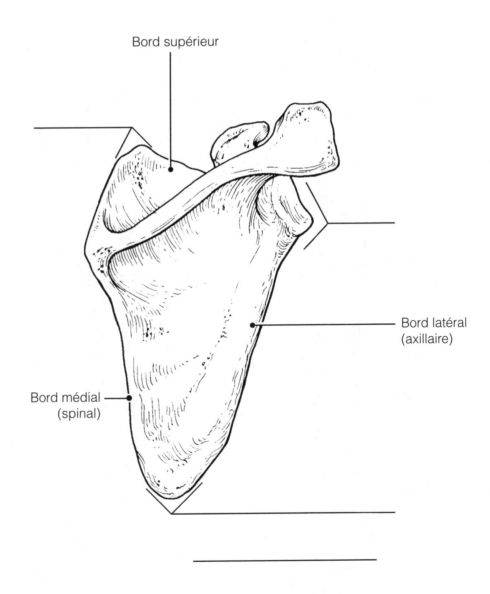

Bord supérieur

Bord latéral
(axillaire)

Bord médial
(spinal)

Figure 5-8

19. À l'aide de couleurs différentes, coloriez sur l'illustration chacun des os du bras et de l'avant-bras ainsi que les cercles correspondants dans la légende. Inscrivez le nom de ces os sur les lignes de repère A, B et C. Complétez l'illustration en inscrivant le nom des structures suivantes à côté des lignes de repère correspondantes.

Incisure trochléaire	Capitulum	Processus coronoïde
Trochlée	Tubérosité deltoïdienne	Olécrane
Tubérosité du radius	Tête (trois)	Grand tubercule
Processus styloïde	Petit tubercule	

Légende

◯ Humérus   ◯ Ulna   ◯ Radius

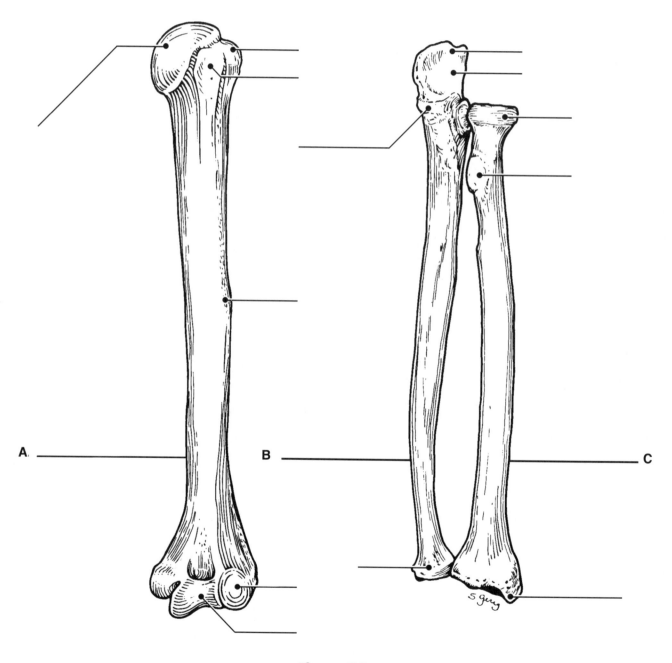

Figure 5-9

20. La figure 5-10 présente le squelette de la main. À l'aide de couleurs différentes, coloriez sur l'illustration les structures nommées dans la légende ainsi que les cercles correspondants.

Légende

⭕ Os du carpe   ⭕ Métacarpiens   ⭕ Phalanges

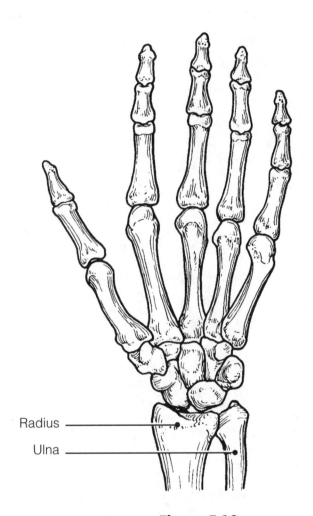

Radius ———
Ulna ———

Figure 5-10

21. Comparez les ceintures scapulaire et pelvienne à l'aide des descriptions proposées ci-dessous. Inscrivez les lettres appropriées sur les lignes prévues à cet effet.

Descriptions proposées

A. Flexible   D. Cavité peu profonde pour l'articulation du membre

B. Massive   E. Cavité profonde pour l'articulation du membre

C. Légère   F. Supporte le poids du corps

Ceinture scapulaire____,____,____   Ceinture pelvienne____,____,____

22. Associez le bon terme, parmi ceux proposés ci-dessous, à sa description. Inscrivez la lettre ou le terme approprié sur la ligne prévue à cet effet.

Termes proposés

A. Acromion

B. Capitulum

C. Os du carpe

D. Clavicule

E. Processus coracoïde

F. Fosse coronoïdienne

G. Tubérosité deltoïdienne

H. Cavité glénoïdale

I. Humérus

J. Métacarpiens

K. Fosse olécranienne

L. Olécrane

M. Phalanges

N. Tubérosité du radius

O. Radius

P. Scapula

Q. Sternum

R. Processus styloïde

S. Trochlée

T. Ulna

_____ 1. Protubérance de la face latérale de l'humérus, sur laquelle s'attache le muscle deltoïde

_____ 2. Os du bras.

_____ 3. _____ 4. Os qui composent la ceinture scapulaire.

_____ 5. _____ 6. Os de l'avant-bras.

_____ 7. Point de jonction de la scapula et de la clavicule.

_____ 8. Os de la ceinture scapulaire qui n'est pas attaché au squelette axial.

_____ 9. Os de la ceinture scapulaire qui s'articule antérieurement avec le sternum.

_____ 10. Cavité scapulaire qui accueille l'os du bras.

_____ 11. Processus situé au-dessus de la cavité glénoïdale, qui participe à la fixation de certains muscles.

_____ 12. Os en forme de S.

_____ 13. Processus qui se trouve à l'extrémité distale de l'humérus, sur sa face médiale ; il se joint à l'ulna.

_____ 14. Os médial, en position anatomique de l'avant-bras.

_____ 15. Extrémité arrondie de l'humérus qui s'articule avec le radius.

_____ 16. Dépression antérieure, au-dessus de la trochlée, qui reçoit une partie de l'ulna quand l'avant-bras est fléchi.

_____ 17. Os de l'avant-bras qui forme l'articulation du coude.

_____ 18. _____ 19. Os qui s'articulent avec la clavicule.

_____ 20. Os du poignet.

_____ 21. Os des doigts.

_____ 22. Les têtes de ces os forment les jointures des doigts.

23. La figure 5-11 illustre le bassin. À l'aide de couleurs différentes, coloriez sur l'illustration les structures nommées dans la légende ainsi que les cercles correspondants. Indiquez à côté des lignes en pointillé l'emplacement du grand bassin et celui du petit bassin. Complétez l'illustration, en indiquant où se trouvent les éléments suivants : foramen obturé, crête iliaque, épine iliaque antéro-supérieure, épine ischiatique, branche supérieure du pubis, bord du bassin.

Enfin, inscrivez sur les lignes prévues à cet effet trois caractéristiques qui distinguent le bassin de la femme du bassin de l'homme.

Légende

◯ Os coxal	◯ Symphyse pubienne
◯ Sacrum	◯ Acétabulum

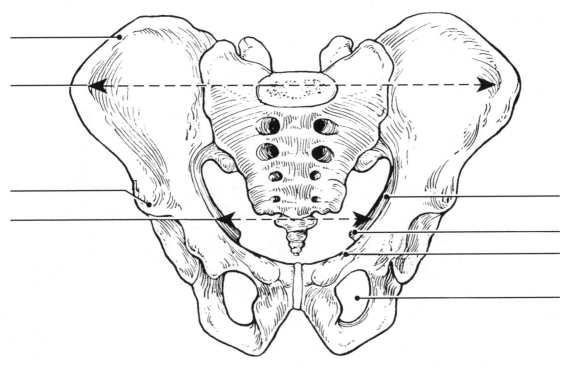

Figure 5-11

1. _____

2. _____

3. _____

24. Entourez le terme qui n'a pas sa place dans chacun des groupes suivants.

1. Tibia   Ulna   Fibula   Fémur

2. Crâne   Cage thoracique   Colonne vertébrale   Bassin

3. Ischium   Scapula   Ilium   Pubis

4. Mandibule   Os frontal   Os temporal   Os occipital

5. Calcanéus   Os du tarse   Os du carpe   Talus

25. Parmi les termes proposés, trouvez celui qui correspond à chacun des énoncés numérotés. Inscrivez les lettres ou termes appropriés sur les lignes prévues à cet effet.

Termes proposés

A. Acétabulum

B. Calcanéus

C. Fémur

D. Fibula

E. Tubérosité glutéale

F. Grande incisure ischiatique

G. Petit et grand trochanters

H. Crête iliaque

I. Ilium

J. Tubérosité ischiatique

K. Ischium

L. Malléole latérale

M. Petite incisure ischiatique

N. Malléole médiale

O. Métatarsiens

P. Foramen obturé

Q. Rotule

R. Symphyse pubienne

S. Pubis

T. Articulation sacro-iliaque

U. Talus

V. Os du tarse

W. Tibia

X. Tubérosité tibiale

_____ 1. Trois os dont la fusion forme l'os coxal (os de la hanche).

_____ 2. Structure qui porte le poids du corps en position assise.

_____ 3. Point où les deux os coxaux se joignent antérieurement.

_____ 4. Bordure supérieure des os iliaques.

_____ 5. Cavité profonde de l'os de la hanche, qui reçoit la tête de l'os de la cuisse.

_____ 6. Point de jonction du squelette axial et de la ceinture pelvienne.

_____ 7. L'os le plus long du corps, qui s'articule avec l'os coxal.

_____ 8. Os latéral de la jambe.

_____ 9. Os médial de la jambe.

_____ 10. Trois os qui forment l'articulation du genou.

_____ 11. Point d'attache du ligament patellaire.

_____ 12. Os qui protège l'articulation du genou.

_____ 13. L'os le plus gros de la jambe.

_____ 14. Processus distal sur la face médiale du tibia.

_____ 15. Processus formant la partie extérieure de la cheville.

_____ 16. Os du talon.

_____ 17. Os qui forment la cheville.

_____ 18. Os qui forment la plante du pied.

_____ 19. Ouverture dans l'os coxal, formée des branches du pubis et de l'ischium.

_____ 20. Trois points d'attache des muscles de la cuisse et de la fesse, situés à l'extrémité proximale du fémur.

_____ 21. Os du tarse qui s'articule avec le tibia.

26. Pour chacun des énoncés ci-dessous qui est vrai, inscrivez _V_ sur la ligne prévue à cet effet. Pour les énoncés qui sont faux, corrigez le terme souligné, en inscrivant le bon terme sur la ligne prévue à cet effet.

_____ 1. La ceinture scapulaire est formée par l'articulation des os de la hanche avec le sacrum.

_____ 2. Les os qu'on trouve dans les mains et dans les pieds sont les os du carpe.

_____ 3. Le périoste est le tissu conjonctif fibreux et résistant qui recouvre les os.

_____ 4. La cavité à la jonction des trois os formant l'os coxal est la cavité glénoïdale.

_____ 5. Le gros nerf qu'il faut éviter de toucher lorsqu'on administre une injection dans le muscle fessier est le nerf fémoral.

_____ 6. Les os longs du fœtus sont constitués de cartilage hyalin.

_____ 7. Les os qui protègent le plus les viscères abdominaux sont les côtes.

_____ 8. Le plus grand foramen du crâne est le foramen magnum.

_____ 9. La fosse intercondylaire, le grand trochanter et la tubérosité glutéale sont des éléments du relief osseux de l'humérus.

_____ 10. L'étape principale qui marque le début de la consolidation d'une fracture est la formation d'un hématome.

27. À l'aide de couleurs différentes, coloriez sur l'illustration chacun des os de la jambe et de la cuisse ainsi que les cercles correspondants dans la légende. Inscrivez le nom de ces os sur les lignes de repère A, B, et C.

Légende

◯ Fémur   ◯ Tibia   ◯ Fibula

Complétez l'illustration en inscrivant le nom des structures suivantes au bout des lignes de repère appropriées.

Tête du fémur   Crête du tibia   Tête de la fibula

Éminence intercondylaire   Petit trochanter   Malléole médiale

Tubérosité tibiale   Grand trochanter   Malléole latérale

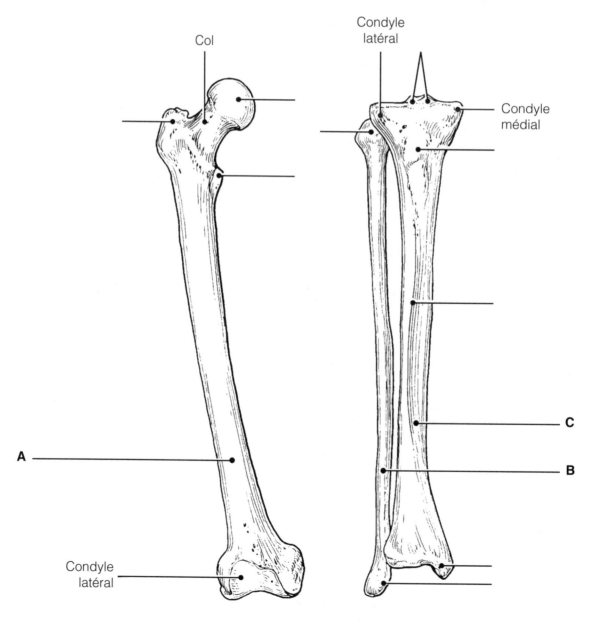

Figure 5-12

28. La figure 5-13 présente le squelette articulé. Indiquez près des lignes de repère le nom de tous les os ou groupes d'os. À l'aide de couleurs différentes, coloriez sur l'illustration le squelette axial et le squelette appendiculaire ainsi que les cercles correspondants dans la légende.

Légende

◯ Squelette axial   ◯ Squelette appendiculaire

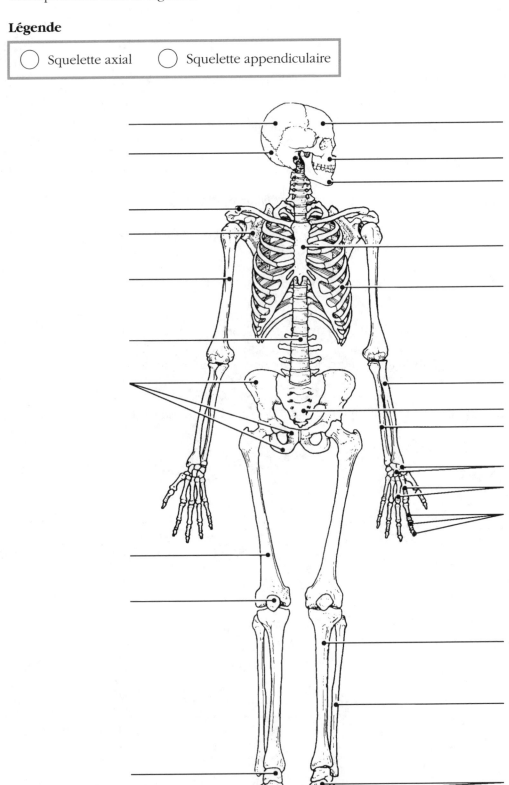

Figure 5-13

FRACTURES DES OS

29. À l'aide des termes proposés, nommez les types de fractures illustrés à la figure 5-14 ainsi que les types de fractures et leur traitement décrits dans les énoncés numérotés. Inscrivez les lettres ou les termes appropriés sur les lignes prévues à cet effet.

Termes proposés

A. Réduction à peau fermée
B. Fracture par tassement
C. Fracture ouverte

D. Enfoncement localisé
E. Fracture en bois vert
F. Réduction chirurgicale

G. Fracture fermée
H. Fracture en spirale

_____ 1. L'os présente une cassure nette, mais ne perce pas la peau.

_____ 2. Réalignement manuel des parties fracturées.

_____ 3. Fracture courante chez l'enfant; l'os se fracture de façon incomplète, à la manière d'une brindille.

_____ 4. L'os se brise en de nombreux fragments; fracture courante de la colonne vertébrale.

_____ 5. Les bouts de l'os cassé percent les tissus mous et la peau.

_____ 6. Réalignement des extrémités fracturées par des tiges ou des fils métalliques.

_____ 7. Fracture qui se produit lorsque l'os tourne sur lui-même.

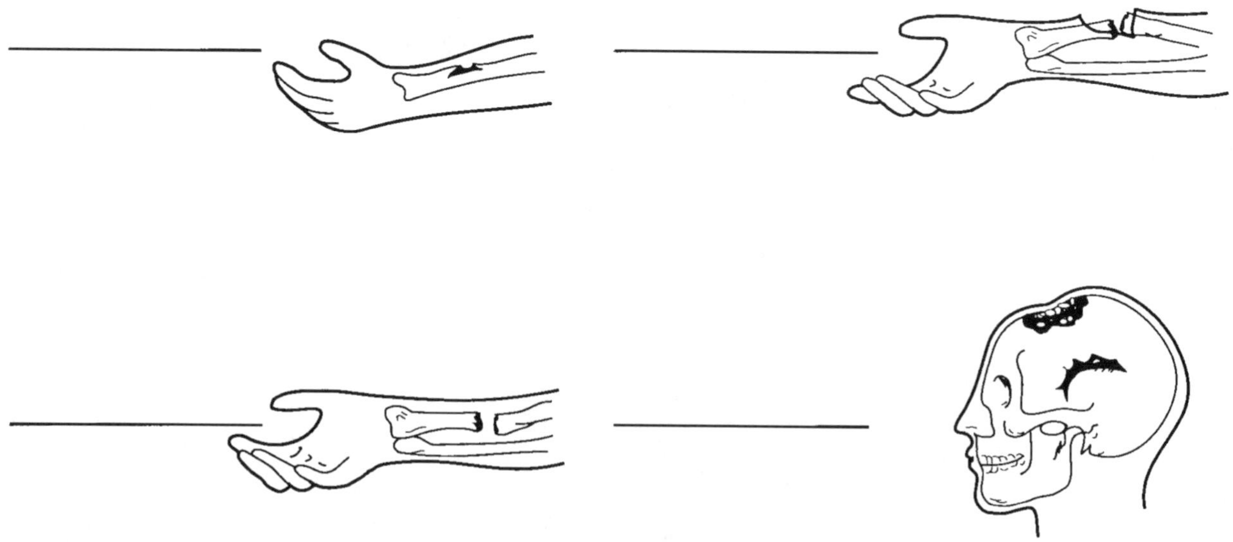

Figure 5-14

30. Pour chacun des énoncés ci-dessous concernant les fractures et leur consolidation, inscrivez s'il est vrai *V* sur la ligne prévue à cet effet. Pour les énoncés qui sont faux, corrigez le terme souligné en inscrivant le bon terme sur la ligne prévue à cet effet.

_____ 1. Un hématome se forme habituellement à l'endroit de la fracture.

_____ 2. Les ostéocytes de l'os fracturé qui ne sont plus alimentés meurent.

_____ 3. Les débris non osseux sont éliminés par les ostéoclastes.

_____ 4. Les nouveaux capillaires qui se constituent dans la région concourent à la formation d'un tissu de granulation.

_____ 5. Les ostéoblastes en provenance de la cavité médullaire pénètrent dans la fracture.

_____ 6. Le cal fibrocartilagineux, qui est la première masse de tissu reconstitué, forme une éclisse qui soutient l'os fracturé.

_____ 7. Le cal osseux est initialement composé d'os compact.

LES ARTICULATIONS

31. La figure 5-15 illustre une diarthrose typique. À l'aide de couleurs différentes, coloriez sur l'illustration les structures nommées dans la légende ainsi que les cercles correspondants. Ensuite, complétez les énoncés qui se trouvent sous la figure.

Légende

◯ Cartilage articulaire

◯ Capsule fibreuse

◯ Membrane synoviale

◯ Cavité articulaire

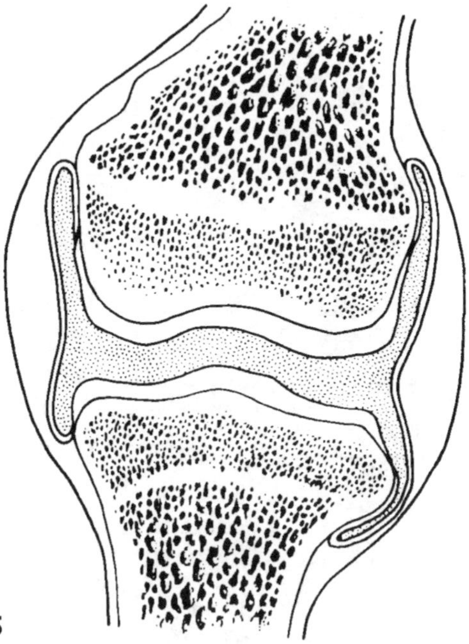

Figure 5-15

_____ 1. Le lubrifiant qui aide à réduire la friction et l'usure des cartilages est le __(1)__.

_____ 2. La substance qui absorbe la compression au niveau des extrémités osseuses porte le nom de __(2)__.

_____ 3. Les __(3)__ qui renforcent la capsule fibreuse aident à prévenir la luxation de l'articulation.

32. Pour chacune des articulations décrites ci-dessous, trouvez la réponse appropriée parmi le choix A. Si votre réponse concerne une articulation *autre que synoviale (C)*, essayez d'aller plus loin dans la classification des articulations, en complétant votre réponse à l'aide du choix B.

Termes proposés

Choix A :   A. Cartilagineuse   Choix B :   1. Cartilage épiphysaire

                B. Fibreuse   2. Suture

                C. Synoviale   3. Symphyse

_____ 1. Des exemples en sont les amphiarthroses et les synarthroses.

_____ 2. Leurs capsules fibreuses sont tapissées d'une membrane synoviale qui circonscrit la cavité articulaire.

_____ 3. Régions osseuses reliés par des fibres de tissu conjonctif.

_____ 4. Articulations présentes entre les os de la tête.

_____ 5. Articulation qui se trouve entre l'atlas et l'axis.

_____ 6. Articulation de la hanche, du coude et du genou.

_____ 7. Tous les exemples sont des diarthroses.

_____ 8. Articulation semi-mobile du bassin.

_____ 9. Toutes ces articulations sont renforcées par des ligaments.

_____ 10. Articulation qui protège le plus les structures sous-jacentes.

_____ 11. Articulation qui contient souvent un coussinet rempli de liquide.

_____ 12. Cartilage hyalin des os longs des enfants.

_____ 13. La plupart des articulations des membres.

_____ 14. Les bourses sont souvent associées à ce type d'articulation.

_____ 15. Les articulations les plus mobiles.

33. Quel est le type d'articulation qu'on *ne trouve pas* normalement dans le squelette axial? Pourquoi en est-il ainsi?

_____

_____

_____

Déséquilibres homéostatiques des os et des articulations

34. Pour chacun des énoncés qui est vrai, inscrivez *V* sur la ligne prévue à cet effet. Pour les énoncés qui sont faux, corrigez le terme <u>souligné</u>, en inscrivant le bon terme sur la ligne prévue à cet effet.

_____ 1. En cas d'<u>entorse</u>, les ligaments qui renforcent l'articulation sont fortement étirés ou déchirés.

_____ 2. La <u>goutte</u> se caractérise par une érosion du cartilage articulaire due au vieillissement et par la formation d'excroissances osseuses.

_____ 3. L'arthrite <u>chronique</u> est habituellement provoquée par une prolifération bactérienne.

_____ 4. La guérison des ligaments partiellement déchirés est lente du fait que les centaines de filaments fibreux sont mal <u>alignés</u>.

_____ 5. La <u>polyarthrite rhumatoïde</u> est une maladie auto-immune.

_____ 6. La <u>polyarthrite rhumatoïde</u> peut être due à des concentrations élevées d'acide urique dans le sang.

_____ 7. L'<u>ostéomyélite</u> est une maladie infantile, caractérisée par la déminéralisation des os, qui deviennent mous ; elle est habituellement provoquée par une carence en calcium alimentaire et en vitamine D.

_____ 8. On appelle <u>ostéoporose</u> l'atrophie et l'amincissement des os, dus à des modifications hormonales ou à l'inactivité (en général chez les personnes âgées).

DÉVELOPPEMENT ET VIEILLISSEMENT DU SQUELETTE

35. Pour chacun des énoncés qui est vrai, inscrivez *V* sur la ligne prévue à cet effet. Pour les énoncés qui sont faux, corrigez le terme <u>souligné</u> en inscrivant le bon terme sur la ligne prévue à cet effet.

_____ 1. Les cellules cartilagineuses et osseuses proviennent de cellules <u>mésenchymateuses</u>.

_____ 2. L'ossification <u>endochondrale</u> est responsable de la formation des os du crâne.

_____ 3. L'ossification <u>intramembraneuse</u> débute à la huitième semaine de gestation.

_____ 4. Le point d'ossification <u>secondaire</u> a souvent lieu au milieu de la diaphyse.

_____ 5. Le cartilage <u>élastique</u> se trouve entre les vertèbres.

_____ 6. Dans la zone de <u>transformation</u> du cartilage épiphysaire, les chondro-cytes se divisent rapidement.

_____ 7. À mesure que l'os croît en longueur, le vieux cartilage situé du côté de la <u>cavité médullaire</u> se dégrade.

_____ 8. Les <u>facteurs génétiques</u> déterminent principalement la densité osseuse.

_____ 9. Une fois formés, les os accomplissent plusieurs fonctions telles que soutien, protection, mouvement, stockage de <u>minéraux</u> et même formation des cellules sanguines.

_____ 10. Lors du vieillissement, la perte osseuse est plus <u>rapide</u> chez les hommes que chez les femmes.

36. Parmi les termes proposés, trouvez le système de l'organisme qui est relié aux tissus osseux dont il est question dans chacun des énoncés numérotés. Inscrivez la lettre ou le terme approprié sur la ligne prévue à cet effet.

Termes proposés

A. Système endocrinien   C. Système musculaire   E. Système génital

B. Système tégumentaire   D. Système nerveux   F. Système urinaire

_____ 1. Système qui est responsable de la sensation de douleur ressentie dans les os et les articulations.

_____ 2. Système qui active la vitamine D nécessaire à l'absorption du calcium.

_____ 3. Système qui règle le captage du calcium et sa libération des os.

_____ 4. Système qui accroît la solidité et la viabilité des os grâce à la traction sur ceux-ci.

_____ 5. Système qui détermine les proportions du squelette et qui favorise la croissance des os longs pendant l'adolescence.

_____ 6. Système qui fournit la vitamine D nécessaire à la bonne absorption du calcium.

37. Complétez les énoncés suivants portant sur le développement du squelette chez le fœtus et le nouveau-né. Inscrivez les mots qui manquent sur les lignes prévues à cet effet.

_____ 1.

_____ 2.

_____ 3.

_____ 4.

Les membranes fibreuses, appelées __(1)__, permettent au crâne du fœtus d'être légèrement __(2)__ pendant l'accouchement. Elles permettent aussi la __(3)__ du cerveau au cours des derniers mois du développement fœtal et pendant la prime enfance. Par la suite, ces membranes molles sont remplacées par des articulations immobiles, appelées __(4)__.

_____ 5.

_____ 6.

_____ 7.

_____ 8.

_____ 9.

Les deux courbures de la colonne vertébrale qui sont bien développées au moment de la naissance sont les courbures __(5)__ et __(6)__. Puisqu'elles sont présentes à la naissance, elles sont appelées __(7)__. Les courbures secondaires apparaissent plus tard. La courbure __(8)__ se forme lorsque le nourrisson commence à lever la tête. La courbure __(9)__ se forme à partir du moment où l'enfant commence à marcher ou peut se tenir debout.

UN VOYAGE EXTRAORDINAIRE

Exercice de visualisation pour tester vos connaissances sur le système squelettique

… les stalactites et les stalagmites qui vous entourent… cet os est plein de trous…

38. Complétez le récit en inscrivant les mots qui manquent sur les lignes prévues à cet effet.

_____ 1.

_____ 2.

_____ 3.

_____ 4.

_____ 5.

_____ 6.

_____ 7.

_____ 8.

_____ 9.

_____ 10.

_____ 11.

_____ 12.

Pour faire ce voyage, vous êtes de nouveau miniaturisé et injecté à l'intérieur de l'os le plus long de votre hôte, soit le __(1)__.
Vous regardez autour de vous et admirez les stalactites et les stalagmites qui vous entourent. Vous avez l'impression que vous vous trouvez dans une caverne, mais vous savez qu'en réalité il s'agit d'un os. Puisque cet os est plein de trous, c'est sûrement un os __(2)__. Les éléments osseux semblent disposés au hasard, comme si quelqu'un avait éparpillé des pailles sur le sol ; mais en réalité, ils sont agencés judicieusement pour résister à des points de __(3)__. Autour de vous tout bouge, l'activité est trépidante. Les cellules se divisent rapidement, leurs noyaux sont éjectés et des cellules discoïdes se forment. Vous comprenez que ces cellules discoïdes sont des __(4)__ et que la cavité dans laquelle vous vous trouvez est celle de la __(5)__. Vous marchez sur la bordure de cette cavité pour bien explorer votre environnement et vous remarquez que de nombreux tunnels se creusent dans la matière osseuse de chaque côté. Vous pénétrez par l'orifice de l'un de ces tunnels et vous remarquez qu'il contient une structure blanchâtre et glissante qui ressemble à un cordon. Vous vous dites que ce doit être un __(6)__. Des vaisseaux sanguins courent aussi le long de ce tunnel. Vous vous enfoncez davantage et arrivez à un passage vertical qui suit l'axe longitudinal de l'os. Il s'agit sans aucun doute d'un canal

__(7)__. Vous voulez vous introduire dans ce puits pour voir comment les nutriments sont acheminés vers l'os __(8)__, mais vous comprenez vite qu'il sera impossible d'en escalader les parois glissantes. Vous vous accrochez donc à l'un des cordons blancs qui courent à sa surface. Puisqu'il est plus facile de vous laisser glisser vers le bas que de remonter, vous amorcez lentement votre descente. Tout en descendant, vous notez que les parois sont trouées de canaux juste assez grands pour vous permettre de vous glisser à l'intérieur en rampant. Vous concluez que ce sont des __(9)__ qui réunissent toutes les __(10)__ à la source nourricière qui alimente le canal central. Vous décidez qu'il vous faut explorer l'un de ces petits trous et, accroché à votre corde, vous vous élancez et essayez de poser un pied dans l'une des ouvertures. Vous réussissez à vous agripper et à vous introduire dans un conduit, où vous allumez votre lampe de poche pour vous éclairer. Vous vous arrêtez étonné devant une cellule géante ayant plusieurs noyaux de couleur foncée. Elle semble occuper toute la lumière du passage devant vous. Pendant que vous la regardez, le matériel osseux qui se trouve en dessous, la __(11)__, commence à se liquéfier. Vous remarquez que la cellule géante digère le tissu osseux. C'est donc un __(12)__, et comme vous ne savez pas trop si ses enzymes peuvent ou non vous liquéfier vous aussi, vous préférez faire vite marche arrière et commencez à vous diriger vers le lieu où vos collègues doivent venir vous cueillir.

39. Pendant un match de soccer, Antoine reçoit la balle en pleine figure. La radio révèle qu'il souffre de fractures multiples des os qui entourent les orbites. Quels sont ces os?

40. Mme Boulanger, une femme âgée de 80 ans, est hospitalisée à cause d'une fracture de la hanche. La radio révèle des fractures par tassement de la colonne lombaire et une densité osseuse extrêmement faible au niveau des vertèbres, des os de la hanche et des fémurs. De quelle maladie souffre-t-elle? Quelle en est la cause et quel en est le traitement?

41. Jacques a été traité à la suite d'un coup violent au front. Lorsqu'il revient à la clinique pour une consultation de suivi, il dit qu'il ne sent plus les odeurs. On prend une radio sur-le-champ et on s'aperçoit qu'il a une fracture. À cause de quelle partie de l'os fracturé a-t-il perdu l'odorat?

42. Une femme d'âge moyen se plaint au médecin que ses articulations sont «rouillées» et douloureuses et qu'elle a de plus en plus de difficulté à bouger les jointures des doigts. Un coup d'œil révèle au médecin des jointures déformées et noueuses. Quelle est la maladie en cause?

43. À son 94ᵉ anniversaire, Jean reçoit beaucoup de compliments sur sa bonne mine. Lorsqu'on lui demande comment va sa santé, il dit : «Je me sens bien la plupart du temps, mais certaines de mes articulations sont douloureuses et rigides, particulièrement celles des genoux, de la hanche et du bas du dos, surtout le matin, au réveil». Une série de radiographies et d'explorations par IRM, prises quelques semaines auparavant, avaient révélé que les cartilages de ces articulations étaient ramollis et éraillés, et que des excroissances osseuses empiétaient sur les bords de certains os.

Quelle est la maladie dont Jean souffre probablement?

44. De quelles façons les étirements et les exercices d'aérobie contribuent-ils à retarder les effets du vieillissement sur les articulations ?

45. Jacqueline, une fillette de 10 ans, est tombée d'un arbre. La radio prise à l'hôpital révèle de petites fractures des processus transverses de T3 à T5, du côté droit. Au cours des prochaines années, quelle est la courbure anormale de la colonne vertébrale de Jacqueline sur laquelle le médecin devra porter son attention?

46. Le bras avec lequel les joueurs de tennis font le service est souvent bien plus développé (épais) que l'autre. Expliquez ce phénomène.

6

Le système musculaire

Les muscles sont des tissus spécialisés qui facilitent le mouvement. Ils constituent environ 40 % de notre masse corporelle. La plupart des muscles sont volontaires. On les appelle muscles squelettiques, du fait qu'ils sont attachés au squelette osseux. Ils confèrent au corps son contour et sa forme, et composent le système musculaire. Ce sont ces muscles qui vous permettent de sourire, de froncer les sourcils, de courir, de nager, de serrer une main, de soulever une charge et, en général, d'évoluer dans votre environnement. Les autres muscles de l'organisme sont les muscles lisses et le muscle cardiaque, qui constituent la majeure partie des organes creux et du cœur. Les muscles lisses et le muscle cardiaque participent au transport des substances à l'intérieur de l'organisme.

Les exercices de ce chapitre portent sur la structure microscopique et macroscopique des muscles et sur le mouvement. Ils vous permettront aussi de réviser les noms des différents muscles et de mieux en comprendre la physiologie.

LES TISSUS MUSCULAIRES – CARACTÉRISTIQUES GÉNÉRALES

1. Neuf caractéristiques du tissu musculaire sont énumérées ci-dessous et à la page suivante. Trouvez, parmi les termes proposés, les tissus musculaires décrits dans les énoncés. Inscrivez les lettres ou termes appropriés sur les lignes prévues à cet effet. (Dans certains cas, plusieurs termes peuvent s'appliquer.)

Termes proposés

A. Muscle cardiaque   B. Muscle lisse   C. Muscle squelettique

_____   1. Involontaire.

_____   2. Strié.

_____   3. Deux couches (une circulaire et l'autre longitudinale) y sont souvent adjacentes.

_____   4. Les fibres sont regroupées et entourées de tissu conjonctif dense.

_____   5. Ses faisceaux sont en forme de 8.

_____   6. Son activité est coordonnée; il agit comme une pompe.

Termes proposés

A. Muscle cardiaque   B. Muscle lisse   C. Muscle squelettique

_____ 7. Il régit le mouvement des os et de la peau du visage.

_____ 8. Ces muscles composent le système musculaire.

_____ 9. Volontaire.

2. Nommez le type de muscle représenté par chacune des illustrations de la figure 6-1. Coloriez les dessins avec les couleurs de votre choix.

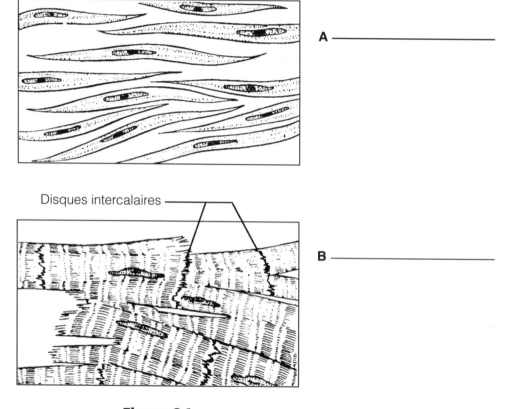

A _____

Disques intercalaires ───────

B _____

Figure 6-1

3. Entourez le terme qui n'a pas sa place dans chacun des groupes suivants, relatifs aux fonctions des tissus musculaires :

1. Urine   Aliments   Os   Muscle lisse

2. Cœur   Muscle cardiaque   Pompe qui propulse le sang   Aide au travail de l'accouchement

3. Excitabilité   Réponse aux stimuli   Contractilité   Potentiel d'action

4. Capacité de se raccourcir   Contractilité   Traction des os   Extensibilité

5. Maintient la posture   Permet de bouger   Favorise la croissance   Dégage de la chaleur

ANATOMIE MICROSCOPIQUE DU MUSCLE SQUELETTIQUE

4. Commencez par associer les structures de la colonne B aux énoncés de la colonne A. Inscrivez les lettres ou les termes appropriés sur les lignes prévues à cet effet. À l'aide de couleurs différentes, coloriez les éléments dont le nom est suivi d'un cercle dans la colonne B. N'oubliez pas de colorier aussi le cercle.

Colonne A

_____ 1. Tissu conjonctif qui entoure un faisceau.

_____ 2. Tissu conjonctif qui enveloppe tout le muscle.

_____ 3. Unité contractile du muscle.

_____ 4. Cellule musculaire.

_____ 5. Fine gaine de tissu conjonctif qui enveloppe chaque cellule musculaire.

_____ 6. Membrane plasmique de la cellule musculaire.

_____ 7. Organite long, filamenteux, en forme de ruban, contenu dans les myocytes.

_____ 8. Structure contenant de l'actine ou de la myosine.

_____ 9. Prolongement de tissu conjonctif, prenant la forme d'un cordon ; son rôle est d'attacher le muscle à l'os.

_____ 10. Assemblage de cellules musculaires.

Colonne B

A. Endomysium ◯

B. Épimysium ◯

C. Faisceau

D. Fibre ◯

E. Myofilament

F. Myofibrille ◯

G. Périmysium ◯

H. Sarcolemme

I. Sarcomère

J. Sarcoplasme

K. Tendon ◯

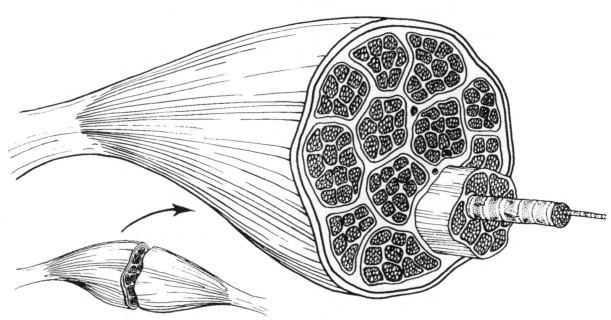

Figure 6-2

5. La figure 6-3 est la représentation schématique d'une petite portion d'une cellule musculaire relâchée (l'accolade indique la partie agrandie). À l'aide de couleurs différentes, coloriez sur l'illustration les structures nommées dans la légende ainsi que les cercles correspondants. Délimitez ensuite à l'aide d'une accolade une strie A (bande sombre), une strie I (bande claire) et un sarcomère. Lorsque vous aurez fini, dessinez un sarcomère contracté en dessous de la figure et indiquez l'emplacement des mêmes structures ainsi que celui des bandes claires et des bandes foncées.

Légende

◯ Myosine   ◯ Filament d'actine   ◯ Ligne Z

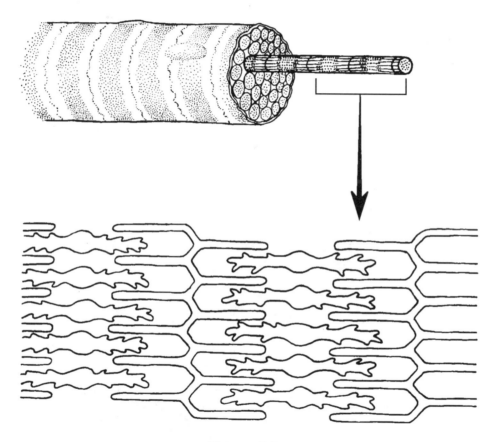

Figure 6-3

1. Si vous regardez la représentation du sarcomère contracté sous un angle légèrement différent, quelle est la région qui se raccourcit durant la contraction : la bande foncée, la bande claire, ou les deux ?

ACTIVITÉ DU MUSCLE SQUELETTIQUE

6. Complétez les énoncés suivants qui portent sur la jonction neuromusculaire.
Inscrivez vos réponses sur les lignes prévues à cet effet.

_____ 1.

_____ 2.

_____ 3.

_____ 4.

_____ 5.

_____ 6.

Un neurone moteur et tous les myocytes squelettiques qu'il stimule forment une ___(1)___. L'axone de chaque neurone moteur a de nombreuses terminaisons, qui portent le nom de ___(2)___. L'espace qui se trouve entre la terminaison axonale et la cellule musculaire est appelé ___(3)___. À l'intérieur des terminaisons axonales, il y a de petites vésicules contenant un neurotransmetteur, appelé ___(4)___.

Lorsqu'un ___(5)___ parvient au bout de l'axone, il provoque la libération du neurotransmetteur, qui parvient par diffusion à la membrane de la cellule musculaire et se lie à ses récepteurs. La liaison du neurotransmetteur aux récepteurs de la membrane rend celle-ci perméable au sodium, ce qui entraîne un afflux d'ions sodium dans le myocyte et la ___(6)___ de sa membrane. C'est alors que la cellule musculaire se contracte.

7. La figure 6-4 illustre une jonction neuromusculaire. À l'aide de couleurs différentes, coloriez sur l'illustration les structures nommées dans la légende ainsi que les cercles correspondants. Indiquez par de petites flèches l'emplacement des récepteurs de l'ACh et ajoutez les noms des structures marquées par des lignes de repère.

Légende

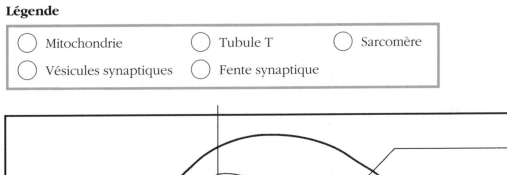

○ Mitochondrie   ○ Tubule T   ○ Sarcomère

○ Vésicules synaptiques   ○ Fente synaptique

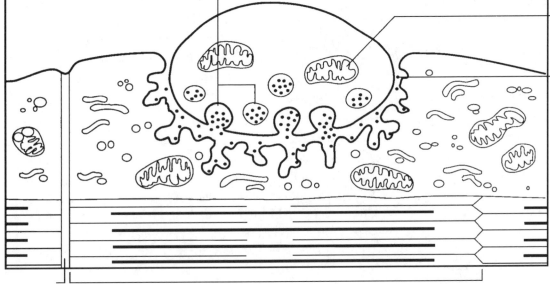

Figure 6-4

8. Ordonnez les énoncés suivants de façon à représenter correctement le mécanisme de contraction d'un myocyte squelettique. La première étape est déjà indiquée.

_____1_____ 1. L'acétylcholine est libérée par la terminaison axonale dans la jonction neuromusculaire.

_____ 2. Le potentiel d'action, qui pénètre profondément dans la cellule, stimule la libération d'ions calcium par le réticulum sarcoplasmique.

_____ 3. Le myocyte se relâche et s'allonge.

_____ 4. L'acétylcholine diffuse à travers la jonction neuromusculaire et se lie aux récepteurs situés sur le sarcolemme.

_____ 5. La concentration d'ions calcium dans les myofilaments augmente; ces derniers glissent les uns le long des autres, et la cellule raccourcit.

_____ 6. La dépolarisation qui a lieu produit un potentiel d'action.

_____ 7. À mesure que le calcium est activement réabsorbé par le réticulum sarcoplasmique, sa concentration dans les myofilaments diminue.

9. À l'aide des termes proposés, complétez les énoncés du paragraphe ci-dessous, qui portent sur la cellule musculaire au repos (ou polarisée) juste avant sa stimulation. Inscrivez les lettres appropriées sur les lignes prévues à cet effet.

Termes proposés

A. Les ions Na^+ diffusent vers l'extérieur de la cellule.

B. Les ions K^+ diffusent vers l'extérieur de la cellule.

C. Les ions Na^+ diffusent vers l'intérieur de la cellule.

D. Les ions K^+ diffusent vers l'intérieur de la cellule.

E. À l'intérieur de la cellule.

F. À l'extérieur de la cellule.

G. Concentrations ioniques des deux côtés de la membrane au repos.

H. État électrique.

I. Activation de la pompe à sodium et à potassium qui transporte les ions K^+ vers l'intérieur de la cellule et les ions Na^+ vers l'extérieur de la cellule.

J. Activation de la pompe à sodium et à potassium qui transporte les ions Na^+ vers l'intérieur de la cellule et les ions K^+ vers l'extérieur de la cellule.

_____ 1.
_____ 2.
_____ 3.
_____ 4
_____ 5.
_____ 6.
_____ 7

La concentration de Na^+ est plus élevée __(1)__ alors que celle de K^+ est plus élevée __(2)__. Lorsque le stimulus est déclenché, la perméabilité de la membrane change, et __(3)__, ce qui amorce la dépolarisation de la membrane. Presque aussitôt que la vague de dépolarisation commence à se propager, une vague de repolarisation se crée et la suit le long de la membrane. Ce phénomène se déroule pendant que __(4)__. La repolarisation rétablit l'__(5)__ de la membrane de la cellule au repos. Les __(6)__ se rétablissent par l'__(7)__.

10. Complétez les énoncés en trouvant la bonne réponse parmi les termes proposés. Inscrivez les lettres ou les termes appropriés sur les lignes prévues à cet effet.

Termes proposés

A. Fatigue

B. Contraction isotonique

C. Cellule musculaire

D. Tonus musculaire

E. Contraction isométrique

F. Le muscle tout entier

G. Tétanos (contraction tétanique)

H. Petit nombre d'unités motrices

I. Grand nombre d'unités motrices

J. Repolarisation

K. Dépolarisation

_____ 1. Le ___(1)___ est une contraction continue, qui se produit lorsque le muscle n'a plus le temps de se relâcher.

_____ 2. Une ___(2)___ est une contraction pendant laquelle le muscle raccourcit et effectue un travail.

_____ 3. Pour que la contraction du muscle soit vigoureuse, un ___(3)___ sont stimulées rapidement.

_____ 4. Lorsque la contraction du muscle est faible mais constante, un ___(4)___ sont stimulées rapidement.

_____ 5. Lorsque le muscle est stimulé, mais qu'il est incapable de répondre à cause de la «dette d'oxygène», il en résulte un phénomène appelé ___(5)___.

_____ 6. Une ___(6)___ est une contraction pendant laquelle le muscle ne raccourcit pas, mais la tension qu'il exerce augmente.

11. Les trois termes proposés ci-dessous portent sur la régénération de l'ATP. Choisissez les termes qui s'appliquent aux énoncés et inscrivez les lettres correspondantes sur les lignes prévues à cet effet.

Termes proposés

A. Réaction couplée de la CP (créatine phosphate) et de l'ADP   C. Voie aérobie

B. Voie anaérobie

_____ 1. S'accompagne de production d'acide lactique.

_____ 2. Fournit la plus grande quantité d'ATP par molécule de glucose.

_____ 3. Comporte un simple transfert d'un groupement phosphate.

_____ 4. Peut se dérouler en l'absence d'oxygène.

_____ 5. Le processus le plus lent de régénération de l'ATP.

_____ 6. Il y a production de gaz carbonique et d'eau.

_____ 7. Durant la deuxième heure du marathon, on fait appel à ce système énergétique.

_____ 8. Se produit lorsque le déficit en oxygène se prolonge.

_____ 9. Mécanisme qui entre en jeu pendant que vous piquez un sprint.

12. Décrivez brièvement à quels signes on reconnaît qu'on est en train de rembourser la dette d'oxygène.

_____

_____

13. Quels sont les phénomènes qui se produisent dans une cellule musculaire en cas de dette d'oxygène? Cochez (√) les bonnes réponses.

_____ 1. Diminution de la quantité d'ATP

_____ 2. Augmentation de la quantité d'ATP

_____ 3. Augmentation de la concentration d'acide lactique

_____ 4. Diminution des réserves d'oxygène

_____ 5. Augmentation des réserves d'oxygène

_____ 6. Diminution de la quantité de gaz carbonique

_____ 7. Augmentation de la quantité de gaz carbonique

_____ 8. Augmentation de la concentration de glucose

MOUVEMENTS, TYPES ET NOMS DES MUSCLES

14. Passons maintenant à la terminologie générale concernant l'activité musculaire. Commencez par repérer sur la figure 6-5 le point d'insertion, le point d'origine, le tendon, le muscle au repos et le muscle qui se contracte. Ensuite, à l'aide de couleurs différentes, coloriez sur l'illustration les structures nommées dans la légende ainsi que les cercles correspondants.

Légende

◯ Os mobile   ◯ Os immobile

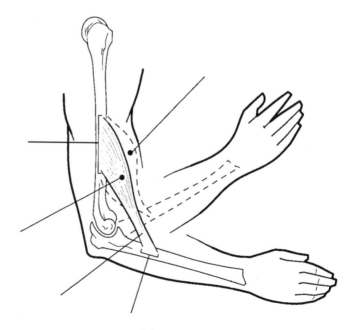

Figure 6-5

15. Complétez les phrases suivantes. Inscrivez vos réponses sur les lignes prévues à cet effet.

_____ 1.

_____ 2.

_____ 3.

_____ 4.

_____ 5.

_____ 6.

_____ 7.

_____ 8.

_____ 9.

_____ 10.

_____ 11.

_____ 12.

_____ 13.

_____ 14.

Lorsque vous faites des pointes, comme au ballet, vos pieds sont en __(1)__. Lorsque vous marchez sur les talons, ils sont en __(2)__.

Lorsque vous décochez un lancer (comme au base-ball), vous faites un mouvement de __(3)__. Pour vous garder en selle, lorsque vous faites de l'équitation, vous faites un mouvement d'__(4)__.

Pendant la course, l'articulation de la hanche est en __(5)__ lorsque votre jambe avance, et en __(6)__ lorsque vous rejetez la jambe vers l'arrière. Quand vous bottez, au soccer, votre genou est en __(7)__. Quand vous montez un escalier, la hanche et le genou du pied qui se pose sur la marche sont en __(8)__. Si vous touchez votre poitrine avec le menton, votre cou est en __(9)__.

Lorsque vous utilisez un tournevis, et que vous gardez le bras bien droit, vous devez faire un mouvement de __(10)__ de ce bras. Pensez à tous les mouvements que vous pouvez faire avec les bras. L'un d'entre eux, qui renforce les muscles du bras et de l'épaule, est la __(11)__.

Quand vous bougez la tête pour dire «non», vous faites un mouvement de __(12)__. Lorsque vous faites tourner l'extrémité distale du radius autour de l'ulna, vous faites un mouvement de __(13)__. Vous faites un mouvement d'__(14)__ lorsque vous levez les bras latéralement, en les écartant du corps.

16. Les termes précédés d'une lettre décrivent l'interaction des différents muscles ou groupes musculaires. Choisissez celui qui convient à la description et inscrivez la lettre ou le terme correspondant sur la ligne prévue à cet effet.

Termes proposés

A. Antagonistes   B. Fixateurs   C. Agonistes   D. Synergiques

_____ 1. Muscles qui sont les principaux responsables du mouvement.

_____ 2. Majoritairement, les muscles de la posture.

_____ 3. Muscles qui stabilisent une articulation, pour permettre aux muscles agonistes de faire bouger des articulations plus éloignées.

_____ 4. Muscles qui effectuent le même mouvement que les muscles agonistes.

_____ 5. Muscles qui s'opposent aux mouvements des muscles agonistes ou qui produisent un effet contraire.

_____ 6. Muscles qui immobilisent l'origine des muscles agonistes.

17. Plusieurs critères déterminent le nom que portent les muscles. Ces critères sont indiqués à la colonne B. Trouvez *tous* les critères qui s'appliquent à chacun des muscles de la colonne A et inscrivez les lettres appropriées sur les lignes prévues à cet effet.

Colonne A	Colonne B
_____ 1. Grand glutéal	A. Action du muscle
_____ 2. Grand adducteur	B. Forme du muscle
_____ 3. Biceps fémoral	C. Emplacement des points d'origine et (ou) d'insertion du muscle
_____ 4. Transverse de l'abdomen	D. Nombre d'origines
_____ 5. Extenseur ulnaire du carpe	E. Emplacement du muscle relativement à un os ou à une région anatomique
_____ 6. Trapèze	F. Direction vers laquelle les fibres musculaires sont orientées par rapport à une ligne imaginaire
_____ 7. Droit de la cuisse	G. Taille relative du muscle
_____ 8. Oblique externe	

ANATOMIE MACROSCOPIQUE DES MUSCLES SQUELETTIQUES

Muscles de la tête

18. Associez les muscles nommés dans la colonne B aux descriptions de la colonne A. Inscrivez les lettres appropriées sur les lignes prévues à cet effet. À l'aide de couleurs différentes, coloriez ces muscles sur la figure 6-6 ainsi que les cercles correspondants.

Colonne A	Colonne B
◯ _____ 1. Muscle que vous utilisez pour sourire.	A. Buccinateur
◯ _____ 2. Muscle que vous utilisez pour rentrer les joues.	B. Ventre frontal
◯ _____ 3. Muscle que vous utilisez pour faire un clin d'œil.	C. Masséter
◯ _____ 4. Muscle que vous utilisez pour creuser un sillon horizontal dans le front.	D. Orbiculaire de l'œil
◯ _____ 5. Muscle que vous utilisez pour donner un baiser.	E. Orbiculaire de la bouche
◯ _____ 6. Muscle agoniste dans la fermeture des mâchoires.	F. Sterno-cléido-mastoïdien
◯ _____ 7. Muscle synergique dans la fermeture des mâchoires.	G. Temporal
◯ _____ 8. Muscle agoniste dans la flexion de la tête ; muscle à double chef.	H. Trapèze
	I. Zygomatique

Os zygomatique

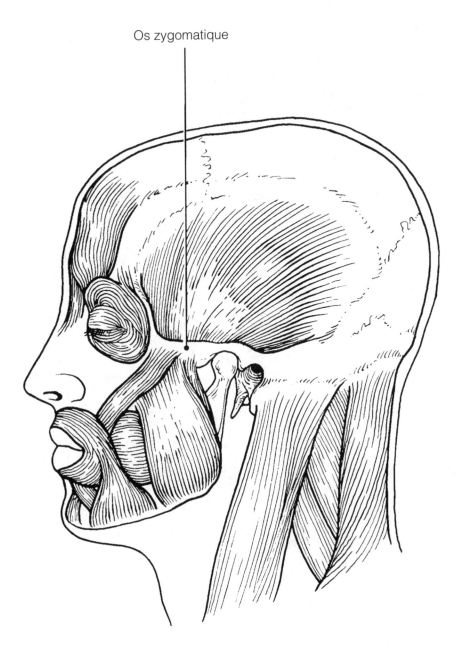

Figure 6-6

Muscles du tronc

19. Associez chacun des muscles antérieurs du tronc décrits à la colonne A à son nom indiqué dans la colonne B. Inscrivez les lettres appropriées sur les lignes prévues à cet effet. À l'aide de couleurs différentes, coloriez sur la figure 6-7 les muscles dont le nom est précédé d'un cercle. Coloriez aussi ce dernier.

Colonne A

○ _____ 1. Muscle en forme de sangle, le plus superficiel de l'abdomen.

○ _____ 2. Muscle agoniste dans la flexion et l'adduction de l'épaule.

○ _____ 3. Muscle agoniste dans l'abduction du bras.

○ _____ 4. Muscles qui forment la paroi latérale de l'abdomen et dont les fibres sont orientées vers le bas; ils font partie de la «ceinture abdominale».

○ _____ 5. Muscle à double chef; lorsqu'un seul de ces muscles se contracte, il fait tourner la tête vers l'épaule du côté opposé.

_____ 6. et 7. Deux autres paires de muscles qui forment la «ceinture abdominale».

_____ 8. Muscles profonds qui facilitent l'inspiration.

_____ 9. Muscle large, agoniste dans l'inspiration.

Colonne B

A. Deltoïde

B. Diaphragme

C. Intercostaux externes

D. Obliques externes

E. Intercostaux internes

F. Obliques internes

G. Grand dorsal

H. Grand pectoral

I. Droit de l'abdomen

J. Sterno-cléido-mastoïdien

K. Transverses de l'abdomen

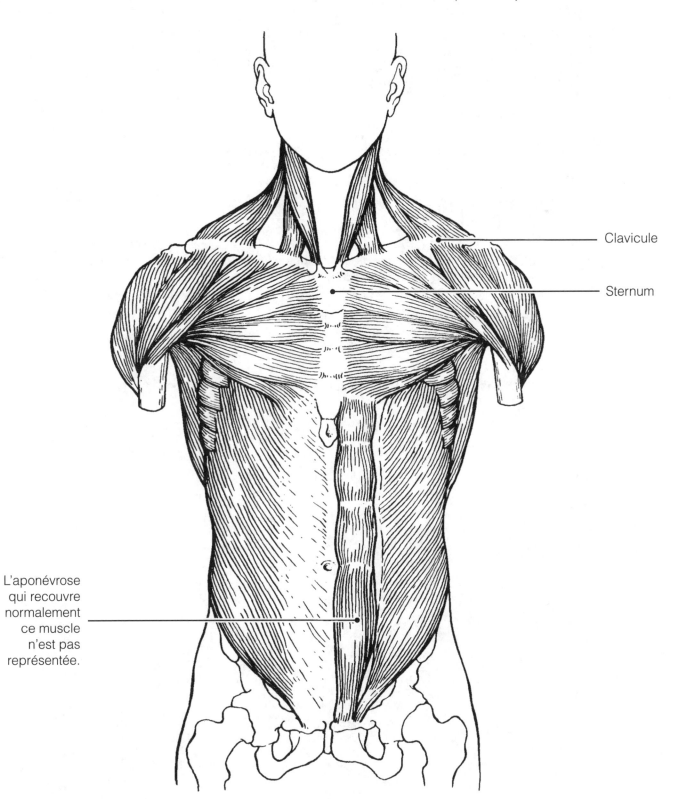

Clavicule

Sternum

L'aponévrose
qui recouvre
normalement
ce muscle
n'est pas
représentée.

Figure 6-7

20. Associez chacun des muscles postérieurs du tronc décrits à la colonne A à son nom indiqué à la colonne B. Inscrivez les lettres appropriées sur les lignes prévues à cet effet. À l'aide de couleurs différentes, coloriez sur la figure 6-8 les muscles dont le nom est précédé d'un cercle. Coloriez aussi ce dernier.

Colonne A	**Colonne B**
◯ _____ 1. Muscle qui vous permet de hausser les épaules ou de faire un mouvement d'extension de la tête.	A. Deltoïde
◯ _____ 2. Muscle qui effectue l'adduction de l'épaule et qui permet l'extension du bras.	B. Érecteur du rachis
◯ _____ 3. Muscle qui forme la masse charnue de l'épaule et qui est un antagoniste du muscle ci-dessus.	C. Oblique externe
_____ 4. Muscle agoniste dans l'extension du dos ; il est formé d'une paire de muscles profonds constitués de trois colonnes.	D. Grand glutéal
_____ 5. Paire de muscles larges et superficiels qui recouvrent le bas du dos.	E. Grand dorsal
	F. Trapèze

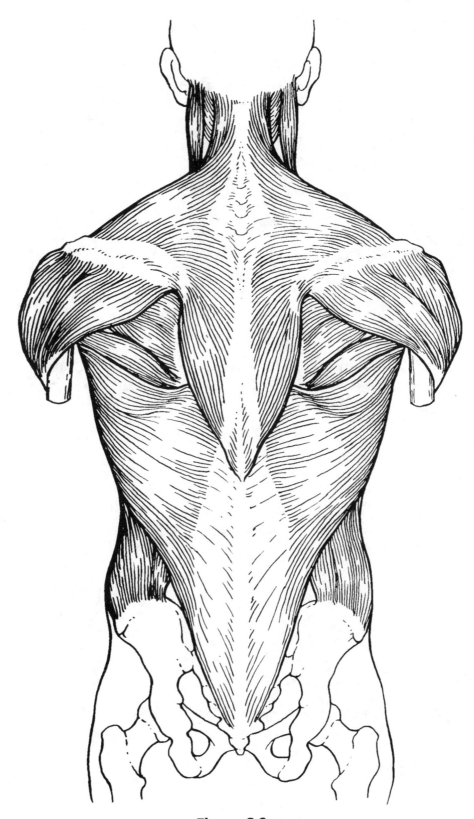

Figure 6-8

Muscles de la hanche, de la cuisse et de la jambe

21. Associez chacun des muscles décrits à la colonne A à son nom indiqué à la colonne B. Inscrivez les lettres appropriées sur les lignes prévues à cet effet. À l'aide de couleurs différentes, coloriez sur la figure 6-9 les muscles dont le nom est précédé d'un cercle. Coloriez aussi ce dernier. Complétez l'illustration en nommant les muscles indiqués par des lignes de repère.

Colonne A	**Colonne B**
_____ 1. Composé de deux muscles profonds, qui permettent le fléchissement de la hanche.	A. Adducteurs
◯ _____ 2. Muscle qui accomplit l'extension de la hanche quand on monte un escalier.	B. Biceps fémoral
◯ _____ 3. Muscle à deux ventres proéminents, appelé «muscle du danseur sur pointes».	C. Muscles fibulaires
◯ _____ 4. Muscle qui permet la flexion dorsale et l'inversion du pied.	D. Gastrocnémien
◯ _____ 5. Groupe musculaire qui vous permet de serrer vos jambes quand vous vous tenez debout, en position de garde-à-vous.	E. Grand glutéal
	F. Moyen glutéal
◯ _____ 6. Groupe musculaire extenseur du genou.	G. Muscles de la loge postérieure de la cuisse
◯ _____ 7. Groupe musculaire qui permet l'extension de la cuisse et la flexion du genou.	H. Ilio-psoas
	I. Quadriceps
◯ _____ 8. Muscle de la cuisse, de taille intermédiaire, siège courant d'injection.	J. Droit de la cuisse
	K. Sartorius
◯ _____ 9. Groupe musculaire de la partie latérale de la jambe, qui permet la flexion plantaire et l'éversion du pied.	L. Semi-membraneux
	M. Semi-tendineux
◯ _____ 10. «Muscle du couturier», rubané, qui permet une flexion faible de la cuisse.	N. Soléaire
	O. Tibial antérieur
◯ _____ 11. Comme le muscle à deux ventres qui le recouvre, ce muscle permet la flexion plantaire.	P. Vaste intermédiaire
	Q. Vaste latéral
	R. Vaste médial

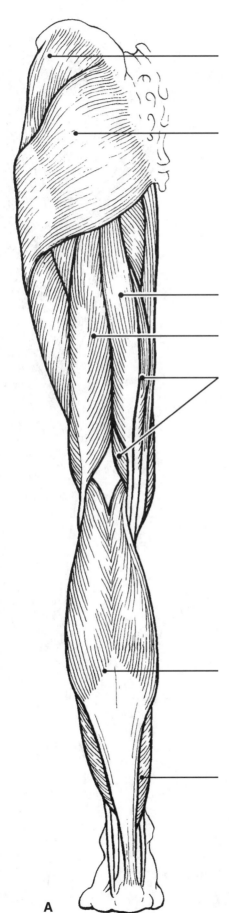

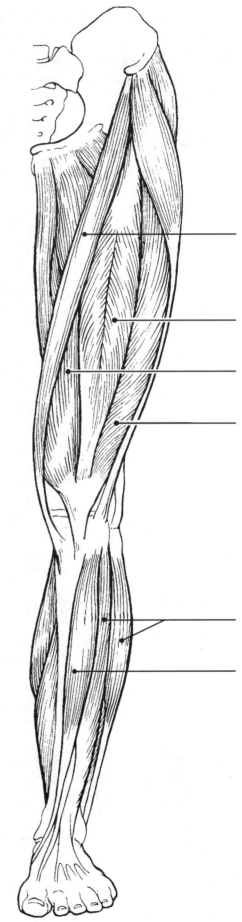

Figure 6-9

Muscles du bras et de l'avant-bras

22. Associez chacun des muscles décrits à la colonne A à son nom indiqué à la colonne B. Inscrivez les lettres appropriées sur les lignes prévues à cet effet. À l'aide de couleurs différentes, coloriez sur la figure 6-10 les muscles dont le nom est précédé d'un cercle. Coloriez aussi ce dernier.

Colonne A

○ _____ 1. Fléchisseur du poignet, qui suit le trajet de l'ulna.

○ _____ 2. Muscle qui permet l'extension des doigts.

_____ 3. Muscle qui permet la flexion des doigts.

○ _____ 4. Muscle qui permet de plier (fléchir) le coude.

○ _____ 5. Muscle qui permet l'extension du coude.

○ _____ 6. Puissant abducteur de l'épaule, qui vous permet de lever le bras au-dessus de la tête.

Colonne B

A. Biceps brachial

B. Deltoïde

C. Extenseur radial du carpe

D. Extenseur commun des doigts

E. Fléchisseur ulnaire du carpe

F. Fléchisseur superficiel des doigts

G. Triceps brachial

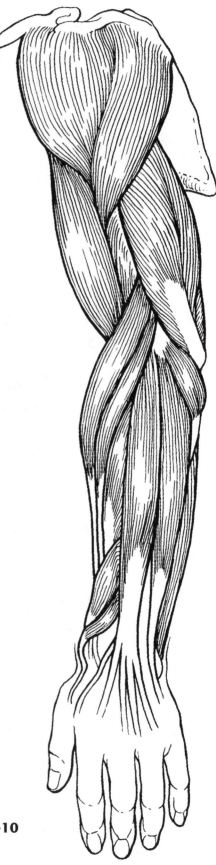

Figure 6-10

Révision des muscles squelettiques

23. Complétez les énoncés suivants ayant trait aux muscles. Inscrivez vos réponses sur les lignes prévues à cet effet.

_____ 1.

_____ 2.

_____ 3.

_____ 4.

_____ 5.

_____ 6.

_____ 7.

_____ 8.

_____ 9.

_____ 10.

_____ 11.

Les injections intramusculaires chez l'adulte se font le plus souvent dans un des trois muscles suivants : le __(1)__, le __(2)__ et le __(3)__.

Le tendon d'insertion des muscles du __(4)__ enveloppe un gros os sésamoïde, la rotule.

Les muscles du mollet s'insèrent par le tendon commun appelé __(5)__.

La majeure partie d'un muscle a tendance à se situer __(6)__ de la partie du squelette que ce muscle fait bouger.

Les muscles qui permettent l'articulation du coude ont comme point d'insertion __(7)__.

La plupart des muscles fléchisseurs sont situés sur la face __(8)__ du corps, la plupart des muscle extenseurs sont situés sur la face __(9)__. Les muscles extenseurs-fléchisseurs du __(10)__ sont la seule exception à cette règle.

Les muscles grand pectoral et deltoïde sont synergiques dans la __(11)__ du bras.

24. Entourez le terme qui n'a pas sa place dans chacun des groupes suivants :

1. Vaste latéral   Vaste médial   Extension du genou   Biceps fémoral

2. Grand dorsal   Grand pectoral   Adduction de l'épaule   Antagonistes

3. Buccinateur   Ventre frontal   Masséter   Mastication   Temporal

4. Vaste médial   Droit de la cuisse   Sartorius   Bassin comme point d'origine

25. Identifiez les muscles numérotés de la figure 6-11 et inscrivez leurs numéros dans les espaces appropriés. Utilisez des couleurs différentes pour colorier ces muscles ainsi que les cercles correspondants.

○ _____ 1. Orbiculaire de la bouche

○ _____ 2. Grand pectoral

○ _____ 3. Oblique externe

○ _____ 4. Sterno-cléido-mastoïdien

○ _____ 5. Biceps brachial

○ _____ 6. Deltoïde

○ _____ 7. Vaste latéral

○ _____ 8. Ventre frontal

○ _____ 9. Droit de la cuisse

○ _____ 10. Sartorius

○ _____ 11. Gracile

○ _____ 12. Groupe des muscles adducteurs

○ _____ 13. Long fibulaire

○ _____ 14. Temporal

○ _____ 15. Orbiculaire de l'œil

○ _____ 16. Zygomatique

○ _____ 17. Masséter

○ _____ 18. Vaste médial

○ _____ 19. Tibial antérieur

○ _____ 20. Transverse de l'abdomen

○ _____ 21. Droit de l'abdomen

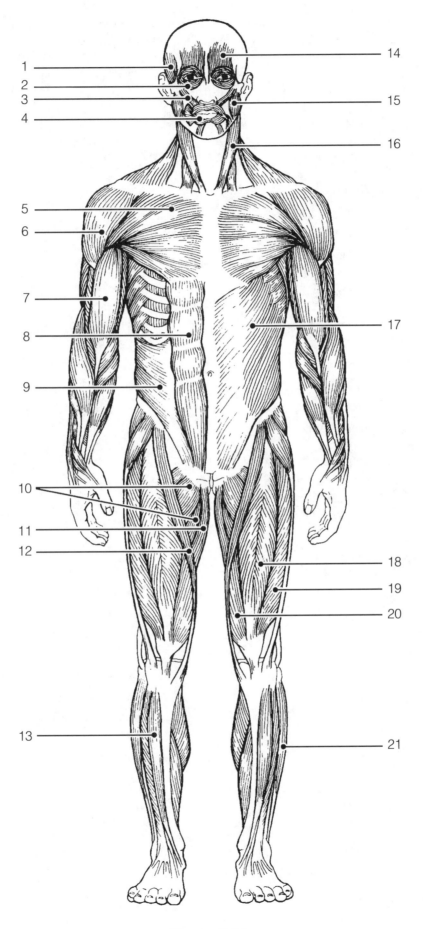

Figure 6-11

26. Identifiez les muscles numérotés de la figure 6-12 et inscrivez leurs numéros dans les espaces appropriés. Utilisez des couleurs différentes pour colorier ces muscles ainsi que les cercles correspondants.

◯ _____ 1. Muscle adducteur

◯ _____ 2. Grand glutéal

◯ _____ 3. Gastrocnémien

◯ _____ 4. Grand dorsal

◯ _____ 5. Deltoïde

◯ _____ 6. Semi-tendineux

◯ _____ 7. Soléaire

◯ _____ 8. Biceps fémoral

◯ _____ 9. Triceps brachial

◯ _____ 10. Oblique externe

◯ _____ 11. Moyen glutéal

◯ _____ 12. Trapèze

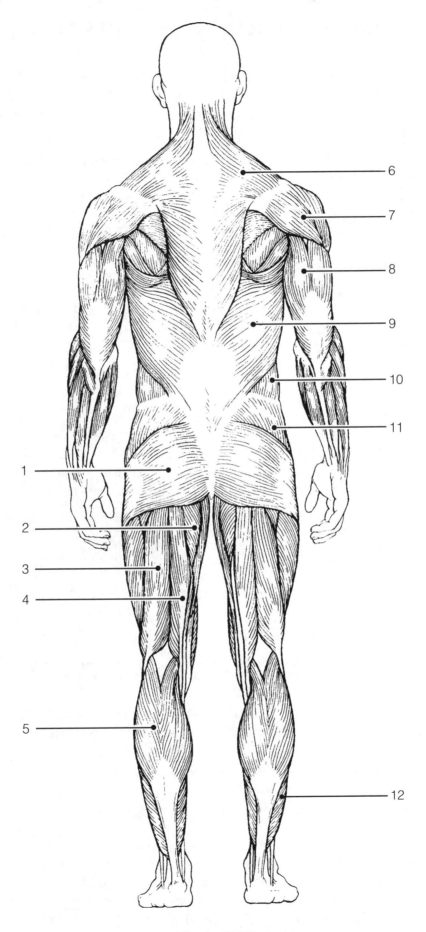

Figure 6-12

DÉVELOPPEMENT ET VIEILLISSEMENT DES MUSCLES

27. Complétez les énoncés sur le développement des muscles et l'évolution de leur fonctionnement au cours de la vie. Inscrivez vos réponses sur les lignes prévues à cet effet.

_____ 1.

_____ 2.

_____ 3.

_____ 4.

_____ 5.

_____ 6.

_____ 7.

_____ 8.

_____ 9.

_____ 10.

_____ 11.

_____ 12.

_____ 13.

_____ 14.

Les fibres musculaires sont formées à partir de cellules provenant du feuillet embryonnaire nommé ____(1)____.

La maladie héréditaire qui provoque la dégénérescence des muscles squelettiques chez les jeunes adultes porte le nom de ____(2)____.

La coordination neuromusculaire du bébé se fait ____(3)____ et ____(4)____. De plus, les mouvements ____(5)____, comme faire au revoir de la main, apparaissent avant les mouvements ____(6)____, comme le geste du pincement.

Les muscles resteront habituellement en santé s'ils sont régulièrement soumis à des ____(7)____, mais sans une stimulation normale, ils ____(8)____.

La ____(9)____ est une maladie musculaire provoquée par une stimulation inadéquate des muscles par l'acétylcholine. De ce fait, les muscles s'affaiblissent de plus en plus.

En vieillissant, la quantité de tissu musculaire diminue, ce qui entraîne une diminution de la ____(10)____ corporelle et de la ____(11)____ des muscles. Le tissu musculaire est remplacé graduellement par un tissu ____(12)____ non contractile.

Parmi les trois types de muscles, seul le muscle ____(13)____ conserve la capacité de faire la mitose. Les autres types de muscles peuvent néanmoins se régénérer de façon limitée grâce aux cellules ____(14)____.

UN VOYAGE EXTRAORDINAIRE

Exercice de visualisation pour tester vos connaissances sur le système musculaire

... Vous réussissez à monter à califourchon sur cette structure, et vous vous demandez ce qu'il vous arrivera...

28. Complétez le récit en inscrivant les mots qui manquent sur les lignes prévues à cet effet.

_____ 1.

En vue de ce voyage extraordinaire, vous êtes miniaturisé et introduit dans une cellule du muscle squelettique. Votre tâche est d'observer les événements qui ont lieu pendant la contraction du muscle. Pour ce voyage, vous avez enfilé une combinaison isothermique et rechargé votre détecteur d'ions. Vous embarquez dans la seringue qui vous injectera dans la peau de votre hôte et vous êtes prêt pour votre mission. Elle commencera quand vous apercevrez ____(1)____, tissu conjonctif brillant qui recouvre la cellule musculaire

_____ 2.

_____ 3.

_____ 4.

_____ 5.

_____ 6.

_____ 7.

_____ 8.

_____ 9.

_____ 10.

dans laquelle vous devez pénétrer. Après l'injection, vous traversez l'épiderme et le tissu sous-cutané. Vous atterrissez sur la surface de votre myocyte et remarquez qu'elle est trouée de petits cratères situés à distance relativement égale. Dans la pénombre au loin, vous voyez que de minuscules ramifications fibreuses se trouvent tout près d'un certain nombre de cellules musculaires. Puisque toutes ces ramifications émanent du même neurone moteur, vous êtes sans doute en présence d'une unité fonctionnelle, ou _____(2)_____. Vous vous approchez de la terminaison fibreuse de votre myocyte et observez sa jonction _____(3)_____. Vous remarquez que de nombreuses gouttelettes minuscules s'écoulent de la terminaison du nerf et s'attachent à des récepteurs en forme de beignet, situés sur la membrane de votre myocyte. Cette substance est sûrement de l'_____(4)_____. Ensuite, pendant qu'une lueur rougeoyante embrase le paysage, votre détecteur d'ions vous signale que des ions, qui se trouvaient jusque-là dans le liquide autour du myocyte, commencent à s'engouffrer dans les cratères. L'aiguille de votre détecteur se déplace de plus en plus vers la gauche à mesure que les ions _____(5)_____ quittent le milieu aqueux à l'extérieur de la cellule. C'était prévisible, puisque ces ions sont appelés à dépolariser les myocytes et à déclencher un _____(6)_____.

Vous commencez maintenant à explorer l'un des cratères. Le muscle se met soudainement à bouger, et vous tombez tout au fond du cratère que vous observiez. Des décharges électriques illuminent les parois de tous les côtés. Vous essayez de vous agripper, et une fois que vous réussissez à le faire, vous vous laissez glisser lentement à l'intérieur du myocyte, et vous vous mettez à avancer précautionneusement sur une structure qui ressemble à une poutre. De nouveau, une lumière fantastique vous enveloppe et votre détecteur d'ions vous signale que des ions _____(7)_____ pénètrent rapidement dans le cytoplasme. La «poutre» sur laquelle vous marchez «s'anime», et commence à glisser latéralement. Incapable de garder l'équilibre, vous tombez. Vous réussissez à monter à califourchon sur cette structure, et vous vous demandez ce qu'il vous arrivera. De tous les côtés, des structures cylindriques, identiques à celle sur laquelle vous vous tenez, glissent le long de structures semblables, mais plus grosses. Tout d'un coup, vous comprenez: ce sont des myofilaments d'_____(8)_____ qui glissent le long de myofilaments de _____(9)_____, pendant la contraction du muscle.

Quelques secondes plus tard, le mouvement vers l'avant s'arrête, et vous commencez à reculer doucement. Votre détecteur d'ions vous signale que la concentration d'ions _____(10)_____ diminue. Puisque vous ne pouvez pas escalader les parois lisses d'un cratère comme celui par lequel vous êtes entré, vous grimpez de myofilament en myofilament pour atteindre la face interne du sarcolemme. Vous vous laissez glisser latéralement dans un puits près de la surface et vous voilà sorti de la cellule. Votre voyage prend fin ici et vous vous préparez à quitter votre hôte une fois de plus.

29. Marcel fait une crise de colère et, en perdant tout contrôle, il donne un coup de poing dans une porte vitrée. La vitre se fracasse et plusieurs tendons de la face antérieure du poignet sont sectionnés. Si les tendons ne peuvent être réparés, quels sont les mouvements que Marcel ne pourra plus faire?

30. Au cours d'une séance d'exercice particulièrement ardue, un sportif s'étire certains muscles en effectuant un mouvement d'extension du genou pendant que sa hanche est encore complètement fléchie. Quels sont les muscles étirés?

31. M. Gardel doit subir une appendicectomie d'urgence. Le chirurgien a pratiqué une incision dans la bordure latérale de la région abdomino-pelvienne inguinale droite. Le muscle droit de l'abdomen a-t-il été sectionné?

32. Susanne, massothérapeute, masse le dos de M. Graves. Quels sont les deux gros muscles superficiels du dos sur lesquels elle travaillera le plus?

33. Mme Séraphin dit au médecin que son fils âgé de 6 ans semble de plus en plus maladroit et qu'il se fatigue rapidement. Le médecin note que la taille des muscles du mollet semble normale. On dirait même qu'ils sont hypertrophiés plutôt qu'atrophiés. Quelle est la maladie dont pourrait souffrir ce petit garçon? Quel en est le pronostic?

34. Une dame consulte son médecin pour des troubles de digestion. Quel type de muscle risque d'être atteint? Nommez deux fonctions digestives qui pourraient alors être perturbées.

35. Grégoire travaille dans une usine de pesticides. Il vient voir le médecin à cause de spasmes musculaires qui l'empêchent de bouger et de respirer normalement. Une analyse sanguine révèle qu'il a été empoisonné par un pesticide organophosphoré inhibiteur de l'acétylcholinestérase. Comment expliqueriez-vous à Grégoire ce que cela signifie?

7

Le système nerveux

Le système nerveux est le principal système de coordination de l'organisme. Chaque pensée, chaque geste, chaque sensation reflètent son activité. En raison de sa complexité, on le divise en deux grandes parties : le système nerveux central (SNC) et le système nerveux périphérique (SNP). Le SNC, constitué du cerveau et de la moelle épinière, interprète les informations sensorielles qui lui parviennent et émet des instructions fondées sur l'expérience passée. Le SNP, constitué des nerfs crâniens, des nerfs spinaux et des ganglions, est un véritable réseau de communication entre le SNC et les muscles, les glandes et les récepteurs sensoriels. Par ailleurs, le système nerveux est aussi divisé, en ce qui concerne les fonctions motrices, en système nerveux somatique et en système nerveux autonome. Il ne faut cependant pas oublier que ces classifications sont artificielles et qu'elles n'existent que pour des raisons de commodité. Le système nerveux constitue en réalité un tout intégré, tant du point de vue de sa structure que de sa fonction.

Les exercices de ce chapitre vous aideront à récapituler l'anatomie et la physiologie des neurones et à revoir les diverses structures des systèmes nerveux central et périphérique. Ils vous aideront par ailleurs à revoir les fonctions réflexes et sensorielles ainsi que le système nerveux autonome. Puisqu'il régit, au moins en partie, tous les autres systèmes, il est très important de bien connaître le système nerveux pour arriver à comprendre comment l'organisme fonctionne dans sa globalité.

1. Quelles sont les trois principales fonctions du système nerveux?

1. _____

_____

2. _____

_____

3. _____

_____

ORGANISATION DU SYSTÈME NERVEUX

2. Parmi les termes proposés, trouvez celui qui correspond le mieux à chacune des descriptions données dans les énoncés numérotés. Inscrivez les lettres ou les termes appropriés sur les lignes prévues à cet effet.

Termes proposés

A. Système nerveux autonome

B. Système nerveux central (SNC)

C. Système nerveux périphérique (SNP)

D. Système nerveux somatique

_____ 1. Division du système nerveux constituée du cerveau et de la moelle épinière.

_____ 2. Division du SNP qui régit les activités volontaires, par exemple celles des muscles squelettiques.

_____ 3. Division du système nerveux constituée des nerfs crâniens et spinaux et des ganglions.

_____ 4. Division du SNP qui régit les activités du cœur, des muscles lisses et des glandes; on l'appelle également système nerveux involontaire.

_____ 5. L'une des deux principales divisions du système nerveux, qui interprète les informations qui lui parviennent de l'extérieur et qui émet des instructions.

_____ 6. L'une des deux principales divisions du système nerveux qui sert de réseau de communication reliant toutes les parties de l'organisme au SNC.

STRUCTURE ET FONCTION DU TISSU NERVEUX

3. Cet exercice vous aidera à bien distinguer les neurones de la névroglie. Indiquez le type de cellule décrit dans chacun des énoncés ci-dessous. Inscrivez les lettres ou les termes appropriés sur les lignes prévues à cet effet.

Termes proposés

A. Neurone   B. Névroglie

_____ 1. Sert à soutenir, isoler et protéger les cellules.

_____ 2. Possède deux caractéristiques importantes, l'excitabilité et la conductivité, qui permettent d'acheminer les messages électriques d'une région à l'autre de l'organisme.

_____ 3. Libère des neurotransmetteurs.

_____ 4. Est amitotique.

_____ 5. Capable de se diviser; par conséquent, est responsable de la plupart des néoplasmes cérébraux (tumeurs du cerveau).

4. Cet exercice porte sur l'anatomie des neurones. Faites correspondre les termes de la colonne B avec les descriptions des fonctions de la colonne A. Inscrivez les lettres ou les termes appropriés sur les lignes prévues à cet effet.

Colonne A	Colonne B
_____ 1. Libération de neurotransmetteurs	A. Axone
_____ 2. Acheminement des courants électriques vers le corps cellulaire	B. Corpuscule nerveux terminal
_____ 3. Accélération de la vitesse de propagation des influx nerveux	C. Dendrite
_____ 4. Emplacement du noyau	D. Gaine de myéline
_____ 5. En règle générale, conduction des influx nerveux hors du corps cellulaire	E. Corps cellulaire du neurone

5. Vous trouverez ci-dessous la liste de certaines sensations. À partir des termes proposés, repérez tous les types de récepteurs qui peuvent être activés dans chaque cas. Inscrivez les lettres ou les termes appropriés sur les lignes prévues à cet effet.

Termes proposés

A. Terminaisons nerveuses libres

B. Fuseau neurotendineux (organe musculotendineux de Golgi)

C. Corpuscule tactile capsulé (corpuscule de Meissner)

D. Fuseau neuromusculaire

E. Corpuscule lamelleux (corpuscule de Vater-Pacini)

Sensation

Sensation ressentie quand on marche sur un sol brûlant.

Sensation donnée par un pincement.

Sensation ressentie quand on s'appuie sur une pelle.

Sensations musculaires ressenties quand on rame.

Sensation donnée par une caresse.

Type de récepteur

1. Deux types : _____ et _____

2. Deux types : _____ et _____

3. _____

4. Deux types : _____ et _____

5. _____

6. Parmi les termes proposés, trouvez celui qui correspond à la description donnée par chaque énoncé. Inscrivez les lettres ou les termes appropriés sur les lignes prévues à cet effet.

Termes proposés

A. Neurone afférent

B. Neurone d'association

C. Extérocepteur

D. Neurone efférent

E. Ganglion

F. Névroglie

G. Neurotransmetteur

H. Nerf

I. Nœuds de Ranvier

J. Noyau

K. Propriocepteur

L. Cellule de Schwann (neurolemmocyte)

M. Synapse

N. Stimulus

O. Tractus ou faisceau

_____ 1. Récepteur cutané du toucher, qui permet de déceler la température, les changements de pression et la douleur.

_____ 2. Cellule spécialisée, responsable de la formation de la gaine de myéline des neurones du SNP.

_____ 3. Point de jonction entre les neurones.

_____ 4. Regroupement de fibres nerveuses qu'on trouve à l'intérieur du SNC.

_____ 5. Neurone qui relie les neurones sensitifs et les neurones moteurs.

_____ 6. Intervalles réguliers dans la gaine de myéline.

_____ 7. Amas de corps cellulaires qui se trouve à l'extérieur du SNC.

_____ 8. Neurone qui achemine les influx nerveux du SNC jusqu'aux muscles et aux glandes.

_____ 9. Récepteur sensoriel qui se trouve dans les muscles et les tendons, et qui décèle le degré d'étirement.

_____ 10. Changement se produisant à l'intérieur ou à l'extérieur de l'organisme, qui affecte le fonctionnement du système nerveux.

_____ 11. Neurone qui achemine les influx nerveux de la périphérie au SNC.

_____ 12. Substance chimique libérée par les neurones, qui stimule d'autres neurones, ainsi que les muscles et les glandes.

7. La figure 7-1 est la représentation schématique d'un neurone. Premièrement, inscrivez le nom des structures de la figure indiquées par des lignes de repère. Deuxièmement, à l'aide de couleurs différentes, coloriez sur l'illustration les structures nommées dans la légende ainsi que les cercles correspondants. Troisièmement, entourez le terme, parmi les trois proposés à gauche de l'illustration, qui décrit le mieux la classe structurale à laquelle appartient le neurone. Quatrièmement, dessinez des flèches sur la figure pour indiquer la direction de la transmission des influx nerveux le long de la membrane neuronale.

Légende

◯ Axone

◯ Dendrite

◯ Corps cellulaire

◯ Gaine de myéline

Unipolaire

Bipolaire

Multipolaire

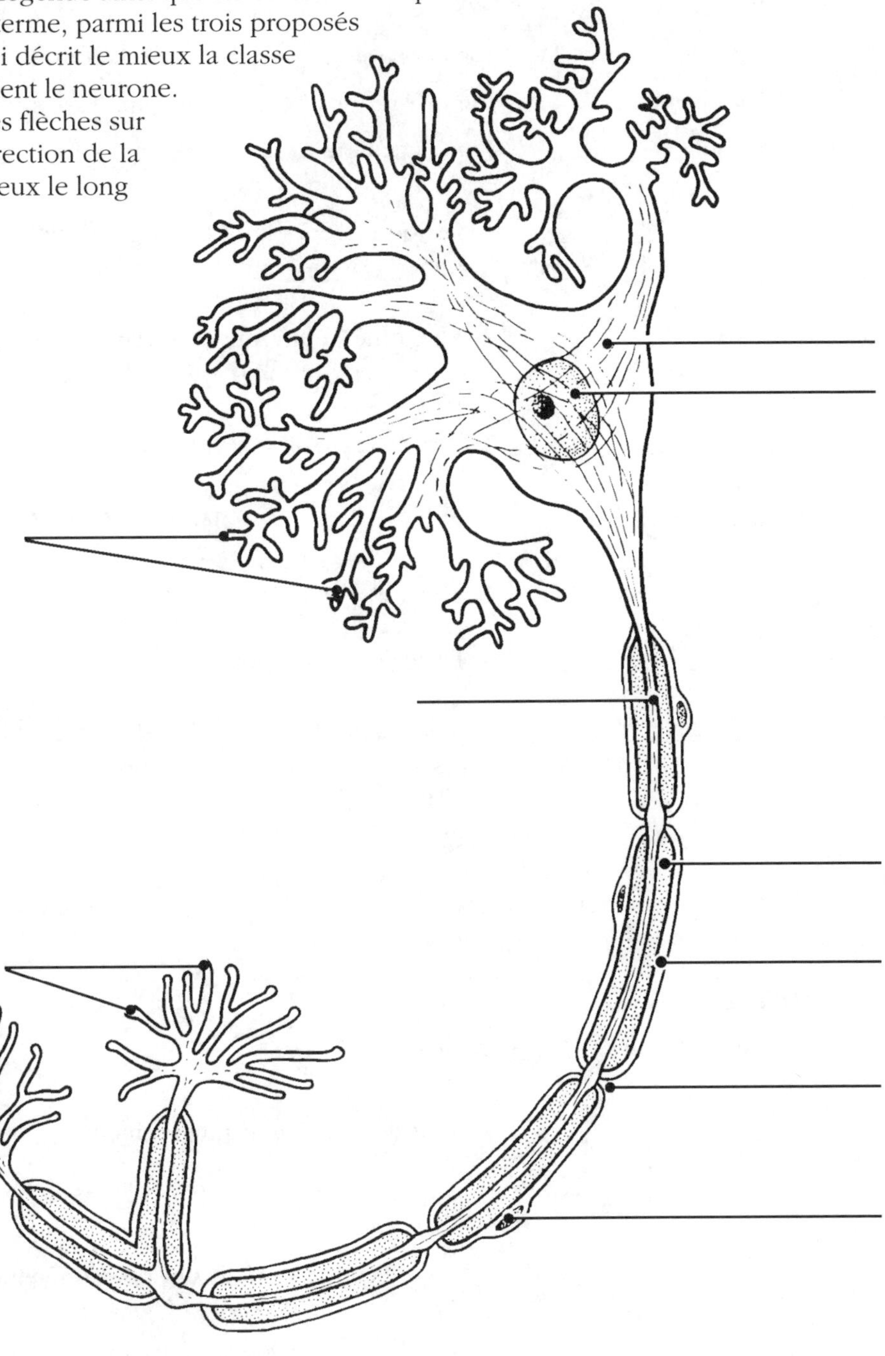

Figure 7-1

8. Indiquez, dans l'ordre, les cinq éléments *essentiels* d'un arc réflexe, à partir du stimulus jusqu'à l'organe effecteur. Inscrivez vos réponses sur les lignes prévues à cet effet.

1. Stimulus

2. _____

3. _____

4. _____

5. Organe effecteur

9. À l'aide de ceux qui sont proposés, trouvez les termes qui correspondent aux définitions numérotées. Inscrivez les lettres ou les termes appropriés sur les lignes prévues à cet effet.

Termes proposés

A. Potentiel d'action   D. Ions potassium   G. Ions sodium

B. Dépolarisation   E. Période réfractaire   H. Pompe à sodium et à potassium

C. Polarisé(e)   F. Repolarisation

_____ 1. Période de repolarisation du neurone, durant laquelle celui-ci ne peut plus répondre à un deuxième stimulus.

_____ 2. Phénomène qui renverse le potentiel de repos et qui est déclenché par la pénétration d'ions sodium dans le neurone.

_____ 3. État de la membrane plasmique d'un neurone au repos.

_____ 4. Période au cours de laquelle les ions potassium sortent du neurone.

_____ 5. Transmission de l'onde de dépolarisation le long de la membrane.

_____ 6. Principaux ions positifs se trouvant à l'intérieur d'un neurone au repos.

_____ 7. Mécanisme par lequel la cellule utilise l'énergie de l'ATP pour expulser les ions sodium de son cytoplasme et y faire pénétrer les ions potassium; il rétablit complètement les conditions ioniques caractéristiques de l'état de repos.

10. À l'aide des deux termes proposés, indiquez de quel type de réflexe il est question dans les énoncés numérotés.

Termes proposés

A. Réflexe somatique   B. Réflexe autonome

_____ 1. Réflexe patellaire ou d'étirement.

_____ 2. Réflexe pupillaire.

_____ 3. Ses effecteurs sont les muscles squelettiques.

_____ 4. Ses effecteurs sont les muscles lisses et les glandes.

_____ 5. Réflexe des raccourcisseurs.

_____ 6. Régulation de la pression artérielle.

_____ 7. Réflexe salivaire.

11. La figure 7-2 représente un arc réflexe. Commencez par répondre aux questions suivantes ; inscrivez vos réponses sur les lignes prévues à cet effet.

1. Quel est le stimulus? _____

2. Quel est le tissu effecteur? _____

3. Combien y a-t-il de synapses dans cet arc réflexe? _____

Ensuite, à l'aide de couleurs différentes, coloriez sur l'illustration les structures nommées dans la légende ainsi que les cercles correspondants. Enfin, dessinez des flèches sur la figure pour indiquer la direction de l'influx nerveux pour cette voie de transmission.

Légende

◯ Récepteur   ◯ Neurone d'association

◯ Neurone afférent   ◯ Neurone efférent

◯ Effecteur

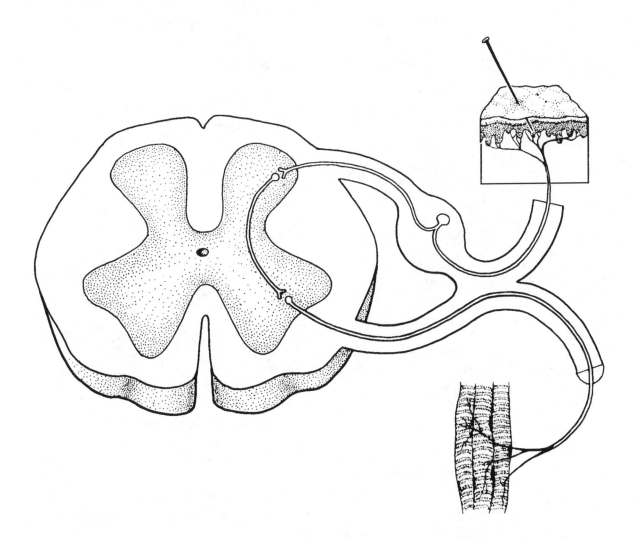

Figure 7-2

12. Entourez le terme qui n'a pas sa place dans chacun des groupes suivants :

1. Astrocyte   Neurone   Oligodendrocyte   Microglie

2. K⁺ entre dans la cellule   K⁺ sort de la cellule   Repolarisation   Période réfractaire

3. Nœuds de Ranvier   Gaine de myéline   Amyélinisé   Conduction saltatoire

4. Réponse prévisible   Acte volontaire   Acte involontaire   Réflexe

5. Oligodendrocyte   Cellule de Schwann (neurolemmocyte)   Myéline   Microglie

6. Récepteurs cutanés   Terminaisons dendritiques libres   Étirement   Douleur et toucher

7. Intérieur de la cellule   Concentration élevée de Na⁺   Faible concentration de Na⁺   Concentration élevée de K⁺

8. Acétylcholine   Récepteur   Myéline   Jonction neuromusculaire

LE SYSTÈME NERVEUX CENTRAL
Encéphale

13. Complétez les énoncés suivants en inscrivant vos réponses sur les lignes prévues à cet effet.

_____ 1.

_____ 2.

_____ 3.

_____ 4.

_____ 5.

Chez l'humain, les deux régions les plus étendues de l'encéphale sont les ___(1)___. Les deux autres divisions importantes sont le ___(2)___ et le ___(3)___. Les cavités du cerveau portent le nom de ___(4)___ ; elles sont remplies de ___(5)___.

14. Entourez le nom des structures qui _ne_ se trouvent _pas_ dans le tronc cérébral.

Hémisphères cérébraux   Mésencéphale   Bulbe rachidien

Pont   Cervelet   Diencéphale

15. Complétez les énoncés suivants en inscrivant vos réponses sur les lignes prévues à cet effet.

_____ 1.

_____ 2.

_____ 3.

_____ 4.

_____ 5.

_____ 6.

_____ 7.

Les ___(1)___ sont des saillies de tissu du cortex cérébral. Les circonvolutions sont importantes, car elles élargissent la ___(2)___ du cerveau. La substance grise est composée de ___(3)___. La substance blanche est composée de ___(4)___, qui assurent la communication entre les différentes parties du cerveau ainsi qu'avec les centres inférieurs du SNC. Le noyau lenticulaire, le noyau caudé et les autres noyaux sont appelés collectivement ___(5)___. Comparativement au ___(6)___, ces noyaux semblent contribuer à des aspects plus complexes de la régulation ___(7)___.

16. La figure 7-3 présente une vue latérale du côté droit de l'encéphale humain. Faites d'abord correspondre les lettres de l'illustration avec les termes qui sont présentés dans la liste ; inscrivez vos réponses sur les lignes prévues à cet effet. À l'aide de couleurs différentes, coloriez ces structures ainsi que les cercles correspondants. Si la région est comprise dans un lobe, utilisez la couleur choisie pour celui-ci, mais contentez-vous de *hachurer* cette partie.

_____ 1. ◯ Lobe frontal

_____ 2. ◯ Lobe pariétal

_____ 3. ◯ Lobe temporal

_____ 4. ◯ Gyrus précentral

_____ 5.   Sillon pariéto-occipital

_____ 6. ◯ Gyrus postcentral

_____ 7.   Sillon latéral

_____ 8.   Sillon central

_____ 9. ◯ Cervelet

_____ 10. ◯ Bulbe rachidien

_____ 11. ◯ Lobe occipital

_____ 12. ◯ Pont

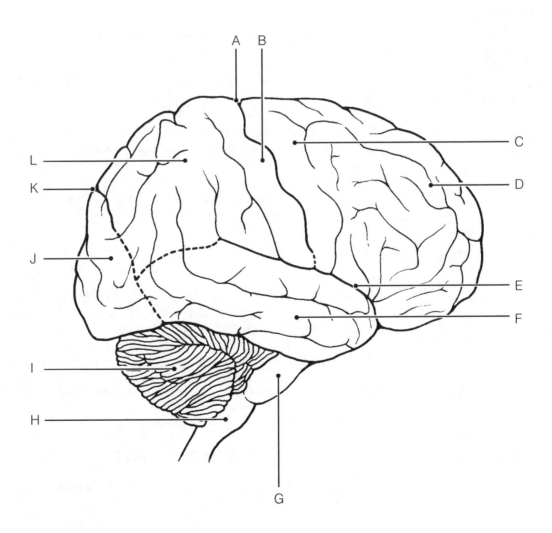

Figure 7-3

17. La figure 7-4 présente une vue sagittale de l'encéphale humain. Faites d'abord correspondre les lettres de l'illustration avec les termes de la liste ; inscrivez les lettres appropriées sur les lignes prévues à cet effet. Coloriez ensuite en bleu les parties du tronc cérébral, et en jaune les parties où l'on trouve le liquide cérébro-spinal.

_____ 1. Cervelet

_____ 2. Aqueduc du mésencéphale

_____ 3. Hémisphère cérébral

_____ 4. Pédoncule cérébral

_____ 5. Plexus choroïde

_____ 6. Tubercules quadrijumeaux ou colliculus

_____ 7. Corps calleux

_____ 8. Quatrième ventricule

_____ 9. Hypothalamus

_____ 10. Bulbe rachidien

_____ 11. Chiasma optique

_____ 12. Corps pinéal

_____ 13. Hypophyse

_____ 14. Pont

_____ 15. Thalamus

18. Trouvez dans l'exercice 17 le nom des structures dont il est question ci-dessous. Inscrivez les termes appropriés sur les lignes prévues à cet effet.

_____ 1. Centre de régulation de l'équilibre hydrique et de la température corporelle.

_____ 2. Structure dont les centres réflexes participent, avec les centres situés dans la partie inférieure du tronc cérébral, à la régulation de la respiration.

_____ 3. Centre de régulation de la posture et de la coordination des mouvements des muscles squelettiques.

_____ 4. Important relais pour les fibres afférentes, qui acheminent l'information vers les aires sensitives du cortex, où elle sera interprétée.

_____ 5. Structure où se trouvent les centres autonomes qui régissent la pression artérielle et la respiration, ainsi que les centres qui gèrent la toux et les éternuements.

_____ 6. Gros faisceau de neurofibres qui relie les hémisphères cérébraux.

_____ 7. Canal qui relie le troisième et le quatrième ventricule.

_____ 8. Structure qui renferme le troisième ventricule.

_____ 9. Structure qui sécrète le liquide cérébro-spinal.

_____ 10. Renflements dans la partie antérieure du mésencéphale contenant surtout de gros tractus ou faisceaux de neurofibres.

_____ 11. Partie du système limbique qui contient divers centres de régulation des émotions (colère, plaisir, faim, pulsions sexuelles, etc.).

_____ 12. Structure de laquelle les neurones de troisième ordre partent pour se rendre dans l'aire somesthésique.

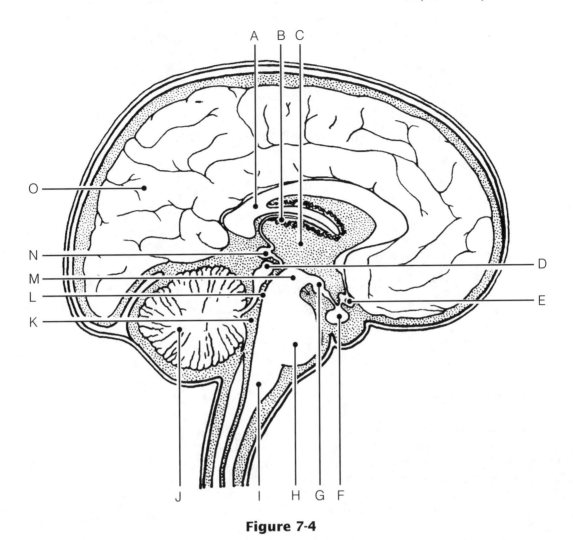

Figure 7-4

19. Pour chacun des énoncés ci-dessous qui est vrai, inscrivez *V* sur la ligne prévue à cet effet. Pour les énoncés qui sont faux, corrigez les termes <u>soulignés</u> et mettez le bon terme sur la ligne prévue à cet effet.

_____ 1. La principale aire sensitive des hémisphères cérébraux se trouve dans le gyrus <u>précentral</u>.

_____ 2. Les aires responsables de l'audition dans le cortex se trouvent dans le lobe <u>occipital</u>.

_____ 3. La principale aire motrice du lobe <u>temporal</u> participe au déclenchement des mouvements volontaires.

_____ 4. L'aire motrice du langage, située à la base du gyrus précentral, porte le nom d'aire de <u>Wernicke</u>.

_____ 5. L'hémisphère cérébral droit est le siège de la perception sensorielle du côté <u>droit</u> du corps.

_____ 6. Le tractus <u>cortico-spinal</u> (faisceau pyramidal) constitue la principale voie motrice descendante.

_____ 7. Les lésions du <u>thalamus</u> altèrent la conscience et perturbent les cycles veille-sommeil.

_____ 8. Un EEG <u>plat</u> est un signe clinique de mort cérébrale.

_____ 9. Les ondes bêta se produisent quand la personne est à l'état de veille <u>diffuse</u>.

Protection du SNC – méninges et liquide cérébro-spinal

20. Quelles sont les méninges ou structures associées décrites ci-dessous?

_____ 1. Membrane externe de l'encéphale, composée d'un tissu conjonctif dense et très résistant.

_____ 2. Membrane interne de l'encéphale, formée de tissu vascularisé délicat.

_____ 3. Structures qui font passer le liquide cérébro-spinal dans le sang veineux des sinus de la dure-mère.

_____ 4. Membrane intermédiaire de l'encéphale qui évoque une toile d'araignée.

_____ 5. Son feuillet externe est attaché au périoste.

21. La figure 7-5 représente une coupe frontale des méninges au niveau du sinus sagittal supérieur (un sinus de la dure-mère). Commencez par indiquer où se trouvent les _villosités arachnoïdiennes_. Ensuite, à l'aide de couleurs différentes, coloriez sur l'illustration les structures nommées dans la légende ainsi que les cercles correspondants.

Légende

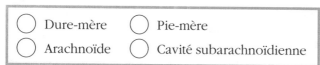

Dure-mère   Pie-mère

Arachnoïde   Cavité subarachnoïdienne

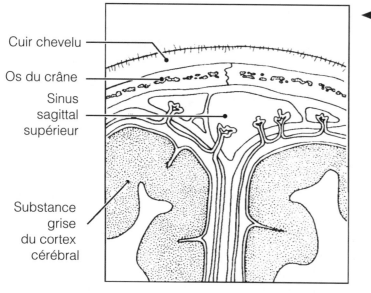

Cuir chevelu

Os du crâne

Sinus sagittal supérieur

Substance grise du cortex cérébral

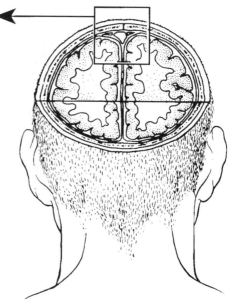

Figure 7-5

22. Complétez les énoncés suivants. Inscrivez vos réponses sur les lignes prévues à cet effet.

_____ 1.

_____ 2.

_____ 3.

_____ 4.

_____ 5.

_____ 6.

_____ 7.

1. Le liquide cérébro-spinal est élaboré par des amas de capillaires, appelés ___(1)___, qui pendent du toit de chaque ___(2)___.
Normalement, il s'écoule des deux ventricules latéraux au troisième ventricule, puis il traverse l'___(3)___ pour entrer dans le quatrième ventricule. Une certaine quantité du liquide est acheminée vers le ___(4)___ de la moelle épinière, mais la plus grande partie pénètre dans la ___(5)___ par trois petites ouvertures creusées dans la paroi du ___(6)___. En règle générale, son élaboration et sa restitution au sang veineux se font à la même vitesse. Cependant, si la circulation est entravée, la pression du liquide sur le cerveau augmente et provoque une maladie appelée ___(7)___.

Dysfonctionnements de l'encéphale

23. Associez les dysfonctionnements de la colonne B à leur description de la colonne A. Inscrivez vos réponses sur les lignes prévues à cet effet.

Colonne A

_____ 1. Atteinte légère et transitoire.

_____ 2. Atteinte qui mène à la destruction du tissu nerveux.

_____ 3. État caractérisé par une absence totale de réponse à toute stimulation.

_____ 4. Dysfonctionnement provoqué par une pression trop forte du sang, qui pousse le tronc cérébral vers le bas, dans le foramen magnum.

_____ 5. Rétention d'eau dans l'encéphale, à la suite d'un coup porté à la tête.

_____ 6. Accident qui se produit lorsqu'une région du cerveau est privée de sang ou exposée à une ischémie prolongée.

_____ 7. Maladie dégénérative de l'encéphale, provoquée par des dépôts anormaux de protéines.

_____ 8. Maladie auto-immune, caractérisée par une démyélinisation importante.

_____ 9. Attaque entraînant une paralysie temporaire et des symptômes cardiovasculaires passagers.

Colonne B

A. Maladie d'Alzheimer

B. Œdème cérébral

C. Accident vasculaire cérébral (AVC)

D. Coma

E. Commotion

F. Contusion

G. Hémorragie intracrânienne

H. Sclérose en plaques

I. Accident ischémique transitoire (AIT)

Moelle épinière

24. Complétez les énoncés suivants. Inscrivez vos réponses sur les lignes prévues à cet effet.

_____ 1.

_____ 2.

_____ 3.

_____ 4.

_____ 5.

_____ 6.

_____ 7.

_____ 8.

_____ 9.

La moelle épinière va du ___(1)___ de la tête jusqu'à la région ___(2)___ de la colonne vertébrale. Les méninges qui la recouvrent se prolongent bien au-delà de son extrémité inférieure et forment un sac d'où l'on peut prélever du liquide cérébro-spinal sans endommager la moelle. Cette intervention porte le nom de ___(3)___. ___(4)___ paires de nerfs spinaux émergent de la moelle épinière. De ces nerfs, ___(5)___ paires sont des nerfs cervicaux, ___(6)___ paires sont des nerfs thoraciques, ___(7)___ paires sont des nerfs lombaires et ___(8)___ paires sont des nerfs sacraux. Le groupe de nerfs spinaux qui prolonge l'extrémité inférieure de la moelle épinière est appelé la ___(9)___.

25. Parmi les termes proposés, trouvez celui qui correspond à la définition de chaque énoncé. Inscrivez la lettre ou le terme approprié sur la ligne prévue à cet effet.

Termes proposés

A. Afférent (sensitif)   C. Afférent et efférent

B. Efférent (moteur)   D. Neurone d'association (interneurone)

_____ 1. Type de neurones qu'on trouve dans la corne dorsale.

_____ 2. Type de neurones qu'on trouve dans la corne ventrale.

_____ 3. Type de neurones qu'on trouve dans le ganglion spinal.

_____ 4. Type de fibres qu'on trouve dans la racine ventrale.

_____ 5. Type de fibres qu'on trouve dans la racine dorsale.

_____ 6. Type de fibres qu'on trouve dans un nerf spinal.

26. La figure 7-6 représente une coupe transversale de la moelle épinière. À l'aide
de couleurs différentes, coloriez sur l'illustration les structures nommées dans la
légende ainsi que les cercles correspondants. Utilisez le gris pour la substance grise
et le jaune pour les nerfs spinaux et leurs racines.

Légende

◯ Pie-mère	◯ Dure-mère	◯ Arachnoïde
◯ Substance grise		◯ Nerfs spinaux et leurs racines

Nommez les structures indiquées par les lignes de repère à l'aide des termes
proposés.

Termes proposés

A. Canal central   D. Racine dorsale   G. Corne ventrale

B. Cordon de substance blanche   E. Ganglion spinal   H. Racine ventrale

C. Corne dorsale   F. Nerf spinal

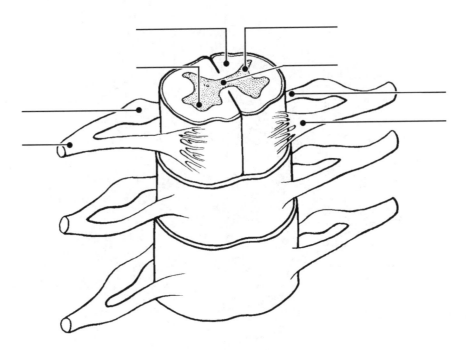

Figure 7-6

27. À l'aide des termes proposés à la colonne B, indiquez ce qui pourrait arriver si les
structures de la colonne A étaient endommagées ou sectionnées. Inscrivez les lettres
appropriées sur les lignes prévues à cet effet.

Colonne A

_____ 1. Racine dorsale d'un nerf spinal

_____ 2. Racine ventrale d'un nerf spinal

_____ 3. Rameau ventral d'un nerf spinal

Colonne B

A. Perte de la fonction motrice

B. Perte de la fonction sensorielle

C. Perte des fonctions motrice et sensorielle

LE SYSTÈME NERVEUX PÉRIPHÉRIQUE
Structure d'un nerf

28. La figure 7-7 illustre un nerf entouré de couches de tissu conjonctif. Écrivez le nom des structures indiquées par des lignes de repère sur la figure. À l'aide de couleurs différentes, coloriez sur l'illustration les enveloppes nommées dans la légende ainsi que les cercles correspondants.

Légende

○ Endonèvre
○ Périnèvre
○ Épinèvre

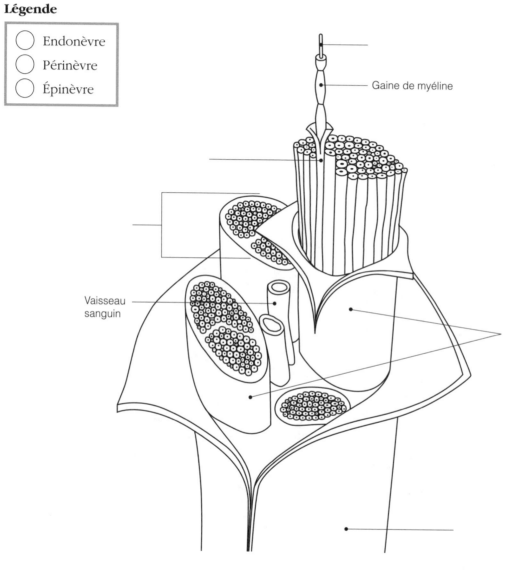

Gaine de myéline

Vaisseau
sanguin

Figure 7-7

29. Complétez les énoncés suivants. Inscrivez vos réponses sur les lignes prévues à cet effet.

_____ 1.

_____ 2.

_____ 3.

_____ 4.

Le ____(1)____ est constitué d'un ensemble de neurofibres. Les nerfs qui contiennent des fibres sensitives et motrices sont appelés nerfs ____(2)____ ; ceux qui ne contiennent que des fibres sensitives sont appelés nerfs ____(3)____ ; et ceux qui ne contiennent que des fibres motrices sont appelés nerfs ____(4)____.

30. La figure 7-8 présente une vue antérieure des principaux nerfs qui émergent du plexus brachial. À l'aide de couleurs différentes, coloriez sur l'illustration les nerfs qui sont nommés dans la légende ainsi que les cercles correspondants. Écrivez aussi leur nom près des lignes de repère.

Légende

- ◯ Nerf axillaire
- ◯ Nerf musculo-cutané
- ◯ Nerf médian
- ◯ Nerf radial
- ◯ Nerf ulnaire

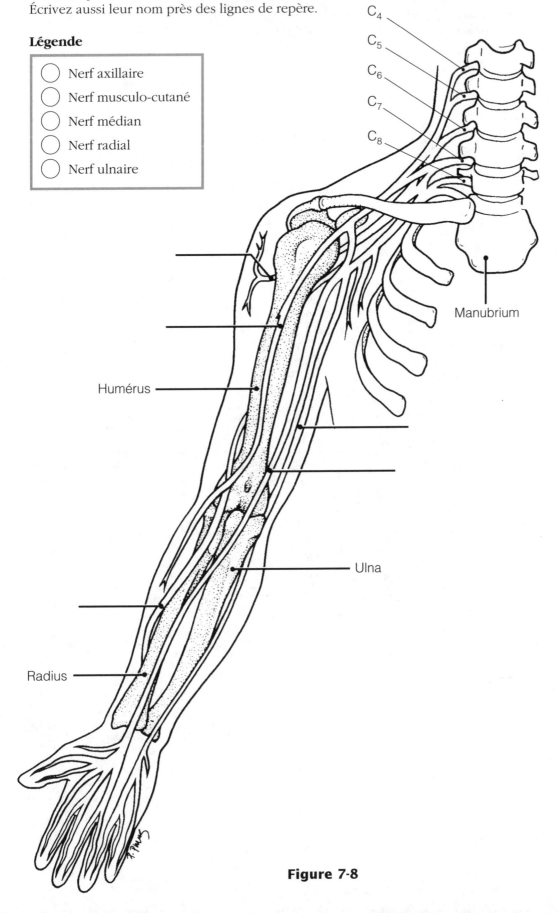

Figure 7-8

Nerfs crâniens

31. Les douze paires de nerfs crâniens sont indiquées par des lignes de repère dans la figure 7-9. Inscrivez sur celle-ci leur nom et leur numéro en chiffres romains, et coloriez chacun des nerfs d'une couleur différente.

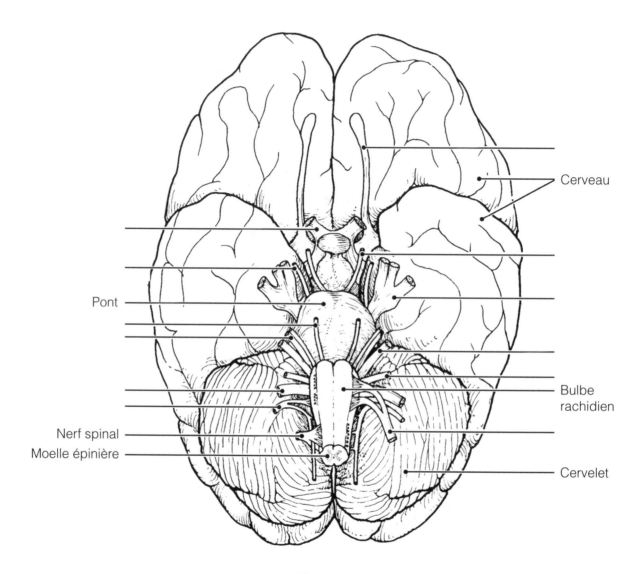

Figure 7-9

32. Indiquez le nom et le numéro (en chiffres romains) des nerfs crâniens dont il est question dans les énoncés. Inscrivez vos réponses sur les lignes prévues à cet effet.

_____ 1. Nerf associé au haussement des épaules.

_____ 2. Nerf associé à la perception du parfum d'une fleur.

_____ 3. Nerf qui intervient dans le soulèvement des sourcils et l'orientation du cristallin afin d'accommoder le regard ; également associé à la constriction des pupilles.

_____ 4. Nerf associé au ralentissement des battements du cœur et à l'accélération de la motilité du tractus digestif.

_____ 5. Nerf associé au sourire.

_____ 6. Nerf associé à la mastication.

_____ 7. Nerf auditif ; aussi nerf associé au mal de mer.

_____ 8. Nerf associé à la salivation ; nerf qui permet la perception des aliments bien assaisonnés.

_____ 9. Nerfs associés aux mouvements de l'œil (trois nerfs – indiquez leur numéro seulement).

_____ 10. Nerf associé à la perception d'un mal de dents.

_____ 11. Nerf associé à la lecture d'un magazine ou de ce manuel.

_____ 12. Nerfs purement sensitifs (trois nerfs – indiquez leur numéro seulement).

Nerfs spinaux et plexus nerveux

33. Complétez les énoncés suivants. Inscrivez vos réponses sur les lignes prévues à cet effet.

_____ 1.

_____ 2.

_____ 3.

_____ 4.

Les rameaux ventraux des nerfs spinaux C_1 à T_1 et L_1 à S_4 forment les ____(1)____ qui desservent ____(2)____. Les rameaux ventraux de T_1 à T_{12} courent sous les côtes pour desservir le ____(3)____. Les rameaux dorsaux des nerfs spinaux desservent la partie ____(4)____.

34. Nommez les principaux nerfs qui desservent les parties du corps indiquées ci-dessous. Inscrivez vos réponses sur les lignes prévues à cet effet.

_____ 1. Tête, cou, épaules (Nommez le plexus seulement.)

_____ 2. Diaphragme

_____ 3. Partie postérieure de la cuisse

_____ 4. Jambe et pied (Nommez-en deux.)

_____ 5. La plupart des muscles de la partie antérieure de l'avant-bras

_____ 6. Muscles du bras

_____ 7. Paroi abdominale (Nommez le plexus seulement.)

_____ 8. Partie antérieure de la cuisse

_____ 9. Partie médiale de la main

Système nerveux autonome

35. La figure 7-10 illustre les principales différences anatomiques entre les parties motrices somatiques et autonomes du SNP. À l'aide de couleurs différentes, coloriez les structures qui sont nommés dans la légende ainsi que les cercles correspondants.

Légende

◯ Neurone moteur somatique   ◯ Effecteur du neurone moteur somatique

◯ Neurone préganglionnaire du SNA   ◯ Effecteur du neurone moteur autonome

◯ Neurone ganglionnaire du SNA

Complétez l'illustration en inscrivant la lettre ou le nom des structures suivantes au bout des lignes de repère appropriées.

A. Ganglion autonome   C. Substance grise de la moelle épinière (SNC)

B. Gaine de myéline   D. Substance blanche de la moelle épinière (SNC)

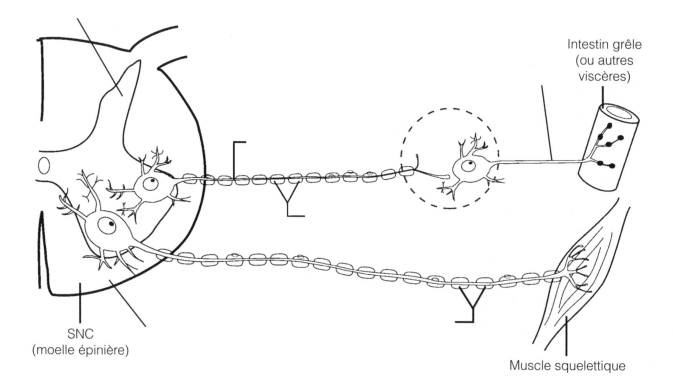

Figure 7-10

36. Le tableau ci-dessous contient une série de descriptions. Cochez (√) la partie
du système nerveux autonome associée à chacune d'entre elles.

Description	Partie sympathique	Partie parasympathique
1. Ses axones postganglionnaires sécrètent la noradrénaline ; fibres adrénergiques.		
2. Ses axones postganglionnaires sécrètent l'acétylcholine ; fibres cholinergiques.		
3. Long axone préganglionnaire, court axone postganglionnaire.		
4. Court axone préganglionnaire, long axone postganglionnaire.		
5. Les premiers neurones sont situés dans les nerfs crâniens et sacrés.		
6. Les premiers neurones sont situés dans les nerfs spinaux T_1 à L_3.		
7. Partie qui se manifeste dans des situations plus neutres.		
8. Partie du système nerveux qui déclenche la réponse de lutte ou de fuite.		
9. Partie dont l'activité est plus spécifique.		
10. Partie associée à la sécheresse de la bouche et à la dilatation des bronchioles.		
11. Partie associée à la contraction des pupilles et au ralentissement de la fréquence cardiaque.		

37. Vous êtes seul chez vous, tard le soir, et vous entendez des bruits étranges dans
la cour. Sur les lignes prévues à cet effet, inscrivez quatre réponses physiologiques
du système nerveux sympathique qui vous aideront à faire face à cette situation
alarmante.

1. _____

2. _____

3. _____

4. _____

DÉVELOPPEMENT ET VIEILLISSEMENT DU SYSTÈME NERVEUX

38. Complétez les énoncés ci-dessous. Inscrivez vos réponses sur les lignes prévues
à cet effet.

_____ 1.

_____ 2.

_____ 3.

_____ 4.

_____ 5.

_____ 6.

_____ 7.

_____ 8.

La régulation de la température pose problème chez les prématurés du fait que leur ____(1)____ n'est pas encore pleinement fonctionnel. L'infirmité motrice cérébrale entraîne un handicap neuromusculaire. Elle est le plus souvent provoquée par un apport insuffisant d'____(2)____ au cerveau de l'enfant durant l'accouchement. La coordination neuromusculaire se développe ____(3)____ et les mouvements fins apparaissent bien plus tard que les mouvements ____(4)____. Avec l'âge, le système nerveux sympathique perd de son efficacité, ce qui réduit sa capacité de prévenir les changements soudains de la ____(5)____, qui se produisent lorsqu'on change brusquement de position. La cause habituelle de cette perte d'efficacité du système nerveux dans sa globalité est ____(6)____. La perte graduelle des facultés intellectuelles due à l'insuffisance de l'apport d'oxygène aux cellules du cerveau porte le nom de ____(7)____. On appelle ____(8)____ la destruction des neurones cérébraux provoquée par une interruption brusque de l'apport d'oxygène.

UN VOYAGE EXTRAORDINAIRE

Exercice de visualisation pour tester vos connaissances sur le système nerveux

… Vous vous accrochez au premier nerf crânien que vous apercevez…

39. Complétez le récit en inscrivant les mots qui manquent sur les lignes prévues
à cet effet.

_____ 1.

Le tissu nerveux est si dense qu'il est impossible de le traverser. Imaginez plutôt que les diverses aires fonctionnelles du cerveau possèdent une petite cabine dotée d'un ordinateur où vous pourrez vous installer pour observer l'activité qui se déroule autour de vous. Votre mission est de déterminer l'endroit où vous vous trouvez à chaque étape de votre périple le long du système nerveux.

En vue de ce voyage, vous êtes de nouveau miniaturisé et injecté dans le bassin de liquide cérébrospinal tiède du quatrième ventricule de votre hôte. Vous commencez à vous frayer un chemin dans le tissu nerveux et notez au-dessus de votre tête un vaste dais de substance blanche, composé d'un enchevêtrement de neurofibres. Vous pénétrez dans la première cabine dotée d'un ordinateur et vous entendez une voix qui retentit dans un haut-parleur: «Attention, attention! Le bassin est trop penché vers l'arrière. Corrigez la posture. Nous sommes menacés de tomber sur le dos et nous perdrons bientôt l'équilibre». L'ordinateur répond instantanément en diminuant l'influx vers les muscles postérieurs de la hanche et en augmentant l'influx dirigé vers les muscles antérieurs de la cuisse. De nouveau, la voix retentit dans le haut-parleur: «Comment ça va, propriocepteur 1?» D'après cette information, vous déterminez que votre première escale est le ____(1)____.

_____ 2.

_____ 3.

_____ 4.

_____ 5.

_____ 6.

_____ 7.

_____ 8.

_____ 9.

_____ 10.

_____ 11.

_____ 12.

Dans la deuxième cabine, vous entendez : «La pression du sang qui va vers la tête diminue. Stimulez davantage les nerfs sympathiques qui desservent les vaisseaux». Ensuite, pendant que vous comprenez que votre hôte, une fois debout, s'est mis à courir, vous entendez : «Accélérez l'influx vers le cœur et les muscles respiratoires. Nous aurons besoin de plus d'oxygène et de sang pour irriguer les muscles squelettiques des jambes». Vous comprenez que votre deuxième escale doit être le ___(2)___.

La cabine n° 3 vous pose un problème : elle ne contient pas de haut-parleur. Les messages clignotent plutôt sur les murs, et vous ne pouvez déchiffrer que des bouts de phrases. «Quatre heures depuis le dernier repas : stimulez les centres de l'appétit. Légère baisse de la température, démarrez la constriction des vaisseaux cutanés. Bouche sèche, stimulez les centres de la soif. Oh, une petite caresse effleure le bras! Stimulez le centre du plaisir.» Vous êtes bien sûr dans l'___(3)___.

Vous poursuivez votre périple vers les centres plus élevés du cerveau et, finalement, vous atteignez le cortex. Dans le premier centre que vous visitez là-haut, il règne le même silence que dans une bibliothèque. Ce centre contient d'ailleurs des millions d'«encyclopédies» remplies de faits et d'expériences du passé. C'est sûrement l'aire où sont conservés les ___(4)___, et vous êtes donc dans le lobe ___(5)___. La prochaine escale n'est pas loin. Quand vous entrez dans la cabine dotée d'un ordinateur, vous entendez de nouveau une voix qui dit dans un haut-parleur : «Envoyez des instructions motrices pour aider à la prononciation du mot 'tintinnabule'. Vite, il ne faut surtout pas qu'on s'imagine que nous sommes muets.» Vous vous tenez sans doute dans ___(6)___. Pour votre dernière escale dans le cortex, vous vous arrêtez dans un centre où règne une terrible agitation. Des influx électriques circulent entre des neurones géants, se propageant parfois dans des directions opposées. Mais parfois aussi, ces courants relient entre eux un petit nombre de neurones. Vous regardez attentivement et essayez d'interpréter ce mouvement chaotique, quand, tout d'un coup, vous comprenez ce qui se passe. Ces neurones essaient de mettre de l'ordre dans quelque chose, ce qui vous permet de conclure que vous devez vous tenir dans la partie du cerveau associée au ___(7)___, donc dans le lobe ___(8)___.

Vous sortez vite de ce centre et vous cherchez à retrouver le liquide cérébro-spinal, mais décidez d'observer en passant un nerf spinal. Vous vous proposez d'en choisir un, au hasard, et d'en suivre le trajet jusqu'à l'organe qu'il dessert. Vous vous accrochez au premier nerf crânien que vous apercevez, et vous vous laissez glisser le long de la gorge. Vous gagnez de la vitesse, vous dépassez rapidement le cœur et les poumons et, en un rien de temps, se présentent devant vous l'estomac et l'intestin grêle. Sans tarder, vous atterrissez sur la paroi de l'estomac et vous savez maintenant que le nerf sur lequel vous avez glissé est le ___(9)___. Vous regardez vers le haut et vous voyez que ce nerf remonte presque à la verticale et que vous devez emprunter un autre chemin pour retrouver le liquide cérébro-spinal. Vous commencez à vous diriger vers l'arrière, jusqu'au moment où vous trouvez un nerf spinal que vous suivez jusqu'à la colonne vertébrale. Vous vous glissez entre deux vertèbres adjacentes pour pouvoir suivre le trajet de ce nerf jusqu'à la moelle épinière. Avec votre canif, vous essayez de découper le tissu conjonctif dur qui recouvre la moelle. Vous vous dites que cette enveloppe est à juste titre appelée ___(10)___. Vous réussissez finalement à faire un trou suffisamment grand pour pouvoir vous y glisser et vous retournez dans le bain chaud rempli de liquide cérébro-spinal. Vous êtes maintenant dans la cavité ___(11)___ et de là, vous arrivez à la nage jusqu'au bas du tronc cérébral. Une fois là, il vous est facile de trouver les trous qui vous emmènent jusqu'au ___(12)___ ventricule, là où votre voyage a commencé.

RÉFLEXION ET APPLICATION

40. Après une intervention chirurgicale, les patients sont souvent incapables d'uriner pendant un certain temps, et les bruits intestinaux sont absents. Quelle est la partie du système nerveux autonome qui a été affectée par l'anesthésie?

41. À l'aide d'une exploration par tomodensitométrie, on découvre que M. Costa a une tumeur au cerveau. Le médecin suppose qu'il ne s'agit pas d'une tumeur secondaire (d'une métastase) du fait que des explorations très poussées n'ont pas révélé la présence d'un cancer ailleurs dans l'organisme. Cette tumeur est-elle plus vraisemblablement issue des cellules nerveuses ou de la névroglie? Pourquoi?

42. Annie, une adolescente très nerveuse, vient d'entendre un terrible bruit, qui ressemble à un coup de canon. Son cœur se met à battre la chamade. Lorsqu'elle comprend qu'il ne s'agit que d'un gaz d'échappement, elle est soulagée, mais son cœur continue de battre très fort pendant plusieurs minutes encore. Pourquoi, après un grand effroi, prenons-nous tant de temps à nous calmer?

43. Vous travaillez aux urgences quand deux patients arrivent en ambulance après un accident d'auto. L'un d'entre eux est déjà mort, du fait que sa moelle épinière a été sectionnée au niveau de C_2. L'autre a subi le même genre de lésion, mais au niveau du C_6, et il est encore vivant. Expliquez brièvement, compte tenu des points d'origine et de fonction des nerfs phréniques, pourquoi une lésion a été mortelle et l'autre non.

44. On vous a annoncé que les parties supérieure et médiale du gyrus précentral droit de l'encéphale de votre patient ont été détruites à la suite d'un AVC. Quelle est la partie du corps que cette personne ne pourra plus bouger? De quel côté, droit ou gauche?

45. *Application des connaissances :* On vous a transmis toutes les informations nécessaires pour repérer les régions du cerveau atteintes dans diverses circonstances. Essayez de voir dans quelle mesure votre système nerveux a intégré les informations en répondant aux questions ci-dessous.

1. Après un accident de train, un homme qui a été blessé à la tête marche péniblement en titubant. Il est évident qu'il n'arrive pas à garder son équilibre. Quelle est la région du cerveau qui a très probablement été atteinte ?

   _____

2. Une femme âgée doit se faire opérer la vésicule biliaire. Pendant les soins préopératoires, l'infirmière se rend compte que la patiente a du mal à démarrer les mouvements et qu'elle semble émietter du pain avec ses doigts. Quelle est la structure du cerveau qui est très probablement atteinte ?

   _____

3. Un enfant vient d'être hospitalisé en raison d'une forte fièvre. Le médecin constate une inflammation des méninges. Quel est le nom de cette maladie ?

   _____

4. Une jeune femme arrive aux urgences. Ses pupilles sont extrêmement dilatées. Ses amis, qui l'accompagnent, disent qu'elle a fait une surdose de cocaïne. Quel est le nerf crânien stimulé par cette drogue ?

   _____

5. Un jeune homme a souffert de graves brûlures en se tenant trop près d'un feu de camp. Il affirme qu'il n'a ressenti aucune douleur. Autrement, il aurait éteint les flammes en se roulant par terre. Quelle est la partie du SNC qui pourrait être dysfonctionnelle ?

   _____

6. Un homme âgé vient de subir un AVC. Il est capable de comprendre le langage verbal et écrit, mais lorsqu'il essaie de répondre, les mots qu'il prononce sont inintelligibles. Quelle est l'aire du cortex qui a été lésée ?

   _____

7. Un garçon de 12 ans tombe brusquement par terre, victime d'une crise d'épilepsie. On le conduit rapidement aux urgences pour que des médicaments lui soient administrés. Dans le cadre des soins de suivi, on procède à un enregistrement des ondes cérébrales pour circonscrire la région atteinte. Quel est le nom de cette exploration ?

   _____

8. Une patiente de 70 ans consulte son médecin pour faire traiter des ecchymoses sur les jambes et les bras. Elle n'a aucun souvenir de ce qui a pu causer ses blessures. Quelle technique d'imagerie médicale permettra de diagnostiquer la maladie d'Alzheimer ou les lésions cérébrales d'une possible crise d'épilepsie ?

   _____

46. Les mouvements de Marie Nolin sont lents et hésitants et sa démarche est titubante. L'examen révèle qu'elle ne peut pas toucher son nez avec ses doigts lorsque ses yeux sont fermés. Quel est le nom de cette maladie et quelle est la partie du cerveau qui est atteinte?

47. Après une blessure limitée à la face postérieure de la moelle épinière, quel est le problème le plus susceptible de se produire, une paralysie ou une paresthésie? Expliquez votre réponse.

48. En faisant du jogging dans le parc du Mont-Royal, Susanne est attaquée par un chien méchant. Quelle est la partie de son SNA qui a été activée, lorsqu'elle a tourné les talons pour prendre la fuite?

49. Pendant la transmission d'un potentiel d'action, de nombreux ions traversent la membrane neuronale perpendiculairement à celle-ci. Qu'est-ce qui se déplace *le long* de la membrane et qui joue le rôle de signal?

50. Chaque matin, dès le lever du lit, M. Godin est pris d'étourdissements. Comment appelle-t-on son état et a-t-il raison de s'inquiéter?

51. Vous connaissez les effets des systèmes nerveux sympathique et parasympathique sur diverses parties du corps. Selon vous, quels récepteurs les médicaments hypertensifs bloquent-ils?

52. En essayant les jeux vidéo de son petit-fils, Mme Péloquin remarque que ses réflexes ne sont plus ce qu'ils étaient. Quelle est l'explication de ce phénomène? Est-ce à cause des nerfs périphériques?

Les sens

Nos récepteurs sensoriels réagissent aux stimuli et aux changements qui se produisent autant à l'intérieur de notre organisme que dans notre environnement. Une fois activés, ces récepteurs envoient des influx nerveux le long des voies afférentes jusqu'au cerveau, où les informations sont interprétées. De cette manière, l'organisme peut évaluer les changements et s'adapter, et c'est ainsi qu'il maintient l'homéostasie.

Les minuscules récepteurs régissant les sensations générales éveillées par le toucher, et dont il a été question au chapitre 7, soit ceux de la pression, de la douleur, des changements de température et de la tension musculaire, sont répartis dans tout l'organisme. Par contre, les récepteurs des autres sens, à savoir la vue, l'ouïe, l'équilibre, l'odorat et le goût, tendent à être localisés et, souvent, ils sont plus complexes. Les exercices de ce chapitre portent sur la structure et le fonctionnement des organes des sens.

ŒIL ET VISION

1. Complétez les énoncés suivants. Inscrivez vos réponses sur les lignes prévues à cet effet.

_____ 1.

_____ 2.

_____ 3.

_____ 4.

Les muscles ___(1)___, attachés à l'œil, nous permettent de diriger notre regard vers un objet en mouvement. À l'avant, l'œil est protégé par les ___(2)___, bordées de cils. Des glandes sébacées, appelées glandes ___(3)___, sont situées tout près des cils. Leur rôle est de lubrifier l'œil. L'inflammation de la muqueuse qui tapisse les paupières et qui recouvre la face antérieure du bulbe de l'œil porte le nom de ___(4)___.

2. Tracez la voie empruntée par les sécrétions des glandes lacrymales à partir de la surface de l'œil, en attribuant un numéro à chacune des structures. (Le numéro 1 se situe *le plus près* de la glande lacrymale.)

_____ 1. Sac lacrymal   _____ 3. Conduit lacrymo-nasal

_____ 2. Cavité nasale   _____ 4. Canalicules lacrymaux

3. À l'aide de couleurs différentes, coloriez sur l'illustration les muscles nommés dans la légende ainsi que les cercles correspondants. Écrivez aussi le nom de ces muscles près des lignes de repère. Ensuite, sur les lignes prévues à cet effet, indiquez le mouvement de l'œil régi par chacun d'eux.

Légende

◯ 1. Muscle droit supérieur   ◯ 4. Muscle droit latéral

_____   _____

◯ 2. Muscle droit inférieur   ◯ 5. Muscle droit médial

_____   _____

◯ 3. Muscle oblique supérieur   ◯ 6. Muscle oblique inférieur

_____   _____

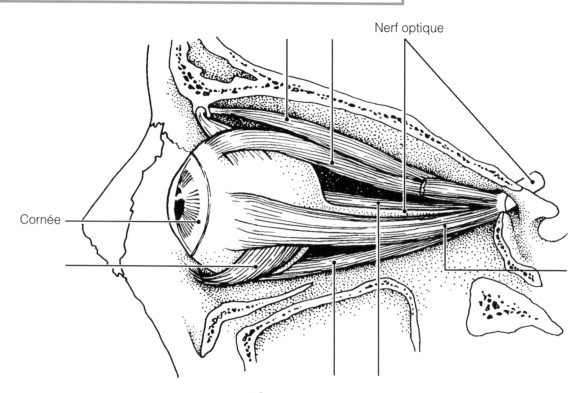

Nerf optique

Cornée

Figure 8-1

4. Trois principales structures accessoires de l'œil contribuent à la formation des larmes ou à la lubrification du bulbe de l'œil ou aux deux. Inscrivez dans le tableau le nom de chaque structure et celui de la sécrétion qu'elle produit. Entourez le nom de la sécrétion qui a des propriétés antibactériennes.

Structure accessoire	Sécrétion
1.	
2.	
3.	

5. Associez les termes de la colonne B à leur description de la colonne A. Inscrivez les lettres ou les termes appropriés sur les lignes prévues à cet effet.

Colonne A

_____ 1. Déviation de la lumière.

_____ 2. Capacité de l'œil de produire une image nette des objets rapprochés (situés à moins de 6 m).

_____ 3. Vision normale.

_____ 4. Incapacité de l'œil de produire une image nette des objets rapprochés ; presbytie.

_____ 5. Constriction réflexe des pupilles à cause d'une lumière vive.

_____ 6. Opacité du cristallin, qui donne lieu à une vision embrouillée.

_____ 7. Incapacité de voir les objets éloignés.

_____ 8. Vision trouble due à l'inégalité de la courbure du cristallin ou de la cornée.

_____ 9. Maladie due à une élévation de la pression intra-oculaire, provoquée par un obstacle à l'écoulement de l'humeur aqueuse.

_____ 10. Mouvement latéral des yeux lorsqu'on examine un objet rapproché.

_____ 11. Constriction réflexe des pupilles, nécessaire à la vision rapprochée.

_____ 12. Incapacité de voir dans le noir, souvent due à une carence en vitamine A.

Colonne B

A. Accommodation

B. Réflexe d'accommodation

C. Astigmatisme

D. Cataracte

E. Convergence

F. Emmétropie

G. Glaucome

H. Hypermétropie

I. Myopie

J. Cécité nocturne

K. Réflexe pupillaire

L. Réfraction

6. Quelle est la partie du système nerveux qui régit les muscles intrinsèques de l'œil ? Entourez la réponse correcte.

1. Système nerveux autonome   2. Système nerveux somatique

7. Complétez les énoncés suivants. Inscrivez vos réponses sur les lignes prévues à cet effet.

_____ 1.

_____ 2.

_____ 3.

_____ 4.

_____ 5.

_____ 6.

Le cristallin de l'œil, qui est une lentille ___(1)___, produit une image inversée de gauche à droite et de haut en bas. Une telle image est appelée ___(2)___. En cas d'hypermétropie, les rayons lumineux se focalisent à ___(3)___ de la rétine. Les verres utilisés pour corriger cette anomalie sont des verres ___(4)___. En cas de myopie, les rayons lumineux se focalisent à ___(5)___ de la rétine. Ce défaut est corrigé par des verres ___(6)___.

8. À l'aide des termes proposés, repérez les structures de l'œil décrites dans les énoncés ci-dessous. Inscrivez les lettres ou les termes appropriés sur les lignes prévues à cet effet.

Termes proposés

A. Humeur aqueuse

B. Sinus veineux de la sclère

C. Choroïde

D. Corps ciliaire

E. Zone ciliaire ou ligament suspenseur du cristallin

F. Cornée

G. Fossette centrale

H. Iris

I. Cristallin

J. Disque du nerf optique

K. Rétine

L. Sclère

M. Corps vitré

_____ 1. Structure qui attache le cristallin au corps ciliaire.

_____ 2. Liquide qui fournit les nutriments au cristallin et à la cornée.

_____ 3. Le «blanc» de l'œil.

_____ 4. Région de la rétine dénuée de photorécepteurs.

_____ 5. Structure contenant les muscles qui permettent d'adapter la courbure du cristallin.

_____ 6. Membrane nutritive (vascularisée) de l'œil.

_____ 7. Canal par lequel s'écoule l'humeur aqueuse.

_____ 8. Tunique de l'œil contenant des cônes et des bâtonnets.

_____ 9. Substance gélatineuse qui renforce le bulbe de l'œil.

_____ 10. Tunique très pigmentée, qui empêche la lumière de se diffuser à l'intérieur de l'œil.

_____ 11. _____ 12. Structures de l'œil contenant des muscles lisses (muscles intrinsèques de l'œil).

_____ 13. Minuscule dépression où l'acuité visuelle atteint son maximum.

_____ 14. _____ 15. Milieux transparents de l'œil.

_____ 16. _____ 17.

_____ 18. Nom du centre de la partie antérieure de la sclère, la «fenêtre» de l'œil.

_____ 19. «Diaphragme» pigmenté de l'œil.

9. À l'aide des termes proposés à l'exercice 8, nommez les structures indiquées par des lignes de repère à la figure 8-2. Coloriez les régions liquide et gélatineuse en bleu. Utilisez trois autres couleurs pour les tuniques citées dans la légende ainsi que les cercles correspondants.

Légende

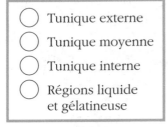

◯ Tunique externe
◯ Tunique moyenne
◯ Tunique interne
◯ Régions liquide
et gélatineuse

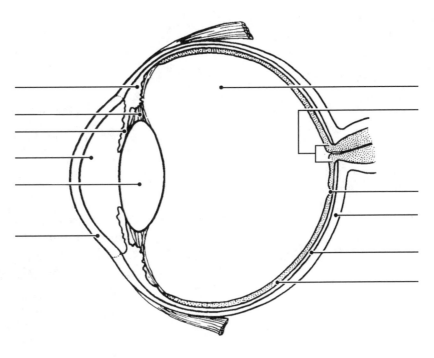

Figure 8-2

10. Dans le tableau ci-dessous, entourez le terme qui indique ce qui se produit dans l'œil lors de la vision éloignée ou rapprochée et qui concerne la structure et les propriétés apparaissant en caractères gras.

Vision	Muscle ciliaire		Convexité du cristallin		Puissance de réfraction	
1. Éloignée	Relâché	Contracté	Accrue	Réduite	Accrue	Réduite
2. Rapprochée	Relâché	Contracté	Accrue	Réduite	Accrue	Réduite

11. Quelles sont, dans l'ordre, les structures de la voie visuelle, à partir de la rétine jusqu'à l'aire visuelle du cortex occipital?

Rétine ⟶ _____ ⟶ _____ ⟶ _____

Synapse du thalamus ⟶ _____ ⟶ Aire visuelle du cortex occipital

12. Complétez les énoncés suivants. Inscrivez vos réponses sur les lignes prévues à cet effet.

_____ 1.

_____ 2.

_____ 3.

_____ 4.

_____ 5.

_____ 6.

_____ 7.

_____ 8.

Il existe ____(1)____ variétés de cônes. Certains absorbent mieux la couleur ____(2)____, d'autres, la couleur ____(3)____, et d'autres encore, la couleur ____(4)____. La capacité de percevoir des couleurs intermédiaires, comme le violet, découle du fait que plusieurs types de cônes sont activés ____(5)____. La déficience totale de tous les récepteurs de la couleur porte le nom de ____(6)____. Puisque cette anomalie est liée au sexe, elle touche plus souvent les ____(7)____. Les ____(8)____ permettent la vision dans la pénombre ainsi que la discrimination des nuances de gris.

13. Entourez le terme qui n'a pas sa place dans chacun des groupes suivants :

1. Choroïde   Sclère   Corps vitré   Rétine

2. Corps ciliaire   Iris   Muscle droit supérieur   Choroïde

3. Constriction des pupilles   Vision éloignée   Accommodation   Lumière vive

4. Propriocepteurs   Bâtonnets   Cônes   Photorécepteurs

5. Corps ciliaire   Iris   Ligaments suspenseurs (zone ciliaire)   Cristallin

14. Complétez les énoncés suivants concernant la chimie des pigments visuels. Inscrivez vos réponses sur les lignes prévues à cet effet.

_____ 1.   La forme pliée du rétinal se combine avec une protéine, appelée _____(1)_____, pour former un pigment visuel appelé _____(2)_____.

_____ 2.   Quand la lumière frappe ce pigment, le rétinal se redresse et libère la protéine, phénomène qui porte le nom de _____(3)_____, du fait que

_____ 3.   le violet du pigment visuel tourne au _____(4)_____ et finit par devenir _____(5)_____, au moment où le rétinal se transforme en vitamine

_____ 4.   _____(6)_____.

_____ 5.

_____ 6.

OREILLE : OUÏE ET ÉQUILIBRE

15. Parmi les termes proposés, trouvez ceux qui correspondent aux descriptions numérotées. Inscrivez les lettres appropriées sur les lignes prévues à cet effet.

Termes proposés

A. Enclume (incus)   F. Marteau (malléus)   K. Canaux semi-circulaires

B. Trompe auditive   G. Fenêtre du vestibule   L. Étrier (stapès)

C. Cochlée   H. Périlymphe   M. Membrane du tympan

D. Endolymphe   I. Pavillon de l'oreille   N. Vestibule

E. Méat acoustique externe   J. Fenêtre de la cochlée

_____ 1. _____ 2. _____ 3. Structures de l'oreille externe.

_____ 4. _____ 5. _____ 6. Structures du labyrinthe osseux.

_____ 7. _____ 8. _____ 9. Osselets.

_____ 10. _____ 11. Structures de l'oreille qui ne jouent pas de rôle dans la réception des sons.

_____ 12. Structure qui permet d'équilibrer la pression de l'air entre l'oreille moyenne et l'environnement.

_____ 13. Membrane qui vibre lorsqu'elle est frappée par les ondes sonores.

_____ 14. Structure qui contient l'organe spiral.

_____ 15. Conduit qui relie le nasopharynx à l'oreille moyenne.

_____ 16. _____ 17. Structures qui contiennent les récepteurs de l'équilibre.

_____ 18. Structure qui transmet les vibrations de l'étrier à l'oreille interne.

_____ 19. Liquide dans lequel baignent les récepteurs sensoriels de l'oreille interne.

_____ 20. Liquide contenu dans le labyrinthe osseux et dans lequel flotte le labyrinthe membraneux.

16. La figure 8-3 représente l'oreille. À l'aide des termes anatomiques définis à l'exercice 15, nommez les structures indiquées par des lignes de repère. À l'aide de couleurs différentes, coloriez les structures dont il est question dans la légende ainsi que les cercles correspondants.

Légende

◯ 1. Structures de l'oreille externe

◯ 2. Osselets de l'oreille moyenne

◯ 3. Région de l'oreille interne responsable de l'audition

◯ 4. Région de l'oreille interne responsable de l'équilibre

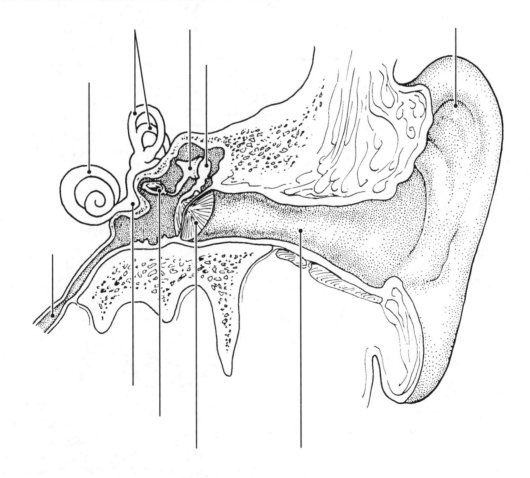

Figure 8-3

17. Le tympan vibre sous l'action des ondes sonores qui le frappent. Expliquez le trajet de ces ondes à travers les différentes structures, avant qu'elles viennent activer les cellules sensorielles ciliées de l'organe spiral. Inscrivez sur les lignes prévues à cet effet la séquence correcte des structures qu'elles traversent.

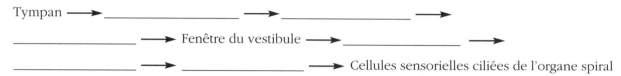

Tympan ⟶ _____ ⟶ _____ ⟶

_____ ⟶ Fenêtre du vestibule ⟶ _____ ⟶

_____ ⟶ _____ ⟶ Cellules sensorielles ciliées de l'organe spiral

18. La figure 8-4 représente les structures du labyrinthe membraneux. Repérez d'abord les *canaux semi-circulaires membraneux*, le *saccule*, l'*utricule* et le *conduit cochléaire*. Ensuite, inscrivez sur les lignes prévues à cet effet chacun des types de récepteurs représentés dans les vues agrandies (organe spiral, crête ampullaire et macule). Finalement, à partir des termes proposés, nommez toutes les structures réceptrices indiquées par des lignes de repère. (Il se peut que certains termes soient utilisés plusieurs fois.)

Figure 8-4

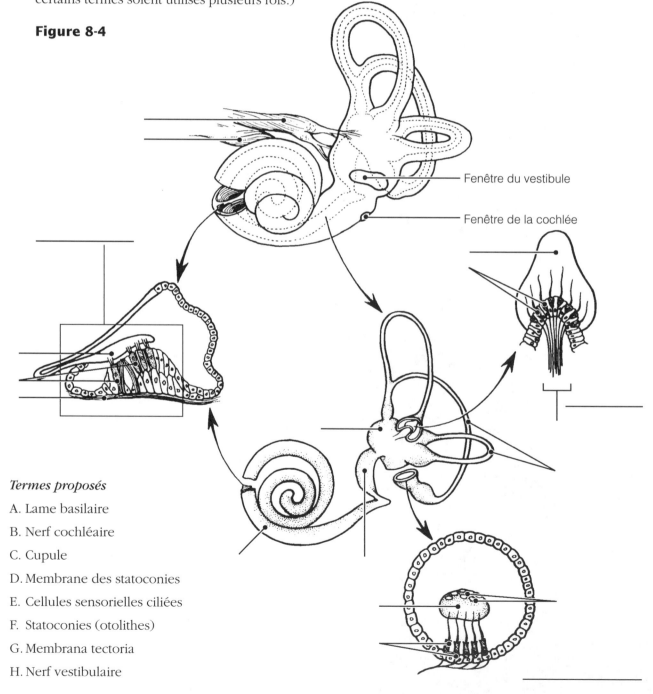

Termes proposés

A. Lame basilaire

B. Nerf cochléaire

C. Cupule

D. Membrane des statoconies

E. Cellules sensorielles ciliées

F. Statoconies (otolithes)

G. Membrana tectoria

H. Nerf vestibulaire

19. À l'aide des termes proposés, complétez les énoncés concernant les récepteurs de l'équilibre statique et dynamique. Inscrivez les lettres ou les termes appropriés sur les lignes prévues à cet effet.

Termes proposés

A. Mouvement rotatoire/angulaire   E. Force gravitationnelle   I. Canaux semi-circulaires

B. Cupule   F. Périlymphe   J. Statique

C. Dynamique   G. Proprioception   K. Utricule

D. Endolymphe   H. Saccule   L. Vision

_____ 1.

_____ 2.

_____ 3.

_____ 4.

_____ 5.

_____ 6.

_____ 7.

_____ 8.

_____ 9.

_____ 10.

_____ 11.

Les récepteurs de l'équilibre ___(1)___ se trouvent dans la crête ampullaire des ___(2)___. Ces récepteurs répondent aux changements qui interviennent dans le ___(3)___. Lorsque le mouvement est amorcé, le liquide appelé ___(4)___ se déplace et la ___(5)___ est poussée dans la direction opposée à celle du corps, ce qui active les cellules ciliées. Lorsque le mouvement s'arrête brusquement, le déplacement de ce liquide est renversé, et les cellules ciliées sont activées de nouveau. Les récepteurs de l'équilibre ___(6)___ se trouvent dans les macules du ___(7)___ et de l'___(8)___. Ces récepteurs détectent la position de la tête dans l'espace. Les cristaux qu'on trouve dans la substance gélatineuse qui recouvre les cellules ciliées glissent sous l'effet des variations de la ___(9)___. La membrane des statoconies glisse à son tour par-dessus les cellules ciliées et les active. Outre les récepteurs de l'équilibre de l'oreille interne, la ___(10)___ et la ___(11)___ jouent également un rôle important dans le maintien de l'équilibre.

20. Déterminez si les énoncés suivants décrivent une surdité de transmission (*T*) ou une surdité de perception (*P*). Inscrivez la lettre appropriée sur la ligne prévue à cet effet.

_____ 1. Surdité qui peut être causée par la fusion des osselets.

_____ 2. Surdité qui peut être causée par une lésion du nerf cochléaire.

_____ 3. Surdité qui permet d'entendre les sons qui se propagent dans l'air et ceux qui traversent les os du crâne par une oreille, mais pas par l'autre.

_____ 4. Surdité qui peut souvent être corrigée par un appareil auditif.

_____ 5. Surdité souvent causée par l'otite moyenne.

_____ 6. Surdité qui peut être causée par une accumulation de cérumen ou par la perforation du tympan.

_____ 7. Surdité qui peut être due à un caillot de sang formé dans l'aire auditive du cortex cérébral.

21. Inscrivez sur les lignes prévues à cet effet trois problèmes que peut ressentir une personne souffrant d'un trouble de l'équilibre.

_____, _____ et _____

22 Entourez le terme qui n'a pas sa place dans chacun des groupes suivants :

1. Marteau   Enclume   Pavillon   Étrier

2. Membrana tectoria   Crête ampullaire   Canaux semi-circulaires   Cupule

3. Force gravitationnelle   Mouvement angulaire   Ondes sonores   Rotation

4. Utricule   Saccule   Trompe auditive   Vestibule

5. Nerf vestibulaire   Nerf optique   Nerf cochléaire   Nerf vestibulo-cochléaire

SENS CHIMIQUES : GOÛT ET ODORAT

23. Complétez les énoncés suivants. Inscrivez vos réponses sur les lignes prévues à cet effet.

_____ 1.

_____ 2.

_____ 3.

_____ 4.

_____ 5.

_____ 6.

_____ 7.

_____ 8.

_____ 9.

_____ 10.

_____ 11.

_____ 12.

_____ 13.

_____ 14.

_____ 15.

_____ 16.

_____ 17.

_____ 18.

Les trois nerfs crâniens qui transmettent les influx nerveux à l'origine de la perception du goût des aliments sont le ___(1)___, le ___(2)___ et le ___(3)___. Le nerf ___(4)___, quant à lui, transmet les influx nerveux qui permettent de percevoir les odeurs. Les récepteurs olfactifs sont situés dans la ___(5)___ de chacune des cavités nasales. Le ___(6)___ augmente les capacités olfactives, car il attire un surcroît d'air vers ces récepteurs. Les récepteurs gustatifs, appelés ___(7)___, sont situés pour la plupart sur les parois latérales des papilles ___(8)___ et au sommet des papilles ___(9)___. Les cinq sensations gustatives de base sont les suivantes : ___(10)___, ___(11)___, ___(12)___, ___(13)___ et ___(14)___. Les récepteurs qui semblent conférer la plus grande protection sont les récepteurs ___(15)___. Lorsque les voies nasales sont congestionnées, les aliments semblent insipides, ce qui nous permet de voir que le goût est fortement influencé par l'___(16)___. Il est impossible de goûter si la langue est ___(17)___, car les aliments doivent d'abord se dissoudre (ou se liquéfier) pour activer les récepteurs gustatifs. L'odorat est étroitement lié au système limbique, situé dans l'encéphale, et un grand nombre d'odeurs sont reliées à ___(18)___.

24. Inscrivez le nom des deux types de papilles qui renferment des calicules gustatifs (figure 8-5A). Ensuite, coloriez en vert les calicules gustatifs de la figure 8-5B. À la figure 8-5C, coloriez en rouge les cellules gustatives, en bleu les cellules de soutien et en jaune les fibres du nerf crânien. En vous aidant des lignes de repère, indiquez sur l'illustration où se trouvent le *pore gustatif* et les *microvillosités* des cellules gustatives (figure 8-5C).

Légende

◯ Calicules gustatifs	◯ Cellules gustatives
◯ Cellules de soutien	◯ Fibres du nerf crânien

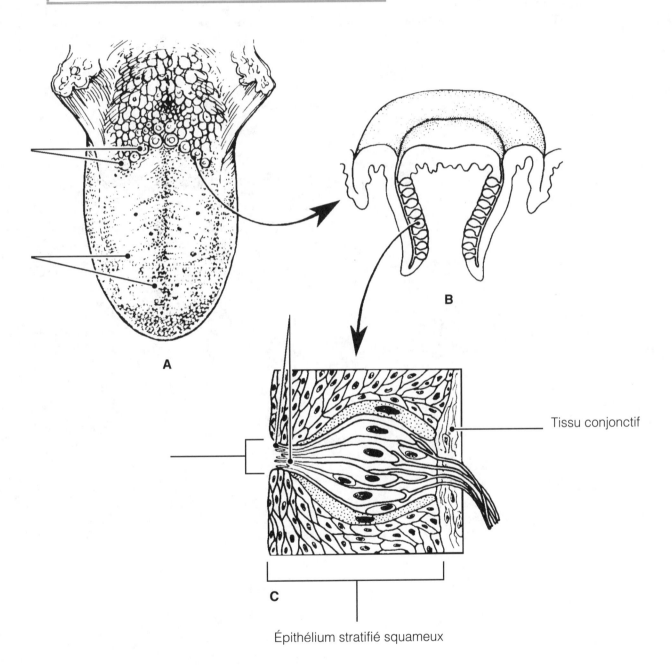

Tissu conjonctif

Épithélium stratifié squameux

Figure 8-5

25. La figure 8-6 illustre l'épithélium de la région olfactive de la cavité nasale. (La figure de gauche [A] est un agrandissement de la région des récepteurs olfactifs.) À l'aide de couleurs différentes, coloriez sur l'illustration les structures nommées dans la légende ainsi que les cercles correspondants. Tracez une ligne de repère pour indiquer l'emplacement des «cils» olfactifs, et des flèches pour montrer la direction de la transmission des influx nerveux.

Légende

○ Neurones olfactifs (cellules réceptrices)   ○ Bulbe olfactif

○ Cellules de soutien   ○ Lame criblée de l'ethmoïde

○ Fibres du tractus olfactif   ○ Neurofibres afférentes (filets) du nerf olfactif

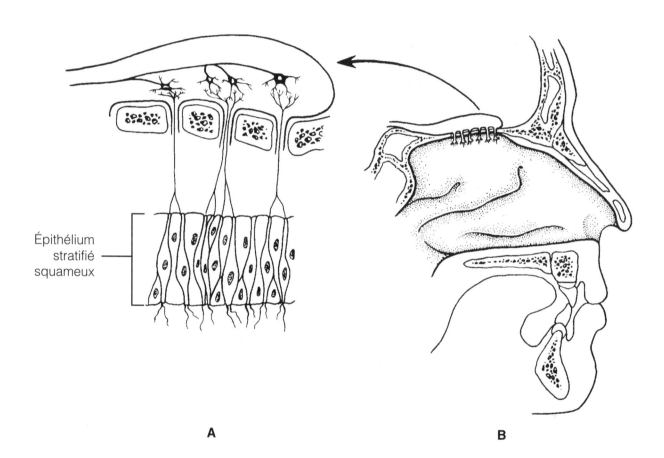

Épithélium stratifié squameux

A   B

Figure 8-6

26. Entourez le terme qui n'a pas sa place dans chacun des groupes suivants :

1. Sucré   Musqué   Acide   Amer   Salé

2. Neurone bipolaire   Cellule épithéliale   Récepteur olfactif   Cilié

3. Cellule gustative   Pore gustatif   Papille   Neurone

4. Nerf vague   Nerf facial   Nerf glosso-pharyngien   Nerf olfactif

5. Récepteur olfactif   Grande sensibilité   Variété de stimuli   Quatre types de récepteurs

6. Glucides   Sucré   Saccharine   Ions métalliques   Acides aminés

DÉVELOPPEMENT ET VIEILLISSEMENT DES ORGANES DES SENS

27. Complétez les énoncés suivants. Inscrivez vos réponses sur les lignes prévues à cet effet.

_____ 1.

_____ 2.

_____ 3.

_____ 4.

_____ 5.

_____ 6.

_____ 7.

_____ 8.

_____ 9.

Les organes des sens, qui appartiennent au ___(1)___, se forment très tôt au cours du développement embryonnaire. Les infections contractées par la mère, particulièrement la ___(2)___, peuvent provoquer la surdité et la ___(3)___ du nouveau-né. Parmi les sens, la ___(4)___ est le seul qui ne soit pas pleinement fonctionnel à la naissance ; c'est aussi le plus long à se développer. En général, tous les enfants sont ___(5)___, mais ils sont déjà emmétropes à l'âge scolaire. Après l'âge de 40 ans, le cristallin devient moins ___(6)___ et ses capacités de réfraction s'amenuisent. De ce fait, la vision rapprochée diminue, et la personne devient ___(7)___. La ___(8)___ est une anomalie caractérisée par l'opacification ou la décoloration du cristallin ; elle provoque souvent la cécité. Avec l'âge, l'acuité auditive diminue graduellement, trouble qui porte le nom de ___(9)___. Souvent, chez la personne âgée, les sens chimiques perdent aussi de leur efficacité.

UN VOYAGE EXTRAORDINAIRE

Exercice de visualisation pour tester vos connaissances sur les sens

… vous levez la tête pour apercevoir une marée de pierres blanches, plates et brillantes…

28. Complétez le récit en inscrivant les mots qui manquent sur les lignes prévues à cet effet.

1. _____
2. _____
3. _____
4. _____
5. _____
6. _____
7. _____
8. _____
9. _____
10. _____
11. _____

Ce voyage vous fera traverser l'oreille interne de votre hôte. Il vous permettra d'observer le fonctionnement des récepteurs de l'ouïe et de l'équilibre, et de mettre en application vos apprentissages.

Votre voyage a été minutieusement préparé. Votre hôte a reçu comme consigne de bouger la tête à des intervalles déterminés. Par ailleurs, on lui fera aussi entendre divers sons afin que vous puissiez observer certains phénomènes. En vue de ce périple, on vous a de nouveau miniaturisé et on vous a injecté dans la cavité osseuse de l'oreille interne de votre hôte, soit dans le ___(1)___, que vous devez traverser dans un laps de temps limité.

Vous baignez pour l'instant dans une solution chaude de ___(2)___, en plein milieu du vestibule. À votre droite, se trouvent deux sacs volumineux, le ___(3)___ et l'___(4)___. Vous arrivez à la nage vers l'un de ces sacs membraneux et vous percez un petit orifice semi-circulaire dans sa paroi, juste assez grand pour vous permettre de vous glisser à l'intérieur. Puisque vous avez du mal à discerner dans l'obscurité les structures qui vous entourent, vous décidez de pousser davantage votre exploration. Cependant, lorsque vous essayez d'avancer, vous remarquez que vos pieds sont retenus par une substance épaisse et gluante. Tout ce que vous pouvez faire s'est de traverser lentement et laborieusement cette matière, qui est la ___(5)___.

C'est à cet instant précis que votre hôte doit bouger la tête pour la première fois, et le sac dans lequel vous vous trouvez se met brusquement à osciller. Vous entendez un rugissement (semblable au bruit de la mer) et vous levez la tête pour apercevoir une marée de pierres blanches, plates et brillantes, qui s'abat sur vous. Pour vous protéger de ces ___(6)___, vous vous réfugiez au milieu des cellules ciliées qui s'agitent vigoureusement sous les pierres en mouvement. Maintenant, que vous avez pu observer sur le vif le fonctionnement d'une ___(7)___, récepteur sensoriel servant à l'équilibre ___(8)___, vous vous dépêchez de ressortir par l'orifice que vous avez percé.

Il ne vous faut pas oublier votre horaire serré, et c'est presque le temps que votre hôte soit soumis au test par l'audiomètre. Vous nagez donc vite, vers la droite, où vous voyez l'entrée d'une sorte de caverne où des algues hautes se balancent doucement au gré du courant. Vous y pénétrez et, tout d'un coup, vous n'avez plus aucune emprise sur vos mouvements. Vous êtes plutôt emporté par un courant qui ondoie doucement le long d'un passage en colimaçon. Il n'y pas de doute : vous êtes dans la cavité du ___(9)___. Vous vous laissez emporter par les vagues, tout en observant les cellules ciliées de l'___(10)___, l'organe de l'___(11)___, qui s'agitent vigoureusement juste en dessous. Ensuite, en attendant que le stimulus s'arrête, vous vous aplatissez contre la paroi de la cavité pour vous

_____ 12.

_____ 13.

_____ 14.

_____ 15.

_____ 16.

immobiliser. Vous avez ainsi le temps d'observer, émerveillé, l'activité électrique qui anime les cellules ciliées à vos pieds. Pendant que celles-ci se dépolarisent pour envoyer des influx le long du ___(12)___, des milliers de lucioles égaient le paysage.

Maintenant que vous avez été témoin du fonctionnement de ces récepteurs sensoriels particuliers, vous retournez à la nage au vestibule et vous vous dirigez vers votre dernière station d'observation, qui se trouve à l'autre extrémité de la cavité osseuse. C'est alors que votre hôte est de nouveau stimulé, comme en témoigne le changement des courants. Mais comme vous êtes assez loin des récepteurs sensoriels, vous ne pouvez déterminer avec certitude le type de stimulus dont il s'agit. C'est à cet instant que vous voyez devant vous trois ouvertures sombres, celles des ___(13)___. Vous traversez à la nage l'ouverture du milieu et remarquez une structure bizarre qui ressemble à un pinceau. Vous nagez vers ce pinceau et vous vous accrochez à ses soies. C'est sûrement la ___(14)___ de la ___(15)___, région réceptrice de l'équilibre ___(16)___. Pendant que vous vous balancez lentement au gré des courants, une forte vague vous frappe. Vous vous accrochez avec désespoir aux soies du pinceau, en attendant que la vague se brise plus loin, lorsque vous réalisez qu'une autre vague, venant du côté opposé, risque à son tour de vous engloutir sous peu. Vous vous dites que vous en avez assez vu et vous retournez au vestibule d'où vous quitterez bientôt votre hôte, une fois de plus.

RÉFLEXION ET APPLICATION

29. Une petite fille présentant un strabisme arrive à la clinique. Les tests révèlent que ses yeux ne peuvent fixer qu'alternativement les objets. Quel traitement peut-on lui prescrire avant de la soumettre à une intervention chirurgicale?

30. Un homme, au début de la soixantaine, dit à l'ophtalmologiste que sa vision est trouble. L'examen de l'œil révèle que le cristallin est opacifié. De quoi souffre-t-il et quels sont les facteurs ayant pu déclencher ce trouble?

31. L'albinisme est une affection caractérisée par un défaut de production de pigments de mélanine. À votre avis, comment cela peut-il altérer la vision?

32. Un homme qui s'aperçoit qu'il ne voit pas la nuit vient consulter l'ophtalmologiste. Quel est le nom du trouble dont il est atteint? Quel supplément alimentaire le médecin lui recommandera-t-il? Si le trouble a trop évolué, laquelle des structures de la rétine risque d'être dégénérée?

33. Une fillette est conduite chez l'orthophoniste. Ses parents disent qu'elle ne peut prononcer les sons à haute fréquence (le «s», par exemple). Si l'on détermine que c'est l'organe spiral qui est la source du problème, quelle est la région de cet organe qui est dysfonctionnelle? Souffre-t-elle de surdité de transmission ou de perception?

34. L'oncle de Jacquot dit au médecin que son neveu, âgé de 3 ans, a souvent mal aux oreilles et que, d'après un voisin, l'installation de tubes dans le tympan pourrait soulager le garçonnet. L'oncle explique également que Jacquot prend des leçons de natation, mais que cela fait bien longtemps que le petit ne s'est pas plaint de maux de gorge. Jacquot souffre-t-il d'otite moyenne ou d'otite externe? A-t-il besoin d'aérateurs? Expliquez votre raisonnement.

35. Henri est tombé d'une haute échelle et il s'est fracturé la fosse crânienne antérieure. Quand il arrive à l'hôpital, on remarque qu'un liquide aqueux sanguinolent s'écoule de sa narine droite. Quelques jours plus tard, Henri s'aperçoit qu'il a perdu l'odorat. Quel est le nerf qui a été lésé dans la chute?

36. Les parents de Michou le conduisent à l'hôpital, car ils ont remarqué que le mouvement latéral de son œil droit ne s'effectue pas comme il faut. Le médecin leur explique que c'est le nerf desservant le muscle droit latéral qui est atteint. De quel nerf parle-t-il?

37. Mme Morin prend rendez-vous chez son ophtalmologiste à cause d'une douleur à l'œil droit. La pression intraoculaire dans cet œil est anormalement élevée. Quel est le nom de l'affection dont elle souffre probablement? Quelle en est la cause? Quelle peut en être l'issue, si ce trouble n'est pas corrigé?

38. Comment une alimentation pauvre en vitamine A peut-elle altérer la vision?

39. Le chef d'un grand restaurant s'inquiète, car sa perte d'odorat l'empêche de bien goûter les aliments. De quel oligoélément peut-il être en manque?

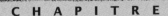

CHAPITRE

9

Le système endocrinien

Le système endocrinien joue un rôle vital dans la régulation des activités cellulaires dont dépend l'homéostasie. Grâce à ses effets qui s'exercent par l'entremise des hormones, messagers chimiques transportés par le sang, le système endocrinien orchestre les modifications cellulaires nécessaires à la croissance et au développement, à la reproduction et à l'équilibre physiologique de nombreux systèmes corporels.

Les exercices de ce chapitre portent sur l'emplacement des divers organes endocriniens, sur la fonction générale de nombreuses hormones et sur les conséquences de leur hypersécrétion ou de leur hyposécrétion.

SYSTÈME ENDOCRINIEN ET FONCTION HORMONALE – CARACTÉRISTIQUES GÉNÉRALES

1. Complétez les énoncés suivants à partir des termes proposés. Inscrivez vos réponses sur les lignes prévues à cet effet.

Termes proposés

A. Système cardiovasculaire   C. Plus rapides   E. Système nerveux

B. Hormones   D. Influx nerveux   F. Plus lents et plus durables

_____ 1.

_____ 2.

_____ 3.

_____ 4.

_____ 5.

Le système endocrinien est l'un des principaux systèmes de régulation de l'organisme. Cependant, ses effets sont __(1)__ que ceux du __(2)__, l'autre système d'importance qui contribue à assurer l'homéostasie. L'une des raisons de cette différence réside peut-être dans le fait que le système endocrinien exerce son influence par l'entremise de messagers chimiques, appelés __(3)__, plutôt que par l'entremise d'__(4)__. Les messagers chimiques pénètrent dans le sang et sont transportés dans tout l'organisme par l'action du __(5)__.

2. Complétez les énoncés suivants à partir des termes proposés. Inscrivez vos réponses sur les lignes prévues à cet effet.

Termes proposés

A. Modifiant l'activité   F. Rétro-inhibition   K. Stéroïdes

B. Adénohypophyse   G. Nerveux   L. Stimulant des activités nouvelles ou inhabituelles

C. Hormonal   H. Neuroendocrinien   M. Sucre ou protéine

D. Humoral   I. Récepteurs   N. Cellule(s) cible(s)

E. Hypothalamus   J. Hormones de libération   O. Molécules dérivées d'acides aminés

_____ 1.

_____ 2.

_____ 3.

_____ 4.

_____ 5.

_____ 6.

_____ 7.

_____ 8.

_____ 9.

_____ 10.

_____ 11.

_____ 12.

_____ 13.

_____ 14.

Le système endocrinien ne stimule pas toutes les cellules, mais seulement celles dont la membrane est dotée de ___(1)___.

Ces cellules portent le nom de ___(2)___ des diverses glandes endocrines. Les hormones régissent l'homéostasie en ___(3)___ des cellules plutôt qu'en ___(4)___. La plupart des hormones sont des ___(5)___ ou des ___(6)___.

Les diverses glandes endocrines libèrent leurs hormones sous l'action de neurofibres (stimulus ___(7)___), sous la stimulation d'autres hormones (stimulus ___(8)___), ou en réponse à un changement dans la concentration de certaines substances dans le sang (stimulus ___(9)___). La sécrétion de la plupart des hormones est régie par un mécanisme de ___(10)___. Grâce à ce mécanisme, lorsque les concentrations d'une hormone s'élèvent, le stimulus ayant déclenché cette élévation diminue en intensité. La principale glande endocrine de l'organisme est l'___(11)___, puisqu'elle régit l'activité d'un très grand nombre d'autres glandes endocrines. Cependant, elle est régie, à son tour, par les ___(12)___ lesquelles sont sécrétées par l'___(13)___. Puisque cette dernière structure fait aussi partie de l'encéphale, on dit qu'elle est un organe ___(14)___.

3. Pour chacun des énoncés proposés ci-dessous, déterminez s'il décrit mieux le mode d'action d'une hormone stéroïde ou d'une hormone dérivée d'un acide aminé. Inscrivez la lettre correspondante sur la ligne prévue à cet effet.

Énoncés proposés

A. Hormone qui se lie aux récepteurs de la membrane plasmique.

B. Hormone qui se lie aux récepteurs situés dans le noyau cellulaire.

C. Hormone liposoluble.

D. Hormone qui régit la transcription de gènes en molécules d'ARN messager.

E. Hormone qui agit par l'entremise d'un second messager, comme l'AMP cyclique.

Hormone stéroïde_____ Hormone dérivée d'un acide aminé_____

PRINCIPAUX ORGANES ENDOCRINIENS

4. La figure 9-1 illustre de façon très schématique les liens anatomiques entre l'hypothalamus et les lobes antérieur et postérieur de l'hypophyse. À l'aide de couleurs différentes, coloriez sur l'illustration les structures nommées dans la légende ainsi que les cercles correspondants. Ensuite, inscrivez sur les lignes appropriées, tracées au bas de la figure, le nom des hormones qui agissent sur chacun des organes cibles. Coloriez les organes cibles avec les couleurs de votre choix.

Légende

○ Hypothalamus   ○ Adénohypophyse

○ Selle turcique de l'os sphénoïde   ○ Neurohypophyse

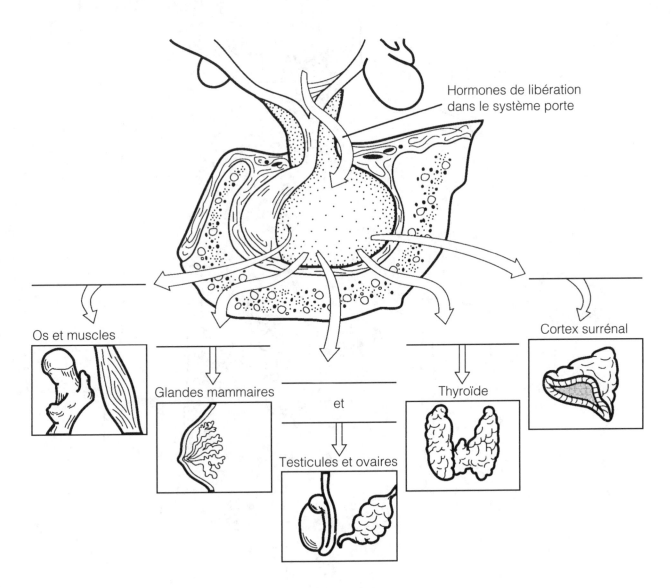

Hormones de libération dans le système porte

Os et muscles

Glandes mammaires

et

Testicules et ovaires

Thyroïde

Cortex surrénal

Figure 9-1

5. La figure 9-2 illustre l'emplacement des principales glandes endocrines. Inscrivez près de chacune des lettres le nom correspondant de la glande endocrine (ou de la portion de la glande). À l'aide de couleurs différentes, coloriez chacune de ces glandes. Enfin, nommez les organes K et L qui ne sont pas illustrés.

K. Petites glandes «accrochées» à la glande thyroïde.

_____

L. Organe producteur d'hormones qu'on trouve uniquement chez la femme enceinte.

_____

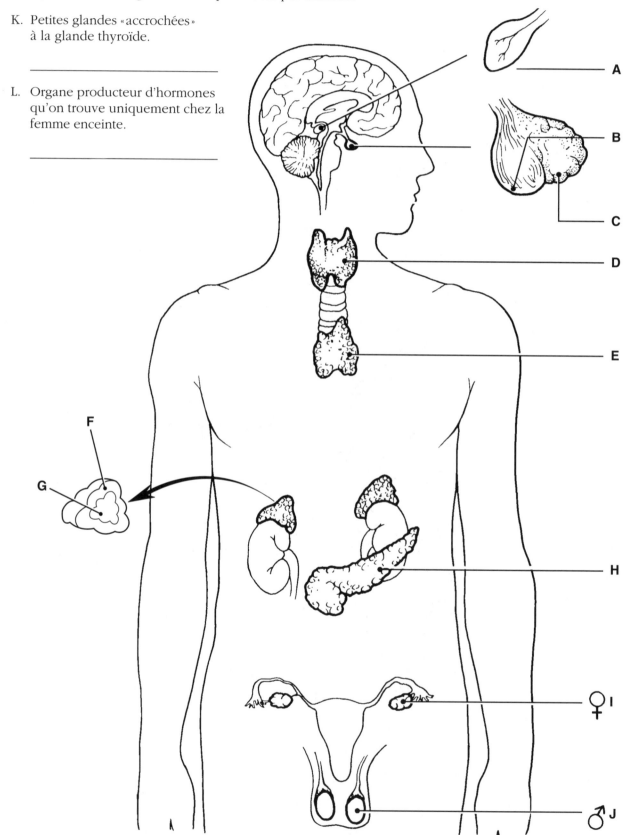

Figure 9-2

6. Pour chacune des hormones ci-dessous, indiquez l'organe qui la produit ou la sécrète, en inscrivant sur la ligne prévue à cet effet la lettre appropriée qui a été utilisée sur la figure 9-2.

_____ 1. ACTH	_____ 8. Glucagon	_____ 15. PTH
_____ 2. ADH	_____ 9. Insuline	_____ 16. Hormone de croissance
_____ 3. Aldostérone	_____ 10. LH	_____ 17. Testostérone
_____ 4. Cortisone	_____ 11. Mélatonine	_____ 18. Thymosine
_____ 5. Adrénaline	_____ 12. Ocytocine	_____ 19. Calcitonine
_____ 6. Œstrogènes	_____ 13. Progestérone	_____ 20. Thyroxine
_____ 7. FSH	_____ 14. Prolactine	_____ 21. TSH

7. Quelle est l'hormone qui correspond à chacune des descriptions ci-dessous? Inscrivez vos réponses sur les lignes prévues à cet effet.

_____ 1. Hormone qui stimule le métabolisme.

_____ 2. Hormone qui «programme» les lymphocytes T.

_____ 3. La principale hormone qui régit les quantités de calcium qui circulent dans le sang; elle est libérée lorsque ces concentrations s'abaissent.

_____ 4. Hormone qui protège l'organisme en période de stress prolongé, par exemple pendant une maladie au long cours ou lors d'une intervention chirurgicale.

_____ 5. Hormone qui est secrétée en cas de stress de courte durée; elle est libérée lors de la réponse de lutte ou de fuite, par exemple, pour élever la pression artérielle et accélérer la fréquence cardiaque.

_____ 6. Hormone nécessaire à la captation du glucose par les cellules.

_____ 7. _____ 8. Quatre stimulines.

_____ 9. _____ 10.

_____ 11. Hormone antagoniste de l'insuline, produite par le même organe endocrinien.

_____ 12. Hormone hypothalamique qui régit l'équilibre hydrique.

_____ 13. _____ 14. Hormones qui régissent le cycle ovarien.

_____ 15. _____ 16. Hormones qui régissent le cycle menstruel.

_____ 17. Hormone élaborée par le cortex surrénal, qui régit les concentrations de sel dans les liquides physiologiques.

_____ 18. _____ 19. Hormones nécessaires à l'allaitement.

8. Quel est le nom des hormones dont l'hyposécrétion est à l'origine des troubles suivants? Inscrivez vos réponses sur les lignes prévues à cet effet. (Dans certains cas, deux hormones sont impliquées.)

_____ 1. Immaturité sexuelle.

_____ 2. Tétanie.

_____ 3. Mictions très fréquentes, sans que la glycémie soit élevée ; déshydratation et soif excessive.

_____ 4. Goitre.

_____ 5. Crétinisme ; type de nanisme caractérisé par une petite taille et la rétention des proportions corporelles de l'enfant ; arriération mentale.

_____ 6. Soif excessive, glycémie élevée, acidose.

_____ 7. Taille d'adulte anormalement petite, proportions normales.

_____ 8. Fausses couches.

_____ 9. Léthargie, métabolisme ralenti, obésité (myxœdème, chez l'adulte).

9. Quelles sont les hormones dont l'hypersécrétion provoque les problèmes suivants? Inscrivez vos réponses sur les lignes prévues à cet effet.

_____ 1. Hypertrophie marquée de la mandibule et des os des mains et des pieds (acromégalie, chez l'adulte).

_____ 2. Saillie anormale des bulbes de l'œil, nervosité, pouls accéléré, perte de poids (maladie de Graves).

_____ 3. Déminéralisation osseuse, fractures spontanées.

_____ 4. Syndrome de Cushing – arrondissement lunaire du visage, affaiblissement du système immunitaire.

_____ 5. Gigantisme, mais proportions relativement normales.

_____ 6. Pilosité accrue, masculinisation.

10. Quels sont les trois symptômes majeurs du diabète sucré? Expliquez la raison pour laquelle chacun de ces symptômes se manifeste.

1. _____

_____

2. _____

_____

3. _____

_____

11. L'activité de nombreux organes cibles est régie par rétro-inhibition. La figure 9-3A illustre les éléments de base d'un mécanisme de régulation de l'homéostasie. La figure 9-3B illustre une boucle de rétroaction d'où il manque certains éléments. Supposez que, dans cet exemple, le stimulus est une concentration sanguine faible de T_3 et de T_4, qui ralentit le métabolisme. Inscrivez les données manquantes dans les boîtes, pour compléter la boucle de rétroaction. Indiquez s'il s'agit d'un mécanisme de rétro-inhibition ou de rétroactivation.

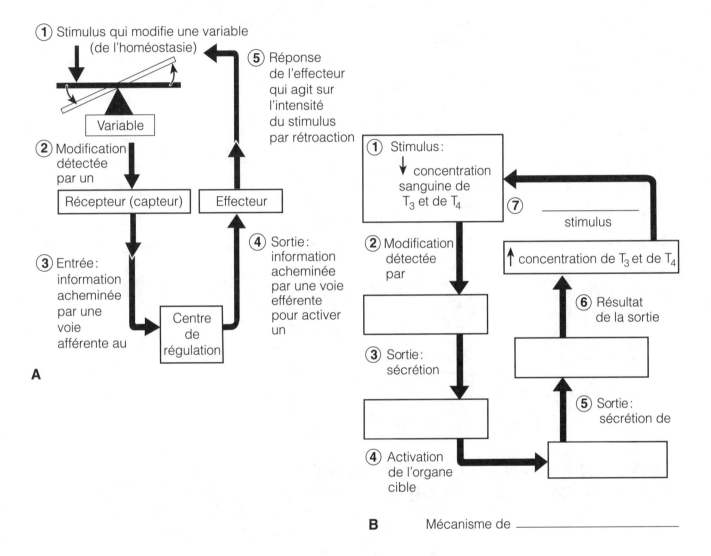

Figure 9-3

12. Entourez le terme qui n'a pas sa place dans chacun des groupes suivants :

1. Neurohypophyse   Stockage d'hormones   Tissu nerveux   Adénohypophyse

2. Hormone stéroïde   Hormone protéique   Second messager   Récepteurs de la membrane

3. Catécholamines   Noradrénaline   Adrénaline   Cortisol

4. Calcitonine   Élévation des concentrations sanguines de Ca^{2+} Glande thyroïde

   Augmentation des dépôts de Ca^{2+} dans les os

5. Glucocorticoïdes   Stéroïdes   Aldostérone   Hormone de croissance

AUTRES TISSUS ET ORGANES HORMONOPOÏÉTIQUES

13. À l'extérieur des principales glandes endocrines, des amas cellulaires isolés produisent également des hormones dans des organes qui ne font pas partie du système endocrinien à proprement parler. Certaines de ces hormones sont indiquées dans le tableau ci-dessous. Inscrivez les données manquantes dans les espaces laissés en blanc.

Hormone	Composition chimique	Source	Effets
Gastrine	Peptide		
Sécrétine		Duodénum	
Cholécystokinine	Peptide		
Érythropoïétine		Reins, en réponse à l'hypoxie	
Provitamine D$_3$		Peau ; activation par les reins	
Facteur natriurétique auriculaire (FNA)	Peptide		
Gonadotrophine chorionique humaine (hCG)	Protéine		
Leptine		Tissu adipeux	

DÉVELOPPEMENT ET VIEILLISSEMENT DU SYSTÈME ENDOCRINIEN

14. Complétez les énoncés suivants. Inscrivez vos réponses sur les lignes prévues à cet effet.

_____ 1.

_____ 2.

_____ 3.

_____ 4.

_____ 5.

_____ 6.

_____ 7.

Dans des conditions de vie normales, les organes endocriniens fonctionnent sans accroc jusqu'à un âge avancé. Toutefois, la formation d'une ___(1)___ dans une glande endocrine peut mener à une ___(2)___ de son hormone. Un déficit alimentaire en ___(3)___ peut provoquer une hyposécrétion de thyroxine. Plus tard dans la vie, les femmes souffrent de divers symptômes, comme des bouffées de chaleur et des sautes d'humeur, en raison de la diminution des concentrations d'___(4)___. Cette période de la vie de la femme porte le nom de ___(5)___, et à partir de ce moment-là, elle ne peut plus ___(6)___. Puisque, chez les personnes âgées, la production d'___(7)___ tend à diminuer, le diabète de l'adulte (de type 2) est courant.

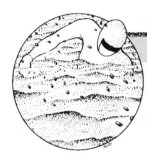

UN VOYAGE EXTRAORDINAIRE

Exercice de visualisation pour tester vos connaissances sur le système endocrinien

… vous remarquez que des particules chargées, expulsées pêle-mêle de la matrice osseuse…

15. Complétez le récit, en inscrivant les mots qui manquent sur les lignes prévues à cet effet.

_____ 1.

_____ 2.

_____ 3.

_____ 4.

_____ 5.

_____ 6.

_____ 7.

_____ 8.

_____ 9.

Pour ce voyage, vous serez miniaturisé et injecté dans une veine de votre hôte. Tout votre périple se déroulera dans le sang.

On vous a donné comme consignes de prendre en note les changements qui ont lieu dans la composition du sang dans lequel vous flottez et de formuler des conclusions à propos de leurs causes (c'est-à-dire de noter les hormones qui sont libérées).

En vous laissant emporter par le sang qui s'écoule lentement, vous remarquez que le liquide dans lequel vous nagez a un goût sucré. Toutefois, ce goût s'estompe rapidement. Il est évident que de l'___(1)___ vient d'être libérée par le ___(2)___, pour permettre aux cellules de capter le glucose.

Peu de temps après, vous notez que le niveau de sang dans la veine a baissé. Pour remédier à ce problème, qui pourrait être grave, la ___(3)___ doit libérer plus d'___(4)___, afin que les tubules rénaux puissent réabsorber davantage d'eau. À peine quelques minutes plus tard, le débit de sang devient plus abondant. C'est à se demander si l'organisme est doté non seulement de sagesse, mais aussi de voyance.

En longeant les os, vous remarquez que des particules chargées, expulsées pêle-mêle de la matrice osseuse, pénètrent dans le sang. La concentration sanguine de ___(5)___ s'étant élevée, vous vous dites que les glandes ___(6)___ viennent de libérer de la PTH. Vous continuez votre voyage dans le sang et celui-ci devient subitement sirupeux et gluant, ce qui indique que votre hôte vient de subir un stress. Il ne fait pas de doute, la ___(7)___ vient de libérer de l'___(8)___, ce qui a élevé brusquement la glycémie.

Un peu plus tard, vous remarquez un bourdonnement autour de vous, et vous notez que les cellules avoisinantes sont très actives. Les concentrations de ___(9)___ semblent suffisantes, car ces cellules n'ont pas ralenti leur activité métabolique. Vous en prenez bonne note et c'est ainsi que se termine votre voyage.

RÉFLEXION ET APPLICATION

16. Pierrot, qui a 8 ans, est très petit pour son âge. Quels sont les traits physiques qui vous permettront de déterminer rapidement s'il faut vérifier les taux d'hormone de croissance ou ceux de thyroxine?

17. Une jeune fille est conduite à l'hôpital par son père. Elle se fatigue vite et ses aptitudes mentales sont diminuées. Vous notez une légère protubérance sur le devant du cou. Quelle maladie soupçonnez-vous? Quelles sont les causes possibles de cette affection et quel en est le traitement?

18. Un petit garçon, âgé de 2 ans, est conduit à l'hôpital par des parents affolés. Il semble développé sur le plan sexuel et ses analyses sanguines révèlent une hyperglycémie due à l'hypersécrétion d'une glande endocrine. De quelle glande s'agit-il?

19. Lors de la fête foraine qui s'est déroulée dans une petite ville, les professionnels de la santé et les groupes de consommateurs locaux ont joint leurs efforts pour faire appliquer les lois sur la publicité trompeuse, afin de protéger quelques-uns des artistes de la troupe. Ils ont demandé que l'obèse, le nain, le géant et la femme à barbe soient appelés des «personnes souffrant de troubles endocriniens» (ce qui a évidemment ôté le sensationnalisme habituellement associé à ce type d'attractions). De quel trouble endocrinien s'agit-il dans chaque cas? Expliquez comment (ou pour quelle raison) le trouble a donné lieu aux traits caractéristiques de ces artistes.

20. Lorsque nous sommes stressés, le cerveau en est «informé» et, en réponse, l'hypothalamus sécrète une hormone de libération, appelée corticolibérine (CRH), qui met en branle une suite de réactions pour aider l'organisme à composer avec les facteurs de stress. Donnez toutes les étapes de ce processus, en commençant par la CRH et en terminant par la libération de cortisol. (N'oubliez pas de bien suivre le parcours des hormones dans le système porte hypophysaire et à la sortie de l'hypophyse).

21. Mme Janvier dit qu'elle n'a pas de menstruation. Ses glandes mammaires produisent du lait, même si elle n'a jamais été enceinte. De l'hypersécrétion de quelle hormone s'agit-il?

22. Monsieur Lajeunesse a du mal à accepter les altérations naturelles que subit le corps avec l'âge. Obsédé par les images de beauté et de jeunesse que véhiculent les médias, il demande à son médecin de lui injecter une hormone qui peut redonner de la vigueur à ses muscles et diminuer ses dépôts de graisse. Toutefois les conséquences à long terme de surdose de cette hormone ne sont pas connues. Quelle est cette hormone?

10

Le sang

Le sang, liquide vital de l'organisme, qui coule dans tous les vaisseaux sanguins, apporte aux cellules les nutriments et l'oxygène nécessaires à leur survie, et les débarrasse des déchets issus du métabolisme. Pendant qu'il circule entre les cellules tissulaires, il s'engage dans des échanges constants avec celles-ci, ce qui permet la poursuite incessante des activités vitales.

Les exercices de ce chapitre vous permettront de revoir les caractéristiques générales du sang total et du plasma, de reconnaître les différents éléments figurés (cellules sanguines) qui s'y trouvent et de récapituler leurs fonctions. Ces exercices portent aussi sur les groupes sanguins, les réactions à la transfusion, la coagulation et les divers troubles hématologiques.

COMPOSITION ET FONCTIONS DU SANG

1. Complétez les descriptions suivantes concernant les composants du sang. Inscrivez vos réponses sur les lignes prévues à cet effet.

_____ 1.

_____ 2.

_____ 3.

_____ 4.

_____ 5.

_____ 6.

_____ 7.

_____ 8.

_____ 9.

_____ 10.

_____ 11.

Pour les histologistes, qui s'emploient à classifier les tissus, le sang est un ___(1)___, car il contient des cellules sanguines vivantes, appelées ___(2)___, en suspension dans une matrice liquide non vivante, appelée ___(3)___. Les «fibres» du sang ne sont visibles que lors de la ___(4)___.

Si on centrifuge un échantillon de sang, les cellules les plus lourdes se déposent au fond de l'éprouvette. La plus grande partie de cette masse compacte est formée d' ___(5)___ et le pourcentage du volume de sang que ceux-ci représentent porte le nom d' ___(6)___. Le ___(7)___, moins dense, flotte à la surface de l'éprouvette. Il constitue environ 45 % du volume sanguin. La couche de séparation, constituée de ___(8)___ et de ___(9)___, se trouve à la jonction de ces deux composants. Cette couche blanchâtre compte pour moins de ___(10)___ % du volume sanguin.

Le sang est rouge vif lorsqu'il est chargé d' ___(11)___; sinon, il est rouge foncé.

2. À l'aide des termes proposés, repérez les éléments figurés du sang qui correspondent aux descriptions numérotées. Inscrivez les lettres ou les termes appropriés sur les lignes prévues à cet effet.

Termes proposés

A. Globules rouges   D. Basophiles   G. Lymphocytes

B. Mégacaryocytes   E. Monocytes   H. Éléments figurés

C. Éosinophiles   F. Neutrophiles   I. Plasma

_____ 1. Les leucocytes qui sont les plus nombreux.

_____ 2. _____ 3. _____ 4. Les granulocytes

_____ 5. Aussi appelés érythrocytes; cellules anucléées.

_____ 6. _____ 7. Leucocytes phagocytaires.

_____ 8. _____ 9. Leucocytes agranulocytes.

_____ 10. Leur cytoplasme se fragmente pour former les plaquettes.

_____ 11. Les composants A à G en sont des exemples.

_____ 12. Leur nombre augmente en cas d'allergie.

_____ 13. Ils libèrent de l'histamine au cours d'une réaction inflammatoire.

_____ 14. Ils prennent naissance dans la moelle osseuse et certains parachèvent leur développement dans les tissus lymphoïdes.

_____ 15. Éléments figurés contenant de l'hémoglobine.

_____ 16. Liquide acellulaire, formé surtout d'eau; c'est la matrice liquide du sang.

_____ 17. Leurs nombres augmentent en cas d'infection prolongée.

_____ 18. Les leucocytes les moins nombreux.

_____ 19. _____ 20. _____ 21.

_____ 22. _____ 23. Éléments figurés du sang, également appelés globules blancs.

3. La figure 10-1 illustre très schématiquement le mécanisme de régulation de l'érythropoïèse par l'érythropoïétine. Complétez les énoncés qui comportent des lignes prévues à cet effet. Coloriez toutes les flèches de la figure en jaune. Puis, à l'aide d'autres couleurs, coloriez les structures nommées dans la légende ainsi que les cercles correspondants. Finalement, indiquez quelle est la durée de vie des érythrocytes.

Légende

◯ Reins   ◯ Moelle osseuse rouge   ◯ Érythrocytes

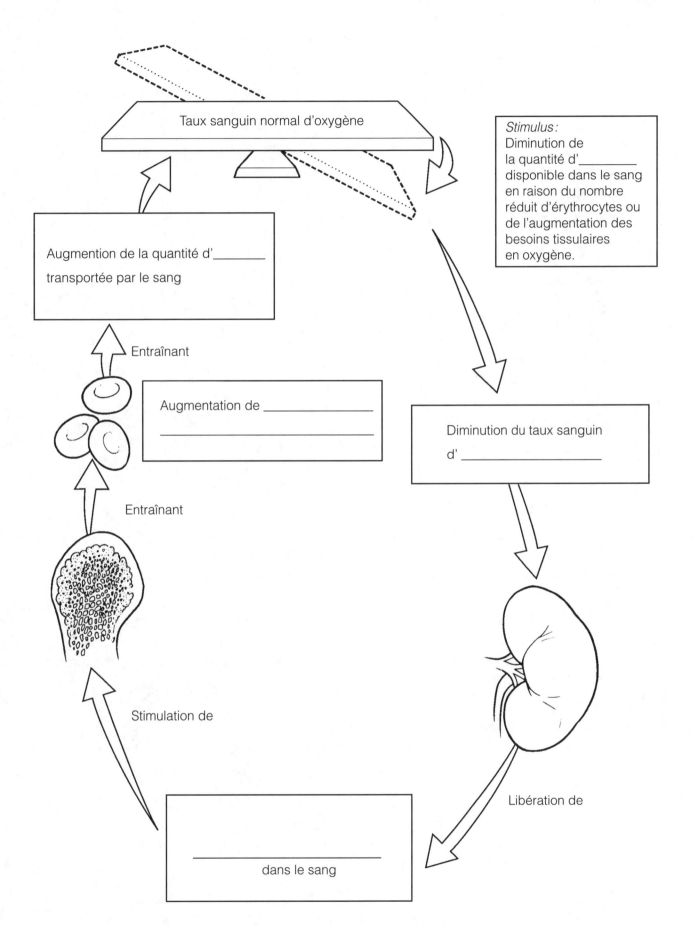

Figure 10-1

4. La figure 10-2 est une représentation schématique de quatre types de leucocytes. Commencez par suivre les consignes pour colorier chaque leucocyte, compte tenu de son apparence à la coloration de Wright. Ensuite, inscrivez le nom de ces cellules sur les lignes prévues à cet effet.

A. Coloriez les granules en violet pâle, le cytoplasme en rose et le noyau en violet foncé.

B. Coloriez le noyau en bleu foncé et le cytoplasme en bleu pâle.

C. Coloriez les granules en rouge vif, le cytoplasme en rose pâle et le noyau en rouge violacé.

D. Dans le cas des leucocytes les plus petits, coloriez le noyau en violet foncé et le cytoplasme clairsemé, en bleu pâle.

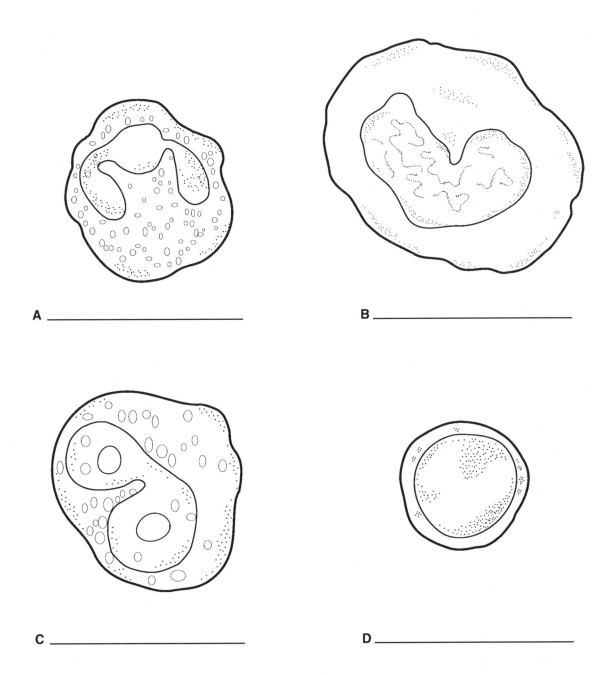

A _____

B _____

C _____

D _____

Figure 10-2

5. Pour chacun des énoncés ci-dessous qui est vrai, inscrivez *V* sur la ligne prévue à cet effet. Pour les énoncés qui sont faux, corrigez le terme <u>souligné</u> en inscrivant le bon terme sur la ligne prévue à cet effet.

_____ 1. Les leucocytes peuvent s'échapper des vaisseaux sanguins ou y pénétrer en vertu d'un processus appelé <u>chimiotactisme</u>.

_____ 2. La <u>leucopénie</u> est une maladie caractérisée par un nombre anormalement bas de leucocytes.

_____ 3. Lorsque le sang devient trop acide ou trop alcalin, le système respiratoire et <u>le foie</u> entrent en action pour normaliser le pH.

_____ 4. Le pH normal du sang se situe entre <u>7,00</u> et 7,45.

_____ 5. Le système cardiovasculaire d'un adulte de taille moyenne contient environ <u>4</u> litres de sang.

_____ 6. Le sang circule dans les vaisseaux grâce à l'action de pompage du <u>cœur</u>.

_____ 7. L'<u>hyperleucocytose</u> est caractérisée par un nombre anormalement élevé de globules blancs.

_____ 8. Normalement, le nombre d'érythrocytes est de <u>3,5 à 4,5</u> $\times$ 10^{12}/L.

_____ 9. Les valeurs normales de l'<u>hémoglobine</u> se situent entre 42 et 47 % du volume de sang total.

_____ 10. En présence d'anémie, maladie provoquée par l'abaissement du nombre de globules rouges, le sang devient <u>plus</u> visqueux.

_____ 10. Les <u>éosinophiles</u> sont des agranulocytes phagocytaires.

_____ 12. Les leucocytes qui jouent le rôle principal dans la réponse immunitaire sont les <u>monocytes</u>.

6. Entourez le terme qui n'a pas sa place dans chacun des groupes suivants :

1. Érythrocytes   Lymphocytes   Monocytes   Éosinophiles

2. Neutrophiles   Monocytes   Basophiles   Éosinophiles

3. Hémoglobine   Lymphocyte   Transport d'oxygène   Érythrocytes

4. Hémostase   Monocytes   Phagocytose   Neutrophiles

5. Thrombus   Anévrisme   Embole   Caillot

6. Plasma   Nutriments   Hémoglobine   Déchets

7. Cellules souches myéloïdes   Lymphocyte   Monocyte   Basophile

7. Marquez d'un crochet (√) les facteurs qui peuvent servir de stimulus
à l'érythropoïèse.

_____ 1. Hémorragie   _____ 3. Haute altitude

_____ 2. Exercices aérobiques   _____ 4. Absorption d'oxygène pur

HÉMOSTASE

8. À l'aide des termes proposés, complétez les descriptions ci-dessous. Inscrivez
les lettres ou les termes appropriés sur les lignes prévues à cet effet.

Termes proposés

A. Rupture   D. Fibrinogène   G. Sérotonine

B. Érythrocytes   E. Plaquettes   H. Thrombine

C. Fibrine   F. Prothrombine   I. Facteur tissulaire ou thromboplastine

_____ 1.

_____ 2.

_____ 3.

_____ 4.

_____ 5.

_____ 6.

_____ 7.

_____ 8.

_____ 9.

La coagulation est déclenchée lorsqu'une ___(1)___ se produit dans la paroi d'un vaisseau sanguin. Presque immédiatement, les ___(2)___ s'agglutinent sur la paroi et libèrent de la ___(3)___ pour favoriser la constriction du vaisseau et atténuer les pertes de sang. Les cellules lésées de la région libèrent aussi du ___(4)___. Sous l'action de cette substance chimique, la ___(5)___ est transformée en ___(6)___. Grâce à son activité enzymatique, celle-ci agit sur les molécules de ___(7)___ et favorise la formation de longs filaments de ___(8)___ qui emprisonnent les ___(9)___ flottant dans le sang avoisinant.

9. Pour chacun des énoncés ci-dessous qui est vrai, inscrivez *V* sur la ligne prévue
à cet effet. Pour les énoncés qui sont faux, corrigez le terme souligné, en inscrivant
le bon terme sur la ligne prévue à cet effet.

_____ 1. Normalement, le sang coagule en l'espace de 5 à 10 minutes.

_____ 2. L'anticoagulant naturel le plus important de l'organisme est l'histamine.

_____ 3. Hémostase signifie arrêt du saignement.

_____ 4. Le PF$_3$ ou facteur plaquettaire 3 est un phospholipide à la surface
des globules rouges qui participe à la formation de l'activateur
de la prothrombine.

_____ 5. Le mécanisme intrinsèque est déclenché lorsque le sang est exposé
à un facteur de coagulation libéré par des cellules endommagées.

_____ 6. Le mécanisme intrinsèque mène à la coagulation moins rapidement
que le mécanisme extrinsèque.

GROUPES SANGUINS ET TRANSFUSIONS

10. Complétez le tableau suivant qui porte sur le système ABO.

Groupe sanguin	Agglutinogènes ou antigènes	Agglutinines ou anticorps du plasma	Donneur au groupe	Receveur du groupe
1. Groupe A	A			
2. Groupe B		Anti-A		
3. Groupe AB			AB	
4. Groupe O				

11. Quel est le groupe sanguin du *donneur universel*? _____

Quel est celui du receveur universel? _____

12. Une réaction hémolytique se déclenche lorsqu'une personne reçoit une injection de sang incompatible. Définissez cette réaction sur les lignes prévues à cet effet.

_____

_____

DÉVELOPPEMENT ET VIEILLISSEMENT DU SANG

13. Complétez les énoncés suivants. Inscrivez vos réponses sur les lignes prévues à cet effet.

_____ 1.

_____ 2.

_____ 3.

_____ 4.

_____ 5.

_____ 6.

_____ 7.

_____ 8.

_____ 9.

Le fœtus possède une hémoglobine spéciale, l'hémoglobine ___(1)___, qui a plus d'affinité pour l'oxygène que l'hémoglobine adulte. Après la naissance, les érythrocytes fœtaux sont rapidement détruits et remplacés par des érythrocytes portant de l'hémoglobine A. Lorsque le foie du nouveau-né, encore immature, ne parvient pas à évacuer assez rapidement les produits de dégradation de l'hémoglobine, les tissus du bébé jaunissent et l'enfant est alors atteint d'___(2)___.

Des facteurs génétiques peuvent entraîner un certain nombre de maladies congénitales du sang. L'___(3)___ est caractérisée par une anomalie des molécules d'hémoglobine qui deviennent pointues et acérées lorsque la consommation d'oxygène augmente. L'___(4)___, quant à elle, est due à un déficit en l'un des facteurs de coagulation. L'alimentation joue un rôle important dans la formation du sang. Les femmes sont tout particulièrement prédisposées à l'anémie ___(5)___ à cause de la menstruation. Les personnes âgées, quant à elles, sont davantage prédisposées à l'anémie ___(6)___, du fait que la muqueuse gastrique s'atrophie au cours des années et n'arrive pas à produire assez de facteur intrinsèque, lequel est nécessaire à l'absorption de la vitamine ___(7)___. Un autre problème chez les personnes âgées est leur tendance à former des caillots ou ___(8)___ indésirables. Les jeunes, comme les personnes âgées, sont aussi exposés au risque de souffrir du cancer du sang, ou ___(9)___.

UN VOYAGE EXTRAORDINAIRE

Exercice de visualisation pour tester vos connaissances sur le sang

… Une fois à l'intérieur du vaisseau, vous incisez sa paroi…

14. Complétez le récit en inscrivant les mots qui manquent sur les lignes prévues à cet effet.

_____ 1.

_____ 2.

_____ 3.

_____ 4.

_____ 5.

_____ 6.

_____ 7.

_____ 8.

_____ 9.

_____ 10.

_____ 11.

_____ 12.

_____ 13.

_____ 14.

_____ 15.

Pour ce nouveau voyage, vous serez miniaturisé une fois de plus et injecté dans l'artère iliaque externe de votre hôte. Un moniteur fluorescent vous guidera ensuite jusqu'à la moelle de l'ilium. Votre mission consistera à observer et à prendre en note les diverses étapes de la formation des globules sanguins, processus appelé ____(1)____. Par la suite, vous vous laisserez porter par le sang vers un endroit où vous pourrez déclencher et observer le processus de coagulation, aussi appelé ____(2)____. Vous êtes maintenant dans la moelle osseuse et observez plusieurs cellules souches volumineuses, dotées d'un noyau de couleur foncée. Il s'agit d'____(3)____, qui commencent à se diviser et à produire des cellules filles. Les cellules filles de votre droite, qui viennent de se former, contiennent de minuscules granules cytoplasmiques et un noyau de forme singulière, composé de petites masses de substance nucléaire reliées par de minces brins de nucléoplasme. Vous venez d'assister à la formation d'un type de leucocyte, appelé ____(4)____. Vous en décrivez l'apparence et vous vous promettez d'essayer d'en observer l'activité plus tard. Cependant, vous pouvez d'ores et déjà affirmer que cette cellule est un ____(5)____, qui protège l'organisme.

À un autre endroit, des cellules filles formées par la division des cellules souches sont initialement difficiles à reconnaître. Vous continuez de les observer et remarquez qu'elles se divisent à leur tour. Par la suite, certaines d'entre elles éjectent leur noyau et s'aplatissent pour prendre une forme discoïde. Vous supposez que les reins viennent de libérer de l'____(6)____, puisque ces cellules sont des ____(7)____. Le matériel de couleur foncée qui les remplit doit être de l'____(8)____, car le rôle de ces cellules est de transporter l'____(9)____ dans le sang.

Vous vous tournez maintenant vers des cellules filles qui naissent par la division d'une autre cellule souche. Elles sont petites et rondes. Leur noyau arrondi et très volumineux ne laisse que peu de place pour le cytoplasme. Vous notez que vous venez d'assister à la naissance de ____(10)____. Une fois formées, ces cellules ne restent pas longtemps dans la moelle. En réalité, elles semblent pénétrer dans la circulation dès qu'elles sont élaborées. Certaines d'entre elles produisent des ____(11)____, ou jouent d'autres rôles dans la réponse immunitaire. Même si la formation des ____(12)____, des ____(13)____, des ____(14)____ et des ____(15)____ reste à venir, vous décidez d'entrer dans la circulation pour observer la coagulation.

_____   16.

_____   17.

_____   18.

_____   19.

_____   20.

_____   21.

_____   22.

_____   23.

_____   24.

_____   25.

Vous vous glissez dans une veinule qui débouche sur la grande circulation. Une fois à l'intérieur du vaisseau, vous incisez sa paroi, ou ___(16)___. Presque instantanément, des centaines de fragments cellulaires dentelés s'engouffrent dans la région et se plaquent sur l'incision que vous venez de faire. Vous notez que des ___(17)___ se sont agglutinées dans le siège de la lésion. Pendant que vous prenez vos notes, votre moniteur chimique se met à clignoter. Le message que vous lisez dit: «Libération de substance vasoconstrictrice». Comme la paroi du vaisseau semble se refermer, vous pouvez noter que la substance qui vient d'être libérée est la ___(18)___. Pendant que vous regardez la lésion, de longs filaments se forment rapidement et s'accrochent à son pourtour. Ils forment donc un filet de ___(19)___ qui commence à emprisonner les érythrocytes et à créer la base du ___(20)___. Bien que vous ne soyez pas équipé pour suivre les étapes intermédiaires du processus, vous savez que les tissus endommagés ont dû libérer de la ___(21)___, qui a par la suite

converti la ___(22)___ en ___(23)___. Cette deuxième enzyme s'est unie aux molécules solubles de ___(24)___ pour former avec elles le filet que vous avez observé.

Vous vous éloignez précautionneusement du caillot nouvellement formé. Vous ne voulez pas trop faire de vagues, car vous savez que si le caillot se détache, il peut devenir un dangereux ___(25)___. Votre mission prend fin ici, et vous pouvez retourner à votre point d'entrée.

RÉFLEXION ET APPLICATION

Veuillez répondre aux cinq questions ci-dessous (de 15 à 19) qui portent sur Mme Constantin. Elle est enceinte pour la première fois. Elle est Rh négatif et son mari est Rh positif. Il a été déterminé que leur premier enfant sera Rh positif. Bien qu'habituellement, une première grossesse de ce type ne pose pas de problèmes graves, le bébé est bleu et cyanosé à la naissance.

15. Quel est le nom de cette maladie découlant d'une incompatibilité attribuable au facteur Rh?

16. Pourquoi le bébé est-il cyanosé?

17. Puisqu'il s'agit de la première grossesse de Mme Constantin, comment peut-on expliquer cette anomalie?

18. Supposons que le bébé est né rose et bien portant. Quelles précautions devrait-on prendre en prévision d'une deuxième grossesse où le fœtus serait, comme le premier, Rh positif?

19. La sœur de Mme Constantin a subi deux fausses couches. Elle décide donc qu'il lui faut consulter un médecin lors de sa troisième grossesse. Il est déterminé, qu'à l'instar de sa sœur, elle est Rh⁻, alors que son mari est Rh⁺. Quel traitement devrait-on lui prescrire?

20. Mme Paquin affirme que M. X est le père de son enfant. Le groupe sanguin de Mme Paquin est O⁻. Son bébé est A⁺, alors que M. X est B⁺. Peut-il être le père de cet enfant? Sinon, quel devrait être le groupe sanguin du père?

21. Chez les personnes atteintes de cancer auxquelles on administre une chimiothérapie destinée à détruire les cellules qui se divisent rapidement, on doit suivre de près le nombre d'érythrocytes et de leucocytes. Pour quelle raison?

22. Le médecin demande qu'on procède à une biopsie de la moelle d'un adulte et d'un enfant. L'échantillon est prélevé de la moelle du tibia de l'enfant, mais de la moelle de la crête iliaque de l'adulte. Expliquez pourquoi l'on ne prélève pas les échantillons de moelle des mêmes os chez l'adulte et chez l'enfant. (Pour répondre à cette question, il peut être utile de revoir le chapitre 5.)

23. Mme Georges vient de faire un don de sang. Peu de temps après, sa moelle osseuse se met en activité pour remplacer le sang prélevé. Lesquels des éléments figurés seront produits dans le plus grand nombre?

24. Ayant peur des examens médicaux, M. Cyr n'a pas consulté de médecin depuis plus de 25 ans. Il décide finalement de prendre un rendez-vous pour obtenir un bilan de santé général. Son médecin lui fait subir deux tests, l'hémogramme ainsi qu'une épreuve effectuée à l'aide d'un autoanalyseur SMAC. Quelles données ces deux tests lui fourniront-ils?

CHAPITRE

11

Le système cardiovasculaire

Le système cardiovasculaire, dont les principales structures sont le cœur et les vaisseaux sanguins, joue un rôle vital dans la physiologie de l'être humain. Sa principale fonction est le transport. Utilisant le sang comme véhicule, il achemine les nutriments, l'oxygène, les anticorps, les électrolytes et de nombreuses autres substances vers les cellules et débarrasse celles-ci de leurs déchets. La force qui propulse le sang à l'intérieur du corps est produite par l'action de pompage du cœur.

Les exercices de ce chapitre portent sur l'anatomie et l'emplacement du cœur et des vaisseaux sanguins et sur les principales notions reliées à la physiologie cardiovasculaire (par exemple, la révolution cardiaque, l'ECG et la régulation de la pression artérielle).

SYSTÈME CARDIOVASCULAIRE : LE CŒUR

1. Complétez les énoncés suivants en inscrivant vos réponses sur les lignes prévues à cet effet.

_____ 1.

_____ 2.

_____ 3.

_____ 4.

_____ 5.

_____ 6.

_____ 7.

_____ 8.

_____ 9.

_____ 10.

_____ 11.

Le cœur est un organe musculaire de forme conique, situé à l'intérieur du __(1)__ . Son apex repose sur le __(2)__ et sa base se trouve au niveau de la __(3)__ côte. Les artères coronaires, qui alimentent l'organe, émergent de l'__(4)__ . Le sinus coronaire se vide dans l'__(5)__ . Compte tenu de leur fonction, on peut dire que les __(6)__ sont des cavités d'entrée et les __(7)__ des cavités de sortie. La membrane qui tapisse l'intérieur du cœur et recouvre les valves est l'__(8)__ . La tunique externe porte le nom d'__(9)__ . Le liquide qui remplit la cavité du péricarde permet d'atténuer la __(10)__ créée par les battements de l'organe. Le myocarde, ou muscle du cœur, est composé d'un type de tissu particulier, appelé __(11)__ .

2. On dit que le cœur est une double pompe, car il dessert deux circuits distincts. Décrivez le trajet du sang dans la circulation pulmonaire et la circulation systémique, en inscrivant les termes appropriés sur les lignes prévues à cet effet. Reportez-vous ensuite à la figure 11-1 : coloriez en bleu les vaisseaux qui transportent du sang pauvre en oxygène et en rouge ceux qui transportent du sang riche en oxygène. Enfin, complétez la figure en écrivant au bout des lignes de repère les lettres correspondant aux explications données dans la légende.

_____ 1.

_____ 2.

_____ 3.

_____ 4.

_____ 5.

_____ 6.

_____ 7.

_____ 8.

_____ 9.

_____ 10.

_____ 11.

_____ 12.

_____ 13.

De l'oreillette droite, par la valve tricuspide, vers le ___(1)___, par la valve du ___(2)___, vers les ___(3)___ droite et gauche, ensuite vers le réseau capillaire des ___(4)___, les ___(5)___ droites et gauches, l'___(6)___, par la valve ___(7)___, vers le ___(8)___, par la valve ___(9)___ jusqu'à l'___(10)___ et les artères systémiques, ensuite vers les ___(11)___ des tissus, vers les veines systémiques, et jusqu'à la ___(12)___ et la ___(13)___, qui se déversent dans l'oreillette droite.

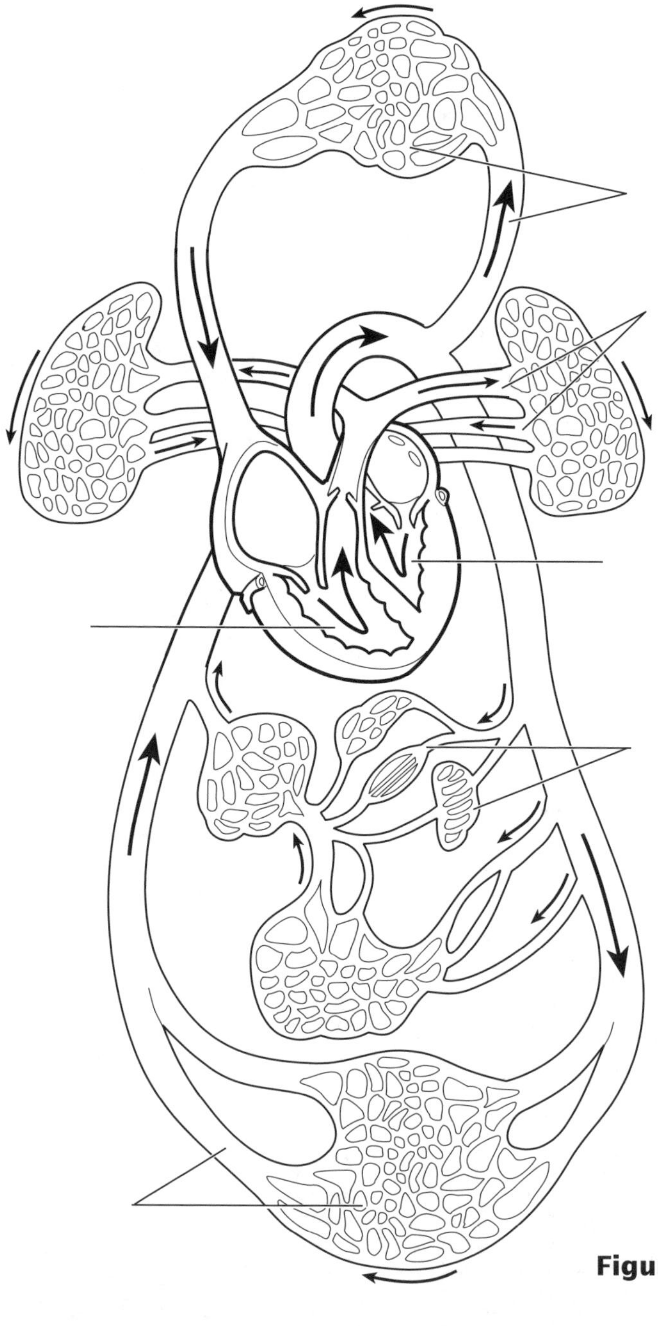

Légende

> A. Vaisseaux qui alimentent la tête et les membres supérieurs.
>
> B. Vaisseaux qui drainent le tronc et les membres inférieurs.
>
> C. Vaisseaux qui alimentent les viscères.
>
> D. Circulation pulmonaire.
>
> E. «Pompe» de la circulation pulmonaire.
>
> F. «Pompe» de la circulation systémique.

Figure 11-1

3. La figure 11-2 représente une vue antérieure du cœur. Inscrivez le nom de chaque
structure numérotée sur la ligne prévue à cet effet.

_____ 1.   _____ 6.   _____ 11.

_____ 2.   _____ 7.   _____ 12.

_____ 3.   _____ 8.   _____ 13.

_____ 4.   _____ 9.   _____ 14.

_____ 5.   _____ 10.   _____ 15.

Ensuite, coloriez en bleu les vaisseaux qui transportent du sang pauvre en oxygène
et en rouge ceux qui transportent du sang riche en oxygène. Laissez le ligament artériel
en blanc. N'oubliez pas de colorier les cercles de la légende.

Légende

◯ Vaisseaux transportant du sang pauvre en oxygène

◯ Vaisseaux transportant du sang riche en oxygène

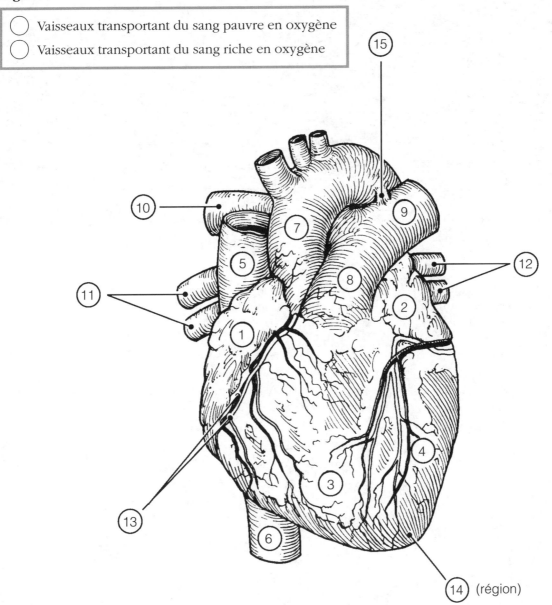

Figure 11-2

4. La figure 11-3 est une représentation schématique de la structure microscopique du muscle cardiaque. À l'aide de couleurs différentes, coloriez sur l'illustration les structures nommées dans la légende ainsi que les cercles correspondants.

Légende

◯ Noyaux (avec leurs nucléoles)   ◯ Fibres musculaires

◯ Disques intercalaires   ◯ Stries

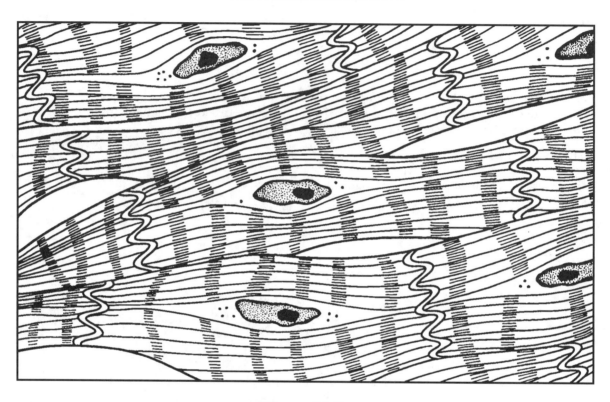

Figure 11-3

5. La révolution cardiaque est la succession d'étapes produisant un battement cardiaque complet. Complétez les énoncés suivants pour la décrire. Inscrivez vos réponses sur les lignes prévues à cet effet.

_____ 1.

_____ 2.

_____ 3.

_____ 4.

_____ 5.

_____ 6.

_____ 7.   _____ 9.

_____ 8.   _____ 10.

La contraction des ventricules porte le nom de ___(1)___, et leur relâchement, celui de ___(2)___. L'onomatopée ___(3)___ évoque les bruits du cœur durant chaque révolution cardiaque. Le premier bruit se produit lorsque les valves ___(4)___ se ferment. Le deuxième bruit traduit la fermeture des valves ___(5)___. Les cavités du cœur qui viennent de se remplir lorsqu'on entend le premier bruit sont les ___(6)___; celles qui viennent de se vider sont les ___(7)___. Immédiatement après le deuxième bruit, les ___(8)___ se remplissent de sang alors que les ___(9)___ sont vides. Les bruits anormaux, ou ___(10)___, évoquent habituellement une anomalie valvulaire.

6. La figure 11-4 illustre une coupe frontale du cœur. Répondez aux quatre parties de l'exercice suivant.

Premièrement, tracez des flèches pour illustrer la direction que prend le sang dans le cœur. Suivez le trajet du sang riche en oxygène avec des flèches rouges, et celui du sang pauvre en oxygène avec des flèches bleues.

Deuxièmement, repérez les éléments du système de conduction intrinsèque (numéros 1 à 5 de la figure), et inscrivez leurs noms sur les lignes prévues à cet effet, à gauche de la figure. Ensuite, indiquez à l'aide de flèches coloriées en vert le trajet des influx dans ce système.

Troisièmement, repérez sur la figure les valves cardiaques (numéros 6 à 9), et inscrivez leurs noms sur les lignes prévues à cet effet. Ensuite, dessinez et nommez les cordons qui ancrent les cuspides des valves auriculo-ventriculaires (atrio-ventriculaires).

Quatrièmement, repérez sur la figure les structures décrites ci-dessous et écrivez les numéros qui leur correspondent sur les lignes à côté des lettres.

_____ A. _____ B. Structures qui empêchent le sang de refluer dans les ventricules lorsque le cœur est relâché.

_____ C. _____ D. Structures qui empêchent le sang de refluer dans les oreillettes lorsque les ventricules se contractent.

_____ E. Valve auriculo-ventriculaire (atrio-ventriculaire) composée de trois cuspides.

_____ F. Valve auriculo-ventriculaire (atrio-ventriculaire) composée de deux cuspides.

_____ G. Le centre rythmogène du système de conduction cardiaque («pacemaker» du cœur).

_____ H. Le point du système de conduction du cœur où l'influx est temporairement retardé.

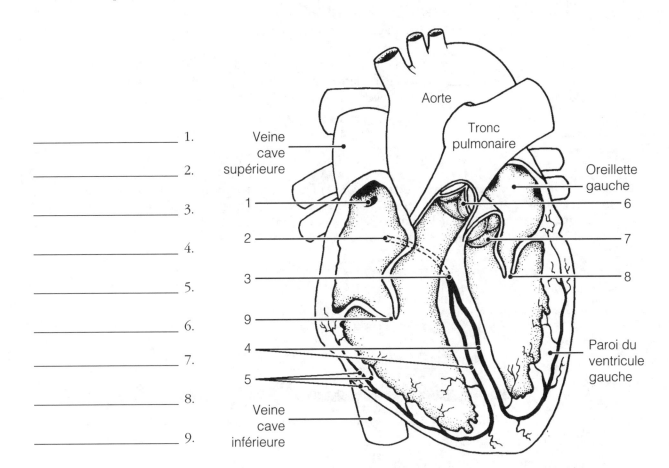

Figure 11-4

7. Associez les termes de la colonne B aux descriptions de la colonne A. Inscrivez les lettres ou les termes appropriés sur les lignes prévues à cet effet.

Colonne A

Colonne B

_____ 1. Le tracé de l'activité électrique du cœur.

A. Angine de poitrine

_____ 2. Représentation sur le tracé électrocardio-graphique de la période de dépolarisation des oreillettes.

B. Bradycardie

C. Électrocardiogramme

_____ 3. Représentation sur le tracé électrocardio-graphique de la période pendant laquelle se produit la repolarisation des ventricules.

D. Fibrillation

E. Bloc cardiaque

_____ 4. Représentation sur le tracé électrocardio-graphique de la période de dépolarisation des ventricules, juste avant leur contraction.

F. Onde P

G. Complexe QRS

H. Onde T

_____ 5. Fréquence cardiaque anormalement basse, inférieure à 60 battements par minute.

I. Tachycardie

_____ 6. Trouble caractérisé par une absence de coordination, qui rend le cœur incapable d'exercer son rôle de pompe.

_____ 7. Fréquence cardiaque anormalement élevée, soit supérieure à 100 battements par minute.

_____ 8. Lésion du nœud auriculo-ventriculaire (atrio-ventriculaire) par suite de laquelle les ventricules échappent complètement ou partiellement au contrôle du nœud sinusal (sinu-atrial).

_____ 9. Douleur thoracique entraînée par l'ischémie du myocarde.

8. Sur la figure 11-5, qui est la représentation d'une partie d'un électrocardiogramme, indiquez où se trouve le complexe QRS, l'onde P et l'onde T. Ensuite, à l'aide d'un crayon rouge, tracez sur le graphique les limites d'une révolution cardiaque et, à l'aide d'un crayon bleu, la partie du tracé qui représente les *ventricules* en diastole.

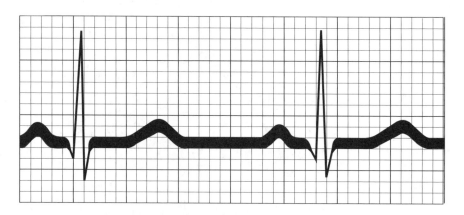

Figure 11-5

9. Complétez les énoncés suivants concernant le débit cardiaque. Inscrivez vos réponses sur les lignes prévues à cet effet.

_____ 1.

_____ 2.

_____ 3.

_____ 4.

_____ 5.

_____ 6.

_____ 7.

_____ 8.

_____ 9.

_____ 10.

Dans l'équation DC = FC × VS, DC est le ___(1)___, FC la ___(2)___ et VS le ___(3)___. La FC d'un cœur normal au repos est de ___(4)___ et le VS, de ___(5)___. Le débit cardiaque normal moyen de l'adulte est, par conséquent, de ___(6)___. La totalité du sang passe à travers l'organisme une fois par ___(7)___.

Selon la loi de Starling, le facteur qui détermine la force des battements, ou ___(8)___, est le degré d'___(9)___ du muscle cardiaque juste avant une contraction. Par conséquent, la force des battements peut s'accroître, si la quantité de ___(10)___ qui retourne au cœur s'élève.

10. Cochez (√) tous les facteurs qui *augmentent* le débit cardiaque en agissant soit sur la fréquence cardiaque, soit sur le volume systolique.

_____ 1. Adrénaline   _____ 6. Activation du système nerveux sympathique

_____ 2. Thyroxine   _____ 7. Activation du nerf vague

_____ 3. Hémorragie   _____ 8. Hypotension

_____ 4. Peur   _____ 9. Hypertension

_____ 5. Exercice   _____ 10. Fièvre

11. Pour chacun des énoncés qui est vrai, inscrivez *V* sur la ligne prévue à cet effet. Pour les énoncés qui sont faux, corrigez le terme souligné en inscrivant le bon terme sur la ligne.

_____ 1. La fréquence cardiaque au repos est plus élevée chez l'adulte.

_____ 2. Chez l'athlète de haut niveau, le cœur s'hypertrophie, ce qui entraîne une diminution du volume systolique.

_____ 3. Si elle touche le côté droit du cœur, l'insuffisance cardiaque cause une congestion pulmonaire.

_____ 4. La congestion périphérique provoque l'œdème des pieds, des chevilles et des doigts.

_____ 5. L'action de pompage du cœur sain maintient en général un équilibre entre le débit cardiaque et le retour veineux.

12. Entourez le terme qui n'a pas sa place dans chacun des groupes suivants :

1. Tronc pulmonaire   Veine cave   Côté droit du cœur   Côté gauche du cœur

2. Complexe QRS   Onde T   Onde P   Activité électrique des ventricules

3. Valves AV fermées   Valves AV ouvertes   Systole ventriculaire

     Valves de l'aorte et du tronc pulmonaire ouvertes

4. Muscle papillaire   Valve de l'aorte   Valve tricuspide   Cordages tendineux

5. Valve tricuspide   Valve mitrale   Valve bicuspide   Valve AV gauche

6. Ischémie   Infarctus   Cicatrisation par du tissu fibreux   Bloc cardiaque

SYSTÈME CARDIOVASCULAIRE : LES VAISSEAUX SANGUINS

13. Complétez les énoncés suivants portant sur les vaisseaux sanguins.

_____ 1.

_____ 2.

_____ 3.

_____ 4.

_____ 5.

_____ 6.

_____ 7.

La cavité centrale d'un vaisseau sanguin porte le nom de ___(1)___. Lorsque cette cavité rétrécit, on parle de ___(2)___, et lorsqu'elle s'agrandit, de ___(3)___. Le sang est transporté vers le cœur par les ___(4)___, et à partir du cœur par les ___(5)___. Le lit capillaire est alimenté en sang par les ___(6)___, et il est drainé par les ___(7)___.

14. Expliquez brièvement pour quelle raison les veines sont dotées de valvules, alors que les artères ne le sont pas.

_____

_____

15. Quels sont les deux phénomènes, _se produisant à l'intérieur de l'organisme_, qui favorisent le retour veineux ?

_____ et _____

16. À l'aide de couleurs différentes, coloriez sur la figure 11-6 les tuniques nommées dans la légende ainsi que les cercles correspondants. Sur les lignes prévues à cet effet sous les illustrations, inscrivez les noms des vaisseaux et indiquez quels détails structuraux vous ont aidé à les reconnaître. Ensuite, nommez les tuniques décrites dans les énoncés numérotés. Inscrivez sur les lignes prévues à cet effet les lettres ou les termes appropriés tirés de la légende.

Légende

A. ⃝ Tunique intime   B. ⃝ Tunique moyenne   C. ⃝ Tunique externe

_____ 1. Tunique composée d'une seule couche mince d'endothélium.

_____ 2. Tunique intermédiaire, plus épaisse, composée de muscle lisse et d'élastine.

_____ 3. Tunique lisse qui réduit la friction entre le sang et la face interne du vaisseau.

_____ 4. La seule tunique dont sont constitués les capillaires.

_____ 5. Tunique qu'on appelle également adventice.

_____ 6. La seule tunique qui joue un rôle dans la régulation de la pression artérielle.

_____ 7. Tunique qui protège et renforce les vaisseaux.

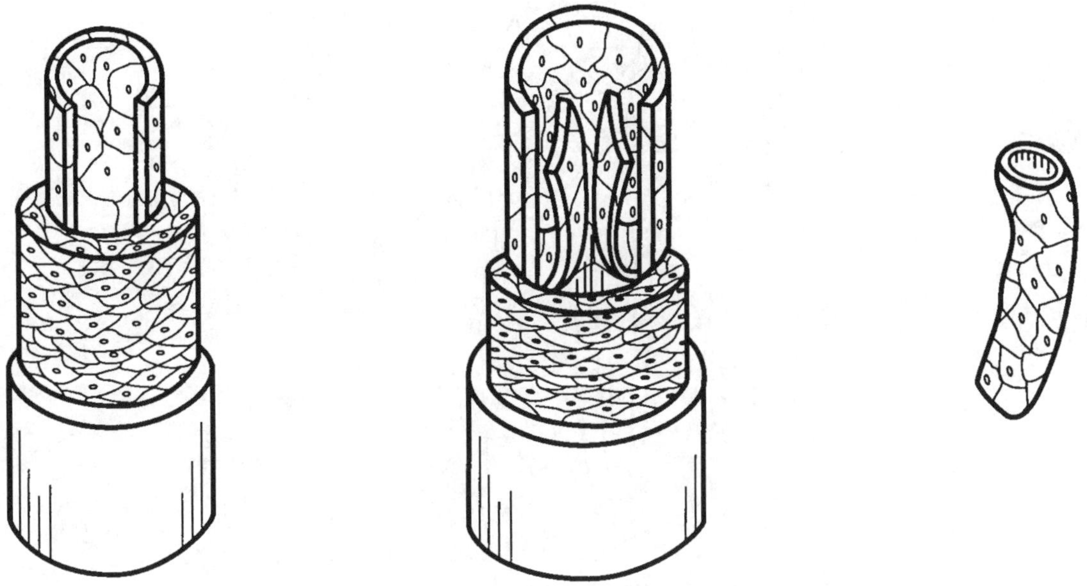

Figure 11-6

A. _____   B. _____   C. _____

_____   _____   _____

_____   _____   _____

17. Les figures 11-7 et 11-8 (pages 188 et 189) montrent les principales artères et veines de l'organisme humain. Les veines sont illustrées à la figure 11-7. Coloriez-les en bleu et nommez celles qui sont indiquées par des lignes de repère. Les artères sont illustrées à la figure 11-8. Coloriez-les en rouge et nommez celles qui sont indiquées par des lignes de repère. (Remarque: si vous le désirez, vous pouvez utiliser des couleurs différentes pour les vaisseaux que vous avez nommés. Cela pourra vous aider à les reconnaître plus tard.)

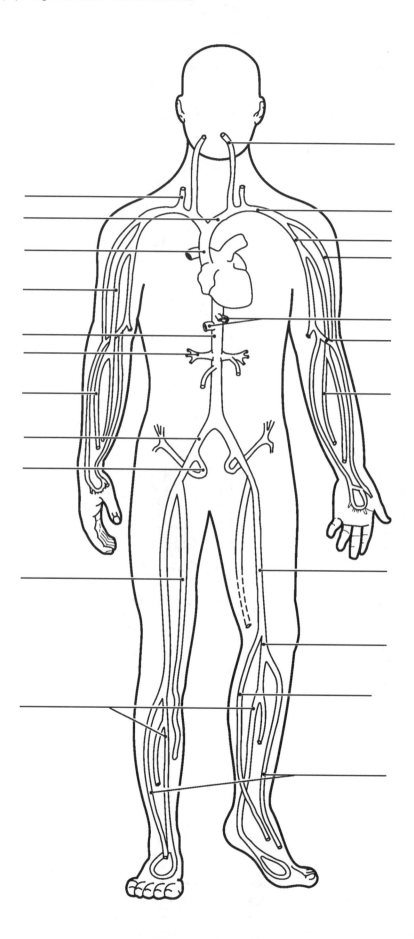

Figure 11-7 Veines

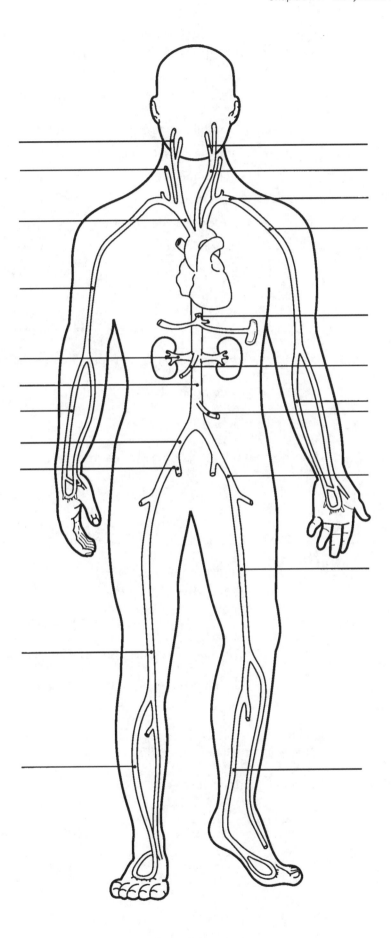

Figure 11-8 Artères

18. À l'aide des termes proposés, nommez les veines qui correspondent aux descriptions ci-dessous. Inscrivez les lettres ou les termes appropriés sur les lignes prévues à cet effet.

Termes proposés

A. V. tibiale antérieure

B. V. azygos

C. V. basilique

D. V. brachio-céphalique

E. Sinus coronaire

F. V. céphalique

G. V. iliaque commune

H. V. fémorale

I. V. gastrique

J. V. ovarique ou testiculaire

K. Grande veine saphène

L. V. hépatique

M. V. porte hépatique

N. V. mésentérique inférieure

O. V. cave inférieure

P. V. iliaque interne

Q. V. jugulaire interne

R. V. tibiale postérieure

S. V. radiale

T. V. rénale

U. V. subclavière

V. V. mésentérique supérieure

W. V. cave supérieure

X. V. ulnaire

_____ 1. _____ 2. Veines volumineuses qui drainent l'avant-bras.

_____ 3. Veine qui draine le sang du bras par l'intermédiaire de la veine axillaire.

_____ 4. Le sang veineux du myocarde s'y jette.

_____ 5. Veine qui draine le rein.

_____ 6. Veine qui draine les sinus de la dure-mère.

_____ 7. Nom des deux veines qui s'unissent pour former la veine cave supérieure.

_____ 8. _____ 9. Veines qui drainent la jambe et le pied.

_____ 10. Veine volumineuse qui transporte le sang chargé de nutriments des organes digestifs vers le foie.

_____ 11. Veine superficielle qui monte le long de la face latérale du bras.

_____ 12. Veines qui drainent les ovaires ou les testicules.

_____ 13. Veine qui draine le thorax et qui se déverse dans la veine cave supérieure.

_____ 14. La veine la plus volumineuse de l'organisme, qui rapporte au cœur le sang provenant des régions situées sous le diaphragme.

_____ 15. Veine qui draine le foie.

_____ 16. _____ 17. _____ 18. Trois veines qui se déversent dans la veine porte hépatique.

_____ 19. La plus longue veine superficielle de l'organisme, qui monte le long de la jambe.

_____ 20. Veine constituée par l'union des veines iliaques interne et externe.

_____ 21. Veine profonde de la cuisse.

19. La figure 11-9 est une représentation schématique du système porte hépatique.
À l'aide de couleurs différentes, coloriez sur l'illustration les structures nommées
dans la légende ainsi que les cercles correspondants.

Légende

○ Veine mésentérique inférieure   ○ Veine splénique   ○ Veine porte hépatique

○ Veine mésentérique supérieure   ○ Veine gastrique

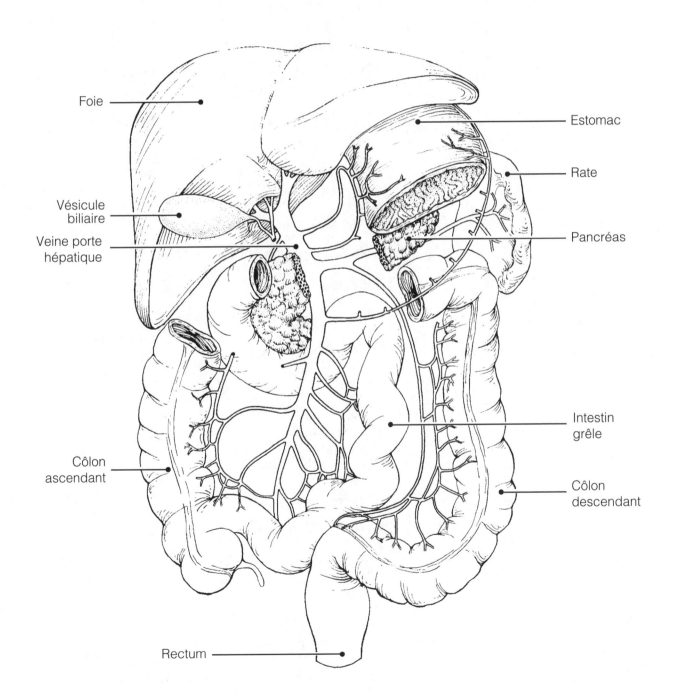

Figure 11-9

20. À l'aide des termes proposés, nommez les *artères* qui correspondent aux descriptions ci-dessous. Inscrivez les lettres ou les termes appropriés sur les lignes prévues à cet effet.

Termes proposés

A. A. tibiale antérieure

B. Aorte

C. A. brachiale

D. Tronc brachio-céphalique

E. Tronc cœliaque

F. A. carotide commune

G. A. iliaque commune

H. A. coronaire

I. A. profonde de la cuisse

J. A. dorsale du pied

K. A. carotide externe

L. A. fémorale

M. A. hépatique

N. A. mésentérique inférieure

O. A. intercostales

P. A. carotide interne

Q. A. iliaque interne

R. A. fibulaire

S. A. phrénique

T. A. tibiale postérieure

U. A. radiale

V. A. rénale

W. A. subclavière

X. A. mésentérique supérieure

Y. A. vertébrale

Z. A. ulnaire

_____ 1. _____ 2. Deux artères qui émergent du tronc brachio-céphalique.

_____ 3. Première artère qui prend naissance de l'aorte ascendante et qui irrigue le cœur.

_____ 4. _____ 5. Deux paires d'artères qui irriguent l'encéphale.

_____ 6. L'artère la plus volumineuse de l'organisme.

_____ 7. Artère formant le réseau qui irrigue le dos du pied.

_____ 8. Artère qui irrigue la partie postérieure de la cuisse.

_____ 9. Artère qui irrigue le diaphragme.

_____ 10. Artère dont les ramifications forment les artères ulnaire et radiale.

_____ 11. Artère sur laquelle on pose habituellement le stéthoscope lorsqu'on mesure la pression artérielle.

_____ 12. Artère qui dessert le bas du côlon.

_____ 13. Artère qui irrigue le bassin.

_____ 14. Nom qu'on donne à l'artère iliaque externe, une fois qu'elle entre dans la cuisse.

_____ 15. Principale artère du bras.

_____ 16. Artère qui irrigue la plus grande partie de l'intestin grêle.

_____ 17. Branche terminale de l'aorte abdominale.

_____ 18. Tronc artériel dont les trois branches principales irriguent le foie, la rate et l'estomac.

_____ 19. Grande artère qui dessert la majeure partie des tissus de la tête.

_____ 20. _____ 21. _____ 22.
Trois artères qui irriguent la jambe en dessous du genou.

_____ 23. Artère sur laquelle on peut palper le pouls.

_____ 24. Toute lésion d'une valvule semi-lunaire du côté gauche du cœur
peut entraver le flux sanguin dans ce vaisseau.

21. La figure 11-10 illustre la circulation artérielle de l'encéphale. À l'aide de couleurs
différentes, coloriez sur l'illustration les structures nommées dans la légende ainsi que
les cercles correspondants.

Légende

◯ Artère basilaire	◯ Artère communicante antérieure
◯ Artère communicante postérieure	◯ Artère cérébrale antérieure
◯ Artère cérébrale moyenne	◯ Artère cérébrale postérieure

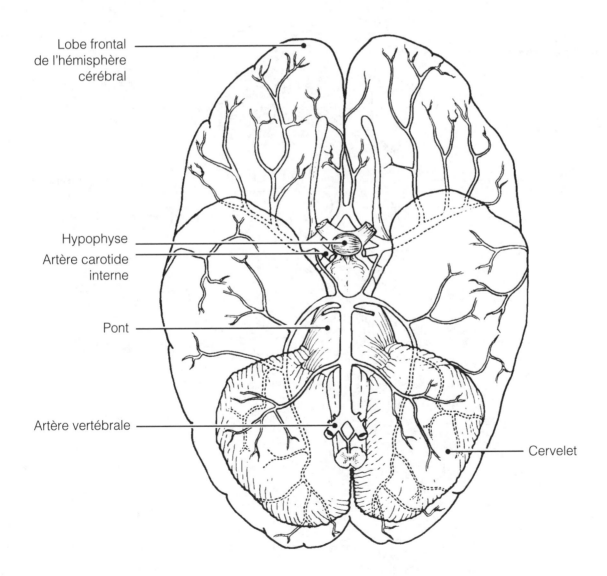

Lobe frontal
de l'hémisphère
cérébral

Hypophyse

Artère carotide
interne

Pont

Artère vertébrale

Cervelet

Figure 11-10

22. La figure 11-11 illustre les structures particulières qu'on trouve chez le fœtus. Ces structures sont nommées dans la légende. Coloriez-les à l'aide de couleurs différentes ; coloriez aussi les cercles correspondants.

Légende

◯ Foramen ovale	◯ Conduit artériel	◯ Conduit veineux
◯ Artères ombilicales	◯ Cordon ombilical	◯ Veine ombilicale

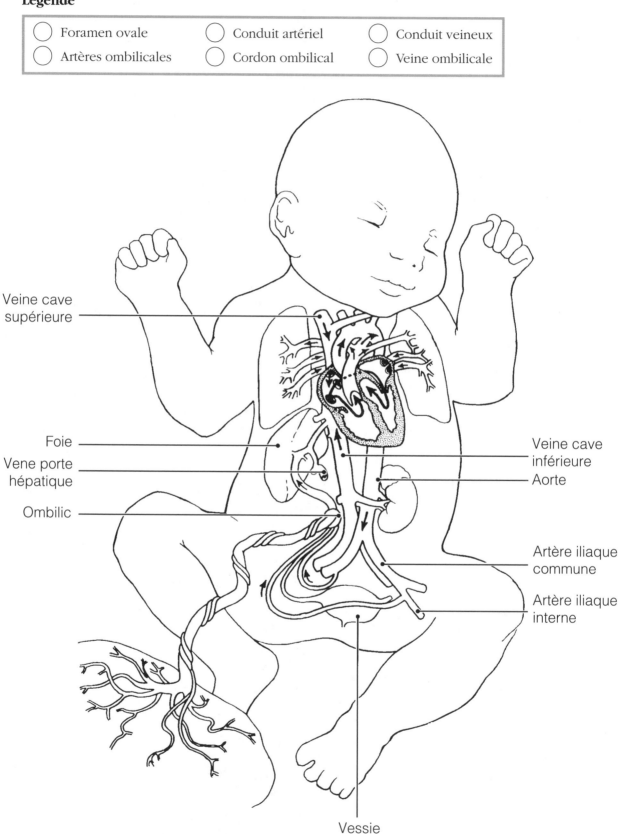

Veine cave supérieure

Foie

Vene porte hépatique

Ombilic

Veine cave inférieure

Aorte

Artère iliaque commune

Artère iliaque interne

Vessie

Figure 11-11

23. Les énoncés ci-dessous décrivent huit structures qui appartiennent à des systèmes vasculaires particuliers. Nommez ces structures en vous servant des termes proposés. Inscrivez les lettres ou les termes appropriés sur les lignes prévues à cet effet.

Termes proposés

A. Artère cérébrale antérieure   E. Conduit veineux   H. Artère cérébrale postérieure

B. Artère basilaire   F. Foramen ovale   I. Artère ombilicale

C. Cercle artériel du cerveau   G. Artère cérébrale moyenne   J. Veine ombilicale

D. Conduit artériel

_____ 1. Anastomose permettant la communication entre les vaisseaux antérieurs et postérieurs qui irriguent le cerveau.

_____ 2. Vaisseau qui transporte le sang chargé d'oxygène et de nutriments du placenta vers le fœtus.

_____ 3. Dérivation grâce à laquelle la plus grande partie du sang fœtal peut contourner le foie.

_____ 4. Deux paires d'artères issues de l'artère carotide interne.

_____ 5. Artère donnant naissance aux deux artères cérébrales postérieures qui irriguent l'encéphale.

_____ 6. Dérivation entre l'aorte et le tronc pulmonaire du fœtus, grâce à laquelle le sang peut contourner les poumons.

_____ 7. Orifice du septum interauriculaire (interatrial), qui permet de dévier le sang fœtal de l'oreillette droite vers l'oreillette gauche, contournant ainsi les poumons.

24. Expliquez brièvement la raison pour laquelle les poumons du fœtus ne sont pratiquement pas irrigués par le sang.

_____

_____

25. Entourez le terme qui n'a pas sa place dans chacun des groupes suivants :

1. Pression élevée   Veine   Artère   Force propulsive du sang

2. Artère carotide   Veine cardiaque   Sinus coronaire   Artère coronaire

3. Retour veineux accru   Pompe respiratoire   Vasodilatation   Pompe musculaire

4. Hypertension   Hémorragie   Pouls faible   Faible débit cardiaque

5. Résistance   Friction   Vasodilatation   Vasoconstriction

26. Cet exercice vous permettra de vérifier vos connaissances sur la pression artérielle et le pouls. Associez les termes de la colonne B aux descriptions de la colonne A. Inscrivez les lettres ou les termes appropriés sur les lignes prévues à cet effet.

Colonne A

_____ 1. Onde de pression créée par l'expansion et la rétraction successives des artères, lors de chaque battement.

_____ 2. Pression exercée par le sang contre les parois des vaisseaux.

_____ 3. _____ 4. Facteurs qui déterminent la pression artérielle.

_____ 5. Phénomène responsable de la résistance périphérique.

_____ 6. Pression artérielle mesurée durant la contraction du cœur.

_____ 7. Pression artérielle mesurée durant le relâchement du cœur.

_____ 8. Vaisseaux servant normalement à la mesure de la pression du sang.

_____ 9. Points sur la surface corporelle où l'on peut palper le pouls.

_____ 10. Bruits distincts, audibles au niveau d'un vaisseau, lorsque celui-ci est partiellement comprimé.

Colonne B

A. Artères

B. Pression artérielle

C. Débit cardiaque

D. Constriction des artérioles

E. Pression artérielle diastolique

F. Résistance périphérique

G. Points de compression

H. Pouls

I. Bruits de Korotkoff

J. Pression artérielle systolique

K. Veines

27. Complétez les énoncés ci-dessous concernant les échanges capillaires, à l'aide des termes proposés. Inscrivez les lettres ou les termes appropriés sur les lignes prévues à cet effet.

Termes proposés

A. Sang
B. Fentes intercellulaires
C. Diffusion
D. Fenestrations

E. Liposolubles
F. Pression hydrostatique
G. Liquide interstitiel

H. Pression osmotique
I. Vésicules
J. Hydrosoluble

_____ 1.

_____ 2.

_____ 3.

_____ 4.

_____ 5.

_____ 6.

Tous les échanges entre le sang et les cellules des tissus se font par l'intermédiaire du ___(1)___ . En général, les substances tendent à se déplacer selon leur gradient de concentration, en vertu d'un processus appelé ___(2)___ . Les substances ___(3)___ diffusent directement à travers la membrane plasmique des cellules endothéliales des capillaires. Les autres substances passent par les ___(4)___ , les ___(5)___ et les ___(6)___ . Les capillaires les plus

_____ 7.

_____ 8.

_____ 9.

_____ 10.

_____ 11.

_____ 12.

_____ 13.

perméables sont ceux munis de ___(7)___. Les capillaires munis de ___(8)___ et de ___(9)___ laissent échapper des liquides, qui se déplacent sous l'effet de deux pressions s'exerçant au niveau du lit capillaire. La pression qui force les liquides à sortir des capillaires est la ___(10)___ et celle qui les ramène dans le sang est la ___(11)___. En conséquence, les liquides entrent dans le ___(12)___ à l'extrémité artérielle des capillaires, et dans le ___(13)___ à leur extrémité veineuse.

28. Indiquez l'effet des facteurs suivants sur la pression artérielle. Sur les lignes prévues à cet effet, inscrivez *E* lorsque celle-ci s'élève et *D* lorsqu'elle diminue.

_____ 1. Dilatation de la lumière des artérioles

_____ 2. Viscosité accrue du sang

_____ 3. Débit cardiaque accru

_____ 4. Élévation de la fréquence du pouls

_____ 5. Anxiété, peur

_____ 6. Débit urinaire accru

_____ 7. Passage brusque de la position couchée à la position debout ou assise

_____ 8. Exercices physiques

_____ 9. Mise en condition physique

_____ 10. Consommation d'alcool

_____ 11. Hémorragie

_____ 12. Tabagisme

_____ 13. Artériosclérose

29. Pour faire cet exercice, inscrivez des réponses brèves sur les lignes prévues à cet effet. Imaginez un accident d'automobile où un des blessés saigne fortement. Sur quelles artères se situent les points qu'il faudrait comprimer pour arrêter l'hémorragie dans les régions suivantes :

_____ 1. Cuisse   _____ 4. Mâchoire inférieure

_____ 2. Avant-bras   _____ 5. Pouce

_____ 3. Mollet

30. Pour chacun des énoncés qui est vrai, inscrivez *V* sur la ligne prévue à cet effet. Pour les énoncés qui sont faux, corrigez le terme <u>souligné</u>, en inscrivant le bon terme sur la ligne.

_____   1. La rénine sécrétée par les reins <u>abaisse</u> la pression artérielle.

_____   2. Puisque l'action vasoconstrictrice du système nerveux sympathique perd de l'efficacité au fil des ans, les personnes âgées peuvent manifester un type d'hypotension, appelée <u>sympathique</u>.

_____   3. La <u>vasodilatation</u> des artérioles permet au sang de contourner les tissus quand il le faut.

_____   4. On mesure le pouls à l'apex du cœur à l'aide d'un <u>sphygmomanomètre</u>.

_____   5. La circulation pulmonaire est une circulation à pression <u>élevée</u>.

_____   6. Chez le fœtus, l'équivalent (fonctionnel) des poumons et du cœur est le <u>placenta</u>.

_____   7. Le froid a un effet <u>vasodilatateur</u>.

_____   8. On dit que la <u>thrombophlébite</u> est un tueur silencieux.

_____   9. Les vaisseaux collatéraux ne se forment pas dans la rétine, la rate et les <u>reins</u>.

DÉVELOPPEMENT ET VIEILLISSEMENT DU SYSTÈME CARDIOVASCULAIRE

31. Complétez les énoncés suivants. Inscrivez vos réponses sur les lignes prévues à cet effet.

_____ 1.

_____ 2.

_____ 3.

_____ 4.

_____ 5.

_____ 6.

_____ 7.

_____ 8.

_____ 9.

_____ 10.

_____ 11.

Le système cardiovasculaire du fœtus se forme rapidement et son cœur remplit son rôle de pompe dès la ___(1)___ semaine de la gestation. Grâce au conduit artériel et au foramen ovale, le sang peut contourner les ___(2)___ immatures du fœtus. Une autre structure fœtale, le ___(3)___, permet à la majeure partie du sang de contourner le foie. Le fœtus reçoit les nutriments et l'oxygène par la ___(4)___ qui transporte le sang du ___(5)___ au ___(6)___. Les déchets du métabolisme et le gaz carbonique sont éliminés dans le sang transporté par les ___(7)___. Ces structures particulières, qui dévient le sang des poumons et du foie du fœtus, ___(8)___ peu de temps après la naissance. Les cardiopathies congénitales (certaines provoquées par un défaut de la fermeture des déviations vasculaires) comptent pour la moitié des ___(9)___ de nourrissons attribuables à une anomalie congénitale.

L'___(10)___ est un processus dégénératif qui peut s'installer dès l'enfance, mais qui exerce ses ravages plus tard dans la vie, en prédisposant la personne qui en est atteinte à l'infarctus du myocarde ou à des accidents vasculaires cérébraux. Généralement, les femmes souffrent moins d'athérosclérose que les hommes jusqu'à la ___(11)___, lorsque la production d'œstrogènes s'arrête.

_____ 12.

_____ 13.

_____ 14.

_____ 15.

_____ 16.

L'____(12)____ régulier accroît l'efficacité du système cardiovasculaire et aide à ralentir l'évolution de l'____(13)____. Les ____(14)____ sont courantes chez les personnes qui passent beaucoup de temps debout. En présence de ce trouble, les valvules veineuses s'affaiblissent, et les veines, particulièrement celles des ____(15)____ et des ____(16)____ deviennent tortueuses et dilatées.

UN VOYAGE EXTRAORDINAIRE

Exercice de visualisation pour tester vos connaissances sur le système cardiovasculaire

… vous êtes entouré d'énormes cordons blancs qui pendent inertes de deux lames de tissu endothélial…

32. Complétez le récit en inscrivant les mots qui manquent sur les lignes prévues à cet effet.

_____ 1.

_____ 2.

_____ 3.

_____ 4.

_____ 5.

_____ 6.

_____ 7.

_____ 8.

On a convenu que votre voyage commencera dans la veine pulmonaire et que, de là, vous traverserez la circulation systémique et un autre type de circulation. Vous vérifiez votre matériel et vous vous tenez prêt à être miniaturisé et injecté dans la veine de votre hôte.

Presque immédiatement après l'injection, vous êtes poussé dans une cavité assez spacieuse, l'____(1)____. Mais vous ne pouvez pas vous arrêter là puisque vous êtes aussitôt projeté dans une cavité encore plus volumineuse, qui se trouve juste au-dessous de la première. Vous atterrissez en faisant rejaillir le sang et vous examinez votre environnement. Vous remarquez que vous êtes entouré d'énormes cordons blancs qui pendent inertes de deux lames de tissu endothélial fixées très haut au-dessus de votre tête. Vous notez que vous êtes dans le ____(2)____ du cœur et que vous voyez au-dessus de votre tête les cuspides de la valve ____(3)____. Celle-ci est ouverte et les cordons qui l'ancrent à la paroi, c'est-à-dire les ____(4)____, sont lâches. Puisque la valve est ouverte, vous concluez que le cœur est dans la phase de ____(5)____ de la révolution cardiaque.

Vous remarquez tout d'un coup que les parois de la cavité semblent se rapprocher. Vous entendez un coup de tonnerre, la cavité tout entière se met à vibrer et la valve qui se trouve au-dessus de votre tête se ferme aussitôt. Les cordons, maintenant tendus, vous enferment comme dans une cage et vous sentez qu'une très forte pression externe s'exerce tout autour. Il ne fait pas de doute que le cœur est en pleine ____(6)____. Ensuite, très haut, vers la droite, le «toit» s'ouvre et vous êtes éjecté par la valve ____(7)____. Une fraction de seconde plus tard, vous entendez un autre formidable coup de tonnerre qui envoie tout autour des ondes de choc. Vous regardez du coin de l'œil la valve derrière vous qui se referme et vous notez qu'elle ressemble à une tarte coupée en trois parts. Vous êtes maintenant emporté dans une énorme artère, l'____(8)____, et poussé au-delà de plusieurs embranchements, sans

_____ 9.

_____ 10.

_____ 11.

_____ 12.

_____ 13.

_____ 14.

_____ 15.

_____ 16.

_____ 17.

_____ 18.

_____ 19.

_____ 20.

_____ 21.

que vous puissiez vous arrêter. Bien au contraire, vous descendez à pic, à une vitesse ahurissante, jusqu'au moment où vous faites un virage et pénétrez dans l'artère ___(9)___ qui irrigue l'intestin grêle. Le flot continue à vous porter le long de cette artère, par des vaisseaux de plus en plus petits jusqu'au lit capillaire de l'intestin grêle. Vous regardez émerveillé les molécules de nutriments qui pénètrent dans le sang en traversant l'unique couche de cellules ___(10)___ formant la paroi des capillaires. Vous traversez le lit capillaire et vous entrez dans une veinule, d'où vous commencez à remonter dans l'abdomen. Les veinules qui drainent l'intestin grêle s'unissent pour former la veine ___(11)___, laquelle s'unit à son tour avec la veine ___(12)___ pour former la veine porte hépatique. Vous empruntez celle-ci et pénétrez dans le foie. Là, vous êtes témoin d'une grande activité. Des cellules hépatiques hexagonales, dont la fonction est d'emmagasiner le glucose et de produire des protéines plasmatiques, s'emparent littéralement des ___(13)___ en suspension dans le sang qui coule doucement autour d'elles, pendant que des ___(14)___ protecteurs avalent les bactéries qui ont gagné clandestinement la circulation. Vous sortez du foie par la veine ___(15)___ pour entrer presque aussitôt dans une veine volumineuse, la ___(16)___, qui achemine le sang en provenance de la partie inférieure de l'organisme vers l'___(17)___. De là, vous passez par les cavités droites du cœur et pénétrez dans le ___(18)___. Bientôt le vaisseau se ramifie et vous êtes dirigé par l'artère ___(19)___ jusqu'au lit capillaire des ___(20)___ et, de là, vers le côté gauche du cœur. Vous traversez une fois de plus ce côté du cœur et vous quittez votre hôte lorsque vous êtes aspiré de l'artère ___(21)___, un embranchement de l'aorte qui devient l'artère axillaire au niveau de l'aisselle.

RÉFLEXION ET APPLICATION

33. L'ambulance transporte à l'urgence un homme en fibrillation. Quel est vraisemblablement son débit cardiaque ? Lorsque l'ambulance s'arrête à l'entrée de l'hôpital, l'homme est déjà mort. L'autopsie révèle un blocage dans le rameau interventriculaire postérieur. Quelle est la cause du décès?

34. Une dépression grave peut entraîner une stimulation vagale excessive. Comment serait-elle décelée lors d'un examen physique de routine?

35. Un patient présente des chevilles enflées et les signes d'un dysfonctionnement dégénératif. Quel serait le diagnostic probable?

36. La tomographie de contrôle effectuée chez un homme âgé révèle une occlusion partielle de l'artère carotide interne droite. Cependant l'irrigation sanguine du cerveau n'est pas entravée. Quelles sont les deux causes possibles de l'occlusion? Quelle est l'anastomose qui préserve l'irrigation de l'encéphale et quelle(s) autre(s) voie(s) le sang peut-il emprunter?

37. Chez un patient atteint de cancer de la moelle osseuse, on décèle une polycythémie. La pression artérielle de cette personne sera-t-elle élevée ou basse? Pourquoi?

38. Après un épisode d'endocardite bactérienne, du tissu fibreux rend rigide les bordures des valves cardiaques. Comment peut-on déceler ce phénomène lors d'un examen de routine?

39. Léon, un homme âgé, est alité à la suite d'une fracture de la hanche. Il dit qu'il a des douleurs dans les jambes et on diagnostique une thrombophlébite. Qu'est-ce que la thrombophlébite et vers quelle complication mortelle peut-elle évoluer?

40. M. Dupont raconte à un ami que son médecin l'a soumis récemment à un bilan de santé. Selon lui, le médecin aurait dit que l'ECG a révélé une insuffisance valvulaire et un souffle au cœur. Apparemment, M. Dupont a mal compris certaines explications que le médecin lui a données au sujet du processus diagnostique. Qu'est-ce qu'il a mal compris?

41. Un journal à sensation annonce à la une: «Les médecins déclarent que l'exercice raccourcit la vie. L'espérance de vie est programmée selon le nombre de battements du cœur. Plus votre cœur bat vite et plus vite vous mourrez». Même si la «théorie des battements prédéterminés» était vraie, pourquoi la conclusion concernant l'exercice est-elle infondée?

42. Mme Petit dit au médecin qu'elle se sent très étourdie lorsqu'elle se met debout après avoir fait la sieste. Son mari marmonne: «C'est parce qu'elle chauffe trop la maison». Il a raison (dans ce cas particulier). Expliquez pourquoi Mme Petit peut se sentir étourdie si elle fait la sieste dans une pièce trop chaude.

43. Marianne prend un inhibiteur calcique. Quel est, selon vous, l'effet de ce médicament sur le volume systolique?

44. Vous êtes responsable de la recherche sur les animaux à l'Université de Sherbrooke. Vous venez de stimuler par des voies chimiques les récepteurs de l'ACh du cœur d'un rat. Comment cette stimulation devrait-elle modifier le volume systolique?

Le système lympathique et les défenses de l'organisme

Le système lymphatique, avec ses nombreux organes et vaisseaux dérivés des veines, est un système pour le moins étrange. Bien qu'ils aident à maintenir l'homéostasie, les deux éléments qui le composent jouent des rôles très différents. Les vaisseaux lymphatiques permettent au système cardiovasculaire de fonctionner en maintenant le volume sanguin. Les organes lymphatiques abritent un grand nombre de phagocytes et d'autres cellules du système immunitaire qui protègent l'organisme contre les agents pathogènes.

Le système immunitaire, qui constitue le *système de défense spécifique* de l'organisme, est un système fonctionnel unique, formé de milliards de cellules circulantes, dont la plupart sont des lymphocytes. La seule fonction de ce système de défense est de protéger l'organisme contre la légion d'agents pathogènes qui peuvent l'envahir. En règle générale, ces «agents ennemis» se divisent en trois grands camps: (1) les microorganismes (bactéries, virus et mycètes) qui ont pu pénétrer dans l'organisme, (2) les cellules de tissus étrangers transplantés (ou, dans le cas des érythrocytes, transfusés) et (3) les propres cellules de l'organisme qui sont devenues cancéreuses. Les activités du système immunitaire visent à assurer l'immunité, ou résistance à la maladie.

L'organisme est également protégé par un certain nombre de défenses non spécifiques, soit des membranes superficielles intactes, comme la peau et les muqueuses, et par une variété de cellules et de médiateurs chimiques qui peuvent rapidement s'attaquer aux substances étrangères. Les défenses spécifiques et non spécifiques agissent de concert et se rendent mutuellement efficaces.

Les exercices de ce chapitre vous permettront de tester votre compréhension des fonctions des divers éléments du système lymphatique ainsi que des défenses spécifiques et non spécifiques de l'organisme.

LE SYSTÈME LYMPHATIQUE

Vaisseaux lymphatiques

1. Complétez les énoncés suivants. Inscrivez vos réponses sur les lignes prévues à cet effet.

_____ 1.

_____ 2.

_____ 3.

_____ 4.

_____ 5.

_____ 6.

Le système cardiovasculaire est doté d'une pompe (le cœur), d'artères, de veines et de capillaires. Deux de ces structures sont absentes du système lymphatique: la ___(1)___ et les ___(2)___. Tout comme les ___(3)___ du système cardiovasculaire, les vaisseaux lymphatiques sont munis de ___(4)___ qui empêchent le reflux. La principale fonction des vaisseaux lymphatiques est de recueillir le liquide interstitiel, qui prend le nom de ___(5)___ et de le restituer au sang. Quotidiennement, environ ___(6)___ de liquide sont restitués au sang.

2. La figure 12-1 donne deux représentations schématiques de la circulation lymphatique. La partie A montre le lien entre les vaisseaux lymphatiques et les vaisseaux sanguins. La partie B illustre les divers types de vaisseaux qui transportent la lymphe. À l'aide de couleurs différentes, coloriez sur la figure les structures nommées dans la légende ainsi que les cercles correspondants.

Légende

○ Cœur   ○ Veines   ○ Vaisseaux lymphatiques/nœuds lymphatiques

○ Artères   ○ Capillaires sanguins   ○ Tissu conjonctif lâche entourant les capillaires sanguins et lymphatiques

Ensuite, repérez les structures ci-dessous et inscrivez leur nom à la partie B de la figure :

A. Capillaires lymphatiques   C. Vaisseaux collecteurs lymphatiques   E. Valvules

B. Conduit lymphatique   D. Nœud lymphatique   F. Veine

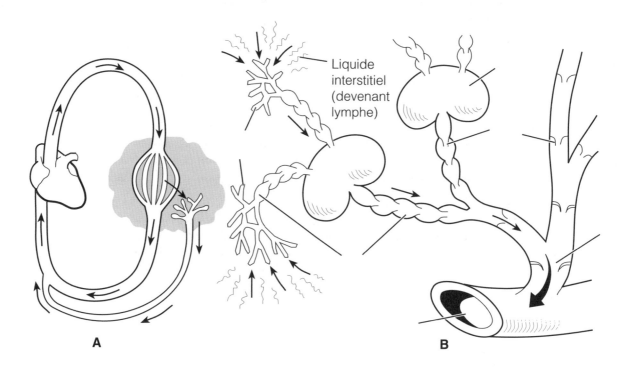

Figure 12-1

3. Entourez le terme qui n'a pas sa place dans chacun des groupes suivants :

1. Capillaire sanguin   Capillaire lymphatique   Extrémité fermée   Perméable aux protéines

2. Œdème   Blocage des vaisseaux lymphatiques   Éléphantiasis   Inflammation   Abondance de vaisseaux lymphatiques

3. Pompe musculaire   Écoulement de la lymphe   Pompe respiratoire   Fort gradient de pression   Action des cellules musculaires lisses sur les parois des vaisseaux lymphatiques

4. Minivalvules   Cellules endothéliales se chevauchant   Imperméable   Capillaires lymphatiques

Nœuds lymphatiques et autres organes lymphatiques

4. Associez les termes de la colonne B aux descriptions de la colonne A. Dans certains cas, plusieurs termes peuvent s'appliquer.

Colonne A

_____ 1. L'organe lymphatique le plus volumineux ; un réservoir de sang.

_____ 2. Structures qui filtrent la lymphe.

_____ 3. Organe particulièrement développé et important durant les premières années de vie ; il produit les hormones qui aident « à programmer » le système immunitaire.

_____ 4. Structures regroupées sous l'appellation de MALT.

_____ 5. Organe qui élimine les érythrocytes vieux ou détériorés.

_____ 6. Structures qui empêchent les bactéries de traverser les parois intestinales.

Colonne B

A. Nœuds lymphatiques

B. Plaques de Peyer (follicules lymphatiques agrégés)

C. Rate

D. Thymus

E. Amygdales (tonsilles)

5. La figure 12-2 illustre plusieurs organes lymphatiques. Identifiez ceux qui sont indiqués par des lignes de repère et montrez l'emplacement des nœuds lymphatiques des régions de l'aine, de l'aisselle et du cou. Coloriez les organes lymphatiques avec des couleurs de votre choix et ombrez en vert la partie de l'organisme drainée par le conduit lymphatique droit.

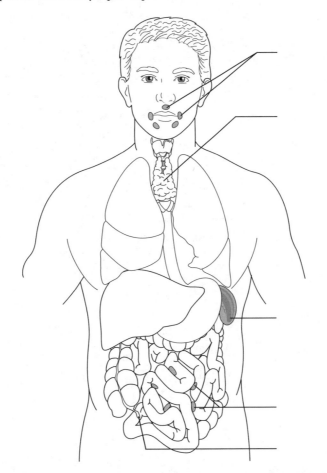

Figure 12-2

6. La figure 12-3 représente un nœud lymphatique. Tout d'abord, nommez les structures indiquées par des lignes de repère à l'aide des termes donnés dans la légende. Coloriez aussi ces structures ainsi que les cercles correspondants. Ensuite, montrez à l'aide de flèches la direction de l'écoulement de la lymphe qui traverse ce nœud. Entourez la région qui correspond approximativement à la médulla. Enfin, répondez aux questions ci-dessous.

Légende

○ Centre germinatif d'un follicule

○ Cortex (autre qu'un centre germinatif)

○ Cordon médullaire

○ Capsule et trabécule

○ Hile

○ Vaisseau lymphatique afférent

○ Vaisseau lymphatique efférent

○ Sinus (sous-capsulaire et médullaire)

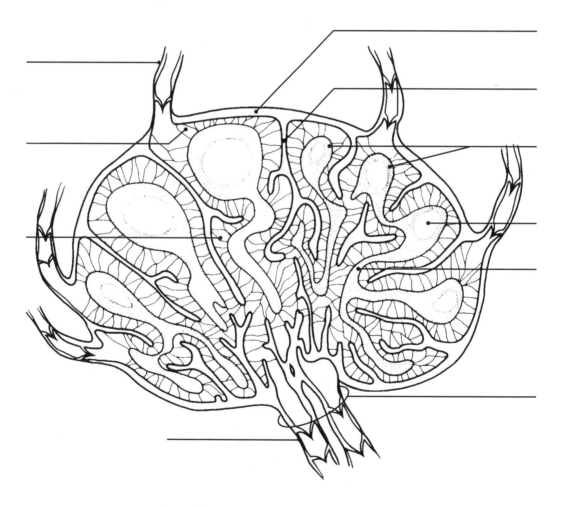

Figure 12-3

1. Quel est le type de cellules qui prédomine dans les centres germinatifs?

   _____

2. Quelle est la fonction de leurs cellules filles, les plasmocytes?

   _____

3. Quel est le principal type de cellules qu'on trouve dans la région corticale, en dehors des centres germinatifs?

   _____

4. Le troisième type de cellules en importance qu'on trouve dans les nœuds lymphatiques

   (qui forment habituellement un amas autour des sinus médullaires) sont les _____.

   La principale fonction de ces cellules est la _____.

5. Pour quelle raison trouve-t-on moins de vaisseaux lymphatiques efférents qu'afférents dans les nœuds lymphatiques?

   _____

   _____

   _____

6. Quelles sont les structures qui assurent que la lymphe traverse le nœud lymphatique dans un sens seulement?

   _____

7. Quelles sont les trois régions de l'organisme où l'on trouve les groupes les plus importants de nœuds lymphatiques?

   _____

8. Quelle est la fonction générale des nœuds lymphatiques?

   _____

   _____

   _____

LES DÉFENSES DE L'ORGANISME
Système de défense non spécifique (inné)

7. Les trois principaux éléments du système de défense non spécifique sont :

les (1)_____ , soit la peau et les _____ ; les cellules de défense,

telles que les (2) _____ et les phagocytes, et une multitude

de (3) _____ .

8. Indiquez le lieu d'activité ou les sécrétions du système de défense non spécifique.
Inscrivez vos réponses sur les lignes prévues à cet effet.

1. Le lysozyme est contenu dans des sécrétions appelées _____ et _____ .

2. Les liquides dont le pH est acide se trouvent dans l'_____ et dans le _____ .

3. Le sébum est un produit des glandes _____ ; il agit à la surface

de la _____ .

4. Le mucus est produit par des glandes situées dans la muqueuse des systèmes respiratoire

et _____ .

9. Entourez le terme qui n'a pas sa place dans chacun des groupes suivants :

1. Rougeur   Douleur   Tuméfaction   Démangeaison   Chaleur

2. Granulocytes neutrophiles   Macrophagocytes   Cellules NK

3. Substances chimiques inflammatoires   Histamine   Kinines   Interféron

4. Peau intacte   Muqueuse intacte   Inflammation   Première ligne de défense

5. Interférons   Antiviraux   Antibactériens   Protéines

10. Associez les termes de la colonne B aux descriptions de la colonne A. Dans certains cas, plusieurs termes peuvent s'appliquer.

Colonne A

_____ 1. Possède une activité antimicrobienne.

_____ 2. Constitue une barrière mécanique.

_____ 3. Constitue une barrière chimique.

_____ 4. Emprisonne les microorganismes qui pénètrent dans les voies respiratoires.

_____ 5. Fait partie de la première ligne de défense.

Colonne B

A. Acide

B. Lysozyme

C. Muqueuse

D. Mucus

E. Enzyme qui digère les protéines

F. Sébum

G. Peau

11. Quel est le rôle protecteur des cils des voies respiratoires? _____

_____

_____

12. Définissez la *phagocytose*. _____

_____

_____

13. Marquez d'un crochet (√) les phrases qui décrivent le rôle protecteur de la fièvre.

_____ 1. C'est une réaction normale aux substances pyrogènes.

_____ 2. Elle protège l'organisme en dénaturant les protéines tissulaires.

_____ 3. Elle réduit la quantité de fer et de zinc nécessaire à la prolifération bactérienne.

_____ 4. Elle accélère le métabolisme.

14. Nommez les trois grandes fonctions de la réaction inflammatoire.

1. _____

2. _____

3. _____

15. Associez les termes de la colonne B aux descriptions de la colonne A concernant les étapes de la réaction inflammatoire.

Colonne A

_____ 1. Ce phénomène explique la rougeur de la région atteinte et la chaleur qui s'en dégage.

_____ 2. Nom de la substance chimique inflammatoire libérée par les cellules lésées.

_____ 3. Ces substances provenant des cellules lésées stimulent la libération de leucocytes de la moelle osseuse.

_____ 4. Étape de la réaction inflammatoire pendant laquelle les cellules migrent en vertu d'un gradient chimique.

_____ 5. Accumulation de liquide qui s'échappe de la circulation sanguine.

_____ 6. Phagocytes dont les précurseurs sont des monocytes.

_____ 7. Étape de la réaction inflammatoire pendant laquelle les leucocytes traversent les parois capillaires.

_____ 8. Nom des premiers phagocytes qui migrent vers la région lésée.

_____ 9. Structure qui aide à isoler la région lésée.

Colonne B

A. Chimiotactisme

B. Diapédèse

C. Œdème

D. Réseau de fibrine

E. Histamine

F. Apport sanguin accru dans la région lésée

G. Facteurs inducteurs

H. Macrophagocytes

I. Granulocytes neutrophiles

16. Complétez les énoncés suivants concernant l'activation et les fonctions du complément. Inscrivez vos réponses sur les lignes prévues à cet effet.

_____ 1.

_____ 2.

_____ 3.

_____ 4.

_____ 5.

_____ 6.

Le complément est un système de ___(1)___ plasmatiques qui circulent dans le sang sous forme inactive. Il ___(2)___ lorsqu'il s'attache, directement ou par l'intermédiaire d'un anticorps, à la surface d'une cellule étrangère (bactérie, mycète, érythrocyte). Après sa fixation, il produit des ___(3)___ dans la membrane de la cellule étrangère, ce qui permet un afflux de ___(4)___ aboutissant à la ___(5)___ de la cellule. Certaines substances chimiques libérées pendant la fixation du complément accroissent la phagocytose, phénomène appelé ___(6)___. D'autres substances intensifient la réaction inflammatoire.

17. Qu'est-ce qui déclenche la synthèse de l'interféron et quels sont les résultats
de cette synthèse?

_____

_____

Défenses spécifiques de l'organisme : le système immunitaire

Antigènes

18. Complétez les énoncés suivants relatifs aux antigènes. Inscrivez vos réponses
sur les lignes prévues à cet effet.

_____ 1.

_____ 2.

_____ 3.

_____ 4.

Les antigènes sont des substances capables de mobiliser
le ___(1)___ . Parmi toutes les molécules étrangères qui peuvent
jouer le rôle d'antigènes complets, les ___(2)___ sont les plus
puissantes. Les petites molécules ne sont habituellement pas
antigéniques, mais lorsqu'elles se lient aux protéines de surface
du soi, elles peuvent devenir des ___(3)___ . Alors l'organisme
reconnaît ce complexe comme étranger, ou ___(4)___ .

Cellules du système immunitaire : caractéristiques générales

19. À l'aide des termes proposés, complétez les énoncés ci-dessous. Inscrivez vos
réponses sur les lignes prévues à cet effet.

Termes proposés

A. Antigène(s)
B. Lymphocytes B
C. Sang

D. Immunité cellulaire
E. Immunité humorale
F. Lymphe

G. Nœuds lymphatiques
H. Macrophagocytes
I. Lymphocytes T

_____ 1.

_____ 2.

_____ 3.

_____ 4.

_____ 5.

_____ 6.

_____ 7.

_____ 8.

_____ 9.

L'immunité est la résistance aux maladies induites par la présence
dans l'organisme de substances étrangères ou ___(1)___ . Lorsque
cette résistance est conférée par des anticorps libérés dans les
liquides physiologiques, l'immunité est appelée ___(2)___ . Lorsque
la protection est conférée par des cellules vivantes, l'immunité est
appelée ___(3)___ . Les principaux acteurs de la réaction immunitaire sont deux types de lymphocytes, les ___(4)___ et les ___(5)___ .
Les phagocytes qui jouent un rôle auxiliaire dans la réaction immunitaire sont les ___(6)___ . Puisque les agents pathogènes se répan-
dent le plus souvent dans l'organisme en empruntant à la fois le
___(7)___ et la ___(8)___ , les ___(9)___ et les autres tissus
lymphatiques (qui abritent des cellules immunitaires) sont bien
placés pour les détecter facilement.

20. La figure 12-4 illustre de façon schématique le cycle de vie des lymphocytes qui élaborent la réaction immunitaire. À l'aide de couleurs différentes, coloriez sur l'illustration les régions nommées dans la légende ainsi que les cercles correspondants. En cas de chevauchement, striez la région en alternant les couleurs. Ensuite répondez aux questions, qui portent sur le processus de différenciation en deux phases des lymphocytes B et T.

Légende

◯ Région d'élaboration de lymphocytes immatures

◯ Région qui abrite des lymphocytes B et T immunocompétents

◯ Région où les lymphocytes T deviennent immunocompétents

◯ Région où peut se produire la rencontre avec un antigène et la sélection clonale

◯ Région où les lymphocytes B deviennent immunocompétents

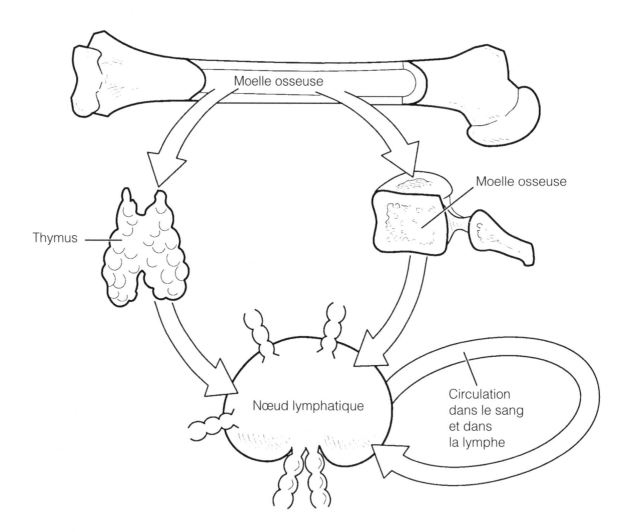

Figure 12-4

1. À quel moment un lymphocyte devient-il immunocompétent?

_____

2. À quelle étape de la vie un être humain devient-il immunocompétent?

_____

3. Qu'est-ce qui détermine le type d'antigène qu'un lymphocyte B ou T particulier pourra reconnaître?
   (Entourez la bonne réponse.)

   ses gènes   «son» antigène

4. Qu'est-ce qui déclenche la sélection clonale d'un lymphocyte B ou T? (Entourez la bonne réponse.)

   ses gènes   la liaison à «son» antigène

5. Afin d'assurer le fonctionnement normal du système immunitaire, pendant l'acquisition de l'immu-nocompétence, les cellules doivent également acquérir la capacité de tolérer le _____.

21. Les lymphocytes B et T présentent des similitudes, mais aussi des différences.
Indiquez par un crochet (√) à quel type de lymphocytes appartiennent les
caractéristiques décrites dans le tableau suivant.

Caractéristique	Lymphocytes T	Lymphocytes B
Ils sont issus de la moelle osseuse, plus précisément de cellules souches appelées hémocytoblastes.		
Parmi leurs cellules filles, on compte les plasmocytes.		
Parmi leurs cellules filles, on compte des lymphocytes suppresseurs, tueurs et auxiliaires.		
Parmi leurs cellules filles, on compte des cellules mémoires.		
Ces lymphocytes attaquent directement les cellules étrangères ou celles infectées par un virus.		
Ces lymphocytes produisent des anticorps qui sont libérés dans les liquides physiologiques.		
Ces lymphocytes sont dotés d'un récepteur de surface capable de reconnaître un antigène particulier.		
Une fois stimulés, ces lymphocytes forment des clones.		
Ce sont les lymphocytes circulants les plus abondants.		

22. Entourez le terme qui n'a pas sa place dans chacun des groupes suivants :

1. Anticorps   Gammaglobulines   Lymphokines   Immunoglobulines

2. Protéine   Antigène complet   Acide nucléique   Haptène

3. Nœuds lymphatiques   Foie   Rate   Thymus   Moelle osseuse

Réactions immunitaires humorales (à médiation par des anticorps)

23. La figure 12-5 illustre la structure de base d'une molécule d'anticorps. À l'aide de couleurs différentes, coloriez sur l'illustration les structures nommées dans la légende ainsi que les cercles correspondants.

Légende

◯ Chaînes lourdes	◯ Chaînes légères

Indiquez sur la figure les régions constante (C) et variables (V), ainsi que le nom des liaisons qui retiennent les chaînes polypeptidiques. Pointillez les régions variables.

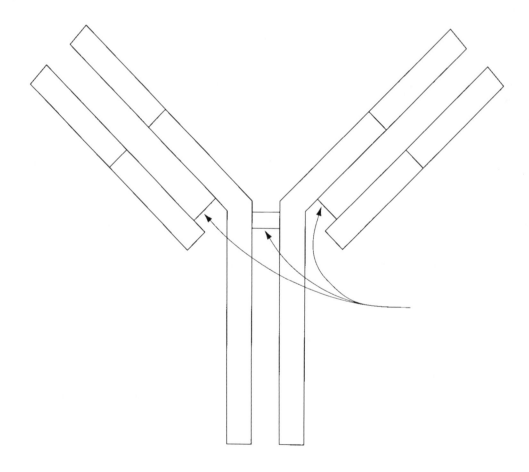

Figure 12-5

1. Dans quelle région de l'anticorps – V ou C – se trouve le site de fixation de l'antigène?

_____

2. Laquelle des régions détermine la classe de l'anticorps et ses propriétés effectrices?

_____

24. Associez les classes d'anticorps de la colonne B aux descriptions de la colonne A.
(Dans certains cas, plusieurs termes de la colonne B peuvent s'appliquer.)

Colonne A   **Colonne B**

_____   1. Anticorps lié à la membrane des   A. IgA
                       lymphocytes B.
                                                                        B. IgD
_____   2. Anticorps qui traverse le placenta.
                                                                        C. IgE
_____   3. Premier anticorps libéré au cours de la
                       réaction immunitaire primaire.   D. IgG

_____   4. Anticorps qui se fixent au complément.   E. IgM

_____   5. C'est un pentamère.

_____   6. L'anticorps le plus abondant dans le sérum
                       et le principal anticorps libéré au cours
                       de la réaction secondaire.

_____   7. Anticorps qui se lie aux mastocytes
                       et qui est le médiateur des réactions
                       allergiques.

_____   8. Principal anticorps qu'on trouve dans le mucus,
                       la salive et les larmes.

25. Complétez les énoncés suivants concernant le mécanisme d'action des anticorps.
Inscrivez vos réponses sur les lignes prévues à cet effet.

_____   1.   Les anticorps peuvent inactiver de diverses façons les ___(1)___,
                         selon la nature de ces derniers. L'___(2)___ sont les principales
_____   2.   armes contre les antigènes cellulaires, comme les bactéries et les
                         érythrocytes incompatibles. La ___(3)___ désigne la fixation des
_____   3.   anticorps à des sites spécifiques sur les exotoxines bactériennes ou
                         les virus qui peuvent provoquer des lésions tissulaires. La formation
_____   4.   d'amas de cellules par les anticorps porte le nom d' ___(4)___;
                         l'Ig ___(5)___ avec ses 10 sites de fixation à l'antigène est particu-
_____   5.   lièrement efficace à cet égard. Lorsque les anticorps assemblent des
                         molécules en treillis, on parle plutôt de ___(6)___. Dans pratique-
_____   6.   ment tous ces cas, le mécanisme de protection élaboré par les
                         anticorps sert à désarmer ou à immobiliser les antigènes jusqu'au
_____   7.   moment où ils peuvent être détruits par les ___(7)___.

26. Indiquez de quel type d'immunité il s'agit dans chacun des énoncés suivants. Sur les lignes prévues à cet effet, inscrivez *P* si l'immunité est passive, et *A* si elle est active.

_____ 1. Type d'immunité conférée par le vaccin de Sabin contre la polio.

_____ 2. Type d'immunité conférée au fœtus par des anticorps qui migrent par le placenta vers son système vasculaire.

_____ 3. Type d'immunité conférée par une injection de gammaglobuline (contenant des anticorps contre le virus de l'hépatite) à une étudiante infirmière qui a été exposée à une personne infectée.

_____ 4. Immunité «empruntée».

_____ 5. Immunité qui dote les cellules d'une mémoire.

_____ 6. Immunité conférée par la varicelle.

27. Il existe d'importantes différences entre les réactions immunitaires primaires et secondaires. Sur les lignes prévues à cet effet, inscrivez *P* lorsqu'il s'agit d'une réaction primaire et *S* lorsqu'il s'agit d'une réaction secondaire.

_____ 1. La réponse initiale à un antigène; stade de la sélection clonale.

_____ 2. Avant que les anticorps spécifiques de l'antigène se retrouvent dans le sang, il y une phase de latence de plusieurs jours.

_____ 3. La concentration d'anticorps s'élève rapidement et elle reste élevée pendant un laps de temps prolongé.

_____ 4. La mémoire immunitaire se forme.

_____ 5. Les deuxième et troisième réactions et les réactions ultérieures au même antigène.

Réactions immunitaires cellulaires (à médiation cellulaire)

28. Il existe plusieurs populations de lymphocytes T. Associez les termes de la colonne B aux descriptions de la colonne A. Inscrivez les lettres ou les termes appropriés sur les lignes prévues à cet effet.

Colonne A	**Colonne B**
_____ 1. Lymphocytes T qui se lient aux lymphocytes B et libèrent des médiateurs chimiques qui activent les lymphocytes B, les lymphocytes T et les macrophagocytes.	A. Lymphocytes T auxiliaires
_____ 2. Lymphocytes T qui s'activent en reconnaissant l'antigène et une protéine du soi présentés à la surface d'un macrophagocyte.	B. Lymphocytes T tueurs
_____ 3. Lymphocytes qui arrêtent la réaction immunitaire une fois que l'«envahisseur» a été inactivé et détruit.	C. Lymphocytes T suppresseurs
_____ 4. Lymphocytes T qui attaquent directement les microorganismes pathogènes et les détruisent.	

29. Parmi les termes proposés, trouvez ceux qui correspondent aux substances ou aux phénomènes décrits dans les énoncés. Inscrivez les lettres ou les termes appropriés sur les lignes prévues à cet effet.

Termes proposés

A. Choc anaphylactique   D. Complément   G. Interféron

B. Anticorps   E. Cytokines   H. Lymphokines

C. Agents chimiotactiques F. Inflammation   I. Monokines

_____ 1. Protéine libérée par les macrophagocytes et les lymphocytes T activés, qui protège d'autres cellules contre la prolifération virale.

_____ 2. Molécules qui attirent les granulocytes neutrophiles et d'autres cellules protectrices vers la région où se déroule une réaction immunitaire.

_____ 3. Protéines libérées par les plasmocytes, qui marquent les antigènes pour qu'ils soient détruits par les phagocytes ou le complément.

_____ 4. Conséquence de la libération d'histamine et de l'activation du complément.

_____ 5. Les substances représentées dans la liste ci-dessus par les lettres C et G sont des exemples de cette classe de molécules.

_____ 6. Groupe de protéines plasmatiques qui amplifient la réaction immunitaire par la lyse des microorganismes pathogènes après liaison aux complexes antigène-anticorps.

_____ 7. Classe de substances chimiques libérées par les macrophagocytes.

30. Les greffes d'organes échouent souvent du fait que les protéines du soi du donneur ne sont pas identiques à celles du receveur. Toutefois, les chances de réussite augmentent si on suit à la lettre certaines étapes importantes. Les questions ci-dessous portent sur ce domaine important de la médecine clinique.

1. Lorsque les autogreffes et les isogreffes sont impossibles, quel est le type de greffe qui sera le plus susceptible de réussir? D'où provient le greffon? _____

_____

2. Quels sont les deux types de cellules qui jouent un rôle important dans le rejet?

_____

_____

3. Pourquoi administre-t-on des médicaments (ou des traitements) immunosuppresseurs après une transplantation et quels en sont les principaux inconvénients?

_____

_____

31. La figure 12-6 illustre les différents types de réactions immunitaires et la succession des étapes dans chaque cas. Elle vous permet de vérifier votre compréhension de l'interdépendance des éléments qui composent l'immunité. Un certain nombre de termes ne sont pas inclus. Commencez par compléter la figure en colorant les ovales avec des couleurs différentes et en y indiquant les noms des cellules à partir de la liste donnée dans la légende. Coloriez aussi les cercles de cette dernière pour les faire correspondre à l'illustration. Ensuite, inscrivez dans les rectangles les noms des molécules produites par les cellules. Utilisez pour ce faire la liste de molécules ci-dessous. Les lignes continues représentent des effets de stimulation ou d'amplification et les lignes en pointillé, des effets inhibiteurs.

Légende

Types de cellules	*Molécule*
◯ Granulocytes neutrophiles	Anticorps
◯ Lymphocytes B	Complément
◯ Lymphocytes B mémoires	Cytokines
◯ Lymphocytes T auxiliaires	Facteurs suppresseurs
◯ Lymphocytes T mémoires	Interféron
◯ Lymphocytes T suppresseurs	Perforine
◯ Lymphocytes T tueurs	
◯ Macrophagocytes	
◯ Plasmocytes	

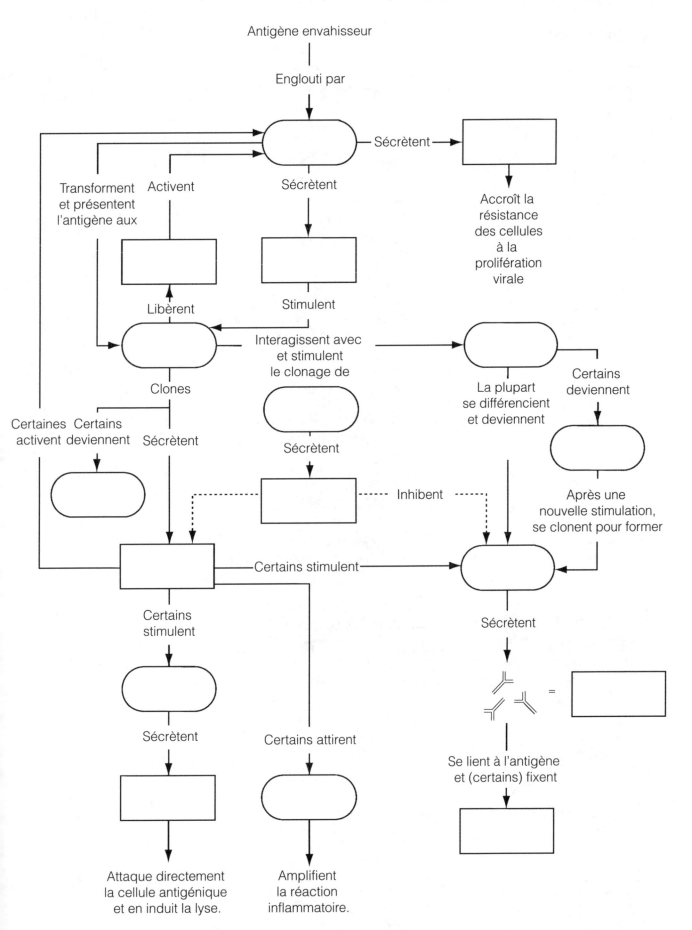

Figure 12-6

Troubles immunitaires

32. À l'aide des termes proposés, nommez les troubles immunitaires dont il est question dans les énoncés. Inscrivez les lettres ou les termes appropriés sur les lignes prévues à cet effet.

Termes proposés

A. Allergie   B. Maladie auto-immune   C. Déficit immunitaire

_____ 1. Le SIDA ou le SCID.

_____ 2. Trouble provoqué par une réaction exagérée du système immunitaire à un antigène inoffensif.

_____ 3. Réaction d'hypersensibilité.

_____ 4. Trouble qui est provoqué par une production ou une activation insuffisantes des cellules immunitaires ou du complément.

_____ 5. Trouble provoqué par le système immunitaire qui se retourne contre l'hôte ; perte de la capacité de tolérer les autoantigènes.

_____ 6. Trouble manifesté par des sujets incapables de combattre une infection qui ne poserait pas de problème aux personnes en bonne santé.

_____ 7. Sclérose en plaques et polyarthrite rhumatoïde.

_____ 8. Rhume des foins et eczéma ou dermatite de contact.

_____ 9. Les symptômes aigus typiques de cette réaction sont le larmoiement, la rhinorrée et les démangeaisons.

DÉVELOPPEMENT ET VIEILLISSEMENT DU SYSTÈME LYMPHATIQUE ET DES DÉFENSES DE L'ORGANISME

33. Complétez les énoncés suivants concernant le développement et le fonctionnement du système immunitaire au cours de la vie. Inscrivez vos réponses sur les lignes prévues à cet effet.

_____ 1.

_____ 2.

_____ 3.

_____ 4.

_____ 5.

_____ 6.

_____ 7.

Les vaisseaux lymphatiques qui naissent des __(1)__ sont visibles dès la cinquième semaine de gestation. Les premiers organes lymphoïdes à voir le jour sont le __(2)__ et la __(3)__. La plupart des autres organes lymphoïdes ne sont pas pleinement formés avant la naissance ; leur développement semble régi par la __(4)__, une hormone sécrétée par le thymus.

On peut repérer les premières cellules souches du système immunitaire dans le __(5)__ du fœtus, dès le premier mois de la gestation. Peu de temps après, la moelle osseuse devient le site d'élaboration des lymphocytes, mais après la naissance, la prolifération de ces derniers a lieu dans les __(6)__. L'immunocompétence est habituellement acquise au moment de la __(7)__.

_____ 8.   Au fil des ans, l'efficacité du système immunitaire ___(8)___, et les personnes âgées sont exposées à un plus grand risque de ___(9)___,

_____ 9.   de ___(10)___ et de ___(11)___. Les défenses qui déclinent peuvent refléter en partie le fait que les anticorps de la classe des ___(12)___ ne peuvent

_____ 10.   plus s'acheminer vers les muqueuses où ils jouent normalement leur rôle protecteur.

_____ 11.

_____ 12.

UN VOYAGE EXTRAORDINAIRE

Exercice de visualisation pour tester vos connaissances sur le système immunitaire

Une chose énorme, ressemblant à une pieuvre, bloque presque entièrement le tunnel étroit qui s'ouvre devant vous.

34. Complétez le récit en inscrivant les mots qui manquent sur les lignes prévues à cet effet.

_____ 1.   Avant d'être miniaturisé pour ce voyage et injecté dans l'un des vaisseaux lymphatiques de votre hôte, vous vous équipez d'un

_____ 2.   scaphandre autonome. Votre hôte souffre d'une angine à strepto-coques. La muqueuse de son pharynx est très rouge et ses nœuds

_____ 3.   lymphatiques cervicaux sont tuméfiés. Votre mission consiste à vous rendre dans l'un de ces nœuds lymphatiques et à y observer

_____ 4.   les efforts déployés par le système immunitaire pour combattre

_____ 5.   l'infection.

Après l'injection, vous entrez dans la lymphe et avancez lentement dans ce liquide jaunâtre et tiède. Vous apercevez tout d'un coup des milliers de bactéries sphériques et quelques molécules de ___(1)___ volumineuses, que les minuscules capillaires lymphatiques ont dû capter. Peu de temps après, vous vous trouvez devant une grosse masse de couleur foncée, ayant la forme d'un haricot. C'est sans doute un ___(2)___, vous dites-vous, et vous cherchez dans la poche de votre combinaison votre stylo et votre calepin imperméables.

Lorsque vous entrez dans cette masse sombre, le liquide lymphatique devient moins profond et coule paresseusement. Pour bien explorer ce petit organe, vous vous mettez debout et commencez à marcher dans la lymphe qui s'écoule avec lenteur. Sur chacune des rives, vous voyez un gros amas de cellules, dotées de noyaux volumineux, mais dont le cytoplasme est si petit que vous avez du mal à le voir. Vous écrivez dans votre calepin : «Je viens d'observer des centres germinatifs sphériques composés de ___(3)___». Vous observez attentivement l'une de ces masses cellulaires et dépistez une cellule qui a un aspect différent. En réalité, vous avez l'impression de vous tenir devant un nid d'où s'échappe un essaim de guêpes furieuses. Les «insectes», dont la forme rappelle un Y, plongent dans la lymphe pour être emportés par le courant. Vous êtes content, car vous pouvez noter une autre information précieuse. «Je viens de voir un ___(4)___, qui élabore et libère des ___(5)___», écrivez-vous dans votre calepin.

Une fois que vous vous êtes acquitté de votre tâche, vous continuez vos explorations. Tout d'un coup, un cri vous échappe. Une chose énorme, ressemblant à une pieuvre, bloque presque entièrement le

6. _____

7. _____

8. _____

9. _____

10. _____

11. _____

tunnel étroit devant vous. Vous vous creusez les méninges pour retrouver le nom de cette «bête» cellulaire qui semble garder le tunnel. Eurêka! Tout d'un coup son nom vous revient. C'est un ___(6)___, qui reste en alerte pour détecter les envahisseurs étrangers, plus adéquatement appelés ___(7)___, que la bête dévorera dès qu'elle les aura attrapés. La cellule géante rugit: «Halte-là, étranger! Qui es-tu?». Vous cherchez frénétiquement dans votre poche votre laissez-passer. Vous le retrouvez et, tremblant de peur, vous le soulevez devant la bête, car vous savez qu'elle peut vous liquéfier en une fraction de seconde. De nouveau, celle-ci rugit: «Comme tu vois, je contrôle bien les allées et venues. Es-tu là pour le vérifier?» Vous faites vigoureusement «non» de la tête, et la cellule soulève une de ses tentacules pour vous laisser passer. Pendant que vous essayez de vous glisser dans le tunnel, elle vous dit encore: «Je vis dans les profondeurs, et je n'ai jamais pu voir le corps qui m'abrite. Les humains ont vraiment l'air bizarre!» Vous tremblez toujours de peur et n'avez aucune envie de continuer de bavarder avec ce monstre. Vous vous éloignez donc vite du gardien des lieux.

Juste devant vous, des centaines de cellules semblables occupent toutes les anfractuosités du tunnel. Certaines d'entre elles attrapent et englobent les malheureux streptocoques qui se sont approchés par mégarde. Il règne tout autour un bruit de succion assourdissant. Mais, soudainement, un phénomène intéressant attire votre attention. La surface de l'une de ces cellules se recouvre des mêmes gouttelettes chimiques en forme de beignet que celles que vous apercevez sur les membranes des streptocoques. Une cellule ronde, similaire, mais non identique, à celles que vous avez vues plus tôt dans les centres germinatifs, commence à se lier à l'un de ces «boutons de porte». Vous souriez, très content de vous. En effet, vous avez bien reconnu les cellules qui ressemblent à des pieuvres. Vous inscrivez dans votre calepin: «Des cellules, comme la cellule géante que j'ai déjà nommée, jouent le rôle de ___(8)___. Je viens tout juste d'en voir une, qui interagit avec un lymphocyte ___(9)___ auxiliaire».

Vous musardez un peu, en attendant que la cellule ronde s'active. Vous vous adossez confortablement à la paroi du tunnel, en prévision d'une longue attente, mais elle est de courte durée. En l'espace de quelques minutes, la cellule qui se liait à la cellule géante commence à se diviser. Ensuite, les cellules filles se divisent encore et encore, à une vitesse ahurissante. Vous notez dans votre calepin: «Je viens d'être témoin de la formation d'un ___(10)___ de cellules semblables.» La plupart des cellules filles pénètrent dans la lymphe, mais un petit nombre d'entre elles restent sur place et se mettent à somnoler. Vous comprenez que ces cellules qui font la «sieste» n'ont aucun rôle à jouer dans le combat de votre hôte contre l'infection présente. Elles constituent plutôt la ___(11)___ et s'activeront à une date ultérieure.

Vous regardez votre montre et voyez que vous êtes en retard de 5 minutes sur l'heure de votre sortie. Vous avez déjà compris que cet endroit est dangereux pour tout étranger et vous ne savez pas si votre laissez-passer est encore valide. Vous sortez donc vite de cet organe pour vous jeter dans la lymphe qui vous portera vers le point de ramassage.

RÉFLEXION ET APPLICATION

35. Un jeune homme qui vient de s'évanouir est conduit rapidement à l'urgence. Sa pression artérielle est extrêmement basse, et la personne qui l'accompagne dit que l'homme s'est évanoui peu de temps après qu'une guêpe l'a piqué. Quelle est la cause de son hypotension? Quel traitement lui administrera-t-on sur-le-champ?

36. Patricia Bouchard, une écologiste convaincue, vient d'avoir un bébé. Bien qu'elle soit contre l'usage de couches jetables, elle s'aperçoit que son bébé souffre d'érythème fessier dès qu'elle lui met des couches en tissu. Puisque les couches en tissu qui n'ont jamais été lavées ne provoquent pas l'érythème, contrairement à celles qu'elle a déjà lavées, quel est le problème à votre avis?

37. Jacques, un ingénieur âgé de 36 ans, se présente à la clinique extrêmement mal en point. Sa peau est recouverte de lésions d'un brun violacé, et il tousse sans arrêt. L'examen physique révèle des nœuds lymphatiques tuméfiés. Les analyses de laboratoire montrent une numération leucocytaire basse. Les antécédents personnels révèlent que Jacques est homosexuel. Les lésions cutanées évoquent le sarcome de Kaposi. Quelle est la maladie dont souffre Jacques?

38. Une jeune femme se présente à la clinique pour se soumettre à un examen de contrôle, environ six mois après un accident d'automobile durant lequel son cou a été fortement lacéré. L'examen visuel permet de constater une légère tuméfaction, juste en dessous du larynx. Sa peau est sèche et son visage est boursouflé. La jeune femme dit aussi qu'elle se fatigue vite, qu'elle a gagné du poids et qu'elle perd ses cheveux. À votre avis, de quel trouble souffre-t-elle?

39. Petit Paul est allé faire de la luge. L'un des patins de la luge l'a frappé du côté gauche et a provoqué la rupture de sa rate. Petit Paul a failli mourir, car il n'a pas été emmené assez vite à l'hôpital. Dès son arrivée, on lui a fait une splénectomie. Quel est d'après vous le danger immédiat qui guette l'enfant? Aura-t-il besoin d'une greffe de rate?

40. Les pilules anticonceptionnelles diminuent l'acidité du vagin. Pourquoi une diminution de l'acidité augmente-t-elle la fréquence des infections vaginales (vaginites)?

41. Après l'exérèse chirurgicale des vaisseaux lymphatiques lors de l'ablation d'un mélanome, quel est le trouble associé à un drainage lymphatique altéré? S'agit-il d'un trouble permanent ? Pourquoi ?

42. On note dans la lymphe de David un grand nombre de plasmocytes. Selon vous, le nombre relatif d'anticorps qui se trouvent dans son sang a-t-il augmenté ou diminué? Justifiez votre réponse.

Le système respiratoire

Pour que les cellules puissent accomplir leurs fonctions, elles ont besoin d'un apport important et constant d'oxygène. À mesure qu'elles consomment ce dernier, elles doivent libérer du gaz carbonique, déchet qu'il faut éliminer de l'organisme. Les systèmes circulatoire et respiratoire se partagent le rôle de capter l'oxygène et de le fournir aux cellules tout en éliminant le gaz carbonique. Il incombe au système respiratoire d'assurer les échanges gazeux entre le sang pulmonaire et le milieu externe (respiration externe). De plus, ce système contribue au maintien de l'équilibre acido-basique du sang.

Les exercices de ce chapitre portent sur l'anatomie du système respiratoire et sur la physiologie de la respiration.

ANATOMIE FONCTIONNELLE

1. Les questions suivantes portent sur les bronches principales. Sur les lignes prévues à cet effet, inscrivez la lettre *D* lorsqu'il s'agit de la bronche principale droite et la lettre *G* lorsqu'il s'agit de la bronche principale gauche.

1. Laquelle des bronches principales a le plus gros diamètre? _____

2. Laquelle des bronches principales est la plus horizontale? _____

3. Dans laquelle des bronches principales ira se loger le plus souvent un corps étranger qui a été inspiré par le nez? _____

2. Complétez les phrases suivantes. Inscrivez vos réponses sur les lignes prévues à cet effet.

_____ 1.

_____ 2.

_____ 3.

_____ 4.

_____ 5.

_____ 6.

_____ 7.

_____ 8.

_____ 9.

_____ 10.

_____ 11.

_____ 12.

_____ 13.

_____ 14.

_____ 15.

_____ 16.

L'air entre dans le système respiratoire par les ___(1)___. Les cavités nasales sont divisées par le ___(2)___. La muqueuse nasale joue plusieurs rôles, dont les principaux sont de ___(3)___, ___(4)___ et ___(5)___ l'air de l'extérieur. On trouve des creux tapissés de muqueuse, appelés ___(6)___, dans plusieurs os entourant les cavités nasales. Ces espaces allègent la tête et semblent jouer le rôle de caisses de résonance pour la ___(7)___. Le conduit qui appartient autant au système respiratoire qu'au système digestif, soit le ___(8)___, est communément appelé gorge. Il relie les cavités nasales au ___(9)___, situé juste en dessous, et contient un amas de tissus lymphatiques, les ___(10)___, qui font partie du système de défense de l'organisme. Les ___(11)___ qui renforcent la trachée l'empêchent de s'affaisser au gré des variations de ___(12)___, provoquées par la respiration. Puisque ses anneaux ne sont pas complètement fermés postérieurement, ce conduit peut être comprimé vers ___(13)___ par le bol alimentaire qui se rend à l'estomac. Le larynx, qui est l'organe de la voix, est formé de nombreux cartilages, le plus volumineux étant le cartilage ___(14)___. Le larynx abrite les ___(15)___, qui vibrent lors de l'expiration et permettent à la personne de ___(16)___.

3. Entourez le terme qui n'a pas sa place dans chacun des groupes suivants :

1. Sphénoïdal   Maxillaire   Mandibulaire   Ethmoïdal   Frontal

2. Cavité nasale   Trachée   Alvéole   Larynx   Bronche

3. Apex   Base   Hile   Larynx   Plèvre

4. Sinusite   Péritonite   Pleurésie   Amygdalite   Laryngite

5. Laryngopharynx   Oropharynx   Transport d'air et d'aliments   Nasopharynx

6. Alvéoles   Zone respiratoire   Saccule alvéolaire   Bronche principale

4. La figure 13-1 représente une coupe sagittale des structures respiratoires supérieures. Identifiez toutes les structures indiquées par des lignes de repère. À l'aide de couleurs différentes, coloriez sur l'illustration les structures nommées dans la légende ainsi que les cercles correspondants.

Légende

◯ Cavité nasale   ◯ Larynx

◯ Pharynx   ◯ Sinus paranasaux

◯ Trachée

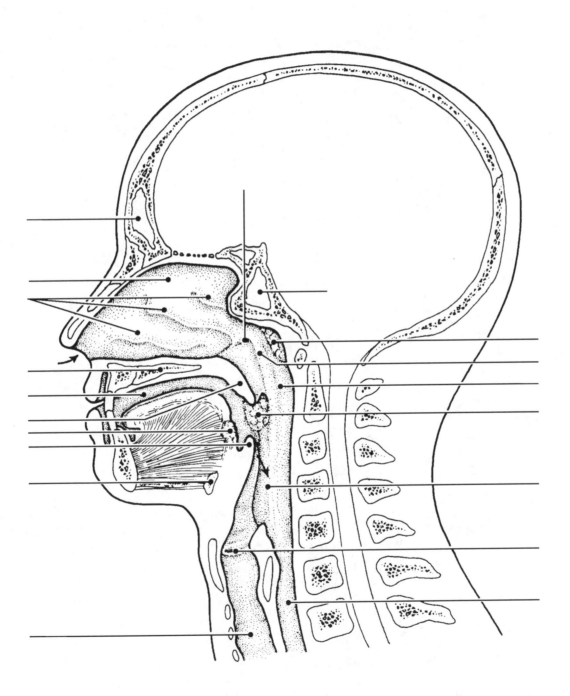

Figure 13-1

5. Parmi les termes proposés, choisissez ceux qui correspondent aux descriptions numérotées. Inscrivez les lettres ou les termes appropriés sur les lignes prévues à cet effet.

Termes proposés

A. Alvéole   D. Épiglotte   G. Palais   J. Bronche principale

B. Bronchiole   E. Œsophage   H. Plèvre pariétale K. Trachée

C. Cornet nasal   F. Glotte   I. Nerf phrénique   L. Plèvre viscérale

_____ 1. Le conduit aérien le plus petit.

_____ 2. Structure qui sépare la cavité orale des cavités nasales.

_____ 3. Nerf important qui stimule le diaphragme.

_____ 4. Tube situé derrière la trachée, qui permet le passage des aliments.

_____ 5. Structure qui ferme le pharynx lors de la déglutition.

_____ 6. Tube qui s'étend du larynx jusqu'aux bronches.

_____ 7. Endroit où s'effectuent les échanges gazeux.

_____ 8. Feuillet qui tapisse la paroi thoracique.

_____ 9. Feuillet qui tapisse les poumons.

_____ 10. Ouverture du larynx.

_____ 11. Lobe charnu de la cavité nasale qui en agrandit la superficie.

6. Complétez le paragraphe suivant, qui porte sur les cellules alvéolaires et sur leur rôle. Inscrivez vos réponses sur les lignes prévues à cet effet.

_____ 1.

_____ 2.

_____ 3.

_____ 4.

À l'exception du stroma, qui est un tissu ___(1)___, les poumons sont des sacs remplis d'air, formés surtout d'alvéoles. Les parois des alvéoles sont composées en grande partie de cellules épithéliales squameuses, qui remplissent bien leur fonction, soit celle d'assurer les ___(2)___. Des cellules de forme cubique, bien moins nombreuses, produisent un liquide appelé ___(3)___, qui recouvre la surface des alvéoles exposée à l'air et qui contient des molécules de lipides. Son rôle est de ___(4)___ du liquide alvéolaire.

7. La figure 13-2 illustre le larynx et ses structures connexes. À l'aide de couleurs différentes, coloriez les éléments nommés dans la légende ainsi que les cercles correspondants. Répondez ensuite aux questions qui suivent la figure.

Légende

○ Os hyoïde   ○ Cartilages de la trachée   ○ Cartilage cricoïde

○ Cartilage thyroïde   ○ Épiglotte

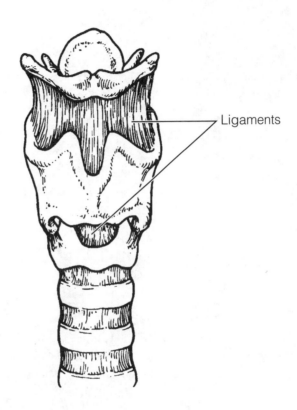

Ligaments

Figure 13-2

1. Quelles sont les trois fonctions du larynx? _____

_____

_____

2. Quel est le type de cartilage qui forme l'épiglotte? _____

3. De quel type de cartilage sont formés les huit autres cartilages du larynx? _____

4. Expliquez la raison de cette différence. _____

_____

_____

5. Quel est le nom commun du cartilage thyroïde? _____

8. La figure 13-3 est une illustration de l'anatomie macroscopique du système respiratoire inférieur. Les structures entières sont illustrées à gauche, et les voies respiratoires à droite. À l'aide de couleurs différentes, coloriez sur l'illustration les structures nommées dans la légende ainsi que les cercles correspondants. Complétez ensuite la figure en nommant les régions ou les structures indiquées par des lignes de repère, c'est-à-dire la cavité pleurale, le médiastin, l'apex du poumon droit, le diaphragme, la clavicule et la base du poumon droit.

Légende

◯ Trachée	◯ Bronches principales	◯ Plèvre viscérale
◯ Larynx	◯ Bronches secondaires	◯ Plèvre pariétale
◯ Poumon entier		

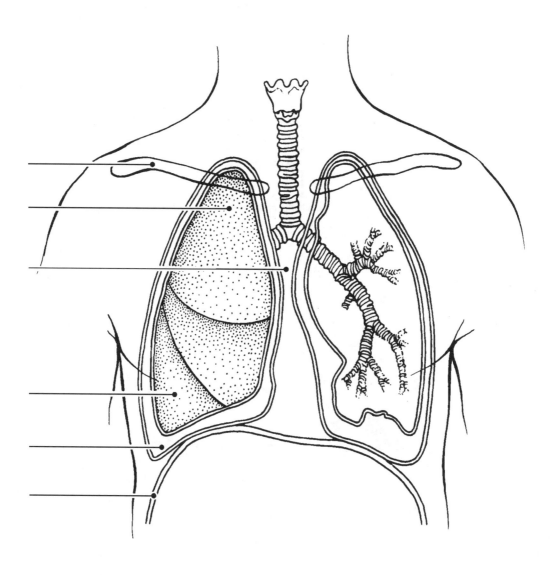

Figure 13-3

9. La figure 13-4 représente la structure microscopique de l'unité respiratoire du tissu pulmonaire. Sur la vue d'ensemble montrée en A, coloriez les alvéoles entières en jaune, les capillaires pulmonaires en rouge et les bronchioles respiratoires en vert.

Une coupe transversale de l'alvéole est présentée en B et une vue agrandie de la membrane alvéolo-capillaire en C. Sur ces figures, coloriez l'épithélium alvéolaire en jaune, l'endothélium capillaire en rose et les érythrocytes du sang capillaire en rouge. Indiquez par une ligne de repère où se trouve l'alvéole et coloriez celle-ci en bleu pâle. Montrez, en C, la région des lames basales fusionnées. Indiquez l'endroit où l'oxygène (inscrivez le symbole O_2) et le gaz carbonique (inscrivez le symbole CO_2) se trouvent à la concentration la plus élevée, et reliez ces symboles aux flèches pour montrer le mouvement des gaz à travers la membrane alvéolo-capillaire.

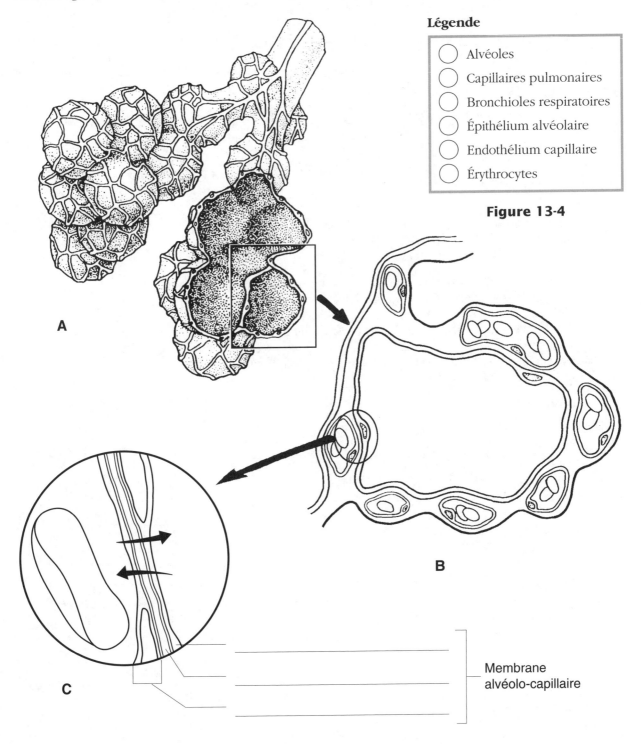

Légende

◯ Alvéoles
◯ Capillaires pulmonaires
◯ Bronchioles respiratoires
◯ Épithélium alvéolaire
◯ Endothélium capillaire
◯ Érythrocytes

Figure 13-4

A

B

C

Membrane
alvéolo-capillaire

PHYSIOLOGIE DE LA RESPIRATION

10. Parmi les termes proposés, choisissez celui qui correspond le mieux à chacune des descriptions numérotées. Inscrivez les lettres ou les termes appropriés sur les lignes prévues à cet effet.

Termes proposés

A. Pression atmosphérique   B. Pression intrapulmonaire   C. Pression intrapleurale

_____ 1. Dans les poumons sains, cette pression est toujours plus basse que la pression atmosphérique (pression négative).

_____ 2. Pression de l'air à l'extérieur de l'organisme.

_____ 3. Au fur et à mesure que cette pression s'abaisse, l'air pénètre dans les poumons.

_____ 4. Au fur et à mesure que cette pression s'élève au-dessus de la pression atmosphérique, l'air sort des poumons.

_____ 5. Si cette pression devient égale à la pression atmosphérique, les poumons s'affaissent.

_____ 6. Lors d'une toux violente, cette pression s'élève bien au-dessus de la pression atmosphérique.

11. Le va-et-vient du diaphragme et des muscles intercostaux entraîne de nombreux changements dans la cage thoracique. C'est grâce à ces changements que l'air peut circuler dans les poumons. Dans le tableau ci-dessous, les mouvements du diaphragme apparaissent à gauche. Les autres colonnes font état de plusieurs changements qui peuvent se produire. Indiquez, par des crochets (√) dans les cases appropriées, les changements occasionnés par les mouvements du diaphragme.

Mouvement du diaphragme	Changements							
	Volume interne du thorax		Pression intrathoracique		Volume du poumon		Direction de l'air	
(↑ = augmentation) (↓ = diminution)	↑	↓	↑	↓	↑	↓	Dans le poumon	Hors du poumon
Contraction, abaissement								
Détente, élévation								

12. Parmi les termes proposés, trouvez celui qui correspond à chacune des descriptions numérotées. Inscrivez les lettres ou les termes appropriés sur les lignes prévues à cet effet.

Termes proposés

A. Respiration externe   C. Inspiration   E. Ventilation (respiration)

B. Expiration   D. Respiration interne

_____ 1. Phase de la respiration au cours de laquelle l'air entre dans les poumons.

_____ 2. Échanges gazeux entre le sang des capillaires de la grande circulation et les cellules de l'organisme.

_____ 3. Circulation de l'air dans les poumons (entrée et sortie en alternance).

_____ 4. Échanges gazeux entre l'air alvéolaire et le sang des capillaires pulmonaires.

13. Complétez les phrases suivantes. Inscrivez vos réponses sur les lignes prévues à cet effet.

_____ 1.   Chez l'individu sain, l'expiration normale est un processus passif qui repose sur l'___(1)___ naturelle des poumons. Lorsque l'expi-

_____ 2.   ration est forcée (à cause d'une atteinte pulmonaire), le muscle transverse ___(2)___ la pression abdominale, tandis que les

_____ 3.   muscles ___(3)___ abaissent la cage thoracique.

14. Sur les lignes prévues à cet effet, inscrivez les noms des quatre mouvements non respiratoires décrits ci-dessous.

1. Inspiration soudaine causée par un spasme du diaphragme. _____

2. À la suite d'une inspiration profonde, l'air est expulsé avec force contre la résistance de la glotte fermée ; c'est un moyen de dégager les voies respiratoires inférieures. _____

3. Même processus, mais qui permet de dégager les voies respiratoires supérieures. _____

_____

4. Ventilation accrue des poumons souvent stimulée par la fatigue. _____

15. À l'aide des termes proposés, nommez les volumes respiratoires dont il est question dans les énoncés. Inscrivez les lettres ou les termes appropriés sur les lignes prévues à cet effet.

Termes proposés

A. Volume de l'espace mort

B. Volume de réserve expiratoire (VRE)

C. Volume de réserve inspiratoire (VRI)

D. Volume résiduel (VR)

E. Volume courant (VC)

F. Capacité vitale (CV)

_____ 1. Volume d'air inspiré ou expiré lors d'une respiration normale.

_____ 2. Volume d'air dans les voies respiratoires qui ne contribue pas aux échanges gazeux.

_____ 3. Quantité totale d'air échangeable.

_____ 4. Volume d'air qui assure la continuité des échanges gazeux.

_____ 5. Volume d'air qui peut être évacué (avec un effort) après une expiration normale.

16. Le diagramme de la figure 13-5 illustre des volumes respiratoires. Complétez-le comme suit (n'oubliez pas de colorier les cercles de la légende) :

1. Montrez, à l'aide d'une accolade, le volume qui représente la capacité vitale, et coloriez cette partie en jaune (inscrivez CV à côté).

2. Hachurez en vert la partie qui correspond au volume de réserve inspiratoire (inscrivez à côté de cette partie VRI).

3. Hachurez en rouge la partie qui correspond au volume de réserve expiratoire (inscrivez à côté de cette partie VRE).

4. Nommez la partie du volume respiratoire qui *est restée en jaune.*

5. Coloriez le volume résiduel en bleu et inscrivez VR à côté.

6. Montrez, à l'aide d'une accolade, la partie de la courbe qui correspond à la capacité inspiratoire (CI).

Légende

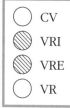

CV

VRI

VRE

VR

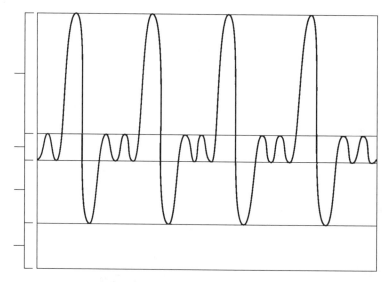

Figure 13-5

17. À l'aide des termes proposés, complétez les énoncés sur les échanges gazeux qui ont lieu dans l'organisme. Inscrivez les lettres ou les termes appropriés sur les lignes prévues à cet effet.

Termes proposés

A. Transport actif

B. De l'air alvéolaire au sang capillaire

C. Pauvre en gaz carbonique et riche en oxygène

D. Du sang capillaire à l'air alvéolaire

E. Du sang capillaire aux cellules des tissus

F. Diffusion

G. Concentration plus élevée

H. Concentration plus basse

I. Pauvre en oxygène et riche en gaz carbonique

J. Des cellules des tissus au sang capillaire

_____ 1.   _____ 6.

_____ 2.   _____ 7.

_____ 3.   _____ 8.

_____ 4.   _____ 9.

_____ 5.

Tous les échanges gazeux se font par ___(1)___. Lorsque les substances se déplacent en vertu de cette dernière, elles vont des régions où elles se trouvent à une ___(2)___, vers celles où elles se trouvent à une ___(3)___. Ainsi l'oxygène passe constamment ___(4)___ et ensuite ___(5)___. Par contre, le gaz carbonique va ___(6)___ et ___(7)___. De là, il sort de l'organisme lors de l'expiration. À la suite de ces échanges, le sang artériel tend à être ___(8)___ et le sang veineux, ___(9)___.

18. Complétez les énoncés suivants. Inscrivez les réponses correctes sur les lignes prévues à cet effet.

_____ 1.

_____ 2.

_____ 3.

_____ 4.

L'oxygène est transporté en majeure partie par les érythrocytes, où il est lié à l'___(1)___. À l'opposé, la *plus grande partie* du gaz carbonique est transportée sous forme d'___(2)___ dans le ___(3)___. Le monoxyde de carbone déloge l'___(4)___ de ses sites de fixation sur l'hémoglobine. Il provoque de la sorte une intoxication mortelle, appelée oxycarbonisme.

19. Entourez le terme qui n'a pas sa place dans chacun des groupes suivants :

1. ↑ Rythme respiratoire   ↓ CO_2 du sang   Alcalose   Acidose

2. Acidose   ↑ Acide carbonique   ↓ pH   ↑ pH

3. Acidose   Hyperventilation   Hypoventilation   Accumulation de CO_2

4. Apnée   Cyanose   ↑ Oxygène   ↓ Oxygène

5. ↑ Rythme respiratoire   ↑ Exercice   Colère   ↑ CO_2 du sang

6. Haute altitude   ↓ P_{O2} ↑ P_{CO2} ↓ Pression atmosphérique

20. La régulation du rythme respiratoire se fait à plusieurs niveaux. Associez les éléments de la colonne B aux descriptions de la colonne A. Inscrivez les lettres ou les termes appropriés sur les lignes prévues à cet effet. (Plusieurs éléments peuvent être associées à une description.)

Colonne A

_____ 1. Centres qui ajustent le rythme respiratoire de base établi par le bulbe rachidien.

_____ 2. Centre respiratoire situé dans le bulbe rachidien.

_____ 3. Récepteurs qui préviennent la distension excessive des poumons.

_____ 4. Récepteurs qui préviennent l'abaissement excessif de la concentration d'oxygène sanguin.

_____ 5. Deux nerfs qui acheminent les influx destinés à la stimulation des muscles inspiratoires.

Colonne B

A. Chimiorécepteurs logés dans l'aorte et les glomus carotidiens

B. Intercostaux

C. Centre inspiratoire

D. Phrénique

E. Centres respiratoires du pont

F. Mécanorécepteurs pulmonaires

MALADIES RESPIRATOIRES

21. Associez les termes de la colonne B aux maladies ou états de la colonne A.

Colonne A

_____ 1. Arrêt plus ou moins long de la respiration.

_____ 2. Respiration normale quant à la fréquence et à la profondeur.

_____ 3. Respiration de plus en plus difficile.

_____ 4. Déficit chronique en oxygène.

_____ 5. Maladie caractérisée par la fibrose pulmonaire et la dilatation des alvéoles.

_____ 6. Maladie caractérisée par une production accrue de mucus qui bouche les voies respiratoires et provoque la toux.

_____ 7. Rétrécissement des voies respiratoires à cause du spasme des bronchioles.

_____ 8. Deux maladies qu'on regroupe sous l'acronyme BPCO.

_____ 9. Maladie fortement associée à l'usage du tabac, dont le pronostic est sombre.

_____ 10. Infection causée par des bactéries aéroportées ; l'incidence s'accroît dangereusement parmi les utilisateurs de drogues et les personnes atteintes du SIDA.

Colonne B

A. Apnée

B. Asthme

C. Bronchite chronique

D. Dyspnée

E. Emphysème

F. Eupnée

G. Hypoxie

H. Cancer du poumon

I. Tuberculose

DÉVELOPPEMENT ET VIEILLISSEMENT DU SYSTÈME RESPIRATOIRE

22. Mme Laurent vient d'accoucher prématurément de son premier enfant. À la naissance, le bébé pesait à peine 1,2 kg. En l'espace de quelques heures, il est devenu dyspnéique et cyanosé. On a installé l'enfant sous un respirateur à pression positive. Complétez les phrases suivantes, qui portent sur la nature et le traitement du trouble éprouvé par le bébé.

1. Le bébé souffre de _____

2. Ce problème survient à cause d'une insuffisance en _____

3. Cette substance, qui fait défaut au bébé, sert à _____

    _____

4. Le respirateur à pression positive a pour fonction de _____

    _____

23. Complétez les phrases suivantes. Inscrivez vos réponses sur les lignes prévues à cet effet.

_____ 1.

_____ 2.

_____ 3.

_____ 4.

_____ 5.

_____ 6.

_____ 7.

_____ 8.

La fréquence respiratoire du nouveau-né est d'environ ____(1)____ respirations par minute. Chez l'adulte en bonne santé, la fréquence respiratoire est d'environ ____(2)____ par minute. La plupart des problèmes qui entravent le fonctionnement du système respiratoire entrent dans l'une des catégories suivantes : infections, comme la pneumonie ; troubles obstructifs comme l'____(3)____ et la ____(4)____ ; et maladies qui détruisent le tissu pulmonaire, comme ____(5)____. Avec l'âge, les poumons perdent de leur ____(6)____, et la ____(7)____ diminue. Les mécanismes protecteurs deviennent aussi moins efficaces, ce qui prédispose la personne âgée aux ____(8)____.

UN VOYAGE EXTRAORDINAIRE

Exercice de visualisation pour tester vos connaissances sur le système respiratoire

… Vous continuez précautionneusement votre descente, en vous servant des cartilages comme marches…

24. Complétez le récit en inscrivant les mots qui manquent sur les lignes prévues à cet effet.

_____ 1.

_____ 2.

_____ 3.

_____ 4.

_____ 5.

_____ 6.

_____ 7.

_____ 8.

_____ 9.

_____ 10.

_____ 11.

_____ 12.

_____ 13.

Votre voyage dans le système respiratoire doit se faire à pied et commencera dans une narine. On vous miniaturise et, en même temps, on administre à votre hôte un léger sédatif pour l'empêcher d'éternuer pendant que vous faites vos premières observations dans la cavité nasale et que vous amorcez par la suite votre descente.

Vous explorez tout d'abord la cavité nasale de la narine droite. La première chose que vous constatez est que ce lieu est très chaud et humide. Au-dessus de votre tête, vous voyez trois gros lobes ronds, les ___(1)___, qui constituent de vastes aires muqueuses destinées à réchauffer et à humidifier l'air entrant. À l'arrière de la cavité, vous découvrez une masse volumineuse de tissu lymphatique mou ; ce sont les ___(2)___ dans le ___(3)___, la première partie du pharynx. Vous scrutez le pharynx qui s'ouvre devant vous et constatez qu'il vous sera pratiquement impossible de continuer le reste de votre voyage debout. En effet, le tube descend à pic, et vous risquez de déraper sur les sécrétions de ___(4)___ qui sont très glissantes. Vous vous asseyez et enfoncez bien les talons dans le plancher, avant de vous lancer. La glisse est rapide et vous atterrissez abruptement sur l'une de deux lames plates, qui commencent à vibrer à grande vitesse, vous faisant rebondir furieusement. Pendant que vous vous faites secouer ainsi, vous entendez un bourdonnement rythmé et vous réalisez que vous vous trouvez sur une ___(5)___. Vous vous levez avec difficulté et par dessus le bord supérieur du ___(6)___, vous apercevez, en arrière, un tube très, très long, qui est l'œsophage. Vous n'êtes pas très content de vous. Comment avez-vous pu oublier que les voies ___(7)___ et respiratoire se séparent ici ? Juste au-dessus de votre tête, pend un cartilage en forme de feuille, l'___(8)___. S'il avait été fermé, comme d'habitude, vous ne seriez pas où vous êtes, car il vous aurait interdit l'accès à ce segment des voies respiratoires. Mais comme votre hôte a reçu un sédatif, ses réflexes protecteurs sont en veilleuse.

Vous continuez précautionneusement votre descente, en vous servant des cartilages comme marches. Quand vous arrivez à l'organe respiratoire suivant, la ___(9)___, votre descente devient plus facile, car maintenant les cartilages en «C» forment une sorte d'échelle. Pendant que vous descendez de cartilage en cartilage, de petits filaments cellulaires, des ___(10)___ bien sûr, vous caressent rythmiquement le visage. Vous n'êtes pas étonné : leur fonction est de faire remonter le mucus chargé de bactéries, de poussière et d'autres débris vers le ___(11)___. Vous voilà maintenant devant une intersection et, entre les deux ___(12)___ qui se présentent devant vous, vous choisissez la plus horizontale, la ___(13)___, pour descendre plus facilement. De plus, si vous restez dans la partie supérieure des poumons, votre

_____ 14.

_____ 15.

_____ 16.

_____ 17.

_____ 18.

_____ 19.

_____ 20.

voyage de retour sera moins périlleux, puisque les conduits, au lieu de descendre à pic, sont plus inclinés. Vous avancez cependant avec peine, car le passage devient de plus en plus étroit, vous menant jusqu'à la voie respiratoire la plus petite, la ___(14)___. Vous avez du mal à vous frayer un chemin, mais une fois arrivé dans cette minuscule voie respiratoire, vous voilà devant une structure ronde et brillante. Il vous est assez difficile d'entrer dans cette structure, l'___(15)___, mais finalement, vous y êtes et vous pouvez l'explorer. Autour de vous, vous remarquez, ça et là, des amas d'une substance noire comme du charbon et vous vous rappelez que votre hôte fume. Dans cette petite chambre où vous vous tenez, une légère brise fait frémir les parois; en effet l'air entre et sort continuellement. Par la paroi transparente, vous voyez des cellules discoïdes, en fait des ___(16)___, qui sont emportées par le courant dans les capillaires de l'autre côté. Vous les regardez changer de couleur et passer d'un ton bleuâtre au ___(17)___ vif, pendant qu'elles se chargent d'___(18)___ tout en se délestant du ___(19)___.

Vous prenez en note toutes ces observations et contactez votre base pour signaler que vous êtes prêt à remonter. Le retour n'est pas plus facile, car il vous faut encore ramper et tenter d'avancer sur une surface glissante. Lorsque vous arrivez à la bordure inférieure de la trachée, vous sentez que vous avez besoin d'un petit repos. Vous vous asseyez sur la muqueuse pour souffler un peu, mais très vite vous voilà aux prises avec un accès de claustrophobie, l'air qui vous entoure devenant très lourd. Vous sautez sur vos pieds et commencez à vous hisser le long de la trachée. Soudainement, sans que rien ne l'annonce, vous êtes propulsé vers le haut par une grosse masse de mucus et vous vous retrouvez un peu sonné dans le mouchoir fraîchement repassé de votre hôte. Ce n'est pas étonnant! La ___(20)___ qui l'a secoué a précipité votre sortie.

RÉFLEXION ET APPLICATION

25. Après une longue bronchite, Mme Dubois dit ressentir à chaque respiration une forte douleur en coup de poignard dans les côtes. De quoi souffre-t-elle probablement?

26. Les Martin font un long voyage en voiture. Michel, qui est assis à l'arrière de la familiale, sous la vitre grande ouverte, se plaint d'un mal de tête lancinant. Un peu plus tard, il a l'air perdu et son visage est tout rouge. Quel est votre diagnostic?

27. Marie, qui vient d'accoucher, regarde son bébé dormir, pour s'apercevoir avec horreur qu'il ne respire plus et qu'il est devenu tout bleu. Elle le soulève rapidement et se met à lui tapoter le dos jusqu'au moment où il se remet à respirer. Quelle tragédie a-t-elle pu prévenir?

28. Ginette Mercier, fumeuse de longue date, se plaint d'une toux persistante. De quoi souffre-t-elle à première vue? Qu'est-il arrivé aux cils de ses bronches?

29. Barbara vient d'avoir un accident d'auto et elle est conduite à l'hôpital de toute urgence. Ses huitième, neuvième et dixième côtes gauches sont fracturées et ont perforé le poumon. Quel est le terme médical employé pour désigner l'affaissement des poumons? Dans le cas de Barbara, est-ce que les deux poumons se sont affaissés? Pourquoi?

30. On pose un diagnostic de fibrose kystique chez un jeune garçon. Quel en sera l'effet sur son système respiratoire?

31. M. et Mme Ramon conduisent chez le médecin leur fillette de 5 ans. Celle-ci ne respire que par la bouche, sa voix est bizarre et un liquide jaunâtre, ayant l'aspect du pus, s'écoule de son nez. Lesquelles des amygdales sont le plus vraisemblablement infectées?

32. Vous êtes étudiante infirmière en deuxième année et vous devez expliquer comment chacun des problèmes suivants peut affecter les échanges gazeux d'un patient.

1. Déficit en fer qui entraîne une diminution du nombre d'érythrocytes.

2. Fibrose kystique à cause de laquelle la surface des alvéoles se couvre d'un mucus épais et tenace.

3. Usage du tabac; le patient est un fumeur invétéré.

33. Pourquoi le technicien ambulancier qui administre un alcootest demande-t-il à la personne d'expirer fortement en une seule fois, plutôt que par plusieurs expirations superficielles?

34. Faisant de la plongée sous-marine dans les eaux turquoises de la mer des Caraïbes, Tristan rencontre un requin. Pris de panique, il remonte rapidement à la surface. Par conséquent, les bulles d'azote qui s'échappent des tissus et entrent dans les os et les muscles lui occasionnent des douleurs caractéristiques de la maladie des caissons. Dès sa sortie de l'eau et malgré les étourdissements qu'il ressent, il se rend à l'hôpital le plus près. Quel traitement subira-t-il? Dans quelles autres situations cette intervention est-elle indiquée?

Le système digestif et le métabolisme

Le système digestif a pour fonction le traitement et l'absorption des aliments en vue de leur utilisation par les cellules. C'est ainsi que les organes digestifs reçoivent les aliments, les digèrent, les absorbent et en éliminent les résidus non digestibles. D'une certaine façon, on peut dire que le tube digestif est une chaîne de démontage sur laquelle la nourriture est propulsée par l'activité musculaire et dégradée par étapes ; les nutriments qui sont extraits ravitaillent les cellules. De plus, le système digestif procure l'un des grands plaisirs de la vie, qui est celui de manger.

Ce chapitre porte sur l'anatomie du tube digestif et des organes digestifs annexes, sur la dégradation mécanique et enzymatique des aliments et sur les mécanismes qui régissent leur absorption. Par ailleurs, il vous permet aussi de récapituler les principes de base de la nutrition et du métabolisme cellulaire (utilisation des nutriments par les cellules).

ANATOMIE DU SYSTÈME DIGESTIF

1. Complétez les énoncés suivants. Inscrivez vos réponses sur les lignes prévues à cet effet.

_____ 1.

_____ 2.

_____ 3.

_____ 4.

_____ 5.

_____ 6.

_____ 7.

Le système digestif est responsable de nombreux processus. Son rôle commence au moment où les aliments sont introduits dans la bouche ou ___(1)___. Pendant le processus appelé ___(2)___, les aliments sont transformés par voie mécanique et chimique. Pour que, une fois dégradés, les aliments puissent ravitailler les cellules, ils doivent être absorbés, c'est-à-dire qu'ils doivent traverser les parois du système digestif et passer dans le ___(3)___. Les débris non digestibles doivent être évacués ou ___(4)___ dans les ___(5)___. Les organes qui forment un conduit continu de la bouche à l'anus sont regroupés sous l'appellation de ___(6)___. Les organes qui sont situés en dehors du tube digestif proprement dit mais qui y déversent leurs sécrétions portent le nom d'organes digestifs ___(7)___.

2. La figure 14-1 représente une vue frontale du système digestif. Commencez par identifier les structures indiquées par des lignes de repère. Puis, à l'aide de couleurs différentes, coloriez sur l'illustration les structures nommées dans la légende ainsi que les cercles correspondants.

Légende

◯ Œsophage	◯ Pancréas	◯ Langue
◯ Foie	◯ Glandes salivaires	◯ Uvule palatine
◯ Gros intestin	◯ Intestin grêle	

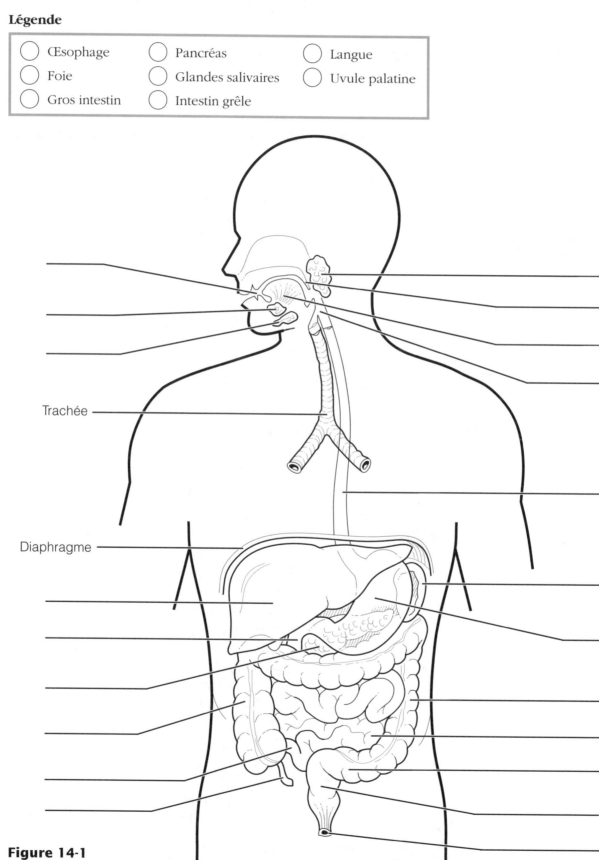

Trachée

Diaphragme

Figure 14-1

3. La figure 14-2 illustre les structures de la cavité orale. Commencez par identifier les structures indiquées par des lignes de repère. Ensuite, coloriez en rouge la structure qui relie la langue au plancher de la bouche ; en bleu, la partie du palais qui n'est pas soutenue par du tissu osseux ; en jaune, les structures qui sont essentiellement des masses de tissu lymphatique ; et en rose, celle qui contient le plus grand nombre de papilles du goût.

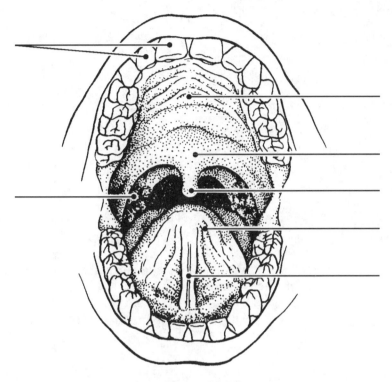

Figure 14-2

4. Divers types de glandes sécrètent des substances dans le tube digestif. Associez les glandes de la colonne B à leur fonction ou à leur emplacement décrits dans la colonne A. Inscrivez les lettres ou les termes appropriés sur les lignes prévues à cet effet.

Colonne A

Colonne B

_____ 1. Glandes situées dans la sous-muqueuse de l'intestin grêle qui produisent un «suc» contenant du mucus mais peu d'enzymes.

A. Glandes gastriques

B. Glandes duodénales (de Brunner)

_____ 2. Les sécrétions de ces glandes contiennent de l'amylase, qui amorce la digestion de l'amidon dans la bouche.

C. Foie

D. Pancréas

_____ 3. Glande qui déverse dans le duodénum diverses enzymes contenues dans un liquide alcalin.

E. Glandes salivaires

_____ 4. Structure qui produit la bile, acheminée vers le duodénum par les conduits biliaires.

_____ 5. Glandes qui sécrètent de l'acide chlorhydrique et du pepsinogène.

5. Parmi les termes proposés, trouvez ceux qui correspondent aux descriptions numérotées. Inscrivez les lettres ou les termes appropriés sur les lignes prévues à cet effet. (Un terme peut revenir plus d'une fois.)

Termes proposés

A. Canal anal
B. Appendice vermiforme
C. Côlon
D. Œsophage
E. Grand omentum
F. Palais osseux
G. Haustrations
H. Valve iléo-cæcale
I. Petit omentum

J. Mésentère
K. Microvillosités
L. Cavité orale
M. Péritoine pariétal
N. Plaques de Peyer
O. Pharynx
P. Plis circulaires (valvules conniventes)
Q. Sphincter pylorique

R. Plis gastriques
S. Intestin grêle
T. Palais mou
U. Estomac
V. Langue
W. Vestibule
X. Villosités
Y. Péritoine viscéral

_____ 1. Structure qui suspend l'intestin grêle à la paroi abdominale postérieure.

_____ 2. Saillies en forme de doigts qui accroissent la superficie de la muqueuse intestinale.

_____ 3. Amas de tissu lymphatique qu'on trouve dans la sous-muqueuse de l'intestin grêle.

_____ 4. Plis de la paroi de l'intestin grêle.

_____ 5. Trois régions anatomiques responsables de la dégradation physique des aliments.

_____ 6. Organe qui mélange les aliments dans la bouche.

_____ 7. Conduit traversé à la fois par l'air et par les aliments.

_____ 8. Trois modifications structurales du péritoine.

_____ 9. Conduit dont la seule fonction est d'acheminer la nourriture dans l'estomac ; il ne joue aucun rôle dans la digestion ou dans l'absorption.

_____ 10. Plis de la muqueuse de l'estomac.

_____ 11. Poches dans la paroi du gros intestin.

_____ 12. Minuscules saillies de la membrane plasmique qui agrandissent la superficie des cellules de la muqueuse.

_____ 13. Structure qui empêche les aliments de remonter vers l'intestin grêle une fois qu'ils sont entrés dans le gros intestin.

_____ 14. Organe qui accomplit presque toute l'absorption de l'eau et des aliments.

_____ 15. Organe dont la principale fonction est d'absorber l'eau et d'éliminer les résidus alimentaires sous forme de fèces.

_____ 16. Région anatomique située entre, d'un côté, les dents et, de l'autre, les lèvres ou les joues.

_____ 17. Petit prolongement en cul-de-sac attaché au premier segment du côlon.

_____ 18. Organe où commence la digestion des protéines.

_____ 19. Membrane attachée à la petite courbure de l'estomac.

_____ 20. Organe dans lequel l'estomac déverse son contenu.

_____ 21. Sphincter qui régit le passage des aliments de l'estomac dans le duodénum.

_____ 22. Structure dont la bordure postérieure se prolonge par l'uvule palatine.

_____ 23. Organe qui reçoit la bile et le suc pancréatique.

_____ 24. Séreuse de la paroi abdominale.

_____ 25. Canal muni de deux sphincters, par lequel les fèces sont évacuées de l'organisme.

_____ 26. Limite antéro-supérieure de la cavité orale, reposant sur du tissu osseux.

6. La figure 14-3A représente une coupe longitudinale de l'estomac. À partir de la liste suivante, écrivez sur la figure les noms des structures indiquées par des lignes de repère.

Corps de l'estomac   Région du pylore   Grande courbure   Sphincter œsophagien inférieur

Fundus de l'estomac   Pylore   Petite courbure

À l'aide de couleurs différentes, coloriez sur l'illustration les structures ou les régions nommées dans la légende ainsi que les cercles correspondants.

Légende

◯ Musculeuse oblique	◯ Musculeuse longitudinale	◯ Musculeuse circulaire
◯ Région contenant les plis gastriques	◯ Séreuse	

La figure 14-3B illustre deux types de cellules sécrétrices qui se trouvent dans les glandes gastriques. Coloriez les cellules qui sécrètent l'acide chlorhydrique en rouge et celles qui produisent des enzymes protéolytiques en bleu.

7. Entourez le terme qui n'a pas sa place dans chacun des groupes suivants :

1. Nasopharynx   Œsophage   Laryngopharynx   Oropharynx

2. Villosités   Plis circulaires   Plis gastriques   Microvillosités

3. Glandes salivaires   Pancréas   Foie   Vésicule biliaire

4. Duodénum   Cæcum   Jéjunum   Iléum

5. Côlon ascendant   Haustrations   Plis circulaires   Cæcum

6. Mésentère   Frein de la langue   Grand omentum   Péritoine pariétal

7. Parotide   Sublinguale   Submandibulaire   Palatine

8. Enzymes protéolytiques   Salive   Facteur intrinsèque   HCl

9. Côlon   Absorption d'eau   Absorption de protéines   Absorption de vitamine B

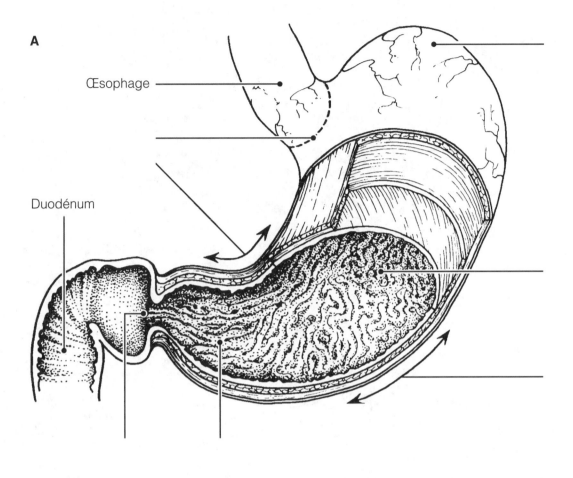

A

Œsophage

Duodénum

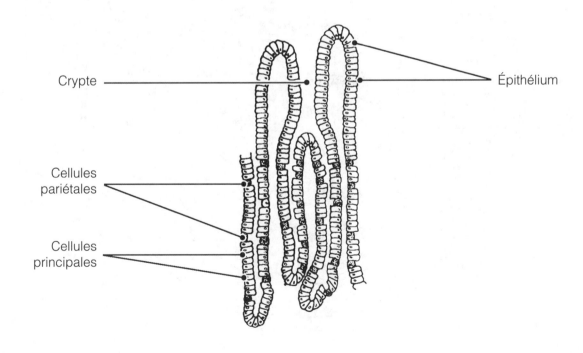

Crypte

Épithélium

Cellules
pariétales

Cellules
principales

B

Figure 14-3

8. Les parois du tube digestif sont constituées de quatre couches, comme l'illustre la figure 14-4. Inscrivez le nom de chacune de ces couches sur la ligne à côté de la description correspondante. Choisissez ensuite une couleur différente pour chaque couche et coloriez celle-ci sur la figure ainsi que les cercles correspondants. Enfin, supposez que cette figure montre une coupe transversale de l'intestin grêle et nommez les trois structures indiquées par des lignes de repère.

_____ 1. ◯ Couche sécrétrice et absorbante.

_____ 2. ◯ Couche composée d'au moins deux strates de myocytes.

_____ 3. ◯ Couche de tissu conjonctif, contenant des vaisseaux sanguins et lymphatiques ainsi que des nerfs.

_____ 4. ◯ Tunique externe de la paroi; péritoine viscéral.

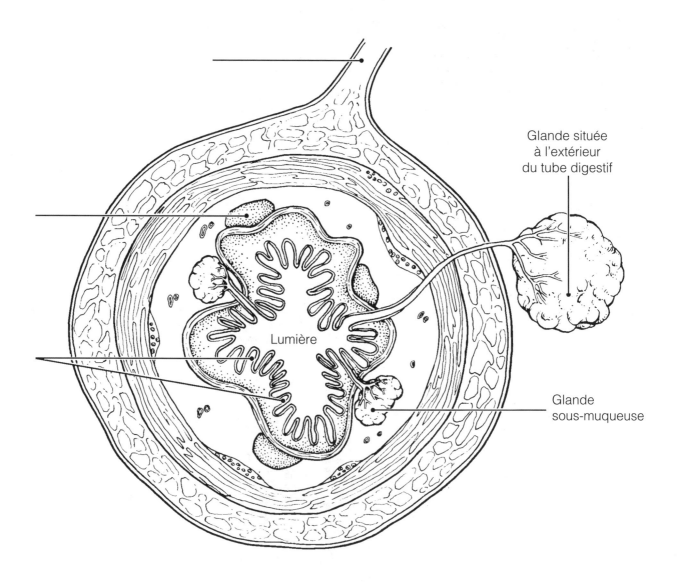

Glande située à l'extérieur du tube digestif

Lumière

Glande sous-muqueuse

Figure 14-4

9. La figure 14-5 illustre trois coupes de l'intestin grêle. Commencez par indiquer où se trouvent les villosités sur les coupes B et C et les plis circulaires (valvules conniventes) sur les coupes A et B. Ensuite, à l'aide de couleurs différentes, coloriez sur la partie C de la figure les structures nommées dans la légende ainsi que les cercles correspondants.

Légende

◯ Épithélium de surface   ◯ Vaisseau chylifère   ◯ Réseau capillaire

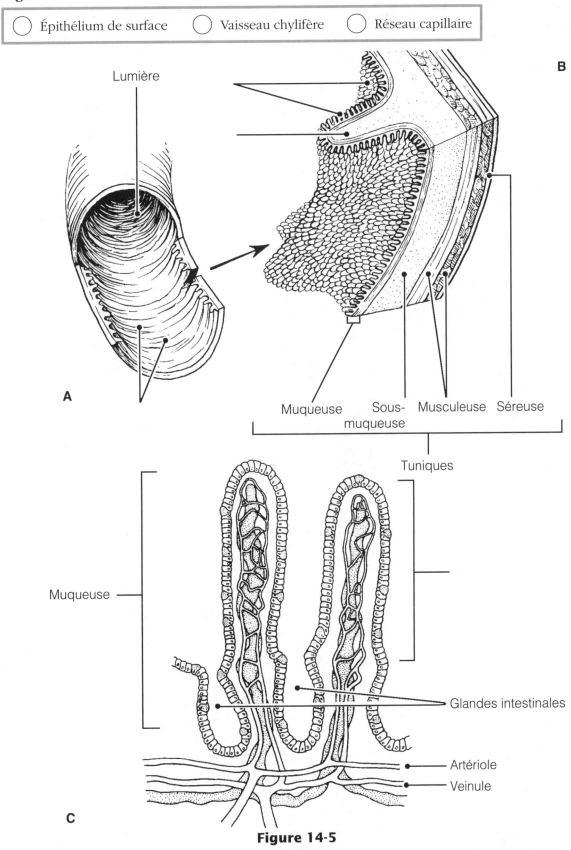

Figure 14-5

10. La figure 14-6 représente trois organes annexes. Nommez ceux-ci ainsi que le ligament indiqué par une ligne de repère. Ensuite, à l'aide de couleurs différentes, coloriez sur l'illustration les structures nommées dans la légende ainsi que les cercles correspondants.

Légende

◯ Conduit hépatique commun ◯ Conduit cholédoque

◯ Conduit cystique ◯ Conduit pancréatique

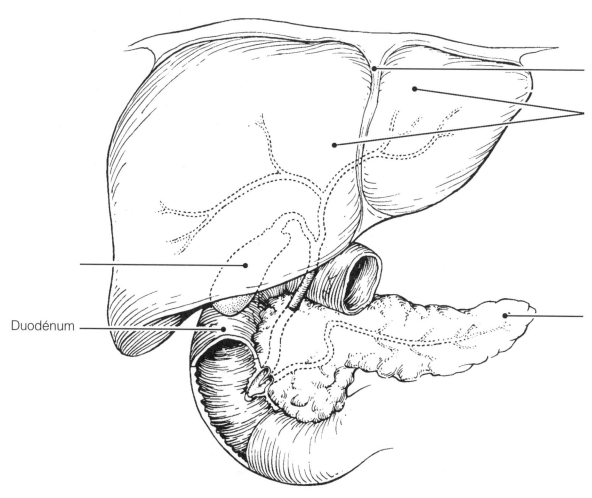

Duodénum

Figure 14-6

11. Complétez les énoncés suivants concernant la denture de l'humain. Inscrivez vos réponses sur les lignes prévues à cet effet.

_____ 1.

_____ 2.

_____ 3.

_____ 4.

_____ 5.

Les premières dents, appelées ___(1)___, commencent à apparaître vers l'âge de ___(2)___. Elles sont graduellement remplacées à partir de l'âge de ___(3)___. Les dents ___(4)___ sont plus nombreuses, c'est-à-dire qu'il y a ___(5)___ dents, dans la deuxième denture, mais seulement ___(6)___, dans la première. Chez l'adulte dont la denture est complète, il y a deux ___(7)___, une ___(8)___, deux ___(9)___ et trois ___(10)___ de chaque côté de la mâchoire. Les dents molaires qui occupent la position la plus postérieure de chaque mâchoire sont communément appelées dents ___(11)___.

_____ 6.   _____ 9.

_____ 7.   _____ 10.

_____ 8.   _____ 11.

12. Au moyen de lignes de repère, indiquez sur la figure 14-7 où se trouvent les parties de la dent nommées dans la légende. Coloriez ensuite ces parties ainsi que les cercles correspondants à l'aide de couleurs différentes. Enfin, indiquez sur la figure l'emplacement de la couronne, de la gencive et de la racine de la dent.

Légende

| ◯ Cément | ◯ Émail | ◯ Pulpe |
| ◯ Dentine | ◯ Desmodonte (ligament périodontal) | |

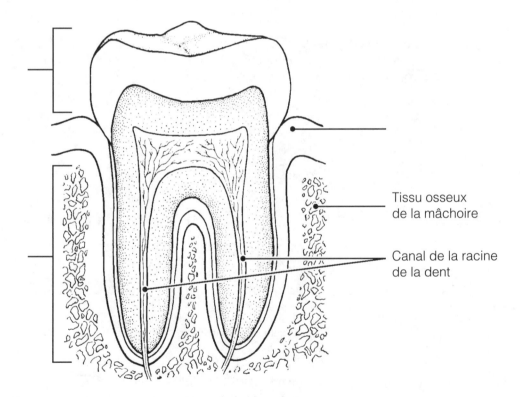

Figure 14-7

FONCTIONS DU SYSTÈME DIGESTIF

13. Associez les descriptions de la colonne B, qui portent sur les processus digestifs, aux termes de la colonne A. (Plusieurs descriptions peuvent être associées à un terme.)

Colonne A

_____ 1. Ingestion

_____ 2. Propulsion

_____ 3. Digestion mécanique

_____ 4. Digestion chimique

_____ 5. Absorption

_____ 6. Défécation

Colonne B

A. Passage des nutriments de la lumière du tube digestif au sang

B. Dégradation enzymatique

C. Élimination des fèces

D. Introduction des aliments dans la bouche

E. Mastication

F. Pétrissage

G. Déglutition

H. Segmentation et péristaltisme

14. Cet exercice porte sur la dégradation des aliments dans le tube digestif. À l'aide des termes proposés, complétez les énoncés ci-dessous. Inscrivez les lettres ou les termes appropriés sur les lignes prévues à cet effet.

Termes proposés

A. Suc riche en bicarbonate

B. Bile

C. Enzymes de la bordure en brosse (du limbe strié)

D. Mastication

E. Pétrissage

F. HCl

G. Stimulus hormonal

H. Lipases

I. Stimulus mécanique

J. Bouche

K. Mucus

L. Pepsine

M. Stimulus psychologique

N. Plexus nerveux entériques

O. Amylase salivaire

_____ 1. La digestion de l'amidon commence dans la bouche, lorsque les glandes salivaires sécrètent l'_____(1)_____.

_____ 2. La gastrine, qui stimule les glandes gastriques pour que celles-ci sécrètent une quantité accrue d'enzymes et d'acide chlorhydrique, est un exemple de _____(2)_____.

_____ 3. Le fait qu'il suffit de penser à un aliment épicé pour saliver constitue une forme de _____(3)_____.

_____ 4. Un grand nombre de personnes mâchent de la gomme lorsqu'elles ont la bouche sèche pour accroître la formation de salive. Ce type de stimulus est un _____(4)_____.

_____ 5. La dégradation des aliments à base de protéines commence dans l'estomac sous l'action de la _____(5)_____.

_____ 6. Pour que les enzymes protéolytiques de l'estomac s'activent, elles ont besoin de ___(6)___.

_____ 7. Puisque les cellules vivantes de l'estomac et d'ailleurs sont surtout constituées de protéines, on peut s'étonner à juste titre que les enzymes de l'estomac ne les digèrent pas. Le principal moyen par lequel l'estomac se protège est la formation de ___(7)___.

_____ 8. Les réflexes courts lors de la digestion dépendent de l'activité des ___(8)___.

_____ 9. La troisième couche de muscle lisse dans la paroi de l'estomac permet le mélange des aliments et leur digestion mécanique par ___(9)___.

_____ 10. Les ___(10)___ sont des enzymes intestinales importantes.

_____ 11. L'intestin grêle est protégé contre l'effet corrosif de l'acide chlorhydrique du chyme par un ___(11)___, sécrété par le pancréas.

_____ 12. Le pancréas produit des enzymes protéolytiques, de l'amylase et des nucléases. Il est également une source importante de ___(12)___.

_____ 13. La substance non enzymatique qui dégrade mécaniquement les gros globules de lipides est la ___(13)___.

15. À l'aide des termes proposés, nommez les troubles décrits dans les énoncés ci-dessous. Inscrivez les lettres ou les termes appropriés sur les lignes prévues à cet effet.

Termes proposés

A. Appendicite	C. Diarrhée	E. Brûlures d'estomac	G. Péritonite
B. Constipation	D. Calculs biliaires	F. Ictère	H. Ulcère

_____ 1. Inflammation de la séreuse abdominale.

_____ 2. Trouble provoqué par le reflux du suc gastrique acide dans l'œsophage.

_____ 3. Maladie qui traduit une atteinte hépatique ou le blocage des conduits biliaires.

_____ 4. Érosion de la muqueuse de l'estomac ou du duodénum.

_____ 5. Élimination de selles liquides.

_____ 6. Trouble qui provoque des douleurs épigastriques intenses et qui est dû à une accumulation prolongée de bile dans la vésicule biliaire.

_____ 7. Incapacité de déféquer ; trouble souvent lié à un régime pauvre en fibres.

16. La stimulation hormonale joue un rôle important dans les activités digestives qui se déroulent dans l'estomac et l'intestin grêle. À l'aide des termes proposés, nommez les hormones décrites dans les énoncés ci-dessous. Inscrivez les lettres ou les termes appropriés sur les lignes prévues à cet effet.

Termes proposés

A. Cholécystokinine   B. Gastrine   C. Sécrétine

_____ 1. Ces deux hormones stimulent la production de sécrétions pancréatiques.

_____ 2. Cette hormone stimule une production accrue de suc gastrique.

_____ 3. Cette hormone stimule la libération de bile accumulée dans la vésicule biliaire.

_____ 4. Sous l'influence de cette hormone, le foie accroît la production de bile.

17. La nourriture que nous consommons comprend une variété d'aliments que l'organisme doit décomposer pour en tirer les unités de base. À l'aide des termes proposés, complétez les énoncés ci-dessous. Inscrivez les lettres ou les termes appropriés sur les lignes prévues à cet effet. Dans certains cas, plusieurs termes peuvent s'appliquer.

Termes proposés

A. Acides aminés   D. Galactose   G. Maltose

B. Acides gras   E. Glucose   H. Amidon

C. Fructose   F. Lactose   I. Sucrose

_____ 1. Sucres simples (ou monosaccharides) qui entrent le plus souvent dans la composition des aliments que nous consommons régulièrement.

_____ 2. Disaccharides.

_____ 3. Molécules obtenues lors de la décomposition des aliments à base de protéines.

_____ 4. Avec le glycérol, ce sont les unités de base obtenues après la décomposition des lipides.

_____ 5. Parmi les sucres simples, cette molécule est très importante; c'est d'elle qu'il est question lorsqu'on parle du «taux de sucre dans le sang».

18. Chacune des substances énumérées ci-dessous est un aliment qui peut être absorbé tel quel dans le tube digestif. S'il s'agit d'un composé qui est *le plus souvent* absorbé par transport actif, inscrivez un *A* sur la ligne prévue à cet effet. Si la substance est habituellement absorbée passivement (par diffusion ou par osmose), inscrivez un *P*. De plus, entourez celle qui sera le *plus vraisemblablement* absorbée par le vaisseau chylifère plutôt que par le réseau capillaire des villosités.

_____ 1. Eau   _____ 3. Sucre simple   _____ 5. Électrolyte

_____ 2. Acide aminé   _____ 4. Acide gras

19. Complétez les énoncés suivants qui portent sur le processus de mélange et de propulsion des aliments. Inscrivez vos réponses sur les lignes prévues à cet effet.

_____ 1.

_____ 2.

_____ 3.

_____ 4.

_____ 5.

_____ 6.

_____ 7.

_____ 8.

_____ 9.

_____ 10.

_____ 11.

_____ 12.

_____ 13.

_____ 14.

_____ 15.

_____ 16.

La ___(1)___ se produit en deux étapes – l'étape ___(2)___ et l'étape ___(3)___. Pendant la première étape, qui est volontaire, la ___(4)___ pousse les aliments dans la gorge et l'___(5)___ s'élève pour fermer le nasopharynx. Au cours de la deuxième étape, celle-là involontaire, la nourriture descend dans le pharynx et le ___(6)___ s'élève de sorte que l'___(7)___ couvre son ouverture. Ainsi les substances ingérées ne peuvent pas entrer dans les voies respiratoires. Si on peut avaler de l'eau en se tenant sur la tête, c'est que l'eau est acheminée dans l'œsophage sous l'action réflexe du ___(8)___. À cause de la pression exercée par la nourriture, le ___(9)___ s'ouvre et celle-ci peut ainsi pénétrer dans l'estomac.

Les deux principaux types de mouvements se produisant dans l'intestin grêle sont le ___(10)___ et la ___(11)___. L'un de ces mouvements, soit la ___(12)___, assure le mélange constant de la nourriture aux sucs digestifs et (aussi étrange que cela puisse paraître) joue un rôle majeur dans la propulsion de la nourriture le long du tube digestif. Les ___(13)___, qui ne se produisent que dans le gros intestin, sont de moindre fréquence; ils ne servent qu'à déplacer les débris non digestibles sur de grandes distances jusqu'à l'anus. La présence de fèces dans le ___(14)___ stimule les mécanorécepteurs et déclenche le réflexe d'___(15)___. L'irritation du tube digestif par des médicaments ou des bactéries stimule le centre du ___(16)___ dans le bulbe rachidien, lequel provoque une inversion du péristaltisme qui aboutit à l'expulsion du contenu gastrique par la bouche.

NUTRITION ET MÉTABOLISME

20. À l'aide des termes proposés, nommez pour chaque énoncé ci-dessous les nutriments utilisés par les cellules pour remplir leurs fonctions. Inscrivez les lettres ou les termes appropriés sur les lignes prévues à cet effet.

Termes proposés

A. Acides aminés   B. Glucides   C. Lipides

_____ 1. Principales substances utilisées pour produire de l'énergie cellulaire (ATP).

_____ 2. Substances qui entrent dans la composition des gaines de myéline et des membranes cellulaires.

_____ 3. Substances que les cellules tendent à épargner.

_____ 4. Ces substances constituent la deuxième source alimentaire exploitée par les cellules pour produire de l'énergie.

_____ 5. Substances qui forment des coussins isolants autour des organes et sous la peau.

_____ 6. Nutriments de base qui constituent la plus grande partie des substances fonctionnelles et structurales des cellules, comme les enzymes.

21. Nommez les nutriments décrits dans les énoncés en vous servant des termes proposés. Inscrivez les lettres ou les termes appropriés sur les lignes prévues à cet effet. (Dans certains cas, plusieurs termes peuvent s'appliquer.)

Termes proposés

A. Pain/pâtes   D. Fruits   G. Amidon

B. Fromage/crème   E. Viande/poisson   H. Légumes

C. Cellulose   F. Minéraux   I. Vitamines

_____ 1. Exemples d'*aliments* riches en glucides.

_____ 2. Aliments gras qui font partie du régime normal.

_____ 3. Polysaccharide *digestible*.

_____ 4. Polysaccharide non digestible qui favorise la défécation, car il accroît le bol alimentaire.

_____ 5. Aliments riches en protéines.

_____ 6. La plupart de ces nutriments, qu'on trouve surtout dans les fruits et les légumes, jouent le rôle de coenzymes.

_____ 7. Parmi ces substances, citons le cuivre, le fer et le sodium.

22. La figure 14-8 montre les trois étapes de la respiration cellulaire. Complétez-la à l'aide des termes ci-dessous. Coloriez le schéma avec les couleurs de votre choix et répondez ensuite aux questions qui suivent la figure.

ATP	Glucose	Mitochondrie
Gaz carbonique	Glycolyse	Acide pyruvique
Énergie chimique	Chaîne de transport des électrons	Eau
Cytosol	Cycle de Krebs	

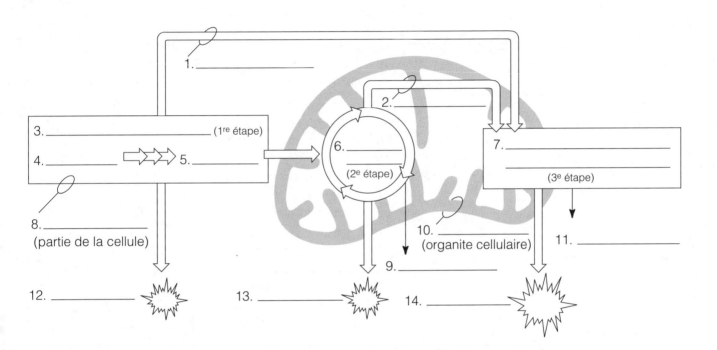

Figure 14-8

1. Laquelle des étapes d'oxydation ne fait pas intervenir l'oxygène?

_____

2. Lesquelles font intervenir l'oxygène? _____

_____

3. Sous quelle forme l'énergie chimique provenant des deux premières étapes est-elle transférée à la troisième étape?

_____

4. Quelle est l'étape durant laquelle se produit la plus grande quantité d'ATP?

_____

5. Quelle est l'étape durant laquelle les atomes d'hydrogène se combinent à l'oxygène moléculaire?

_____

23. Cet exercice porte sur le métabolisme cellulaire. Inscrivez les termes corrects proposés ci-dessous sur les lignes prévues à cet effet.

Termes proposés

A. ATP
B. Acide acétique
C. Acide acétoacétique
D. Acétone
E. Acides aminés
F. Ammoniac

G. Métabolisme basal
H. Gaz carbonique
I. Essentiels
J. Acides gras
K. Glucose
L. Glycogène

M. Cétose
N. Monosaccharides
O. Oxygène
P. Métabolisme total
Q. Urée
R. Eau

_____ 1.

_____ 2.

_____ 3.

_____ 4.

_____ 5.

_____ 6.

_____ 7.

_____ 8.

_____ 9.

_____ 10.

_____ 11.

_____ 12.

Le principal combustible utilisé par les cellules est le ___(1)___. Les cellules le dégradent au fur et à mesure de leurs besoins. L'hydrogène libéré se combine avec l'___(2)___ pour former de l'___(3)___, alors que le carbone est éliminé sous forme de ___(4)___. Ce processus est important car il produit l'___(5)___, une forme d'énergie que les cellules peuvent utiliser lors de toutes leurs activités. Pour que les glucides puissent être oxydés, ou transformés en énergie, ils doivent être décomposés en ___(6)___. Lorsque la quantité de glucides est insuffisante pour alimenter la pompe métabolique, des produits intermédiaires du métabolisme des lipides, comme l'___(7)___ et l'___(8)___, s'accumulent dans le sang, provoquant la ___(9)___ et abaissant le pH sanguin. Les acides aminés sont activement stockés par les cellules, car celles-ci ne peuvent synthétiser les protéines que si tous les types d'acides aminés sont présents. Les acides aminés qui *doivent obligatoirement* faire partie de l'alimentation sont appelés acides aminés ___(10)___. Lors de l'oxydation des acides aminés et de leur transformation en énergie, les groupements amine en sont retirés et sont libérés sous forme d'___(11)___. Dans le foie, ce dernier se combine au gaz carbonique pour former l'___(12)___, qui est éliminée par les reins.

24. Le foie, qui participe activement à la digestion, remplit par ailleurs plusieurs rôles. Complétez les énoncés suivants qui concernent les diverses fonctions du foie. Inscrivez vos réponses sur les lignes prévues à cet effet.

_____ 1.

_____ 2.

_____ 3.

Le foie est l'organe le plus important du corps sur le plan métabolique. Il reçoit par le système porte hépatique du sang chargé de nutriments dont il retire des acides aminés pour synthétiser un grand nombre de protéines plasmatiques. Celles-ci comprennent entre autres l'___(1)___, qui contribue à retenir les liquides dans la circulation sanguine, et les ___(2)___, qui préviennent les pertes de sang lorsqu'un vaisseau sanguin est lésé. Le foie synthétise également un stéroïde qu'il libère dans le sang. Ce stéroïde, appelé ___(3)___, est responsable de

_____ 4.

_____ 5.

_____ 6.

_____ 7.

_____ 8.

_____ 9.

_____ 10.

_____ 11.

_____ 12.

_____ 13.

_____ 14.

_____ 15.

_____ 16.

_____ 17.

_____ 18.

_____ 19.

_____ 20.

l'hypertension et de certaines maladies cardiaques. De plus, le foie participe au maintien d'une glycémie normale. Il retire le glucose du sang quand survient une ___(4)___ et le stocke sous forme de ___(5)___. En cas d' ___(6)___, les cellules hépatiques dégradent les glucides stockés et libèrent de nouveau le glucose dans le sang. Ce dernier processus porte le nom de ___(7)___. Lorsque le foie produit du glucose à partir de substances non glucidiques, comme les lipides et les protéines, le processus porte le nom de ___(8)___. Outre le métabolisme des acides aminés et des glucides, le foie joue un rôle important dans le métabolisme des lipides. De plus, il s'emploie à ___(9)___ les médicaments et l'alcool. Ses ___(10)___ protègent l'organisme en ingérant les bactéries et d'autres débris.

Le foie forme de petits complexes, appelés ___(11)___, qui servent au transport des acides gras, des lipides et du cholestérol dans le sang, puisque les lipides sont ___(12)___ dans un milieu aqueux. Les ___(13)___ transportent le cholestérol vers les tissus périphériques, où les cellules l'utilisent pour former leurs ___(14)___ plasmiques ou pour élaborer des ___(15)___. Les HDL (lipoprotéines de haute densité) transportent le cholestérol vers le ___(16)___ où il est dégradé et sécrété sous forme de ___(17)___, lesquels sont excrétés. Une cholestérolémie élevée est dangereuse à cause du risque d'___(18)___.

Le foie a deux autres fonctions importantes. En effet, il stocke certaines vitamines (comme la vitamine ___(19)___, nécessaire à la vision) et le ___(20)___ sous forme de ferritine.

25. Entourez le terme qui n'a pas sa place dans chacun des groupes suivants :

1. Métabolisme basal   Métabolisme total   Repos   État postprandial

2. Thyroxine   Iode   ↓ Vitesse du métabolisme   ↑ Vitesse du métabolisme

3. Obèse   ↓ Vitesse du métabolisme   Femmes   Enfant

4. 16 kJ/g   Lipides   Glucides   Protéines

5. Rayonnement   Vasoconstriction   Évaporation   Vasodilatation

26. Parmi les termes proposés, trouvez ceux qui correspondent aux descriptions ci-dessous. Inscrivez les lettres ou les termes appropriés sur les lignes prévues à cet effet. (Dans certains cas, plusieurs termes peuvent s'appliquer.)

Termes proposés

A. Sang

B. Constriction des vaisseaux sanguins cutanés

C. Gelure

D. Chaleur

E. Hyperthermie

F. Hypothalamus

G. Hypothermie

H. Transpiration

I. Rayonnement

J. Pyrogènes

K. Frissons

_____ 1. Produit du métabolisme cellulaire.

_____ 2. Moyens de conserver ou d'accroître la chaleur corporelle.

_____ 3. Véhicule servant à la distribution de la chaleur à tous les tissus.

_____ 4. Siège du thermostat de l'organisme.

_____ 5. Substances chimiques qui sont libérées par les bactéries et les cellules tissulaires lésées et qui font en sorte que le réglage du thermostat est modifié.

_____ 6. Nécrose des cellules privées d'oxygène et de nutriments, à cause du retrait du sang de la circulation cutanée lorsque la température externe est très basse.

_____ 7. Moyens de libérer la chaleur corporelle lorsqu'elle est excessive.

_____ 8. Température corporelle extrêmement basse.

_____ 9. Fièvre.

DÉVELOPPEMENT ET VIEILLISSEMENT DU SYSTÈME DIGESTIF

27. Parmi les termes proposés, trouvez ceux qui correspondent aux descriptions ci-dessous. Inscrivez les lettres ou les termes appropriés sur les lignes prévues à cet effet. (Dans certains cas, plusieurs termes peuvent s'appliquer.)

Termes proposés

A. Organes annexes

B. Canal alimentaire

C. Appendicite

D. Fente palatine/bec-de-lièvre

E. Fibrose kystique (mucoviscidose)

F. Troubles de la vésicule biliaire

G. Gastrite

H. Phénylcétonurie

I. Périodontite (parodontite)

J. Péristaltisme

K. Réflexe des points cardinaux

L. Réflexe de succion

M. Estomac

N. Fistule trachéo-œsophagienne

O. Ulcères

_____ 1. Cavité en forme de tube qu'on trouve chez l'embryon.

_____ 2. Glandes qui naissent de la muqueuse digestive.

_____ 3. Anomalie congénitale la plus courante ; elle entraîne souvent l'aspiration du lait.

_____ 4. Anomalie congénitale, caractérisée par la présence d'une ouverture entre la trachée et l'œsophage.

_____ 5. Anomalie congénitale, caractérisée par la production d'une grande quantité de mucus qui bloque les voies respiratoires et les conduits pancréatiques.

_____ 6. Maladie du métabolisme, caractérisée par l'incapacité de l'organisme d'utiliser adéquatement la phénylalanine.

_____ 7. Réflexe qui aide le nouveau-né à trouver le sein.

_____ 8. À cause de cette structure qui est petite, les vomissements chez les nouveau-nés sont courants.

_____ 9. Le trouble du système digestif le plus fréquent chez les adolescents.

_____ 10. Inflammation du tube digestif.

_____ 11. Maladie caractérisée par la résorption du tissu osseux des dents et l'inflammation de la gencive, qui touche en général les personnes âgées.

UN VOYAGE EXTRAORDINAIRE

Exercice de visualisation pour tester vos connaissances sur le système digestif

… Le passage qui se trouve juste en dessous s'ouvre, et vous atterrissez dans une immense salle dont le sol se hérisse de plis hauts comme des montagnes…

28. Complétez le récit en inscrivant les mots qui manquent sur les lignes prévues à cet effet.

_____ 1.

_____ 2.

Lors de ce voyage, vous devez descendre le long du tube digestif jusqu'à l'appendice et attendre là de nouvelles consignes. On vous miniaturise comme d'habitude et on vous munit d'une combinaison imperméable pour vous protéger. En effet, durant ce voyage, vous risquez d'être digéré. Vous pénétrez sans difficulté dans la bouche ouverte de votre hôte. Vous remarquez autour de vous le rose brillant de la ___(1)___ et les dents parfaitement entretenues. En l'espace de quelques secondes, les lèvres se séparent et vous vous trouvez entouré de pain. Pour vous tenir hors du danger, vous reculez rapidement dans le ___(2)___ entre les dents et la joue, seul

_____ 3.

_____ 4.

_____ 5.

_____ 6.

_____ 7.

_____ 8.

_____ 9.

_____ 10.

_____ 11.

_____ 12.

_____ 13.

_____ 14.

_____ 15.

_____ 16.

_____ 17.

moyen de ne pas vous faire broyer. De là, vous pouvez observer avec fascination une série d'orifices qui déversent un liquide dans la cavité et la ___(3)___ qui pilonne et tourne le pain, le mélangeant avec le liquide.

À l'aspect du pain qui commence à changer, vous concluez que le liquide contient une enzyme, l'___(4)___. Vous vous dirigez ensuite vers l'arrière de la cavité orale. Soudainement, les parois qui vous entourent se resserrent et vous êtes emporté par une forte onde. Ce mouvement de propulsion est le ___(5)___, bien sûr. L'onde vous entraîne sans que vous puissiez lui résister, et vous apercevez tout d'un coup à vos pieds deux orifices, l'___(6)___ et le ___(7)___. Juste quand vous essayez de freiner votre descente en posant le pied sur la partie solide qui les sépare, la structure qui se trouve à votre gauche se soulève rapidement et un organe qui ressemble à une trappe, l'___(8)___, vient recouvrir l'orifice. Vous tombez dans les ténèbres. Le passage qui se trouve juste en dessous s'ouvre, et vous atterrissez dans une immense salle dont le sol se hérisse de plis hauts comme des montagnes. Sans aucun doute, vous venez d'arriver dans l'___(9)___. Les plis sont très glissants, car comme vous l'avez lu en préparant votre périple, ils sont recouverts de ___(10)___. Vous observez attentivement les environs quand des sucs sortant de petits trous qui jonchent le « sol » inondent la salle et vous arrosent. Les sucs vous piquent et vous brûlent le visage. Il vous est impossible d'échapper à ce liquide caustique et vous savez qu'il peut attaquer votre peau, car il contient de la ___(11)___ et de l'___(12)___. Tout ce qu'il vous reste à faire, c'est de vous badigeonner le visage avec cette substance glissante qui recouvre les plis. Vous vous dites que si elle peut protéger l'organe contre l'érosion, elle vous protégera aussi. Soulagé, vous vous laissez glisser vers le bas de l'organe et vous vous faufilez par l'étroit orifice du ___(13)___ jusque dans l'organe suivant. Dans la faible lumière, vous voyez à vos pieds des amas de cellulose et des globules volumineux de graisse qui bondissent légèrement tout autour. Vous aimeriez bien continuer vos observations mais, quelques secondes plus tard, vous êtes inondé par une vague de liquide qui gicle d'un trou creusé tout en haut de la paroi. Les globules de graisse commencent à se décomposer, et vous réalisez que ce flot d'enzyme contient de la ___(14)___ et que le trou du mur doit être la sortie du conduit ___(15)___. Vous essayez d'échapper au déluge, vous perdez pied et vous êtes une fois de plus emporté à vive allure par un fort courant. Vous avez l'impression d'être dans des montagnes russes tant vous tournez, montez, descendez, obliquez et pivotez dans la lumière de cet organe extrêmement actif. Pendant que vous déboulez, de petites projections en forme de doigt qui recouvrent la paroi vous caressent gentiment le visage ; ce sont des ___(16)___. Brusquement, votre voyage s'arrête, lorsque vous êtes catapulté par la valve ___(17)___ directement dans l'appendice. Le patron vous informe que votre mission s'arrête là. Votre sortie dépend de votre ingéniosité.

29. Marie prend rendez-vous à la clinique pour se renseigner sur les régimes végétariens. Quels sont les problèmes guettant les personnes qui prennent la décision de devenir végétariennes, sans être adéquatement informées sur les aliments qu'il leur faut consommer? Quelles combinaisons alimentaires devrait choisir Marie pour être sûre qu'elle se procurera tous les acides aminés essentiels?

30. M. Paré, un homme dans la soixantaine, vient voir le médecin à cause de brûlures d'estomac. Il explique que ses douleurs s'aggravent s'il se couche après avoir consommé un repas copieux. M. Paré est obèse; il a 25 kg de trop. Quel est votre diagnostic? Faute de traitement, quelles sont les maladies qui guettent ce patient?

31. La forte vague de chaleur que nous avons connue l'été dernier a incommodé de nombreuses personnes âgées. Dans la majorité des cas, la peau de ces personnes était froide et humide et leur pression artérielle était basse. De quel trouble souffraient-elles? Qu'aurait-on dû faire pour soulager ces symptômes?

32. Pendant la même période, Benoît Bélanger, ouvrier du bâtiment, s'est évanoui sur le chantier. Sa peau était brûlante et sèche, et ses collègues l'ont vu tomber sans crier gare. Quelle a été la raison de ce malaise? Comment aurait-on dû soigner Benoît?

33. Une femme arrive au service des urgences se plaignant d'une forte douleur dans la région inguinale gauche. Elle raconte qu'elle a déjà eu de pareilles crises, que la douleur s'aggrave lorsqu'elle est constipée et que, pour la calmer, elle doit déféquer. À la palpation, le médecin découvre une grosse masse sensible dans la fosse iliaque gauche. Le transit baryté révèle un grand nombre de diverticules dans le côlon descendant et sigmoïde. Que sont les diverticules et pour quelle raison croit-on qu'ils se forment? Cette femme souffre-t-elle de diverticulite ou de diverticulose? Expliquez.

34. Une femme dans la cinquantaine dit qu'elle souffre de ballonnements, de crampes et de diarrhée après avoir consommé du lait. Quelle en est la raison? Comment peut-on régler ce problème?

35. On demande aux personnes qui doivent se soumettre à des prises de sang de ne rien manger au préalable. Comment un technicien de laboratoire peut-il déterminer qu'une personne a « triché » et mangé des aliments gras quelques heures avant le prélèvement ?

36. Une adolescente préoccupée par son embonpoint va depuis deux ans dans une clinique sportive pour se faire suivre. Cette année, son pourcentage de tissu adipeux a augmenté sans que les concentrations de protéines s'élèvent. L'adolescente finit par admettre qu'elle a essayé quatre régimes chocs depuis son dernier rendez-vous et que chaque fois elle a regagné tout son poids (et quelques kilos de plus). Pas fière d'elle-même, elle avoue aussi qu'elle « déteste » faire de l'exercice. Expliquez comment des régimes amaigrissants à répétition, s'accompagnant d'un manque d'exercice, peuvent provoquer une augmentation du tissu adipeux et une diminution de la concentration de protéines.

37. Mme Robert souffre d'un ulcère hémorragique et elle a complètement perdu l'appétit. Le médecin qui l'examine remarque qu'elle est pâle et léthargique. Les analyses sanguines révèlent qu'elle est anémique et que ses globules rouges sont gros et pâles. Quels suppléments minéraux devrait-elle prendre ?

38. Un homme de 21 ans, qui a souffert d'une crise grave d'appendicite et qui n'a pas consulté le médecin assez tôt, est décédé une semaine après que la fièvre et les douleurs abdominales sont apparues. Expliquez pourquoi l'appendicite peut mener rapidement à une issue fatale.

39. Au milieu des années 1960, on a lancé sur les marchés des États-Unis un substitut de graisse hypocalorique (olestra) qui n'était ni digéré ni absorbé. Dès le lancement du produit, on s'est inquiété des déficits en vitamines qu'il pouvait provoquer. De quelle type de vitamines s'agissait-il et d'où venait cette inquiétude ?

40. Vivianne vient d'accoucher sans aucun problème. Peu après la naissance du bébé, une infirmière vient prélever du sang au talon de celui-ci. Elle rassure la mère en lui expliquant que c'est un test de routine qui permet de détecter une maladie métabolique grave provoquant des lésions cérébrales due à une accumulation de toxines. Quelle est cette maladie ? Comment ces toxines se forment-elles ?

Le système urinaire

Le métabolisme cellulaire des nutriments entraîne la formation de divers sous-produits plus ou moins toxiques, comme le gaz carbonique et les déchets azotés (créatinine, urée et ammoniac). Il perturbe également l'équilibre hydrique et celui des ions essentiels. Alors que les déchets du métabolisme et les substances en excès doivent être éliminés de l'organisme, les substances essentielles doivent être retenues pour assurer l'homéostasie du milieu interne et un fonctionnement approprié des organes. L'excrétion fait intervenir plusieurs systèmes organiques, mais le système urinaire en assume la principale responsabilité, car c'est lui qui retire les déchets azotés du sang. En plus d'accomplir cette fonction purement excrétrice, les reins maintiennent l'équilibre hydrique, électrolytique et acidobasique du sang. On peut dire qu'ils font partie des principaux organes de l'homéostasie. Leur dysfonctionnement entraîne des déséquilibres qui peuvent provoquer la mort s'ils ne sont pas corrigés.

Les exercices proposés dans ce chapitre portent sur les structures du système urinaire, ainsi que sur la composition de l'urine et sur les processus physiologiques qui interviennent dans sa formation.

1. Complétez les énoncés suivants. Inscrivez vos réponses sur les lignes prévues à cet effet.

1. _____
2. _____
3. _____
4. _____
5. _____
6. _____
7. _____
8. _____
9. _____
10. _____

On dit que le rein est un organe excréteur, car il excrète les déchets ___(1)___. Il est aussi l'un des principaux organes de l'homéostasie, car il maintient l'équilibre électrolytique, ___(2)___ et ___(3)___ du sang. Les ___(4)___ élaborent continuellement l'urine, qui entre dans les ___(5)___, où elle est poussée par ___(6)___ vers un réservoir appelé ___(7)___. Par la suite, l'urine qui sera éliminée de l'organisme passe par l' ___(8)___. Chez l'homme, ce conduit mesure environ ___(9)___ cm, et chez la femme, environ ___(10)___ cm.

LES REINS

Emplacement et anatomie

2. La figure 15-1 représente la face antérieure du système urinaire. À l'aide de couleurs différentes, coloriez sur l'illustration les structures nommées dans la légende ainsi que les cercles correspondants.

Légende

◯ Rein   ◯ Vessie   ◯ Uretère   ◯ Urètre

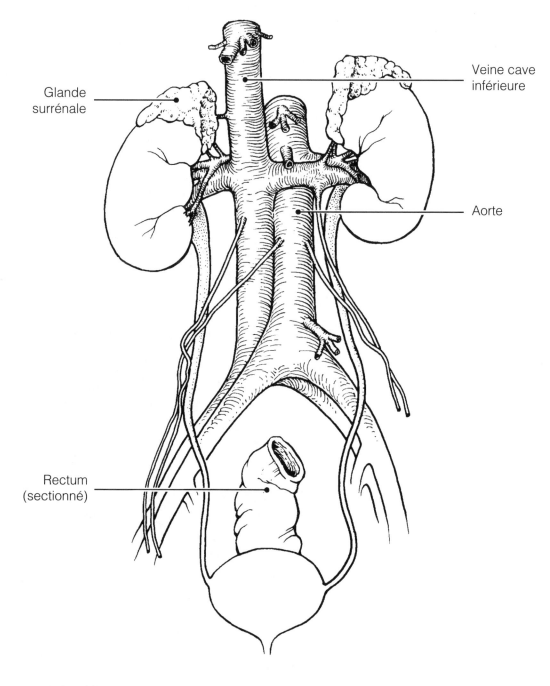

Glande surrénale

Veine cave inférieure

Aorte

Rectum (sectionné)

Figure 15-1

3. La figure 15-2 représente une coupe longitudinale du rein. Trouvez les noms des structures dont il est question dans les six énoncés ci-dessous et ajoutez ces noms sur la figure à côté des lignes de repère appropriées. Choisissez deux couleurs, à l'exception du rouge, et coloriez les structures décrites dans les énoncés 5 et 6 ainsi que les cercles correspondants.

_____ 1. Membrane fibreuse qui entoure les reins.

_____ 2. Région qui ressemble à un tube plat en forme d'entonnoir et qui communique avec l'uretère.

_____ 3. Structure de forme conique qui draine le pelvis.

_____ 4. Prolongement du tissu cortical dans la médulla rénale.

_____ 5. ◯ Région du rein qui contient le plus grand nombre de néphrons.

_____ 6. ◯ Région qui semble parcourue par des rainures, formée presque entièrement de tubules collecteurs.

Enfin, à partir de l'artère rénale, dessinez le réseau vasculaire qui alimente le cortex. N'oubliez pas de montrer l'emplacement des artères interlobaire, arquée et interlobulaire. Coloriez les vaisseaux sanguins en rouge.

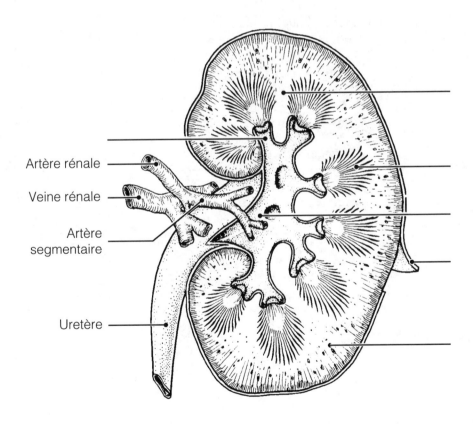

Artère rénale

Veine rénale

Artère segmentaire

Uretère

Figure 15-2

4. Entourez le terme qui n'a pas sa place dans chacun des groupes suivants :

1. Intrapéritonéal   Rein   Rétropéritonéal   Région lombaire supérieure

2. Draine le rein   Uretère   Urètre   Pelvis rénal

3. Capillaire péritubulaire   Réabsorption   Glomérule   Vaisseau à basse pression

4. Appareil juxtaglomérulaire   Tubule distal   Glomérule   Artériole afférente

5. Glomérule   Capillaire péritubulaire   Vaisseau sanguin   Tubule collecteur

6. Néphron cortical   Néphron juxtamédullaire   Jonction corticomédullaire   Long segment grêle

7. Néphron   Tubule contourné proximal   Tubule contourné distal   Tubule collecteur

8. Pyramide médullaire   Glomérule   Pyramide rénale   Tubule collecteur

9. Capsule glomérulaire   Podocyte   Anse du néphron   Glomérule

Néphrons, formation de l'urine et régulation de la composition du sang

5. La figure 15-3 illustre schématiquement un néphron et les vaisseaux sanguins qui l'alimentent. À l'aide de la liste de termes au bas de la figure, nommez les structures numérotées. Inscrivez les réponses sur les lignes ci-dessous. Ensuite, coloriez en vert la structure contenant des podocytes, en rouge l'appareil de filtrage, et en bleu le lit capillaire qui reçoit directement les substances réabsorbées des tubules. Enfin, coloriez en jaune la structure dans laquelle le néphron déverse l'urine et en orange la région qui constitue le principal site de réabsorption tubulaire.

_____ 1.   _____ 9.

_____ 2.   _____ 10.

_____ 3.   _____ 11.

_____ 4.   _____ 12.

_____ 5.   _____ 13.

_____ 6.   _____ 14.

_____ 7.   _____ 15.

_____ 8.

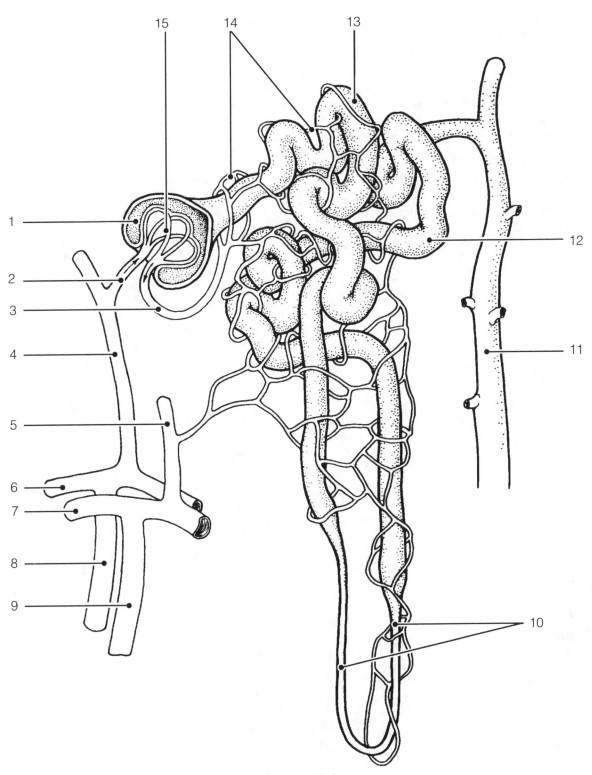

Figure 15-3

Artériole afférente	Tubule contourné distal	Artère interlobulaire
Artère arquée	Artériole efférente	Veine interlobulaire
Veine arquée	Glomérule	Anse du néphron
Capsule glomérulaire	Artère interlobaire	Tubule contourné proximal
Tubule collecteur	Veine interlobaire	Capillaires péritubulaires

6. La figure 15-4 représente un néphron. Montrez où s'accomplissent les diverses fonctions de cette structure en colorant les flèches ainsi que les cercles correspondants dans la légende selon les consignes ci-dessous. Coloriez en **noir** les flèches qui indiquent le siège de formation du filtrat ; en **rouge**, celle du principal lieu de réabsorption des acides aminés et du glucose ; en **vert**, celle de la structure qui réagit le plus à l'action de l'ADH (précisez la direction du mouvement de l'eau) ; en **jaune**, celles des structures qui réagissent le plus à l'action de l'aldostérone (précisez la direction du mouvement des ions Na⁺) ; et en **bleu**, celle du siège de la sécrétion tubulaire.

Indiquez ensuite sur la figure l'emplacement du tubule contourné proximal (TCP), du tubule contourné distal (TCD), de l'anse du néphron, de la capsule glomérulaire et du glomérule. Montrez également l'emplacement du tubule collecteur (qui ne fait pas partie du néphron).

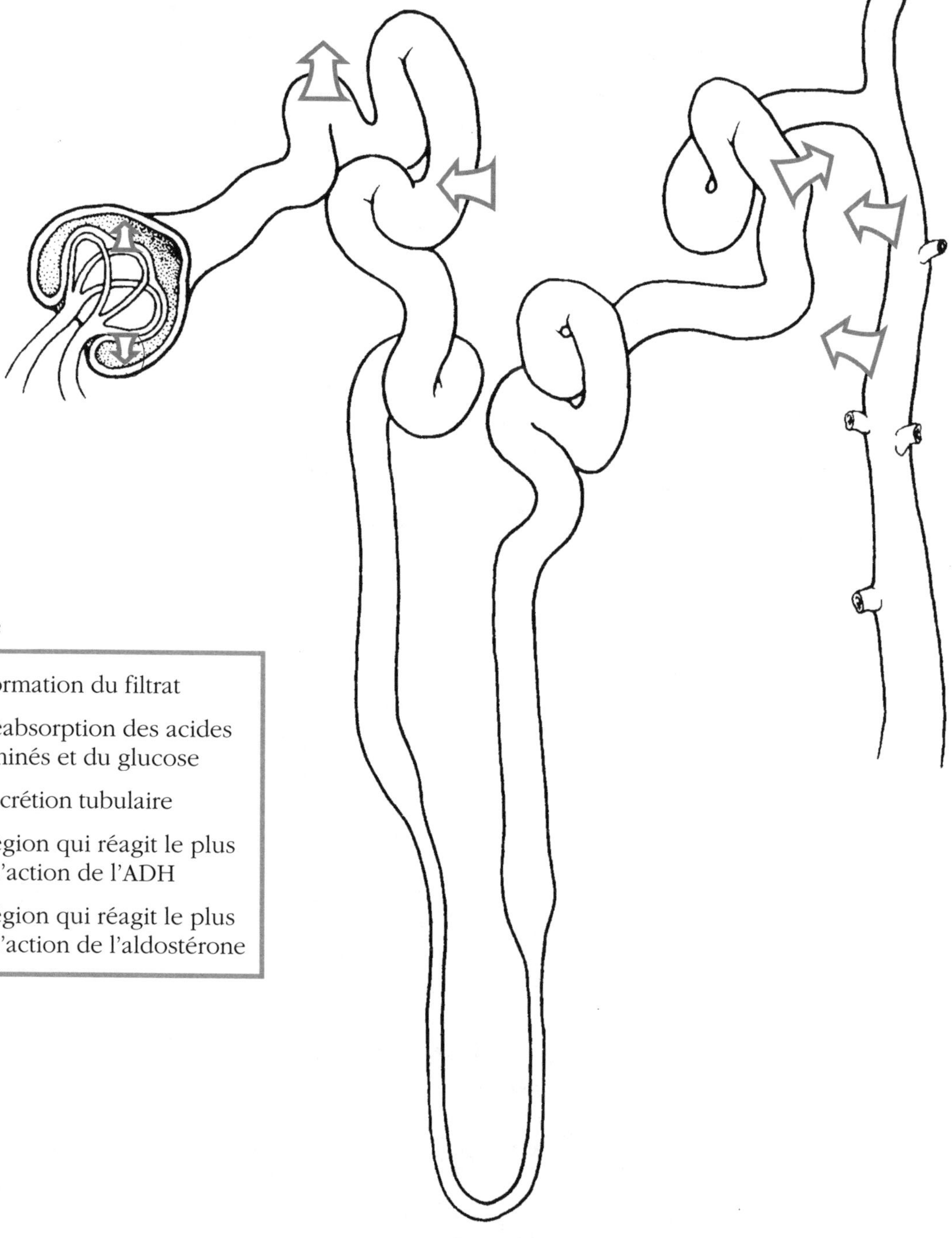

Légende

- ◯ Formation du filtrat
- ◯ Réabsorption des acides aminés et du glucose
- ◯ Sécrétion tubulaire
- ◯ Région qui réagit le plus à l'action de l'ADH
- ◯ Région qui réagit le plus à l'action de l'aldostérone

Figure 15-4

7. Complétez les énoncés suivants. Inscrivez vos réponses sur les lignes prévues à cet effet.

_____ 1.

_____ 2.

_____ 3.

_____ 4.

_____ 5.

_____ 6.

_____ 7.

_____ 8.

_____ 9.

_____ 10.

_____ 11.

_____ 12.

_____ 13.

_____ 14.

_____ 15.

_____ 16.

Le glomérule est un lit capillaire à haute pression, unique dans son genre, parce que l'artériole ___(1)___ qui l'alimente a un plus grand diamètre que l'artériole ___(2)___ qui le draine. Le filtrat glomérulaire est très semblable au ___(3)___, mais il contient moins de protéines. Les mécanismes de réabsorption tubulaire sont notamment la ___(4)___ et le ___(5)___. Pour améliorer le processus de réabsorption, la membrane des cellules du tubule contourné proximal est pourvue de nombreuses ___(6)___ sur sa face apicale, ce qui en accroît fortement la superficie. En plus de la réabsorption, les tubules jouent un autre rôle majeur, soit la ___(7)___; cette dernière est importante, car elle permet d'éliminer de l'organisme des substances qui ne sont pas passées dans le filtrat. La composition du sang dépend de l' ___(8)___, du ___(9)___ et du ___(10)___. Au cours de la journée, les tubules rénaux filtrent environ 180 L de plasma, alors qu'il ne se forme qu'environ ___(11)___ L d'urine. C'est l'___(12)___ qui donne à l'urine sa couleur jaune normale. Les trois principaux déchets azotés qu'on trouve dans le sang, et qu'il faut excréter, sont l'___(13)___, l'___(14)___ et la ___(15)___ Les reins sont en dernier lieu les « juges » qui décident quelle est la quantité d'eau à évacuer de l'organisme. Lorsqu'une trop grande proportion d'eau est perdue sous forme de vapeur par les ___(16)___ et sous forme de ___(17)___ par la peau, le débit urinaire ___(18)___. Si les reins d'une personne ne fonctionnent pas normalement, il faut la soumettre à une ___(19)___ pour débarrasser son sang des impuretés.

_____ 17.

_____ 18.

_____ 19.

8. Entourez le terme qui n'a pas sa place dans chacun des groupes suivants (PA = pression artérielle):

1. Hypothalamus   ADH   Aldostérone   Osmorécepteurs

2. Glomérule   Sécrétion   Filtration $\uparrow$ PA

3. Aldostérone $\uparrow$ Réabsorption de Na^+ $\uparrow$ Réabsorption de K^+ $\uparrow$ PA

4. ADH $\downarrow$ PA $\uparrow$ Volume sanguin $\uparrow$ Réabsorption de l'eau

5. $\downarrow$ Aldostérone   Œdème $\downarrow$ Volume sanguin $\downarrow$ Rétention de K^+

6. $\downarrow$ pH de l'urine $\uparrow$ H^+ urinaire $\uparrow$ HCO_3^- urinaire $\uparrow$ Cétones

9. Indiquez, dans chacun des cas suivants, si l'urine devient plus acide ou plus alcaline. Si elle devient plus acide, inscrivez *A* sur la ligne prévue à cet effet ; si elle devient plus alcaline (basique), inscrivez *B* .

_____ 1. Régime hyperprotéique   _____ 4. Diabète sucré

_____ 2. Infection bactérienne   _____ 5. Régime végétarien

_____ 3. Jeûne   _____ 6. Vomissements

10. Indiquez, dans chacun des cas suivants, si la densité de l'urine s'accroît ou diminue. Sur les lignes prévues à cet effet, inscrivez *A* si elle augmente et *D* si elle diminue.

_____ 1. Consommation d'une quantité excessive de liquides   _____ 4. Prise de diurétiques

_____ 2. Insuffisance rénale chronique   _____ 5. Restriction de l'apport de liquides

_____ 3. Pyélonéphrite   _____ 6. Fièvre

11. Dans des conditions *normales*, lesquelles des substances suivantes se trouvent dans une plus grande concentration (*G*) dans l'urine que dans le filtrat glomérulaire, dans une moindre concentration (*M*) dans l'urine que dans le filtrat glomérulaire ou sont absentes (*A*) de l'urine et du filtrat glomérulaire. Inscrivez les lettres appropriées sur les lignes prévues à cet effet.

_____ 1. Eau   _____ 5. Glucose   _____ 9. Ions potassium

_____ 2. Urée   _____ 6. Albumine   _____ 10. Érythrocytes

_____ 3. Acide urique   _____ 7. Créatinine   _____ 11. Ions sodium

_____ 4. Pus (leucocytes)   _____ 8. Ions hydrogène   _____ 12. Acides aminés

12. Un certain nombre de termes médicaux désignent la présence dans l'urine de substances ou d'éléments qui ne devraient pas normalement s'y trouver. Inscrivez le terme médical correct sur la ligne appropriée et, à côté, sa cause possible.

1. Présence d'érythrocytes : _____   Cause : _____

2. Présence de cétones : _____   Cause : _____

3. Présence d'albumine : _____   Cause : _____

4. Présence de pus : _____   Cause : _____

5. Présence de bile : _____   Cause : _____

6. Présence de «pierres» : _____   Cause : _____

7. Présence de glucose : _____   Cause : _____

13. Normalement, on ne devrait trouver dans l'urine ni glucose, ni albumine et ce, pour des raisons différentes. Répondez aux questions suivantes.

1. Quelle est la raison pour laquelle le glucose est normalement absent de l'urine?_____

_____

2. Quelle est la raison pour laquelle l'albumine est normalement absente de l'urine?_____

_____

14. Quels sont les trois mécanismes de régulation de la concentration des ions H^+ dans les liquides corporels? Indiquez également, dans chacun des cas, le laps de temps approximatif de réponse aux modifications du pH.

1. _____

2. _____

3. _____

15. Entourez le terme qui n'a pas sa place dans chacun des groupes suivants
(CEC = compartiment extracellulaire ; PA = pression artérielle) :

1. Femme adulte   Homme adulte   Environ 50 % d'eau   Moins de muscle

2. Adulte obèse   Adulte maigre   Moins d'eau   Plus de tissu adipeux

3. CEC   Liquide interstitiel   Liquide intracellulaire   Plasma

4. Charge électrique   Non-électrolyte   Ion   Conduction de courant

5. ↑ Débit hydrique   ↓ Concentration de Na^+ ↑ ADH   ↓ ADH

6. Aldostérone   ↑ Réabsorption de Na^+ ↑ Réabsorption de K^+ ↑ PA

URETÈRES, VESSIE ET URÈTRE

16. Entourez le terme qui n'a pas sa place dans chacun des groupes suivants :

1. Vessie   Rein   Épithélium transitionnel   Muscle sphincter de l'urètre

2 Trigone   Orifices urétéraux   Méat urétral   Vessie   Élabore l'urine

3. Passe à l'intérieur de la prostate   Contient deux sphincters, un interne et un externe

   Prolonge le pelvis rénal   Urètre

17. Parmi les termes proposés, trouvez ceux qui correspondent aux descriptions ci-dessous. Inscrivez les lettres ou les termes appropriés sur les lignes prévues à cet effet. (Dans certains cas, plusieurs termes peuvent s'appliquer.)

Termes proposés

A. Vessie   B. Urètre   C. Uretère

_____ 1. Structure qui draine la vessie.

_____ 2. Réservoir où est emmagasinée l'urine.

_____ 3. Organe qui contient le trigone.

_____ 4. Chez l'homme, cette structure est formée de trois parties : prostatique, membranacée et spongieuse.

_____ 5. Structures qui acheminent l'urine par péristaltisme.

_____ 6. Conduit bien plus long chez l'homme que chez la femme.

_____ 7. Siège commun de calculs biliaires « emprisonnés ».

_____ 8. Structures qui contiennent un épithélium transitionnel.

_____ 9. Chez l'homme, conduit qui achemine également les spermatozoïdes.

18. Complétez les énoncés suivants. Inscrivez vos réponses sur les lignes prévues à cet effet.

_____ 1.

_____ 2.

_____ 3.

_____ 4.

_____ 5.

_____ 6.

_____ 7.

_____ 8.

_____ 9.

_____ 10.

_____ 11.   _____ 13.

_____ 12.   _____ 14.

La ___(1)___ est l'émission d'urine. C'est un acte à la fois volontaire et involontaire. L'accumulation d'urine dans la vessie active les ___(2)___, ce qui déclenche des réflexes qui entraînent la ___(3)___ des parois musculaires de la vessie ; l'urine passe par le ___(4)___. La maîtrise du ___(5)___, qui est plus distal, est ___(6)___ ; ainsi on peut retarder la miction s'il n'y a pas plus que ___(7)___ mL d'urine dans la vessie. L'___(8)___ est un trouble caractérisé par l'incapacité de retarder la miction. Cependant, elle est normale chez les ___(9)___, car les nerfs qui régissent le sphincter volontaire ne sont pas encore complètement formés. Les autres causes de l'incapacité de retarder la miction sont les ___(10)___, les ___(11)___ et la ___(12)___. La ___(13)___ est essentiellement contraire à l'incontinence. C'est un problème courant chez les hommes âgés, à cause de l'hypertrophie de la ___(14)___.

19. Associez les termes de la colonne B aux descriptions de la colonne A. Inscrivez les lettres ou les termes appropriés sur les lignes prévues à cet effet.

Colonne A	**Colonne B**
_____ 1. Maladie inflammatoire qui affecte souvent les femmes dont les pratiques hygiéniques sont inadéquates.	A. Cystite
_____ 2. Reflux de l'urine vers les reins, découlant souvent d'un blocage des voies urinaires.	B. Diabète insipide
_____ 3. Toxicité due à l'insuffisance rénale.	C. Hydronéphrose
_____ 4. Inflammation du rein.	D. Néphroptose
_____ 5. Maladie due à la production d'une quantité excessive d'urine, en raison d'un déficit en hormone antidiurétique (ADH).	E. Pyélonéphrite
_____ 6. Chute des reins dans l'abdomen ; elle peut être due à une perte rapide de poids, entraînant l'amincissement de l'enveloppe adipeuse qui entoure les reins.	F. Urémie

DÉVELOPPEMENT ET VIEILLISSEMENT DU SYSTÈME URINAIRE

20. Complétez les énoncés suivants. Inscrivez vos réponses sur les lignes prévues à cet effet.

_____ 1.

_____ 2.

_____ 3.

_____ 4.

_____ 5.

_____ 6.

_____ 7.

_____ 8.

_____ 9.

_____ 10.

Trois systèmes de tubules se développent à tour de rôle chez l'embryon, mais ils n'éliminent pas les déchets azotés. Ceux-ci sont évacués par le ___(1)___. La ___(2)___ est une maladie congénitale, caractérisée par la présence dans le rein du bébé de nombreux kystes remplis d'urine. L'___(3)___ est une anomalie congénitale observée chez les bébés de sexe ___(4)___ ; il s'agit de l'ouverture de l'urètre sur la face ventrale du pénis. Le nouveau-né urine souvent, car sa ___(5)___ est petite. La maîtrise volontaire diurne du muscle sphincter est acquise habituellement vers l'âge de ___(6)___ mois. Les infections des voies urinaires sont assez courantes ; habituellement, elles ne s'aggravent pas si elles sont adéquatement traitées. Une maladie particulièrement problématique, appelée ___(7)___, qui survient à l'âge adulte, est une séquelle d'une infection streptococcique contractée durant l'enfance. Elle se caractérise par l'engorgement des reins par des complexes ___(8)___, la diminution du débit urinaire et la présence dans l'urine de ___(9)___ et de ___(10)___. Chez la personne âgée, l'___(11)___ évolutive des vaisseaux sanguins rénaux finit par causer la mort des cellules ___(12)___. La perte du tonus de la vessie entraîne des ___(13)___ et la ___(14)___, problèmes particulièrement pénibles, qui affligent les personnes âgées.

_____ 11.   _____ 13.

_____ 12.   _____ 14.

UN VOYAGE EXTRAORDINAIRE

Exercice de visualisation pour tester vos connaissances sur le système urinaire

… À travers la paroi artérielle, vous reconnaissez le rein d'après sa couleur brun-rouge caractéristique…

21. Complétez le récit en inscrivant les mots qui manquent sur les lignes prévues à cet effet.

_____ 1.

_____ 2.

_____ 3.

_____ 4.

_____ 5.

_____ 6.

_____ 7.

_____ 8.

_____ 9.

_____ 10.

_____ 11.

_____ 12.

_____ 13.

_____ 14.

Pour votre voyage dans le système urinaire, on doit vous miniaturiser suffisamment pour vous permettre de passer de la circulation sanguine à un ____(1)____ rénal par la membrane de filtration. On vous injecte dans la veine subclavière de votre hôte et vous devez traverser le cœur pour pénétrer dans la circulation artérielle. Une fois dans la grande circulation, vous pouvez relaxer pendant à peine deux minutes et vous voilà dans l'artère ____(2)____ qui alimente le rein. À travers la paroi artérielle, vous reconnaissez celui-ci d'après sa couleur brun-rouge caractéristique. À mesure que vous avancez dans l'organe, les vaisseaux sanguins rapetissent de plus en plus, jusqu'à ce que vous touchiez l'artériole ____(3)____, qui alimente l'appareil de filtration, soit le ____(4)____. Vous entrez bientôt dans le filtre et vous vous positionnez juste devant un pore. En une fraction de seconde, vous êtes projeté à travers la membrane de filtration dans la ____(5)____ du néphron. Vous sortez votre éprouvette et vous la remplissez d'un premier échantillon de filtrat. Vous le testez et notez que sa composition ressemble beaucoup à celle du ____(6)____, à une exception près : les ____(7)____ sont pratiquement inexistantes. Vous n'avez pas d'autre échantillon à prélever avant d'arriver dans la région où le tubule fait un virage en épingle à cheveux ou, pour utiliser la bonne terminologie, l'____(8)____. Vous continuez votre voyage et remarquez que les cellules tubulaires sont pourvues de petites projections en forme de doigts qui pénètrent dans la lumière du tubule. Ce sont des ____(9)____, qui agrandissent la superficie de cette partie du tubule, activement engagée dans la ____(10)____. Peu après, vous prélevez votre deuxième échantillon et, ensuite, le dernier, dès votre arrivée dans le tubule contourné distal. Une fois que votre ordinateur a analysé ce troisième échantillon, vous pouvez prendre en note les résultats suivants :

- Le filtrat ne contient aucun nutriment, tel que le ____(11)____ et les ____(12)____.

- Le pH est acide. Il se situe à 6,0, ce qui représente une grande différence par rapport au pH de ____(13)____ du filtrat nouvellement formé.

- Les déchets ____(14)____ se trouvent ici à une concentration beaucoup plus élevée.

_____ 15.

_____ 16.

_____ 17.

_____ 18.

_____ 19.

_____ 20.

_____ 21.

_____ 22.

_____ 23.

_____ 24.

• Il y a bien moins d'ions ___(15)___, mais plus d'ions ___(16)___ qu'auparavant.

• Le filtrat est jaune, ce qui indique une concentration relativement élevée d'un pigment appelé ___(17)___.

Graduellement, vous vous apercevez que vous accélérez. Le niveau de l'eau a chuté considérablement, et le courant est trouble et rapide. Vous tirez la conclusion que l'hormone ___(18)___ vient d'être libérée, ce qui explique cette baisse du niveau de l'eau. Vous tournez brusquement à droite et vous vous mettez à tomber à la verticale. Vous comprenez que vous vous trouvez dans le ___(19)___. En l'espace de quelques secondes, vous nagez au milieu d'une grande mer étale. L'eau est basse et vous pouvez voir, au loin, sur l'autre rive, une structure de couleur foncée. Vous vous en rappro-chez sans peur de vous égarer, car vous savez que vous êtes dans le ___(20)___ rénal. Vous entrez dans cette structure tubulaire et, une fois dedans, vous progressez par des poussées rythmiques (on dirait que vous êtes de la viande hachée qu'on fait entrer dans une peau de saucisse). Vous comprenez vite que ce sont des ___(21)___ qui vous font avancer. Brus-quement, vous êtes projeté dans le vide et vous plongez dans l'___(22)___ qui s'est accumulée dans la vessie. Bientôt, les parois de la vessie commencent à onduler, et vous réalisez que vous êtes témoin du réflexe de la ___(23)___. Quelques instants plus tard, vous êtes éjecté de la vessie, traversez l'___(24)___ et quittez votre hôte.

RÉFLEXION ET APPLICATION

22. Un homme piétiné par son cheval vient d'être admis à l'hôpital. Il a des lésions par écrasement dans le bas du dos, des deux côtés. Il souffre terriblement, et il est indiqué dans son dossier que son débit urinaire au cours des 24 dernières heures est de 70 mL. Quel est le nom de ce symptôme? Que doit-on faire si les effets rénaux de ce traumatisme persistent?

23. Eddie, un garçonnet de 4 ans, mouille son lit presque toutes les nuits. Comment pourriez-vous expliquer son problème?

24. Si, à cause d'une tumeur, les cellules sécrétrices de glucocorticoïdes du cortex surrénal évincent les cellules productrices d'aldostérone, quel changement doit-on s'attendre à observer dans la composition et le volume de l'urine?

25. Jean commence à ressentir les effets du stress élevé auquel il est exposé depuis quelque temps. Sachant que le stress stimule le cortex surrénal en agissant sur l'hypothalamus et l'hypophyse, expliquez la cause des maux de tête intenses qui accablent Jean.

26. M. Marcel est emmené à l'urgence en état d'ébriété. Il vient de faire une chute sur les marches de la mairie pendant une manifestation. Il dit qu'il a la bouche pâteuse. Sachant que l'alcool inhibe l'action de l'ADH, vous lui expliquez la cause de la sécheresse buccale qui l'affecte. Que lui dites-vous?

27. M. Bertin appelle la clinique en état de grande panique: la fréquence respiratoire de sa femme est très rapide et elle n'arrive plus à prononcer les mots correctement. Peu après, elle tombe dans le coma. Les analyses montrent que sa glycémie et sa cétonémie sont élevées, et M. Bertin explique qu'elle urinait toutes les cinq minutes avant de sombrer dans la léthargie. Quel est le trouble dont souffre Mme Bertin? Son pH sanguin est-il, selon vous, acide ou alcalin? Pour quelle raison sa fréquence respiratoire est-elle élevée? Au cours de cette crise, les ions bicarbonate sont-ils sécrétés ou réabsorbés par ses reins?

28. De nombreux employeurs exigent que les candidats à un nouveau poste soient soumis à des analyses d'urine avant l'embauche. Quel est l'aspect du fonctionnement rénal qui les intéresse?

29. Deux semaines après sa naissance, le bébé de Rose a des diarrhées et des vomissements pendant plusieurs jours de suite. Sachant que cela peut amener des déséquilibres hydrique, électrolytique et acidobasique, dites pourquoi ces symptômes sont beaucoup plus inquiétants chez un nourrisson que chez un adulte.

Le système génital

La fonction biologique du système génital est la production d'une descendance.
Les organes essentiels sont ceux qui produisent des gamètes (les testicules chez l'homme
et les ovaires chez la femme). La fonction génitale de l'homme est d'élaborer des spermatozoïdes et de les introduire dans les voies génitales de la femme. Celle-ci élabore des
ovules. Lorsque le moment est approprié, ces deux gamètes s'unissent pour former un
zygote, qui est la toute première cellule d'un nouvel individu. Lorsque la fécondation se
produit, l'utérus de la femme constitue l'environnement protecteur dans lequel se
développe l'embryon.

Les exercices de ce chapitre portent sur la structure des systèmes génitaux de l'homme
et de la femme, sur la formation des gamètes, sur le cycle menstruel et sur le développement de l'embryon.

ANATOMIE DU SYSTÈME GÉNITAL DE L'HOMME

1. À l'aide des termes suivants, retracez le trajet des spermatozoïdes des testicules
   à l'urètre : rété testis, épididyme, tubule séminifère, conduit déférent. Inscrivez
   ci-dessous les termes dans l'ordre approprié.

   _____ ⟶ _____ ⟶ _____ ⟶ _____

2. De quelle manière les muscles du scrotum aident-ils à maintenir la température
   des testicules relativement stable?

   _____

   _____

   _____

3. À l'aide des termes proposés, nommez les structures qui correspondent aux descriptions ci-dessous. Inscrivez les lettres ou les termes appropriés sur les lignes prévues à cet effet.

Termes proposés

A. Glandes bulbo-urétrales   E. Pénis   I. Scrotum

B. Épididyme   F. Prépuce   J. Cordon spermatique

C. Conduit déférent   G. Prostate   K. Testicules

D. Gland du pénis   H. Vésicules séminales L. Urètre

_____ 1. Organe qui introduit les spermatozoïdes dans les voies génitales de la femme.

_____ 2. Lieu de production de la testostérone.

_____ 3. Conduit qui mène de l'épididyme au conduit éjaculateur.

_____ 4. Conduit qui achemine l'urine et le sperme le long du pénis.

_____ 5. Quatre organes qui contribuent à la formation du sperme, ou liquide séminal.

_____ 6. Sac de peau qui abrite les testicules.

_____ 7. Conduit sinueux où séjournent les spermatozoïdes ; il repose sur la face latérale du testicule.

_____ 8. Repli de peau qui entoure le gland du pénis.

_____ 9. Glande qui entoure la partie de l'urètre située directement sous la vessie et qui sécrète un liquide laiteux.

_____ 10. Glandes qui sécrètent plus de 50 % du volume du sperme.

_____ 11. Glandes qui produisent un épais mucus servant à nettoyer l'urètre.

_____ 12. Gaine de tissu conjonctif qui entoure le conduit déférent, les vaisseaux sanguins et les nerfs desservant le testicule.

4. La figure 16-1 représente une coupe sagittale des structures génitales de l'homme. Indiquez, en vous servant des lignes de repère, où se trouvent les structures suivantes.

Glande bulbo-urétrale	Épididyme	Scrotum
Conduit déférent	Prépuce	Vésicule séminale
Gland du pénis	Prostate	Testicule
Conduit éjaculateur	Urètre	

Ensuite, nommez les structures dont il est question dans les énoncés ci-dessous, puis coloriez à l'aide de couleurs différentes chacune de ces structures ainsi que les cercles correspondants.

_____ ◯ 1. Tissu spongieux qui se remplit de sang pendant l'érection.

_____ ◯ 2. Conduit qui fait aussi partie du système urinaire.

_____ ◯ 3. Structure qui assure des conditions idéales de température pour la formation des spermatozoïdes.

_____ ◯ 4. Structure excisée par circoncision.

_____ ◯ 5. Glandes dont la sécrétion contient du sucre pour nourrir les spermatozoïdes.

_____ ◯ 6. Conduit qui est ligaturé ou cautérisé en cas de vasectomie.

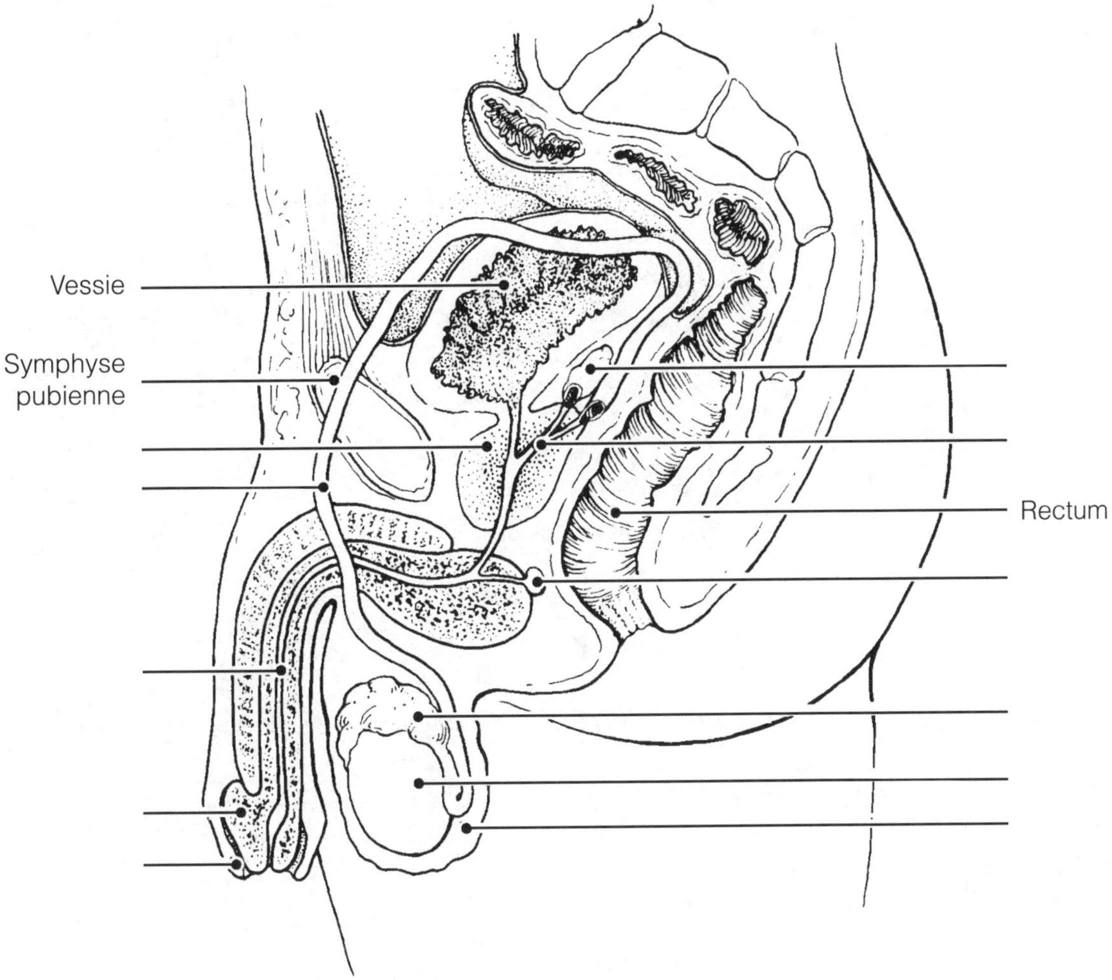

Vessie

Symphyse
pubienne

Rectum

Figure 16-1

5. La figure 16-2 représente une coupe longitudinale d'un testicule. Indiquez, en vous servant des lignes de repère, où se trouvent les éléments suivants : lobule, rété testis et cloison du testicule. Ensuite, nommez les structures dont il est question dans les énoncés ci-dessous, puis coloriez à l'aide de couleurs différentes chacune de ces structures ainsi que les cercles correspondants.

_____ ◯ 1. Siège de la spermatogenèse.

_____ ◯ 2. Structure tubulaire où les spermatozoïdes mûrissent et deviennent mobiles.

_____ ◯ 3. Couche de tissu fibreux qui protège les testicules.

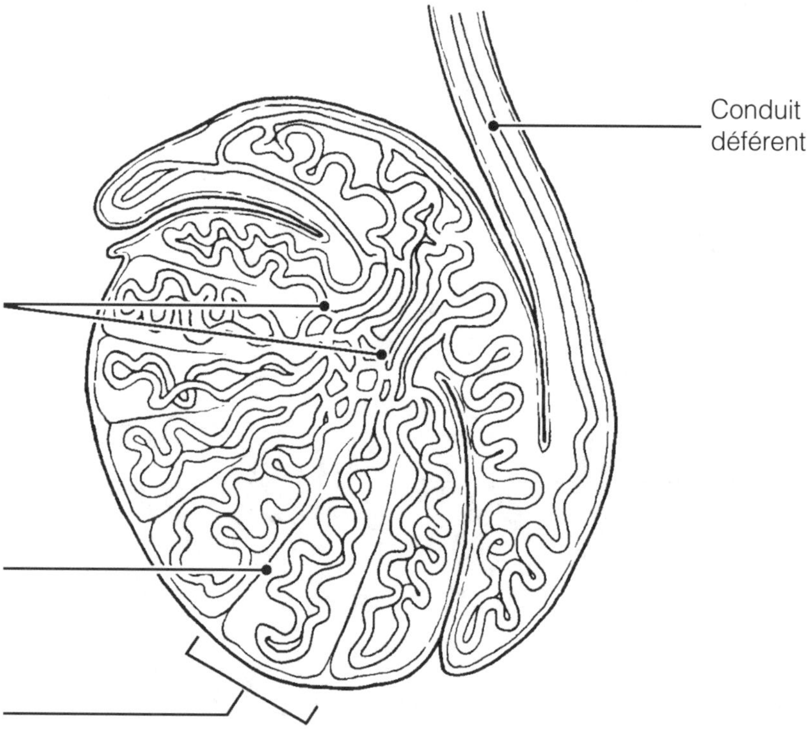

Conduit
déférent

Figure 16-2

FONCTIONS DU SYSTÈME GÉNITAL CHEZ L'HOMME

6. Penchons-nous maintenant sur la production des spermatozoïdes dans les testicules. La figure 16-3 représente une coupe transversale d'un tubule séminifère pendant la spermatogenèse. Trouvez, parmi les termes proposés, ceux qui correspondent aux descriptions numérotées.

Termes proposés

A.　　Hormone folliculostimulante (FSH)   E. ◯ Spermatozoïde

B. ◯ Spermatocyte de premier ordre   F. ◯ Spermatide

C. ◯ Spermatocyte de deuxième ordre   G.　　Testostérone

D. ◯ Spermatogonie

_____ 1. Cellule souche primitive.

_____ 2. Contiennent 23 chromosomes (3 réponses).

_____ 3. Produit de la méiose I.

_____ 4. Produit de la méiose II.

_____ 5. Gamète mobile fonctionnel.

_____ 6. Deux hormones nécessaires à la production de spermatozoïdes.

Ensuite, ajoutez sur la figure le nom des cellules indiquées par des lignes de repère.
À l'aide de couleurs différentes, coloriez les cellules dont le nom est précédé d'un
cercle dans la liste de termes proposés. Coloriez aussi les cercles. Enfin, indiquez sur
la figure l'emplacement des cellules qui produisent de la testostérone et coloriez-les.

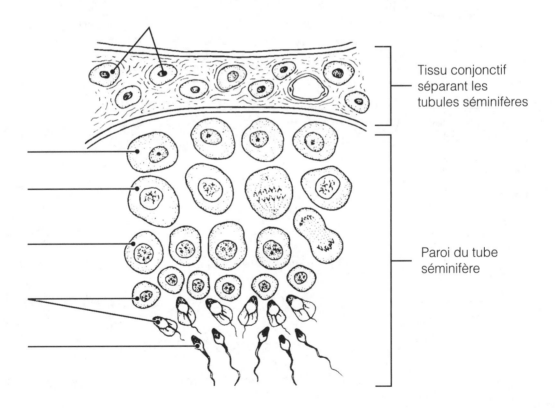

Tissu conjonctif
séparant les
tubules séminifères

Paroi du tube
séminifère

Figure 16-3

7. La figure 16-4 illustre un spermatozoïde. Indiquez par des accolades où se trouvent la tête et la pièce intermédiaire. Montrez également l'emplacement de la queue. À l'aide de couleurs différentes, coloriez sur l'illustration les structures dont il est question ci-dessous ainsi que les cercles correspondants. Trouvez enfin le terme correct pour chacune de ces structures et inscrivez-le sur la ligne prévue à cet effet.

_____ ◯ 1. Partie contenant l'ADN

_____ ◯ 2. Sac contenant des enzymes qui facilitent la pénétration du spermatozoïde dans l'ovule

_____ ◯ 3. Organites qui fournissent l'ATP nécessaire pour produire les mouvements en coup de fouet des spermatozoïdes

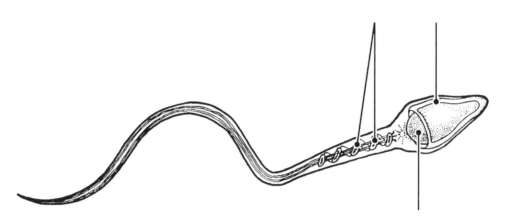

Figure 16-4

8. Les énoncés ci-dessous se rapportent à la division cellulaire. À l'aide des termes proposés, indiquez le type de division cellulaire dont il s'agit dans chaque cas. Inscrivez la lettre ou le terme approprié sur la ligne prévue à cet effet.

Termes proposés

A. Mitose   B. Méiose   C. Mitose et méiose

_____ 1. Il en résulte deux cellules filles, ayant chacune 46 chromosomes.

_____ 2. Il en résulte quatre cellules filles, ayant chacune 23 chromosomes.

_____ 3. Les quatre phases, soit la prophase, la métaphase, l'anaphase et la télophase, en font partie.

_____ 4. S'observe(nt) dans tous les tissus de l'organisme.

_____ 5. Seulement les cellules des gonades en sont capables.

_____ 6. Type de division qui permet d'augmenter le nombre de cellules nécessaires à la croissance et à la réparation tissulaire.

_____ 7. Le nombre et le type de chromosomes de la cellule mère et des cellules filles sont identiques.

_____   8. Les chromosomes des cellules filles et de la cellule mère ne sont pas identiques.

_____   9. Les chromosomes se répliquent avant le début de la division.

_____   10. Type de division qui fournit les cellules nécessaires à la production de la descendance.

_____   11. Type de division cellulaire consistant en deux divisions consécutives du noyau ; les chromosomes ne se répliquent pas avant la deuxième division.

9. Nommez quatre caractères sexuels secondaires chez l'homme. Inscrivez vos réponses ci-dessous.

_____

_____

_____

_____

ANATOMIE DU SYSTÈME GÉNITAL DE LA FEMME

10. Nommez les structures du système génital de la femme dont il est question dans les énoncés ci-dessous. Inscrivez vos réponses sur les lignes prévues à cet effet.

_____Utérus_____   1. Organe creux qui héberge l'embryon jusqu'à la naissance.

_____Vagin_____   2. Conduit qui reçoit le pénis durant l'acte sexuel.

_____trompe de fallope_____   3. Siège habituel de la fécondation.

_____clitoris_____   4. Structure qui entre en érection lorsqu'elle est stimulée.

_____trompe de fallope_____   5. Conduit par lequel l'ovule fécondé est acheminé vers l'utérus.

_____hymen_____   6. Membrane qui ferme presque entièrement l'orifice vaginal.

_____Vagin_____   7. Principal organe génital de la femme.

_____franges_____   8. Projections ciliées dont les mouvements facilitent l'entrée de l'ovocyte dans la trompe utérine (de Fallope).

11. La figure 16-5 représente une coupe sagittale des organes génitaux de la femme. Commencez par identifier toutes les structures indiquées par des lignes de repère. Ensuite, nommez les structures dont il est question dans les énoncés ci-dessous, puis coloriez chacune de ces structures ainsi que les cercles correspondants.

Endomètre ◯ 1. Tunique muqueuse de la cavité utérine

myomètre ◯ 2. Couche de tissu musculaire de l'utérus

trompe de ◯ 3. Conduit emprunté par l'ovocyte après l'ovulation et jusqu'à son
fallope implantation dans l'utérus

ligament ◯ 4. Ligament qui soutient l'utérus

Ovaire ◯ 5. Structure qui produit les gamètes et synthétise la majorité
des hormones sexuelles femelles

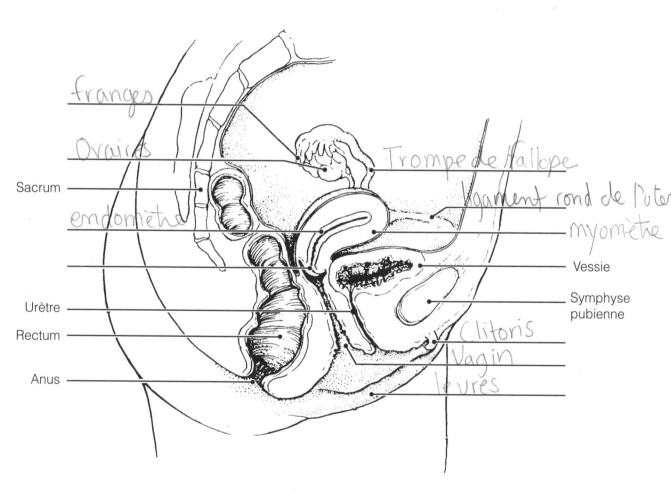

Figure 16-5

12. La figure 16-6 est une vue antérieure des organes génitaux externes de la femme. Montrez l'emplacement du clitoris, des petites lèvres, du méat urétral, de l'hymen, du mont du pubis et de l'orifice vaginal. Ces structures sont indiquées par des lignes de repère. Coloriez ensuite en bleu la structure qui est l'homologue du pénis et en jaune la membrane qui ferme partiellement le vagin.

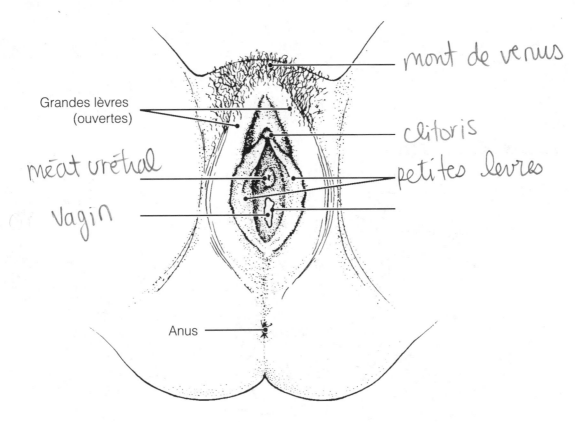

Grandes lèvres (ouvertes)

mont de venus

clitoris

petites levres

méat uréthal

Vagin

Anus

Figure 16-6

FONCTIONS ET CYCLES DU SYSTÈME GÉNITAL DE LA FEMME

13. À l'aide des termes proposés, nommez les cellules dont il est question dans les énoncés numérotés. Inscrivez les lettres ou les termes appropriés sur les lignes prévues à cet effet.

Termes proposés

A. Ovogonies

B. Ovocytes de premier ordre

C. Ovocytes de deuxième ordre

D. Ovule

_____ 1. Cellules qui forment les follicules primordiaux.

_____ 2. Cellules qui se trouvent dans la trompe utérine avant la fécondation.

_____ 3. Cellules qu'on trouve dans les follicules ovariques mûrs

_____ 4. Ovocyte qui se trouve dans la trompe utérine, peu de temps après sa pénétration par un spermatozoïde.

14. La figure 16-7 représente une coupe de l'ovaire. Commencez par nommer les structures indiquées par des lignes de repère. Ensuite, nommez les structures dont il est question dans les énoncés ci-dessous, puis coloriez à l'aide de couleurs différentes chacune de ces structures ainsi que les cercles correspondants.

_____ ◯ Cellules productrices d'œstrogènes

_____ ◯ Structure glandulaire qui produit la progestérone

◯ Tous les ovocytes

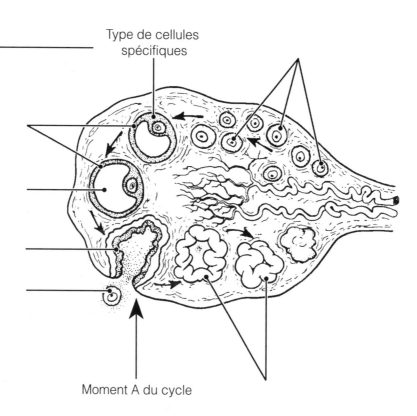

Figure 16-7

Puis, nommez le moment A du cycle illustré sur la figure. _____

Enfin, répondez aux questions suivantes. Inscrivez vos réponses sur les lignes prévues à cet effet.

1. L'ovaire de la femme mûre contient-il des ovogonies? _____

2. Où est éjecté l'ovocyte au moment de l'ovulation? _____

3. À quel moment se forme l'ovule? _____

4. Quelle est la structure de l'ovaire qui se transforme en corps jaune? _____

5. Quels sont les deux types de cellules produites par l'ovogenèse? (Nommez le type et précisez-en le nombre.) _____

6. En quoi cette production est-elle différente chez l'homme? _____

7. Qu'arrive-t-il aux petites cellules virtuellement dépourvues de cytoplasme, produites au cours

de l'ovogenèse? _____

8. Quelle en est la raison? _____

9. Quel est le nom de la période de la vie de la femme durant laquelle sa fonction ovarienne

commence à décliner? _____

15. Les trompes utérines ne sont pas en contact direct avec l'ovaire. Quelles sont les
conséquences de ce fait sur le plan de la reproduction? Y a-t-il aussi un risque
pour la santé?

_____

_____

_____

16. Les énoncés suivants portent sur le lien entre les hormones adénohypophysaires et
les hormones ovariennes. Nommez les hormones définies dans chacun des énoncés.
Inscrivez vos réponses sur les lignes prévues à cet effet.

_____ 1. Hormone qui stimule la croissance des follicules et la production
d'œstrogènes.

_____ 2. Hormone qui déclenche l'ovulation.

_____ 3. Deux hormones qui inhibent la libération d'hormone folliculostimulante
(FSH) par l'adénohypophyse.

_____ 4. Hormones qui stimulent la libération d'hormone lutéinisante
par l'adénohypophyse.

_____ 5. Hormone qui transforme le follicule rompu en corps jaune et stimule
celui-ci pour qu'il produise des œstrogènes et de la progestérone.

_____ 6. Hormone qui maintient la production hormonale du corps jaune.

17. Nommez quatre caractères sexuels secondaires chez la femme. Inscrivez vos
réponses sur les lignes prévues à cet effet.

_____   _____

_____   _____

18. À l'aide des termes proposés, nommez les hormones dont il est question dans les énoncés numérotés. (Les deux termes peuvent s'appliquer.)

Termes proposés

A. Œstrogènes   B. Progestérone

_____ 1. Lorsque la libération de ces hormones cesse, les vaisseaux sanguins de l'endomètre deviennent tortueux et celui-ci commence à se desquamer.

_____ 2. Hormone qui déclenche la sécrétion de nutriments par les glandes de l'endomètre.

_____ 3. Hormones qui stimulent la reconstitution de l'endomètre, et l'aident à épaissir et à acquérir de nouveau une surface veloutée.

_____ 4. Hormone qui maintient le myomètre dans un état d'inactivité si l'embryon s'est implanté dans l'utérus.

_____ 5. Hormone qui stimule la formation de glandes dans l'endomètre.

_____ 6. Hormones qui déterminent les caractères sexuels secondaires chez la femme.

19. L'exercice suivant porte sur la figure 16-8 A à D.

À la figure 16-8A, on indique les concentrations sanguines de deux hormones gonadotropes (LH et FSH) produites par l'adénohypophyse. Distinguez chacune de ces hormones sur la figure, selon sa concentration dans le sang. Ensuite, coloriez les courbes de concentration à l'aide de couleurs différentes.

Sur la figure 16-8B, indiquez à quelles hormones produites par les ovaires (œstrogènes et progestérone) appartiennent les courbes de concentration sanguine. Coloriez ces courbes à l'aide de couleurs différentes.

Passez ensuite à la figure 16-8C. À l'aide de couleurs différentes, coloriez sur les dessins les structures nommées dans la légende ci-dessous, ainsi que les cercles correspondants.

Légende

◯ Follicule primaire   ◯ Follicule en croissance

◯ Follicule mûr   ◯ Corps jaune

◯ Ovulation

À l'aide de couleurs différentes, coloriez sur la figure 16-8D les phases, ainsi que les cercles correspondants, qui sont nommées dans la légende ci-dessous et qui correspondent aux changements que subit l'endomètre au cours du cycle menstruel.

Légende

◯ Phase sécrétoire   ◯ Menstruation   ◯ Phase proliférative

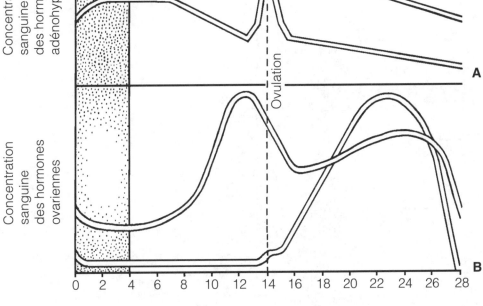

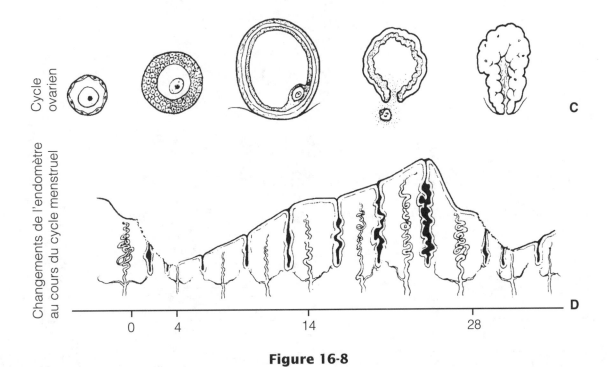

Figure 16-8

GLANDES MAMMAIRES

20. La figure 16-9 représente une coupe sagittale d'un sein. D'abord, à l'aide des termes suivants, nommez les structures indiquées par des lignes de repère :

Lobules (ou glandes) alvéolaires   Aréole   Conduits lactifères   Mamelon

Ensuite, coloriez en bleu les structures productrices de lait et en jaune, le tissu adipeux.

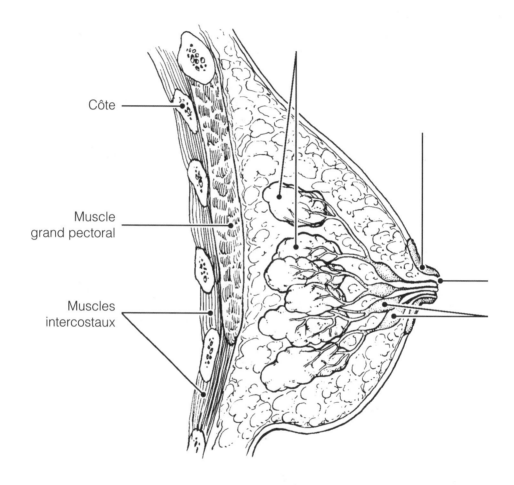

Côte

Muscle
grand pectoral

Muscles
intercostaux

Figure 16-9

GROSSESSE ET DÉVELOPPEMENT EMBRYONNAIRE

21. Relativement à la pénétration du spermatozoïde :

Quelle est la partie du spermatozoïde qui entre effectivement dans l'ovocyte?_____

Quelle est le rôle de la réaction acrosomiale?_____

_____

_____

22. La figure 16-10 illustre les premières étapes du développement de l'embryon après la fécondation. Pour les questions 1 à 5, nommez les étapes et les types de cellules représentés sur la figure. Ensuite répondez à la question 6.

1. Étape A _____

2. Cellule issue de l'étape A _____

3. Étape B _____

4. Structure embryonnaire B_1 _____

5. Étape C _____

6. Si le spermatozoïde pénétrait dans un globule polaire plutôt que dans un ovocyte de deuxième ordre et si les deux noyaux venaient à fusionner, pourquoi cette «cellule fécondée» ne pourrait-elle pas devenir un embryon?

_____

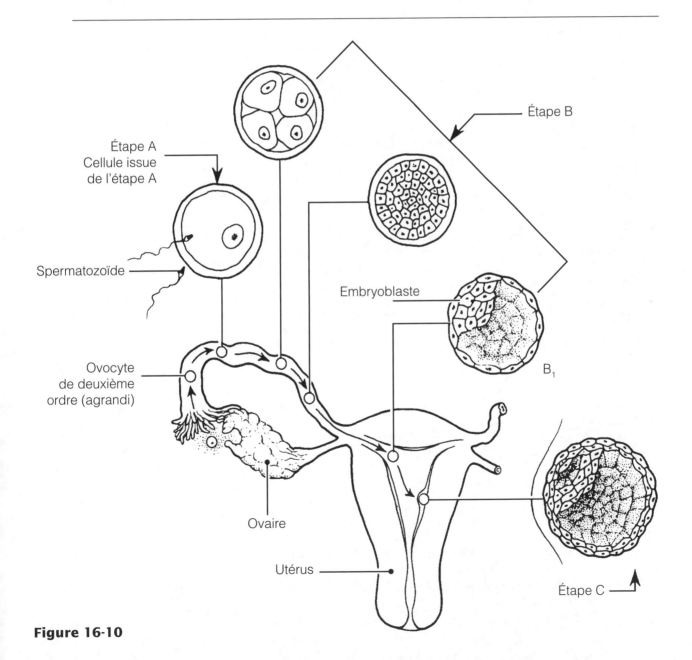

Figure 16-10

23. Associez les termes proposés aux énoncés numérotés. Inscrivez les réponses appropriées sur les lignes prévues à cet effet.

Termes proposés

A. Amnios   D. Fécondation   G. Cordon ombilical

B. Villosités chorioniques   E. Fœtus   H. Zygote

C. Endomètre   F. Placenta

_____ 1. Ovule fécondé.

_____ 2. Organe qui sécrète des œstrogènes et de la progestérone pour assurer le maintien de la grossesse.

_____ 3. Deux structures qui participent à la formation du placenta.

_____ 4. Sac rempli de liquide, qui entoure l'embryon et le fœtus pendant son développement.

_____ 5. Structure qui attache l'embryon au placenta.

_____ 6. Projections digitiformes du blastocyste.

_____ 7. Nom de l'embryon après 8 semaines.

_____ 8. Organe qui nourrit le fœtus et qui le débarrasse de ses déchets.

_____ 9. Phénomène menant au regroupement des gènes de l'ovule et du spermatozoïde.

24. Expliquez pour quelle raison le corps jaune continue de produire des hormones (œstrogènes et progestérone) après la fécondation.

_____

_____

25. Les premiers «tissus» de l'embryon sont les feuillets embryonnaires:

A. Ectoderme   B. Mésoderme   C. Endoderme

Quels sont les feuillets à partir desquels se développent les organes suivants? Inscrivez vos réponses sur les lignes prévues à cet effet.

_____ 1. Le cœur et les vaisseaux sanguins   _____ 5. L'épiderme

_____ 2. La muqueuse du système digestif   _____ 6. Les os

_____ 3. L'encéphale et la moelle épinière   _____ 7. La muqueuse du système respiratoire

_____ 4. Les muscles squelettiques   _____ 8. Le foie et le pancréas

26. Quelles sont les deux hormones qui déclenchent le vrai travail de l'accouchement?

_____

27. 1. Quelle est l'hormone qui déclenche la production de lait? _____

2. Quelle est l'hormone qui provoque l'éjection du lait? _____

28. Au cours de la grossesse, le corps de la femme subit de nombreux changements anatomiques, métaboliques et physiologiques. Indiquez par un crochet (√) les phénomènes qui accompagnent la grossesse.

_____ 1. La descente du diaphragme est entravée.

_____ 2. Le volume des seins diminue.

_____ 3. Les ligaments pelviens se relâchent sous l'effet de la rélaxine.

_____ 4. La capacité vitale (une des capacités respiratoires) diminue.

_____ 5. La lordose est fréquente.

_____ 6. La pression artérielle et la fréquence du pouls diminuent.

_____ 7. Le métabolisme ralentit.

_____ 8. La motilité du tube digestif augmente.

_____ 9. Le volume sanguin et le débit cardiaque augmentent.

_____ 10. Les nausées, les brûlures d'estomac et la constipation sont fréquentes.

_____ 11. La dyspnée peut survenir.

_____ 12. La femme a un besoin urgent d'uriner et souffre d'incontinence à l'effort.

29. Définissez les contractions de Braxton-Hicks et expliquez pour quelle raison elles se produisent.

_____

_____

_____

_____

30. Nommez les trois périodes de la parturition et décrivez brièvement chacune d'entre elles.

1. _____

_____

2. _____

_____

3. _____

_____

31. La figure 16-11 est une illustration très schématique du déroulement du travail. Complétez-la en inscrivant dans les cases les termes qui manquent. Coloriez les éléments du diagramme avec des couleurs de votre choix.

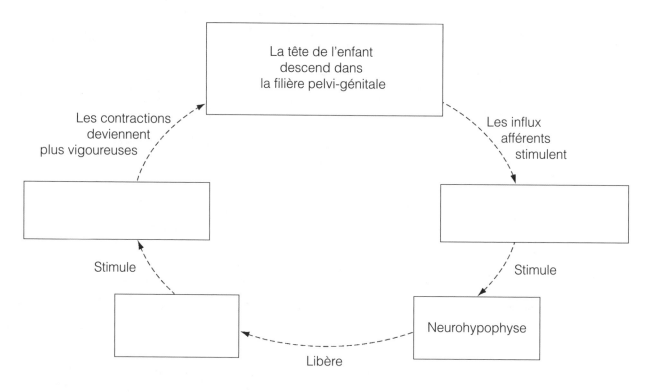

Figure 16-11

32. Pendant combien de temps le cycle illustré à la figure 16-11 se reproduit-il?

_____

33. Le travail est un exemple de mécanisme de rétroactivation. Expliquez ce que cela signifie.

_____

_____

_____

DÉVELOPPEMENT ET VIEILLISSEMENT DES ORGANES GÉNITAUX

34. Complétez les énoncés suivants. Inscrivez vos réponses sur les lignes prévues à cet effet.

_____ 1.

_____ 2.

_____ 3.

_____ 4.

_____ 5.

_____ 6.

_____ 7.

_____ 8.

_____ 9.

_____ 10.

_____ 11.

_____ 12.

_____ 13.

_____ 14.

_____ 15.

_____ 16.

_____ 17.

_____ 18.

_____ 19.

_____ 20.

_____ 21.

_____ 22.

L'embryon de sexe masculin a un chromosome X et un chromosome __(1)__ ; l'embryon de sexe féminin a deux chromosomes __(2)__. Au début du développement, les structures sexuelles des deux sexes sont identiques, mais vers la huitième semaine, sous l'effet de la testostérone, les __(3)__ commencent à se former. Faute de testostérone, ce sont les __(4)__ qui commencent à se former. Les testicules du fœtus de sexe masculin commencent à descendre vers le scrotum peu de temps avant la naissance. Une descente incomplète des testicules porte le nom de __(5)__.

Les troubles qui affectent le plus souvent les organes génitaux de la femme sont les infections, particulièrement les __(6)__, les __(7)__ et les __(8)__. Une inflammation de tout le pelvis porte le nom de __(9)__. Chez l'homme, les troubles les plus fréquents sont des troubles inflammatoires provoqués par les __(10)__. La principale cause de décès par cancer chez la femme est le cancer du __(11)__ ; le deuxième type de cancer qui touche le plus souvent sa fonction reproductrice est le cancer du __(12)__. Par conséquent, toutes les femmes devraient se soumettre annuellement à un __(13)__ pour prévenir ce dernier type de cancer. Chez la femme vieillissante, l'ovulation s'arrête, phénomène appelé __(14)__. La forte dilatation des vaisseaux sanguins provoque des __(15)__ particulièrement désagréables. De plus, la masse osseuse __(16)__ et les taux sanguins de cholestérol __(17)__, lorsque les concentrations d' __(18)__ commencent à diminuer. À l'opposé, les hommes en bonne santé peuvent devenir pères même après l'âge de 80 ans. Après la ménopause, la femme est prédisposée aux infections __(19)__. Le problème le plus important qui affecte l'homme âgé est la dilatation de la __(20)__, qui entrave le fonctionnement des systèmes __(21)__ et __(22)__.

UN VOYAGE EXTRAORDINAIRE

Exercice de visualisation pour tester vos connaissances sur le système génital

… la paroi de l'organe en forme d'amande se déchire en émettant un son aigu…

35. Complétez le récit en inscrivant les mots qui manquent sur les lignes prévues à cet effet.

1. _____

2. _____

3. _____

4. _____

5. _____

6. _____

7. _____

8. _____

9. _____

10. _____

Vous accomplissez votre dernier voyage. Cette fois-ci, vous serez injecté dans le corps d'une femme qui a accepté de prendre des «mégahormones» pour accélérer ses cycles et vous permettre ainsi de mener à terme vos observations en moins de 24 heures. Vous avez comme consigne d'observer et de prendre en note autant de phénomènes que possible se produisant dans le système génital de la femme.

Vous êtes miniaturisé et introduit dans le corps de votre hôtesse par une petite incision effectuée dans sa paroi abdominale (intervention appelée laparotomie). Vous atterrissez ainsi en plein milieu de sa cavité péritonéale, sur un organe volumineux en forme de poire, appelé ____(1)____. Vous commencez à explorer les alentours pour repérer les organes et prendre des notes. Plus haut, des deux côtés de l'organe en forme de poire, vous apercevez deux organes en forme d'amande, les ____(2)____, suspendus par un ligament et balayés, sans toutefois en être touchés, par les projections ciliées digitiformes d'un tube qui traverse la cavité abdominale et qui s'étend jusqu'à eux. Ces projections semblent immobiles, ce qui vous étonne, car vous pensiez qu'il s'agissait des ____(3)____, projections digitiformes des trompes utérines qui sont censées bouger constamment. Vous avancez jusqu'au bord d'une trompe utérine, pour pouvoir mieux faire vos observations. Vous remarquez alors que ces projections bougent maintenant plus rapidement en essayant de capturer quelque chose. Vous apercevez tout d'un coup une tache rouge qui s'agrandit à vue d'œil sur l'organe en forme d'amande. Pendant que vous observez ce phénomène, vous êtes gentiment bercé par le liquide péritonéal. Brusquement, vous êtes aspiré par un léger courant, mais auquel vous ne pouvez résister, et vous vous retrouvez dans la trompe utérine. Vous remarquez que la tache rouge semble en effervescence et que les projections de la trompe se contorsionnent et exécutent des mouvements compliqués. Vous comprenez que vous êtes témoin de l'____(4)____. Vous essayez de vous rapprocher davantage quand la paroi de l'organe en forme d'amande se déchire en émettant un son aigu. Et voici qu'une petite boule, entourée d'une couronne de minuscules cellules, est aspirée dans la trompe. Vous venez en fait de voir passer un ____(5)____ enveloppé de sa capsule de cellules ____(6)____. Vous le suivez, en vous accrochant à l'une des petites cellules. Bien que cet amas cellulaire soit incapable d'avancer par lui-même, vous êtes porté vers l'utérus par un mouvement appelé ____(7)____. Vous observez aussi que de petits filaments sur les cellules de la trompe, appelés ____(8)____, battent rythmiquement dans le sens du mouvement.

Tout semble calme autour de vous, mais bientôt vous entendez un bruit assourdissant et vous êtes soudainement entouré de milliers de petits têtards, des ____(9)____, qui essaiment autour des cellules. Leur tête semble exploser, pendant que leur ____(10)____ se rompt, libérant des enzymes digestives.

_____ 11.

_____ 12.

_____ 13.

_____ 14.

_____ 15.

_____ 16.

_____ 17.

_____ 18.

_____ 19.

_____ 20.

La masse cellulaire est maintenant perforée à plusieurs endroits et certaines des petites cellules commencent à s'en détacher.

Vous jetez un coup d'œil à travers la couronne cellulaire presque transparente et remarquez que l'un des têtards a pénétré dans la grosse cellule centrale. Des chromosomes apparaissent bientôt et la cellule commence à se diviser. En réalité, vous avez assisté à la ____(11)____ II qui a donné naissance à une cellule volumineuse, l'____(12)____, et à une autre, très petite, un ____(13)____, qui est éjectée. Cette deuxième cellule sera bientôt ____(14)____, car elle est virtuellement dépourvue de cytoplasme et elle ne possède pas de réserves pour se nourrir. Pendant que vous continuez vos observations, le noyau du spermatozoïde et de la grosse cellule centrale fusionnent, phénomène appelé ____(15)____. De cette fusion, naît une nouvelle cellule, appelée ____(16)____. C'est la première cellule de l'embryon.

Pendant que vous cheminez le long de la trompe utérine, la cellule centrale se divise trop rapidement pour qu'il y ait croissance dans l'intervalle. En conséquence, le nombre de cellules augmente, mais celles-ci sont de plus en plus petites. Ce processus de division cellulaire chez l'embryon porte le nom de ____(17)____.

Finalement, la cavité utérine s'ouvre devant vous et vous y pénétrez. Sa paroi, l'____(18)____, est épaisse et veloutée, et le liquide dans lequel vous baignez est légèrement sucré. L'embryon touche la paroi, s'en détache, et la touche de nouveau, un peu plus bas. Cette fois-ci, il se colle à elle et la muqueuse se met à s'éroder. Il commence maintenant à s'enfoncer dans cette couche épaisse. C'est l'____(19)____.

Vous dite adieu à l'embryon et vous le quittez. Pendant que vous flottez dans le liquide de la cavité utérine, l'embryon devient invisible, totalement enfoui dans la muqueuse. Vous continuez votre voyage le long de la voie génitale de votre hôtesse et, finalement, vous en sortez par l'orifice externe du ____(20)____.

RÉFLEXION ET APPLICATION

36. Une primipare (femme qui accouche pour la première fois), âgée de 28 ans, est depuis plusieurs heures à la première étape du travail. Ses contractions utérines sont faibles et le travail ne se déroule pas normalement. Puisqu'elle veut absolument accoucher par voie vaginale, le médecin demande une perfusion de Pitocin (une ocytocine synthétique). Quel est l'effet de cet agent? Quel est le mécanisme normal par lequel l'ocytocine favorise le travail?

37. Un homme âgé de 38 ans s'inquiète de sa faible numération de spermatozoïdes et consulte un «praticien» qui fait un grand battage publicitaire à propos de sa cure miracle de la stérilité. En réalité, il s'agit d'un escroc, qui propose comme remède contre la faible numération de spermatozoïdes des doses massives de testostérone. Bien qu'une telle «cure» augmente fortement la libido, le nombre de spermatozoïdes après un tel traitement est encore plus bas. Pourquoi?

38. M. Dubuc et Mme Constantin, tous les deux au début de la trentaine, essaient sans succès d'avoir un enfant depuis plusieurs années. Ils décident enfin de se soumettre à une série de tests effectués par une clinique spécialisée dans le traitement de la stérilité, afin de découvrir où réside le problème. On constate que la numération, la morphologie et la motilité des spermatozoïdes de M. Dubuc sont normales. Cependant, les antécédents de Mme Constantin révèlent qu'au début de la vingtaine, elle a connu deux épisodes de pelvipéritonite; son cycle menstruel se situe entre 21 et 30 jours. Elle explique que sa famille lui demande sans cesse pourquoi elle n'est toujours pas enceinte, ce qui lui occasionne des périodes de découragement. On soumet Mme Constantin à des tests d'endocrinologie. Par ailleurs, on lui demande d'utiliser la méthode de la glaire cervicale et de prendre chaque jour sa température. De plus, on a insufflé un gaz dans ses trompes utérines pour en vérifier la perméabilité. À la suite de ces interventions, on constate que les trompes sont fermées et que la patiente n'ovule pas. Quelle est, d'après vous, la raison de la fermeture des trompes? Lequel des tests a révélé qu'elle n'ovulait pas?

39. Un homme qui a nagé dans une eau très froide pendant une heure remarque que son scrotum a rétréci et qu'il est tout ridé. Il pense qu'il vient de perdre ses testicules. Que lui est-il véritablement arrivé?

40. Marie est une fumeuse invétérée et, malgré les conseils d'une amie, elle continue de fumer pendant sa grossesse. D'après vos connaissances sur les effets de la cigarette sur la physiologie, en quoi le tabagisme peut-il affecter le fœtus?

41. Le test cytologique de Papanicolaou révèle la présence de cellules anormales chez Mme Gilbert. De quelle maladie pourrait-elle être atteinte?

42. Mme Viau vient de donner naissance à un enfant qui présente une anomalie congénitale de l'estomac. Elle est persuadée que la cause en est une infection virale qu'elle a contractée durant le troisième trimestre de sa grossesse. Pensez-vous qu'elle a raison? Pourquoi?

43. Cinq minutes après son accouchement, on annonce à Amélie que son bébé a un indice Apgar de 8. Est-ce réconfortant ou non? Sur quoi s'est-on basé pour obtenir ce chiffre?

La génétique

Ces dernières années ont été marquées par des progrès considérables en génie génétique. Les découvertes dans ce domaine ont eu des répercussions autant sur la compréhension des mécanismes à l'origine des maladies que sur le diagnostic et, évidemment, le traitement de nombreuses affections. Les notions de génétique remontent au XIXe siècle, plus précisément aux observations de Gregor Mendel. La découverte de l'ADN et le projet génome humain ont été par la suite déterminants et sont à la base de cette révolution scientifique en génie génétique.

Les exercices de ce chapitre portent sur les notions fondamentales de l'hérédité et la transmission des caractères ainsi que sur les moyens de dépistage des maladies héréditaires.

VOCABULAIRE DE LA GÉNÉTIQUE

1. Inscrivez sur la ligne prévue à cet effet le terme qui correspond à chacun des énoncés suivants.

_____ 1. L'ensemble du matériel génétique.

_____ 2. Gènes appariés sur les chromosomes homologues et occupant le même locus.

_____ 3. Mot qui sert à qualifier 22 des 23 paires de chromosomes.

_____ 4. Science de l'hérédité.

_____ 5. Façon par laquelle le patrimoine génétique se manifeste.

SOURCES SEXUELLES DE VARIATIONS GÉNÉTIQUES

2. Considérons deux chromosomes homologues d'une personne qui a reçu de son père les gènes pour les cheveux blonds et les yeux bruns et de sa mère ceux pour les cheveux bruns et les yeux bleus. À l'aide de couleurs différentes, coloriez les chromosomes paternel et maternel ainsi que les cercles correspondants dans la légende. Ensuite, identifiez dans la partie A les gènes présents sur les chromosomes. Illustrez enfin dans la partie B les conséquences d'un enjambement du gène de la couleur des yeux en coloriant les chromosomes qui se trouveraient dans les gamètes à la fin de la méiose et en identifiant les gènes présents sur ces chromosomes.

Légende

◯ Chromosome paternel   ◯ Chromosome maternel

B représente les cheveux bruns et *b* les cheveux blonds.
P représente les yeux bruns et *p* les yeux bleus.

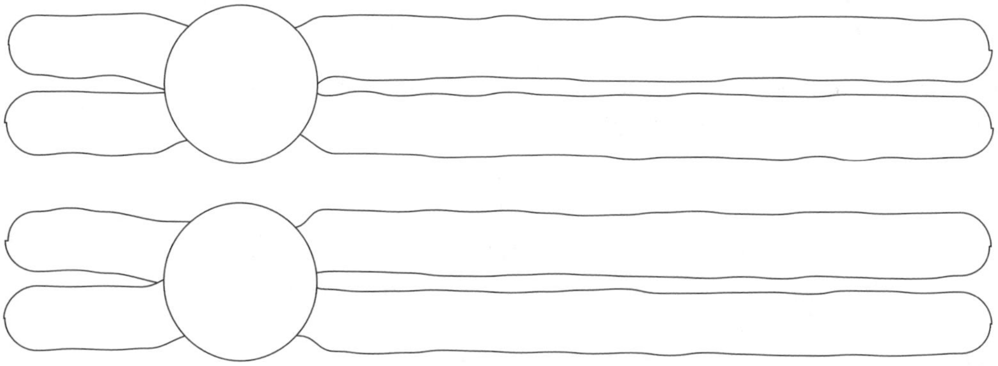

A

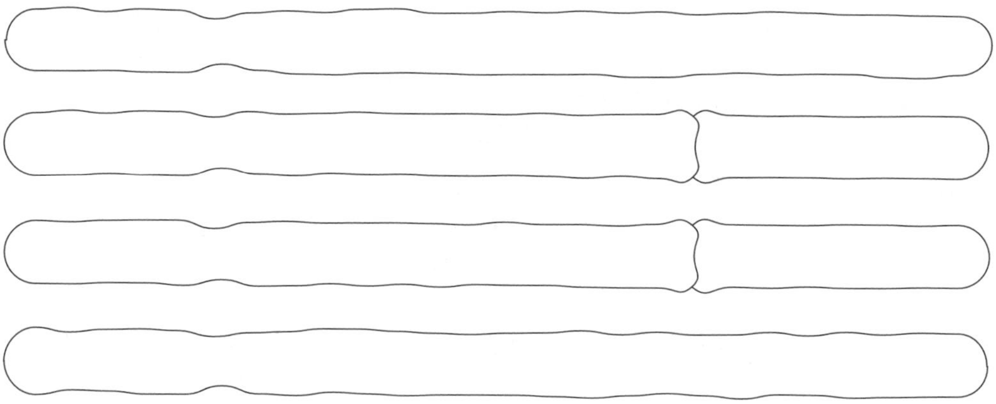

B

Figure 17-1

TYPES DE TRANSMISSION HÉRÉDITAIRE

3. Dans lequel ou lesquels des cas suivants le génotype comprend-il deux allèles récessifs? Inscrivez votre réponse sur la ligne prévue à cet effet

A. Individu sans taches de rousseur.

B. Individu souffrant d'astigmatisme.

C. Individu ne pouvant goûter le phénylthiocarbamide (PTC).

_____

4. Trouvez parmi les termes proposés ceux qui correspondent aux énoncés numérotés. Inscrivez les lettres ou les termes appropriés sur les lignes prévues à cet effet.

Termes proposés

A. Dominant   C. Codominant   E. Lié au sexe

B. Récessif   D. Multiples   F. Polygénique

_____ 1. Trait qui se manifeste chez 25 % des individus dont les deux parents sont hétérozygotes.

_____ 2. Gène dont on voit un exemple chez les individus de petite taille dont les os longs ont cessé de grandir bien avant la fin de la période de croissance.

_____ 3. Gène qui se transmet de la mère au fils.

_____ 4. Gène qui, en s'exprimant chez les individus hétérozygotes, fait apparaître des caractéristiques des deux allèles.

_____ 5. Allèles des groupes sanguins ABO.

_____ 6. Type de gène à l'origine de la plupart des maladies héréditaires.

_____ 7. La transmission de la couleur des yeux en est un exemple.

HÉRÉDITÉ NON TRADITIONNELLE

5. Complétez les énoncés suivants. Inscrivez vos réponses sur les lignes prévues à cet effet.

_____ 1.

_____ 2.

_____ 3.

_____ 4.

_____ 5.

_____ 6.

_____ 7.

_____ 8.

_____ 9.

_____ 10.

_____ 11.

_____ 12.

_____ 13.

_____ 14.

La génétique ou science de l'___(1)___ repose à l'origine sur les expériences d'un moine appelé Gregor ___(2)___. Toutefois, les types non ___(3)___ d'hérédité tels que l'___(4)___ et l'___(5)___ sont étudiés de plus en plus. Il arrive, dans de très rares cas, qu'un ___(6)___ s'exprime au détriment de l'autre selon qu'il provient du père ou de la mère. Ce phénomène s'explique par le fait que certaines ___(7)___ de l'ADN sont modifiées par l'ajout de groupements ___(8)___ lors de la formation des ___(9)___ et que les modifications ne sont pas les mêmes chez l'homme et chez la femme. Cela a comme conséquence que le gène d'un seul des parents est ___(10)___. N'oublions pas également que les chromosomes se trouvent non seulement dans le noyau mais aussi dans les ___(11)___. Les mitochondries du spermatozoïde se trouvent dans la ___(12)___, laquelle est larguée peu après la pénétration dans l'ovocyte. En conséquence, les gènes mitochondriaux sont principalement transmis par la ___(13)___. Certaines maladies sont attribuées à des ___(14)___ touchant les gènes mitochondriaux.

6. Voici l'arbre généalogique d'une famille dont certains membres souffrent de daltonisme. Les hommes sont représentés par des carrés et les femmes par des cercles.

Les cases ombrées représentent des individus dont la vision des couleurs est normale, alors que les cases blanches représentent des individus daltoniens. Sachant qu'il s'agit d'une maladie liée au sexe, déduisez le génotype des individus A à G sur le diagramme suivant et inscrivez-le sur les lignes prévues à cet effet. Inscrivez ensuite un point d'interrogation (?) dans les cases désignant des individus dont le génotype ne peut pas être déduit.

A. _____

B. _____

C. _____

D. _____

E. _____

F. _____

G. _____

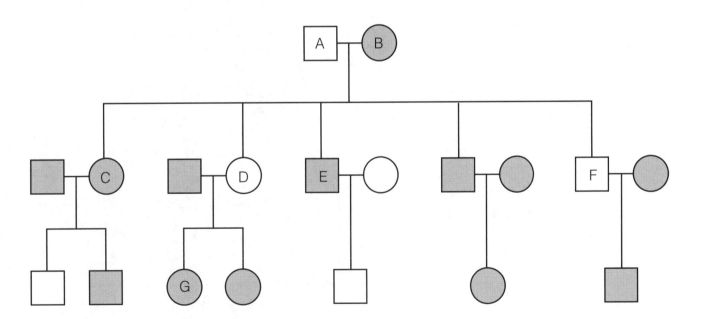

Figure 17-2

RÉFLEXION ET APPLICATION

7. Comment se fait-il que, mis à part les vrais jumeaux, les enfants issus de mêmes parents ne sont jamais identiques, peu importe leur nombre.

8. Globetrotteuse chevronnée, Stéphanie éprouve des faiblesses lors de certains voyages malgré sa bonne forme physique. Elle a également souffert de douleurs thoraciques et de céphalées lors de sa dernière excursion dans la cordillère des Andes. Quel est selon vous son problème et quel est son génotype pour le trait en question ?

9. Connaissant une famille dans laquelle le père albinos a eu des enfants normaux, un patient souffrant de la chorée de Huntington (maladie du système nerveux) vous demande pourquoi on lui recommande de ne pas avoir d'enfants. Que lui répondez-vous?

10. Le génotype d'un individu n'est pas modifiable. En est-il de même du phénotype? Si celui-ci peut varier, dans quelles circonstances peut-il le faire?

11. Dans le cas d'un risque élevé de maladie héréditaire, les médecins peuvent recommander deux tests prénataux. À quel moment de la grossesse ces tests sont-ils effectués et qu'observe-t-on dans chaque cas ?

12. La thérapie génique, qui est encore fort coûteuse et controversée, consiste à introduire dans l'organisme des segments d'ADN ou d'ARN pour guérir un grand nombre de maladies. Par quels moyens fait-on entrer les acides nucléiques dans les cellules cibles ?

Problèmes

13. Sachant que le lobe de l'oreille adhérent est un caractère récessif tandis que le lobe séparé est un caractère dominant, déterminez les génotypes et les phénotypes qui peuvent résulter de l'union d'une femme à lobes adhérents avec un homme hétérozygote à lobes séparés. Montrez aussi les probabilités (en pourcentage) de chacune des combinaisons obtenues. Utilisez pour ce faire la grille de Punnett ci-dessous ; inscrivez les allèles de la mère à l'horizontale et ceux du père à la verticale.

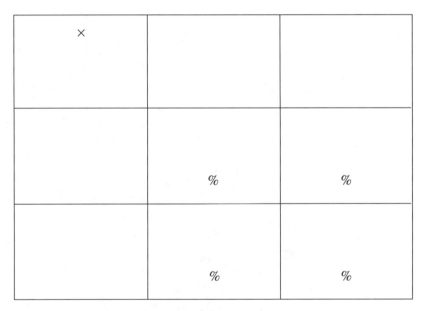

Figure 17-3

14. Simon a un orteil surnuméraire au pied droit. Quelles sont les possibilités qu'un de ses enfants possède cette même caractéristique s'il épouse une femme homozygote comme lui pour ce gène dominant.

15. Un homme a les cheveux qui descendent en pointe sur le front. Un seul de ses parents a cette caractéristique. L'homme a deux enfants, un avec la pointe de cheveux sur le front et un autre sans. Quel est le génotype de la mère de ces deux enfants, sachant qu'elle a elle-même les cheveux en pointe ? Quel est celui du père ?

Z : Allèle pour la pointe de cheveux sur le front.

z : Allèle pour les cheveux sans pointe.

16. Sophie pense depuis toujours que ses parents lui ont caché le fait qu'elle a été adoptée. Un jour, elle apprend que son groupe sanguin est de type O, que celui de sa mère est de type A et que celui de son père est AB. Quelle conclusion peut-elle tirer avec certitude ?

Réponses

Chapitre 1   Le corps humain : introduction

Définition générale de l'anatomie et de la physiologie

1. 1. D ou physiologie.   2. A ou anatomie.   3. B ou homéostasie.   4. C ou métabolisme.

2. Étude de la physiologie : C, D, E, F, G, H, J, K.   Étude de l'anatomie : A, B, I, K, L, M.

Niveaux d'organisation structurale

3. Cellules, tissus, organes, systèmes.

4. 1. Atome.   2. Tissu épithélial.   3. Cœur.   4. Système digestif.

5. 1. K ou système urinaire.   2. C ou système endocrinien.   3. J ou système osseux (squelettique).
4. A ou système cardiovasculaire.   5. D ou système tégumentaire.   6. E ou système lymphatique/immunitaire.
7. B ou système digestif.   8. I ou système respiratoire.   9. A ou système cardiovasculaire.
10. F ou système musculaire.   11. K ou système urinaire.   12. H ou système génital.   13. C ou système endocrinien.
14. D ou système tégumentaire.

6. 1. A ou système cardiovasculaire.   2. C ou système endocrinien.   3. K ou système urinaire.   4. H ou système
génital.   5. B ou système digestif.   6. J ou système osseux (squelettique).   7. G ou système nerveux.

7.

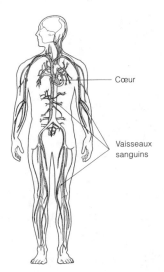

Figure 1-1 : Système cardiovasculaire

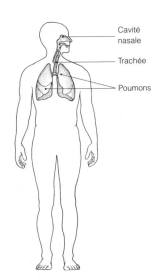

Figure 1-2 : Système respiratoire

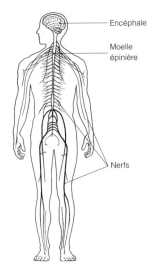

Figure 1-3 : Système nerveux

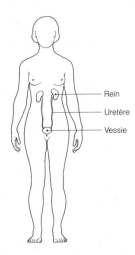

Figure 1-4 : Système urinaire

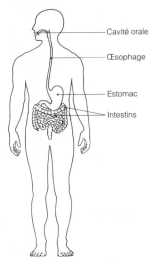

Figure 1-5 : Système digestif

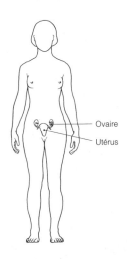

Figure 1-6 : Système génital

Maintien de la vie

8. 1. D ou maintien des limites. 2. H ou reproduction. 3. C ou croissance. 4. A ou digestion.
5. B ou excrétion. 6. G ou excitabilité. 7. F ou mouvement. 8. E ou métabolisme. 9. D ou maintien des limites.

9. 1. C ou nutriments. 2. B ou pression atmosphérique. 3. E ou eau. 4. D ou oxygène. 5. E ou eau.
6. A ou température corporelle appropriée.

Homéostasie

10. 1. Récepteur. 2. Centre de régulation. 3. Afférente. 4. Centre de régulation. 5. Effecteur. 6. Efférente.
7. Rétro-inhibition. 8. Rétroactivation. 9. Rétro-inhibition.

Vocabulaire de l'anatomie

11. 1. Ventrale. 2. Dorsale. 3. Dorsale.

12. 1. Distale. 2. Antérieure du coude. 3. Brachiale. 4. Quadrant supérieur gauche.

13. Figure 1-7 :

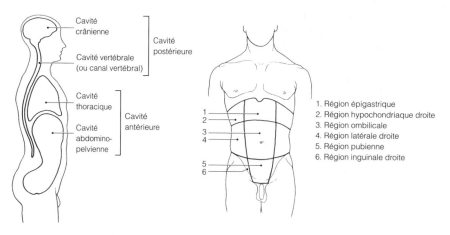

14. 1. C ou axillaire. 2. G ou antérieure de la cuisse et Q ou postérieure de la cuisse (fémorale).
3. H ou glutéale. 4. F ou cervicale. 5. P ou ombilicale. 6. M ou pubienne. 7. B ou antérieure du coude.
8. K ou occipitale. 9. I ou inguinale. 10. J ou lombaire. 11. E ou buccale.

15. Figure 1-8 : A : Plan sagittal médian B : Plan transverse.

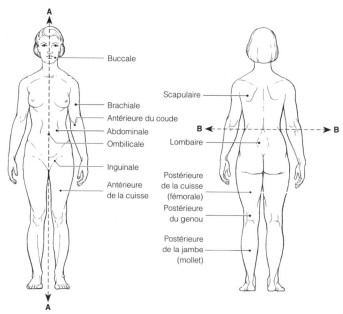

16. 1. G ou antérieure, D ou pelvienne. 2. G ou antérieure, F ou thoracique. 3. C ou postérieure, B ou crânienne.
4. G ou antérieure, D ou pelvienne. 5. G ou antérieure, A ou abdominale.

17. 1. A ou antérieure. 2. G ou postérieure. 3. J ou supérieure. 4. J ou supérieures. 5. E ou latéral.
6. A ou antérieur. 7. F ou médial. 8. H ou proximal. 9. B ou distal. 10. G ou postérieur.
11. J ou supérieure. 12. I ou sagittale. 13. C ou frontale. 14. C ou frontale. 15. K ou transverse (transversale).

18. 1 à 5. A ou abdomino-pelvienne.   6. C ou cavité vertébrale (canal vertébral).   7. A ou abdomino-pelvienne.
8 et 9. D ou thoracique.   10. B ou crânienne.   11 et 12. A ou abdomino-pelvienne.

19. 1. 2, 3, 7, 11, 12.   2. 2, 3.   3. 2.   4. 1, 2, 3, 5.   5. 2, 3.

Réflexion et application

20. Osseux (squelettique), musculaire, cardiovasculaire, tégumentaire, nerveux.

21. Les besoins en eau et en nutriments.

22. Parce que les parties antérieure et latérale de l'abdomen ne sont pas protégées par des os.

23. La hernie de Paul se situe dans la région où le tronc rejoint la cuisse. La douleur provoquée par l'infection rénale irradie dans la région lombaire, et celle provoquée par les ecchymoses irradie dans la région des organes génitaux.

24. La rétro-inhibition atténue le stimulus initial. Par conséquent, elle provoque une diminution de la concentration de TSH.

Chapitre 2   Notions de chimie

Concepts de matière et d'énergie

1. 1. B, D.   2. A, B, C, D.   3. A, B.

2. 1. C ou mécanique.   2. B ou électrique et D ou de rayonnement.   3. C ou mécanique.
4. A ou chimique.   5. D ou de rayonnement.

Composition de la matière

3.

Particule	Position	Charge	Masse (u)
Proton	Noyau	+1	1
Neutron	Noyau	0	1
Électron	Couche électronique ou orbitale	−1	0

4. 1. O.   2. C.   3. K.   4. I.   5. H.   6. N.   7. Ca.   8. Na.   9. P   10. Mg.   11. Cl.   12. Fe.

5. 1. E ou ion.   2. F ou matière.   3. C ou élément.   4. B ou électron.   5. B ou électron.
6. D ou énergie.   7. A ou atome.   8. G ou molécule.   9. I ou proton.   10. J ou couche de valence.
11 et 12. H ou neutron et I ou proton.

6. 1. *V.*   2. Protons.   3. Plus.   4. *V.*   5. Radioactif.   6. *V.*   7. Chlorure.   8. Iode.   9. *V.*

Molécules, liaisons chimiques et réactions chimiques

7. 1. C ou synthèse.   2. B ou échange.   3. A ou dégradation.

8. **Figure 2-1 :** Le noyau est représenté par le cercle du centre, contenant 6 p et 6 n ; les électrons sont indiqués par les petits cercles sur les orbitales.   1. Le numéro atomique est 6.   2. La masse atomique est de 12 u.   3. Carbone.
4. Isotope.   5. Chimiquement actif.   6. Quatre électrons.   7. Covalentes, car il serait très difficile de gagner ou de perdre quatre électrons.

9. H_2O_2 est une molécule de peroxyde d'hydrogène (un composé). $2OH^-$ représente deux ions hydroxyde.

10. **Figure 2-2 : A** représente une liaison ionique ;
         B représente une liaison covalente.

11. Figure 2-3 :

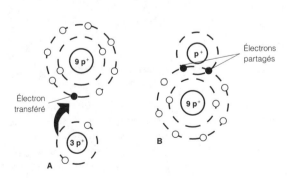

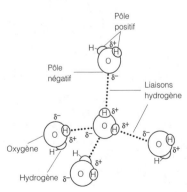

12. B, C et E.

13. 1. H_2CO_3.   2. H^+ et HCO_3^-.   3. Il faut entourer les ions.   4. Il faut ajouter une flèche de plus, pointant vers la gauche, entre H_2CO_3 et H^+.

Biochimie : composition chimique de la matière vivante

14. 1 à 3. A ou acide, B ou base et D ou sel.   4. B ou base.   5. A ou acide.   6. D ou sel.   7. D ou sel. 8. A ou acide.   9. C ou tampon.

15. 1. Capacité thermique.   2. L'eau.   3. 70 % (de 60 à 80 %).   4. Hydrogène.   5. et 6. L'hydrolyse et la déshydratation.   7. Polarité.   8. Lubrifiants.

16. Acides faibles : B, C, E.   Acides forts : A, D, E, F, G.

17. *X* : lipides, protéines, glucose et ADN.

18. 1. G ou monosaccharide.   2. D ou acide gras et E ou glycérol.   3. A ou acide aminé.   4. F ou nucléotide. 5. H ou protéine.   6. G ou monosaccharide (B ou glucide).   7. C ou lipide.   8. G ou monosaccharide (B ou glucide).   9. C ou lipide.   10 et 11. F ou nucléotide et A ou acide aminé.   12. F ou nucléotide. 13. C ou lipide.   14. H ou protéine.   15. B ou glucide.   16. C ou lipide.   17. H ou protéine.   18. C ou lipide.

19. 1. B ou collagène, H ou kératine.   2. D ou enzyme, F ou hémoglobine, G ou certaines hormones.   3. D ou enzyme. 4. L ou amidon.   5. E ou glycogène.   6. C ou ADN.   7. A ou cholestérol, G ou certaines hormones. 8. I ou lactose, J ou maltose.

20. Figure 2-4 : A. Monosaccharide.   B. Protéine fonctionnelle.   C. Nucléotide.   D. Lipide.   E. Polysaccharide.

21. 1. Glucose.   2. Ribose.   3. Glycogène.   4. Glycérol.   5. Glucose.

22. 1. *V.*   2. Graisses neutres.   3. *V.*   4. Polaires.   5. *V.*   6. ATP.   7. *V.*   8. O.

23. Les deux bases azotées sont la thymine (T) et la guanine (G).   1. Les liaisons hydrogène.   2. La double hélice. 3. 12.   4. Complémentaire.

Figure 2-5 :

ADN

Les segments ombrés de la chaîne représentent les groupements phosphate (P) alors que les segments blancs, attachés aux bases, représentent les molécules de désoxyribose (d-R).

24. 1. C ou le glucose.   2. C ou se glisse entre les monomères, se lie à eux et les maintient séparés les uns des autres. 3. B ou l'hydrolyse.   4. A ou groupement R.

Un voyage extraordinaire

25. 1. Négative.   2. Positives.   3. Liaisons hydrogène.   4. Globules rouges.   5. Protéine.   6. Acides aminés. 7. Peptidiques.   8. H^+ et OH^-.   9. Hydrolyse.   10. Enzyme.   11. Glucose.   12. Glycogène. 13. Réaction de synthèse (déshydratation).   14. H_2O.   15. Augmentent.

Réflexion et application

26. L'acidose est un trouble caractérisé par un pH au-dessous de la normale. Il faut administrer à ce patient une substance qui élève son pH.

27. Les protéines sont formées à partir de vingt acides aminés différents, qui se distinguent les uns des autres par un groupement chimique appelé groupement R. Ce groupement détermine la place de l'acide aminé dans la structure tertiaire, tridimensionnelle de la protéine et les liaisons qu'il pourra former. Si à un endroit donné de la protéine, un acide aminé occupe la mauvaise place, le groupement R pourrait être mal adapté à la structure tertiaire ou alors les liaisons nécessaires pourraient ne pas se former et la structure globale pourrait être modifiée. Puisque la fonction dépend de la structure, la protéine en question sera dysfonctionnelle.

28. La chaleur augmente l'énergie cinétique des molécules. Une chaleur excessive rend dysfonctionnelles les molécules vitales pour l'organisme, comme les protéines et les acides nucléiques, du fait que les liaisons intramoléculaires essentielles à leur fonctionnement sont brisées. Puisque toutes les enzymes sont des protéines, leur dénaturation met la vie en danger.

29. Une RMN, car cette technique permet la visualisation des tissus mous entourés d'os (comme le crâne).

30. Les maux d'estomac sont souvent provoqués par une acidité gastrique excessive. Les antiacides contiennent une base faible qui neutralise l'acide en excès (H^+).

Chapitre 3   Les cellules et les tissus

Les cellules

1. 1 à 4 (dans n'importe quel ordre) carbone, oxygène, azote, hydrogène. 5. L'eau. 6. Le calcium. 7. Le fer. 8 à 12. (cinq des suivantes, dans n'importe quel ordre) métabolisme, reproduction, excitabilité, mouvement, capacité de croître, capacité de digérer la nourriture, capacité d'excréter les déchets. 13 à 15. (trois des suivantes, dans n'importe quel ordre) aplatie, cubique, cylindrique, filiforme, ramifiée. 16. Le liquide interstitiel. 17. La structure de la cellule est le reflet de sa fonction.

2.

Partie de la cellule	Emplacement	Fonctions
Membrane plasmique	Limite externe de la cellule	Elle délimite le volume de la cellule ; régit l'entrée et la sortie des substances.
Lysosomes	Vésicules sphériques éparpillées dans le cytoplasme	Ils digèrent les matières ingérées et les organites usés.
Mitochondries	Organites dispersés dans la cellule	Elles régissent la libération d'énergie des aliments ; elles synthétisent l'ATP.
Microvillosités	Projections de la membrane plasmique	Elles agrandissent la surface cellulaire.
Complexe golgien	Près du noyau (dans le cytoplasme)	Il emballe les protéines qui seront intégrées à la membrane plasmique ou incluses dans les lysosomes, ou celles qui seront sécrétées par la cellule.
Noyau	(Habituellement) situé au centre de la cellule	Il constitue le lieu de conservation du matériel génétique ; il dirige les activités cellulaires, dont la division.
Centrioles	Paire de corps cylindriques se trouvant près du noyau	Lors de la mitose, ils forment le fuseau mitotique.
Nucléoles	Corps sphériques sombres situés dans le noyau	Ils constituent le centre de conservation et le siège d'assemblage des ribosomes.
Réticulum endoplasmique lisse	Cytoplasme	Il constitue le siège de la synthèse des stéroïdes et du métabolisme des lipides.
Réticulum endoplasmique rugueux	Cytoplasme	Il transporte les protéines (synthétisées par les ribosomes) vers d'autres sites ; assure la synthèse des lipides membranaires.
Ribosomes	Particules qui flottent librement dans le cytoplasme ou qui sont attachées au réticulum endoplasmique	Ils constituent le siège de la synthèse des protéines.
Chromatine	Filaments lâches présents dans le noyau	Elle contient le matériel génétique (ADN) ; s'enroule pendant la mitose.
Peroxysomes	Sacs membraneux dispersés dans le cytoplasme	Ils neutralisent certaines substances toxiques comme l'alcool, le peroxyde d'hydrogène, etc.
Inclusions	Substances chimiques formant des gouttelettes ou des granules dans le cytoplasme	Elles stockent les nutriments, les déchets, les produits cellulaires, etc.

3. Figure 3-1:

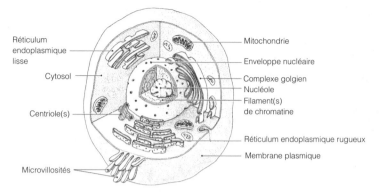

Réticulum endoplasmique lisse
Cytosol
Centriole(s)
Microvillosités
Mitochondrie
Enveloppe nucléaire
Complexe golgien
Nucléole
Filament(s) de chromatine
Réticulum endoplasmique rugueux
Membrane plasmique

4. 1. A.   2. B.   3. C.   4. A.

5. Figure 3-2: 1. A; crénelées.   2. B; la concentration de soluté est la même à l'intérieur et à l'extérieur de la cellule. 3. C; les cellules éclatent (se lysent); l'eau passe par osmose de l'extérieur de la cellule (où sa concentration est plus élevée) à l'intérieur (où sa concentration est plus faible), et dilate les cellules jusqu'à leur éclatement.

6. 1. C ou endocytose, D ou exocytose, F ou transport actif.   2. A ou diffusion simple, B ou osmose.   3. E ou filtration. 4. A ou diffusion simple, B ou osmose.   5. F ou transport actif.   6. D ou exocytose.   7. B ou osmose. 8. F ou transport actif.   9. C ou endocytose.   10. A ou diffusion simple.   11. C ou endocytose.

7. Figure 3-3: Un mécanisme de transport passif assure le passage de l'oxygène et des lipides de l'extérieur de la cellule vers l'intérieur, à travers la portion lipidique de la membrane. Cette portion lipidique occupe la majeure partie de la membrane. Elle est composée de minuscules sphères, chacune dotée d'une double « queue ». Les acides aminés et le glucose pénètrent également dans la cellule, mais en s'attachant à un transporteur protéique (grosses structures solides, de forme irrégulière, qui traversent la membrane complètement ou en partie). Le gaz carbonique traverse par diffusion la partie lipidique de la membrane, mais dans le sens contraire de l'oxygène (de l'intérieur de la cellule vers l'extérieur).

Ne sont pas illustrés le cholestérol (inséré entre les molécules de lipides) et les groupements de sucre (qui s'attachent aux protéines tournées vers l'extérieur).

8. 1. P ou protéines.   2. K ou hélice.   3. O ou phosphate.   4. T ou sucre.   5. C ou bases. 6. E ou complémentaires. 7. F ou cytosine.   8. V ou thymine. 9. B ou acides aminés.   10. S ou ribosome. 11. Q ou réplication.   12. M ou nucléotides.   13. U ou matrice (ou modèle).   14. N ou vieux.   15. L ou nouveau. 16. H ou gènes.   17. I ou croissance.   18. R ou réparation.

9. Figure 3-4: A. Prophase.   B. Anaphase.   C. Télophase.   D. Métaphase.

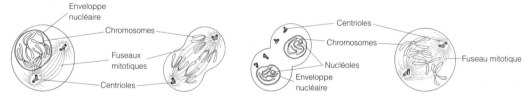

Enveloppe nucléaire
Chromosomes
Fuseaux mitotiques
Centrioles
Centrioles
Chromosomes
Nucléoles
Enveloppe nucléaire
Fuseau mitotique

10. 1. C ou prophase.   2. A ou anaphase.   3. D ou télophase.   4. D ou télophase.   5. B ou métaphase. 6. C ou prophase.   7. C ou prophase.   8. E ou aucune de ces réponses. 9. C ou prophase.   10. C ou prophase. 11. D ou télophase.   12. A ou anaphase et B ou métaphase.   13. E ou aucune de ces réponses.

11. 1. Noyau.   2. Cytoplasme.   3. Enroulés.   4. Centromères.   5. Binucléée.   6. Fuseau mitotique. 7. Interphase.

12. Figure 3-5:   1. Transcription. 2. Traduction. 3. Anticodon; triplet.

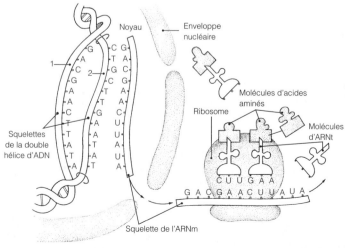

Noyau
Enveloppe nucléaire
Molécules d'acides aminés
Ribosome
Molécules d'ARNt
Squelettes de la double hélice d'ADN
Squelette de l'ARNm

13. 1. D ou AUG.   2. A ou promoteur.   3. B ou ARN polymérase II.
4. C ou ARNt d'initiation.   5. E ou UAG.

14. ARNm : U G C A G G U A C.   Acides aminés : Cys-Arg-Tyr.

15. 1. Mucus.   2. Urine.   3. Muscle.

Les tissus

16. **Figure 3-6 :** A. Épithélium simple squameux.   B. Épithélium simple cuboïde.   C. Muscle cardiaque.
D. Tissu conjonctif dense régulier.   E. Os.   F. Muscle squelettique.   G. Tissu nerveux.   H. Cartilage hyalin.
I. Tissu musculaire lisse.   J. Tissu adipeux (graisse).   K. Épithélium stratifié squameux.   L. Tissu conjonctif
aréolaire.   Les éléments non cellulaires des dessins D, E, H, J et L représentent la matrice extracellulaire.

17. Le neurone est doté de prolongements qui peuvent s'étendre très loin du corps cellulaire et qui le rendent capable de
transmettre les impulsions nerveuses sur de grandes distances.

18. 1. B ou épithélium.   2. C ou tissu musculaire.   3. D ou tissu nerveux.   4. A ou tissu conjonctif.
5. B ou épithélium.   6. D ou tissu nerveux.   7. C ou tissu musculaire.   8. B ou épithélium.
9. A ou tissu conjonctif.   10. A ou tissu conjonctif.   11. C ou tissu musculaire.   12. A ou tissu conjonctif.
13. D ou tissu nerveux.

19. 1. E ou épithélium stratifié squameux.   2. B ou épithélium simple prismatique.   3. E ou épithélium stratifié
squameux.   4. A ou épithélium pseudostratifié prismatique cilié.   5. A ou épithélium pseudostratifié prismatique cilié.
6. F ou épithélium transitionnel.   7. D ou épithélium simple squameux.

20. **Figure 3-7 :**

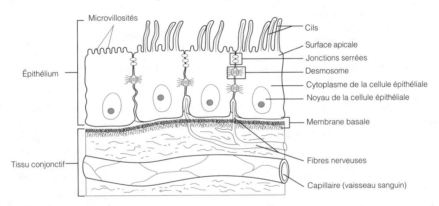

21. 1. Squelettique.   2. Cardiaque, lisse.   3. Squelettique, cardiaque.   4. Lisse (et la majorité du tissu cardiaque).
5 à 7. Squelettique.   8 et 9. Lisse.   10. Cardiaque.   11. Squelettique.   12. Cardiaque.   13. Squelettique.
14. Lisse, cardiaque.   15. Cardiaque.

22. 1. Cellule.   2. Fibres élastiques.   3. Os.   4. Nerveux.   5. Sang.

23. 1. C ou tissu conjonctif dense.   2. A ou tissu adipeux.   3. C ou tissu conjonctif dense.   4. D ou tissu osseux.
5. B ou tissu aréolaire.   6. F ou cartilage hyalin.   7. A ou tissu adipeux.   8. F ou cartilage hyalin.
9. D ou tissu osseux.   10. E ou tissu réticulaire.

24. 1. Inflammation.   2. Facteurs de coagulation.   3. Tissu de granulation.   4. Régénération.   5. *V.*
6. Collagène.   7. *V.*

Développement et vieillissement des tissus

25. 1. Tissus.   2. Croissance.   3. Nerveux.   4. Musculaire.   5. Conjonctif (cicatriciel).   6. Chimiques.   7. Physiques.
8. Gènes (ADN).   9. Épithéliaux.   10. Collagène.   11. Musculaires.   12. Division.   13 et 14. Bénins et malins.
15. Bénins.   16. Malins.   17. Biopsie.   18. Chirurgicale.   19. Hyperplasie.   20. Atrophie.

Un voyage extraordinaire

26. 1. Cytoplasme (cytosol).   2. Noyau.   3. Mitochondries.   4. ATP.   5. Ribosomes.   6. Réticulum endoplasmique
rugueux.   7. Pores.   8. Chromatine.   9. ADN.   10. Nucléoles.   11. Complexe golgien.   12. Lysosome.

Réflexion et application

27. Les oxydases libérées des peroxysomes brisés transforment le peroxyde d'hydrogène en eau et en oxygène libre. C'est
ce dernier qui cause le bouillonnement.

28. En règle générale, l'épithélium stratifié squameux, qui est formé de plusieurs couches de cellules, résiste mieux à l'abra-
sion que l'épithélium simple prismatique, lequel est constitué d'une seule couche de cellules.

29. La streptomycine inhibe la synthèse des protéines bactériennes. Si les bactéries sont incapables de synthétiser de nouvelles protéines (dont la plupart sont des enzymes essentielles), elles sont condamnées à disparaître.

30. Puisque le tissu conjonctif est le tissu le plus abondant de l'organisme et qu'on le trouve dans tous les organes corporels ou autour d'eux, le médecin dira très probablement à Suzy que les effets du lupus érythémateux disséminé seront répandus et diffus.

31. Les tissus de granulation secrètent des substances qui détruisent les bactéries.

32. L'ATP est surtout synthétisée dans les mitochondries ; les cellules musculaires utilisent des quantités considérables d'ATP lorsqu'elles se contractent. Après avoir ingéré des bactéries et d'autres débris, les phagocytes (macrophagocytes) doivent les digérer, ce qui explique l'abondance de lysosomes.

33. Le rétablissement sera long et douloureux, car les tendons, à l'instar de toutes les structures constituées de tissu conjonctif dense, sont peu vascularisés.

34. On s'est servi de la technique des empreintes génétiques à partir d'un échantillon de sang, de salive, de sperme ou de cheveux.

Chapitre 4   La peau et les membranes de l'organisme

Classification des membranes de l'organisme

1. Remarque : Les membranes muqueuses, séreuses et cutanées sont des membranes composites, constituées d'une couche épithéliale et d'une couche sous-jacente faite de tissu conjonctif.

Membrane	Type de tissu (épithélial/conjonctif)	Emplacement habituel	Fonctions
Muqueuse	Couche épithéliale posée sur une couche de tissu conjonctif lâche (lamina propria)	Tapisse le tube digestif et les voies respiratoires, urinaires et génitales.	Protection Lubrification Sécrétion Absorption
Séreuse	Épithélium simple squameux sur une mince couche de tissu conjonctif lâche.	Tapisse les cavités ventrales internes et recouvre les organes.	Production d'un liquide lubrifiant qui réduit la friction.
Cutanée	Épithélium stratifié squameux kératinisé (épiderme) sur du tissu conjonctif dense irrégulier (derme).	Recouvre tout le corps.	Protection des tissus plus profonds contre les agressions extérieures.
Synoviale	Tissu conjonctif uniquement.	Tapisse les cavités articulaires des articulations synoviales.	Lubrification des articulations dont les parties mobiles se frottent les unes contre les autres.

2. Dans chacun des cas, la couche viscérale de la séreuse recouvre la face externe de l'organe, alors que la couche pariétale recouvre la paroi de la cavité.

Figure 4-1 :

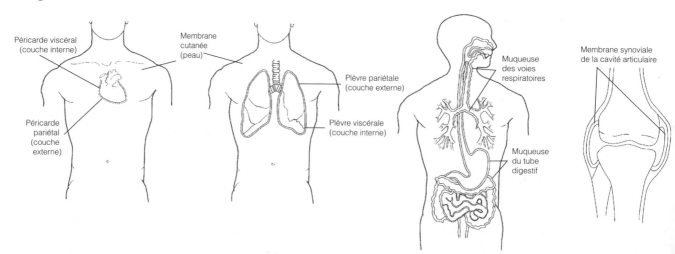

Système tégumentaire (peau)

Structure et principales fonctions

3. Figure 4-2 :

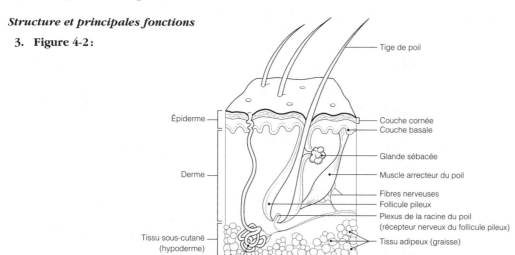

- Épiderme
- Derme
- Tissu sous-cutané (hypoderme)
- Glande sudoripare (ou sudorifère)
- Tige de poil
- Couche cornée
- Couche basale
- Glande sébacée
- Muscle arrecteur du poil
- Fibres nerveuses
- Follicule pileux
- Plexus de la racine du poil (récepteur nerveux du follicule pileux)
- Tissu adipeux (graisse)

4. 1. Les cellules de la couche basale se divisent sans cesse et poussent les cellules plus superficielles vers le haut, de plus en plus loin des nutriments qui diffusent du derme.   2. Des substances imperméables (kératine et autres), synthétisées par les kératinocytes, empêchent les nutriments de pénétrer dans les cellules.

5. 1. La chaleur.   2. Sous-cutanés.   3. Kératine.   4. Vitamine D.   5. Taches de rousseur.   6. Élasticité.   7. Oxygène (irrigation sanguine insuffisante).   8. Cyanose.

6. 1. A ou couche cornée, D ou couche claire.   2. A ou couche cornée, D ou couche claire.   3. E ou zone papillaire. 4. H ou derme dans son ensemble.   5. B ou couche basale.   6. A ou couche cornée.   7. H ou derme dans son ensemble.   8. B ou couche basale.   9. G ou épiderme dans son ensemble.   10. C ou couche granuleuse.

Annexes cutanées

7. 1. Mélanine.   2. Kératine.   3. V.   4. Couche cornée.   5. Tige.   6. Derme.

8. Figure 4-3 :

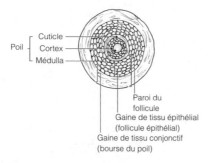

- Poil
  - Cuticle
  - Cortex
  - Médulla
- Paroi du follicule
- Gaine de tissu épithélial (follicule épithélial)
- Gaine de tissu conjonctif (bourse du poil)

9. 1. E ou glandes sébacées.   2. A ou muscles arrecteurs du poil.   3. G ou glandes sudoripares mérocrines.   4. D ou follicule pileux.   5. F ou glandes sudoripares apocrines.   6. C ou poils.   7. B ou récepteurs cutanés.   8. E ou glandes sébacées et F ou glandes sudoripares apocrines.   9. G ou glandes sudoripares mérocrines.

10. 1. Muscle arrecteur du poil.   2. Absorption.   3. Couche basale.   4. Points noirs.   5. Glandes mérocrines. 6. Rides.   7. Kératine.

11. Perte d'eau, d'électrolytes et de protéines ; insuffisance rénale au stade ultime, choc hypovolémique (insuffisance de la circulation sanguine causée par une réduction du volume sanguin).

12. 1. C ou brûlure du troisième degré.   2. B ou brûlure du deuxième degré.   3. A ou brûlure du premier degré. 4. B ou brûlure du deuxième degré.   5. C ou brûlure du troisième degré.   6. C ou brûlure du troisième degré.

13. Cette règle permet d'évaluer l'étendue de la brûlure et de calculer ainsi correctement le volume de liquide à administrer.

14. 1. Épithélioma spinocellulaire.   2. Épithélioma basocellulaire.   3. Mélanome malin.

15. Une tache pigmentée asymétrique, ayant des bordures irrégulières, qui peut prendre diverses couleurs et dont le diamètre est supérieur à 6 mm, peut être cancéreuse.

Développement et vieillissement de la peau et des membranes

16. 1. C ou dermatite.   2. D ou gènes à retardement.   3. F ou milia.   4. B ou intolérance au froid.   5. A ou acné. 6. G ou vernix caseosa.   7. E ou lanugo.

Un voyage extraordinaire

17. 1. Collagènes.   2. Élastiques (ou d'élastine).   3. Derme.   4. Phagocyte (macrophagocyte).
5. Tissu conjonctif du follicule pileux.   6. L'épiderme.   7. La couche basale.   8. Mélanine.
9. Kératine.   10. Cellules squameuses de la couche cornée.

Réflexion et application

18. Les médicaments utilisés pour les chimiothérapies anticancéreuses tuent les cellules de l'organisme qui se divisent le plus rapidement, dont les cellules de la matrice du follicule pileux, ce qui provoque la chute des cheveux.

19. Le nourrisson présente une séborrhée, ou croûte de lait, provoquée par une hyperactivité des glandes sébacées. Ce trouble n'est pas grave. Il suffit de laver soigneusement le cuir chevelu pour enlever le dépôt graisseux, qui cessera bientôt de se former.

20. Les patients alités doivent être tournés à intervalles réguliers, pour éviter que la circulation sanguine soit entravée dans les régions du corps qui sont comprimées par le matelas. C'est ainsi qu'on prévient la formation d'une escarre de décubitus.

21. Le comte Dracula aurait pu souffrir de porphyrie (a).

22. L'hypoderme emmagasine les nutriments et fixe la peau aux structures sous-jacentes (comme les muscles). Il isole également le corps, prévenant ainsi la perte de chaleur.

23. Le corps de l'ongle est sa partie visible, attachée (sans sa bordure blanche libre). La racine est sa partie proximale, enfouie sous la peau. Le lit est la partie de l'épiderme sur laquelle repose l'ongle. La matrice est la partie proximale épaisse du lit, qui est responsable de la croissance de l'ongle. La cuticule est le pli cutané qui déborde sur la partie proximale du corps de l'ongle. Puisque la matrice a été arrachée, l'ongle ne pourra plus repousser.

24. Le péritoine est la séreuse qui s'enflammera et s'infectera. Une infection péritonéale disséminée peut mettre la vie en danger, car la membrane atteinte enferme un grand nombre d'organes vascularisés.

25. Le médecin lui a probablement dit que la peau se régénérera et qu'il ne faudra pas recourir à une greffe si l'infection a pu être évitée.

Chapitre 5   Le système squelettique

Les os - caractéristiques générales

1. 1. P.   2. P.   3. D.   4. D.   5. P.   6. D.   7. P.   8. P.   9. P.

2. 1. C.   2. P.   3. L.   4. L.   5. P.   6. L.   7. L.   8. P.   9. I.

3. 1. C ou épiphyse.   2. A ou diaphyse.   3. C ou épiphyse, D ou moelle rouge.   4. A ou diaphyse.
5. E ou cavité médullaire (moelle jaune).   6. B ou cartilage épiphysaire.

4. 1 G ou parathormone.   2. F ou ostéocytes.   3. A ou atrophie.   4. H ou torsion/tension.
5. D ou ostéoblastes.   6. B ou calcitonine.   7. E ou ostéoclastes.   8. C ou forces gravitationnelles.

5. 1. B ou lamelles de l'ostéon.   2. C ou lacunes.   3. A ou canal de Havers (canal central de l'ostéon).
4. E ou matrice osseuse.   5. D ou canalicules.

Figure 5-1 :

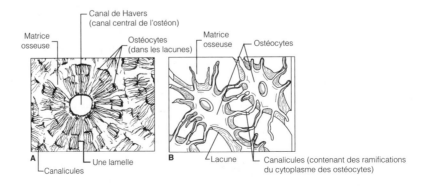

6. 1. Moelle jaune.   2. Ostéoblastes.   3. Cavité médullaire.   4. Périoste.

7. **Figure 5-2 :** La ligne épiphysaire est la mince bande blanche qui entoure le centre de la tête ; le cartilage articulaire est la bande blanche qui entoure la surface externe de la tête. La moelle rouge se trouve à l'intérieur des cavités de l'os spongieux ; la moelle jaune se trouve à l'intérieur de la cavité de la diaphyse.

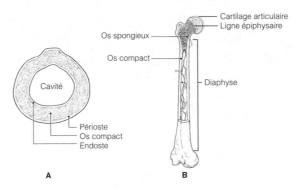

Le squelette axial

8. 1. B ou os frontal.   2. N ou os zygomatique.   3. E ou mandibule.   4. G ou os nasal.   5. I ou os palatin.
6. J ou os pariétal.   7. H ou os occipital.   8. K ou os sphénoïde.   9. D ou os lacrymal.   10. F ou maxillaire.
11. A ou os ethmoïde.   12. L ou os temporal.   13. K ou os sphénoïde.   14. A ou os ethmoïde.   15. E ou mandibule.   16. L ou os temporal.   17 à 20. A ou os ethmoïde, B ou os frontal, F ou maxillaire et K ou os sphénoïde.
21. H ou os occipital.   22. H ou os occipital.   23. L ou os temporal.   24. M ou vomer.   25. A ou os ethmoïde.
26. L ou os temporal.

9. **Figure 5-3 :**

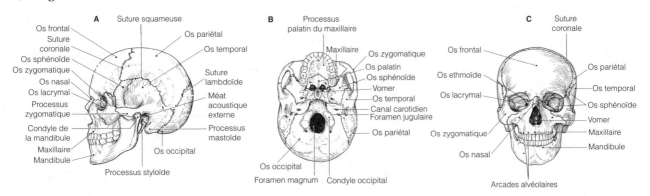

10. **Figure 5-4 :** 1. Cavité creusée dans l'os, tapissée de muqueuse et remplie d'air.   2. Les sinus allègent les os de la tête et augmentent la résonance de la voix.   3. Leur muqueuse communique avec celle des cavités nasales et les infections qui affectent cette région ont tendance à se propager aux sinus.

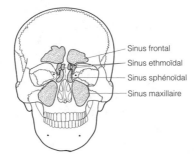

11. 1. F ou arc vertébral.   2. A ou corps vertébral.   3. C ou processus épineux, E ou processus transverse.
4. A ou corps vertébral, E ou processus transverse.   6. B ou foramen intervertébral.

12. 1. A ou atlas, B ou axis, C ou vertèbre cervicale (typique).   2. B ou axis.   3. G ou vertèbre thoracique.
4. F ou sacrum.   5. E ou vertèbre lombaire.   6. D ou coccyx.   7. A ou atlas.   8. A ou atlas, B ou axis, C ou vertèbres cervicales (typiques).   9. G ou vertèbres thoraciques.

13. 1. Cyphose.   2. Scoliose.   3. Fibreux et gélatineux.   4. Flexibilité.

14. Figure 5-5 : A. Vertèbre cervicale : atlas, C₁   B. Vertèbre cervicale (typique)
C. Vertèbre thoracique   D. Vertèbre lombaire

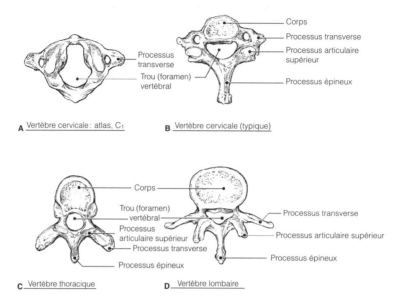

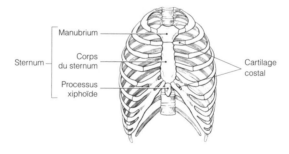

15. Figure 5-6 : 1. Cervicale, C₁ à C₇.   2. Thoracique, T₁ à T₁₂.   3. Lombaire, L₁ à L₅.   4. Sacrum (S₁ à S₅, vertèbres soudées).   5. Coccyx (3 à 5 vertèbres soudées).   6. Atlas, C₁.   7. Axis, C₂.

Thorax osseux

16. 1. Cœur.   2. Poumons.   3. Vraies.   4. Fausses.   5. Flottantes.   6. Vertèbres thoraciques.   7. Sternum.
8. Cône.

17. Figure 5-7 : Les côtes 1 à 7 de chaque côté sont de vraies côtes ; les côtes 8 à 12 de chaque côté sont de fausses côtes.

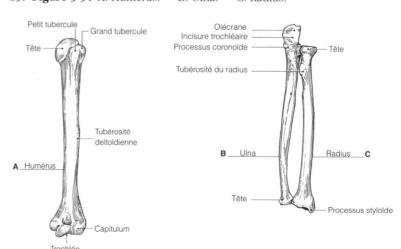

Le squelette appendiculaire

18. Figure 5-8 : Scapula.

19. Figure 5-9 : A. Humérus.   B. Ulna.   C. Radius.

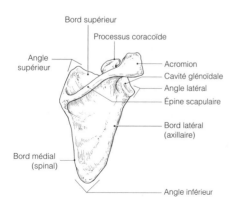

20. Figure 5-10 :

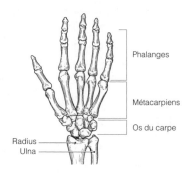

Phalanges

Métacarpiens

Os du carpe

Radius
Ulna

21. Ceinture scapulaire : A, C, D.   Ceinture pelvienne : B, E, F.

22. 1. G ou tubérosité deltoïdienne.   2. I ou humérus.   3 et 4. D ou clavicule, P ou scapula.   5 et 6. O ou radius, T ou ulna.   7. A ou acromion.   8. P ou scapula.   9. D ou clavicule.   10. H ou cavité glénoïdale. 11. E ou processus coracoïde.   12. D ou clavicule.   13. S ou trochlée.   14. T ou ulna.   15. B ou capitulum. 16. F ou fosse coronoïdienne.   17. T ou ulna.   18 et 19. P ou scapula, Q ou sternum.   20. C ou os du carpe. 21. M ou phalanges.   22. J ou métacarpiens.

23. 1. Le bassin de la femme est plus large, plus arrondi, moins profond et plus léger.   2. L'arcade pubienne est plus arrondie et son angle est plus grand.   3. Les épines ischiatiques sont plus courtes ; le sacrum est plus court et moins recourbé.

Figure 5-11 :

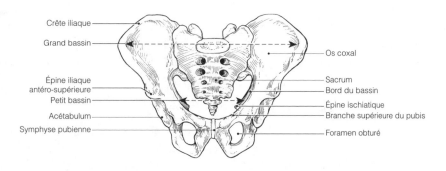

Crête iliaque

Grand bassin

Épine iliaque
antéro-supérieure

Petit bassin

Acétabulum

Symphyse pubienne

Os coxal

Sacrum

Bord du bassin

Épine ischiatique

Branche supérieure du pubis

Foramen obturé

24. 1. Ulna.   2. Bassin.   3. Scapula.   4. Mandibule.   5. Os du carpe.

25. 1. I ou ilium, K ou ischium, S ou pubis.   2. J ou tubérosité ischiatique.   3. R ou symphyse pubienne. 4. H ou crête iliaque.   5. A ou acétabulum.   6. T ou articulation sacro-iliaque.   7. C ou fémur.   8. D ou fibula. 9. W ou tibia.   10. C ou fémur, Q ou rotule, W ou tibia.   11. X ou tubérosité tibiale.   12. Q ou rotule. 13. W ou tibia.   14. N ou malléole médiale.   15. L ou malléole latérale.   16. B ou calcanéus.   17. V ou os du tarse.   18. O ou métatarsiens.   19. P ou foramen obturé.   20. G ou petit et grand trochanters, E ou tubérosité glutéale.   21. U ou talus.

26. 1. Pelvienne.   2. Phalanges.   3. *V.*   4. Acétabulum.   5. Sciatique.   6. *V.*   7. Os de la hanche.   8. *V.* 9. Fémur.   10. *V.*

27. Figure 5-12 : A. Fémur   B. Fibula.   C. Tibia.

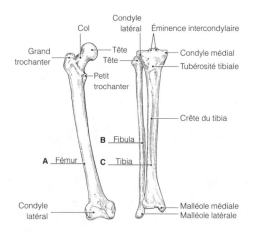

Condyle
latéral   Éminence intercondylaire

Col

Grand
trochanter

Tête

Tête

Petit
trochanter

Condyle médial

Tubérosité tibiale

Crête du tibia

B Fibula

A Fémur   **C** Tibia

Condyle
latéral

Malléole médiale
Malléole latérale

28. **Figure 5-13 :** Les os de la tête, de la colonne vertébrale et de la cage thoracique font partie du squelette axial. Tous les autres font partie du squelette appendiculaire.

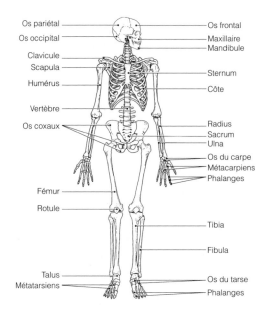

Os pariétal — Os frontal
Os occipital — Maxillaire — Mandibule
Clavicule — Sternum
Scapula
Humérus — Côte
Vertèbre
Os coxaux — Radius — Sacrum — Ulna — Os du carpe — Métacarpiens — Phalanges
Fémur
Rotule — Tibia — Fibula
Talus — Os du tarse
Métatarsiens — Phalanges

Fractures des os

29. 1. G ou fracture fermée.   2. A ou réduction à peau fermée.   3. E ou fracture en bois vert.   4. B ou fracture par tassement.   5. C ou fracture ouverte.   6. F ou réduction chirurgicale.   7. H ou fracture en spirale.

   Figure 5-14 :

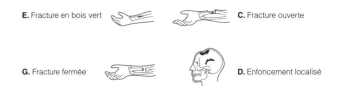

E. Fracture en bois vert   **C.** Fracture ouverte

G. Fracture fermée   **D.** Enfoncement localisé

30. 1. *V.*   2. *V.*   3. Phagocytes (macrophagocytes).   4. *V.*   5. Périoste.   6. *V.*   7. Spongieux.

Les articulations

31. 1. Liquide synovial.   2. Cartilage articulaire.   3. Ligaments.

   Figure 5-15 :

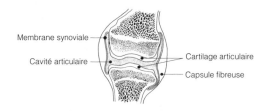

Membrane synoviale
Cavité articulaire — Cartilage articulaire — Capsule fibreuse

32. 1. A ou cartilagineuse.   2. C ou synoviale.   3. B ou fibreuse et 2 ou suture.   4. B ou fibreuse et 2 ou suture.
   5. C ou synoviale.   6. C ou synoviale.   7. C ou synoviale.   8. A ou cartilagineuse et 3 ou symphyse.
   9. C ou synoviale.   10. B ou fibreuse et 2 ou suture.   11. C ou synoviale.   12. A ou cartilagineuse et 1 ou cartilage épiphysaire.   13. C ou synoviale.   14. C ou synoviale.   15. C ou synoviale.

33. Les articulations synoviales sont des articulations mobiles, ou diarthroses. Le squelette axial soutient et protège les organes internes ; donc, dans son cas, la résistance est plus importante que la mobilité.

Déséquilibres homéostatiques des os et des articulations

34. 1. *V.*   2. Arthrose.   3. Aiguë.   4. Vascularisés.   5. *V.*   6. Goutte.   7. Rachitisme.   8. *V.*

Développement et vieillissement du squelette

35. 1. *V.*   2. Intramembraneuse. 3. *V.*   4. Primaire.   5. Fibreux.   6. Croissance.   7. *V.*   8. *V.*   9. *V.*   10. Lente.

36. 1. D ou système nerveux.   2. F ou système urinaire.   3. A ou système endocrinien.   4. C ou système musculaire.
5. A ou système endocrinien.   6. B ou système tégumentaire.

37. 1. Fontanelles.   2. Comprimé.   3. Croissance.   4. Sutures.   5. Thoracique.   6. Sacrée.
7. Primaires.   8. Cervicale.   9. Lombaire.

Un voyage extraordinaire

38. 1. Fémur.   2. Spongieux.   3. Tension/stress.   4. Globules rouges (ou érythrocytes).   5. Moelle rouge.
6. Nerf.   7. De Havers (ou central).   8. Compact.   9. Canalicules.   10. Lacunes (ostéocytes).
11. Matrice.   12. Ostéoclaste.

Réflexion et application

39. Plusieurs os entourent chaque orbite : l'os frontal, l'os sphénoïde, l'os zygomatique, le maxillaire, l'os palatin, l'os lacrymal et l'os ethmoïde.

40. Mme Boulanger souffre d'ostéoporose grave ; ses os sont devenus de plus en plus friables. La carence en œstrogènes, qui caractérise la ménopause, expose les femmes à ce risque. On lui prescrira probablement des exercices faisant travailler les articulations portantes et des suppléments de calcium.

41. À cause de la lame criblée de l'ethmoïde qui entoure les nerfs olfactifs. Cette lame est assez fragile et, souvent, elle est brisée lors d'un coup frontal. Un tel coup peut sectionner les neurofibres olfactives, lesquelles ne se régénèrent pas.

42. La déformation des articulations de la main est due à la polyarthrite rhumatoïde qui affecte souvent les femmes d'âge moyen.

43. Jean présente les signes et les symptômes classiques de l'arthrose.

44. Les étirements et les exercices d'aérobie retardent les effets paralysants du vieillissement sur les ligaments et les tendons, assurent la nutrition des cartilages et renforcent les muscles qui stabilisent les articulations.

45. Le médecin de Jacqueline restera à l'affût d'une scoliose, à cause de la lésion des vertèbres thoraciques (et probablement des muscles associés) d'un seul côté.

46. Le bras qui effectue le service est soumis à une plus grande tension physique (mécanique) à cause de l'effort exigé pour propulser la balle. De ce fait, les os s'épaississent.

Chapitre 6   Le système musculaire

Les tissus musculaires – caractéristiques générales

1. 1. A ou muscle cardiaque, B ou muscle lisse.   2. A ou muscle cardiaque, C ou muscle squelettique.
3. B ou muscle lisse.   4. C ou muscle squelettique.   5. A ou muscle cardiaque.   6. A ou muscle cardiaque.
7. C ou muscle squelettique.   8. C ou muscle squelettique.   9. C ou muscle squelettique.

2. A. Muscle lisse.   B. Muscle cardiaque.

3. 1. Os.   2. Aide au travail de l'accouchement.   3. Contractilité.   4. Extensibilité.   5. Favorise la croissance.

Anatomie microscopique de muscle squelettique

4. 1. G ou périmysium.   2. B ou épimysium.   3. I ou sarcomère.   4. D ou fibre.   5. A ou endomysium.
6. H ou sarcolemme.   7. F ou myofibrille.   8. E ou myofilament.   9. K ou tendon.   10. C ou faisceau.

Figure 6-2 : L'endomysium est la fine gaine de tissu conjonctif qui entoure chaque myocyte (fibre).

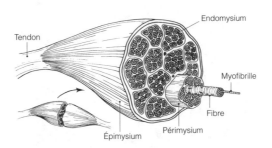

5. **Figure 6-3:** La région contenant les filaments de myosine est la *bande sombre* (strie A) et celle plus étroite, contenant uniquement des filaments d'actine, est la *bande claire* (strie I). Dans votre représentation du sarcomère contracté, la bande claire (strie I) rétrécit; les filaments de myosine devraient presque toucher la ligne Z, alors que les filaments d'actine opposés devraient presque se toucher.

1. La bande claire (strie I) rétrécit pendant la contraction tandis que la longueur de la bande sombre (strie A) ne varie pas.

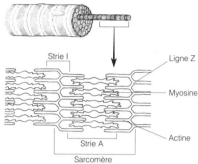

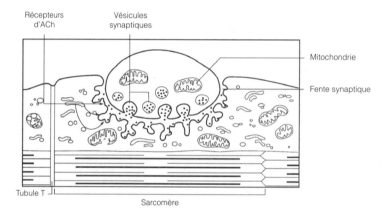

Activité du muscle squelettique

6. 1. Unité motrice.   2. Terminaisons axonales.   3. Fente synaptique.   4. Acétylcholine.   5. Influx nerveux (ou potentiel d'action).   6. Dépolarisation.

7. **Figure 6-4:**

8. 1. 1.   2. 4.   3. 7.   4. 2.   5. 5.   6. 3.   7. 6.

9. 1. F.   2. E.   3. C.   4. B.   5. H.   6. G.   7. I.

10. 1. G ou tétanos (contraction tétanique).   2. B ou contraction isotonique.   3. I ou grand nombre d'unités motrices. 4. H ou petit nombre d'unités motrices.   5. A ou fatigue.   6. E ou contraction isométrique.

11. 1. B.   2. C.   3. A.   4. A, B.   5. C.   6. C.   7. C.   8. B.   9. A.

12. On respire plus rapidement et plus profondément.

13. Il faut cocher 1, 3, 4 et 7.

Mouvements, types et noms des muscles

14. **Figure 6-5:**

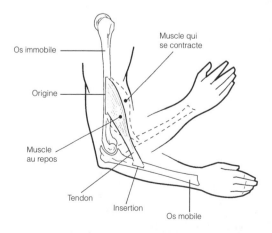

15. 1. Flexion plantaire.   2. Flexion dorsale.   3. Circumduction.   4. Adduction.   5. Flexion.   6. Extension.
7. Extension.   8. Flexion.   9. Flexion.   10. Rotation.   11. Circumduction.   12. Rotation.   13. Pronation.
14. Abduction.

16. 1. C ou agonistes.   2. B ou fixateurs.   3. D ou synergiques.   4. D ou synergiques.   5. A ou antagonistes.
6. B ou fixateurs.

17. 1. E, G.   2. A, G.   3. D, E.   4. E, F.   5. A, C, E.   6. B.   7. E, F.   8. E, F.

Anatomie macroscopique des muscles squelettiques

18. **Figure 6-6 :** 1. I.   2. A.   3. D.   4. B.   5. E.   6. C.   7. G.   8. F.

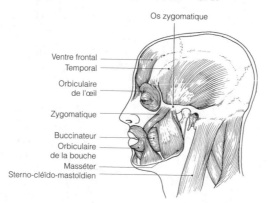

19. **Figure 6-7 :** 1. I.   2. H.   3. A.   4. D.   5. J.   6 et 7. F et K.   8. C.   9. B.

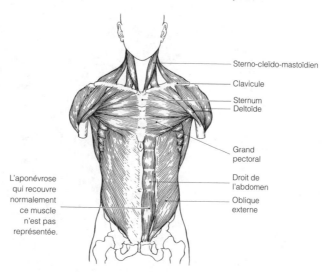

L'aponévrose qui recouvre normalement ce muscle n'est pas représentée.

20. **Figure 6-8 :** 1. F.   2. E.   3. A.   4. B.   5. E.

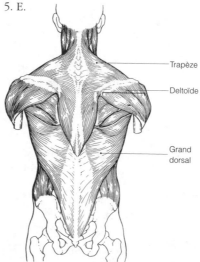

21. Figure 6-9 : 1. H.　2. E.　3. D.　4. O.　5. A.　6. I.　7. G.　8. F.　9. C.　10. K.　11. N.

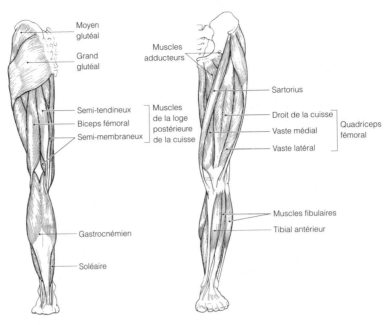

22. Figure 6-10 : 1. E.　2. D.　3. F.　4. A.　5. G.　6. B.

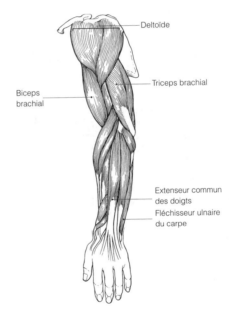

23. 1 à 3. Deltoïde ; grand glutéal ; moyen glutéal.　4. Quadriceps.　5. Tendon d'Achille.　6. Près.　7. L'avant-bras.
8. Antérieure.　9. Postérieure.　10. Genou.　11. Flexion.

24. 1. Biceps fémoral.　2. Antagonistes.　3. Ventre frontal.　4. Vaste médial.

25. 1. 4.　2. 5.　3. 17.　4. 16.　5. 7.　6. 6.　7. 19.　8. 14.　9. 18.　10. 12.　11. 11.　12. 10.
13. 21.　14. 1.　15. 2.　16. 3.　17. 15.　18. 20.　19. 13.　20. 9.　21. 8.

26. 1. 2.　2. 1.　3. 5.　4. 9.　5. 7.　6. 4.　7. 12.　8. 3.　9. 8.　10. 10.　11. 11.　12. 6.

Développement et vieillissement des muscles

27. 1. Mésoderme.　2. Dystrophie musculaire.　3 et 4. Des parties proximales vers les parties distales *et* de la tête
vers les orteils.　5. Globaux.　6. Fins.　7. Exercices.　8. S'atrophient.　9. Myasthénie grave.　10. Masse.
11. Force.　12. Conjonctif　13. Lisse.　14. Satellites.

Un voyage extraordinaire

28. 1. L'endomysium.　2. Unité motrice.　3. Neuromusculaire.　4. Acétylcholine.　5. Sodium.　6. Potentiel d'action.
7. Calcium.　8. Actine.　9. Myosine.　10. Calcium.

Réflexion et application

29. Ces tendons participent à la flexion du poignet et des doigts. Marcel ne pourra plus serrer le poing ni attraper une balle de base-ball.

30. Les muscles de la loge postérieure de la cuisse risquent d'être étirés lorsque la hanche est fléchie et que le genou exécute en même temps un mouvement vigoureux d'extension.

31. Le muscle droit de l'abdomen est un muscle étroit, qui se trouve en position médiale, sans recouvrir complètement la région inguinale. Non, si l'incision a été pratiquée de cette manière, ce muscle n'a pas été sectionné.

32. Elle travaillera surtout au niveau du grand dorsal et du trapèze, qui recouvrent la majeure partie de la surface du dos.

33. Il y a de fortes chances que le petit garçon souffre de dystrophie musculaire progressive de Duchenne. C'est une maladie mortelle, car elle finit par atteindre les muscles respiratoires.

34. Le muscle lisse. Le brassage et le péristaltisme (propulsion des aliments).

35. Le pesticide est une substance chimique qui inhibe l'enzyme nécessaire à la destruction de l'acétylcholine. Cette dernière reste alors dans la synapse et stimule l'activité musculaire.

Chapitre 7   Le système nerveux

1. 1. Le système nerveux reçoit des informations sur les changements qui se produisent à l'intérieur et à l'extérieur de l'organisme.   2. Il traite l'information, l'intègre et détermine l'action nécessaire.   3. Il fournit une réponse en activant les muscles, les glandes ou d'autres parties du système nerveux.

Organisation du système nerveux

2. 1. B ou SNC.   2. D ou système nerveux somatique.   3. C ou SNP.   4. A ou système nerveux autonome. 5. B ou SNC.   6. C ou SNP.

Structure et fonction du tissu nerveux

3. 1. B ou névroglie.   2 à 4. A ou neurone.   5. B ou névroglie.

4. 1. B ou corpuscule nerveux terminal.   2. C ou dendrite.   3. D ou gaine de myéline.   4. E ou corps cellulaire du neurone.   5. A ou axone.

5. 1. A ou terminaisons nerveuses libres, D ou fuseau neuromusculaire.   2. A ou terminaisons nerveuses libres, E ou corpuscule lamelleux (corpuscule de Vater-Pacini).   3. E ou corpuscule lamelleux (corpuscule de Vater-Pacini) (peut-être aussi B et D).   4. B ou fuseau neurotendineux (organe musculotendineux de Golgi), D ou fuseau neuro-musculaire.   5. C ou corpuscule tactile capsulé (corpuscule de Meissner).

6. 1. C ou extérocepteur.   2. L ou cellule de Schwann (neurolemmocyte).   3. M ou synapse.   4. O ou tractus (faisceau).   5. B ou neurone d'association.   6. I ou nœuds de Ranvier.   7. E ou ganglion.   8. D ou neurone efférent.   9. K ou propriocepteur.   10. N ou stimulus.   11. A ou neurone afférent.   12. G ou neurotransmetteur.

7. **Figure 7-1 :**

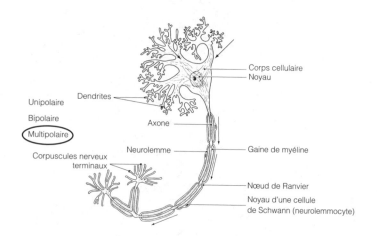

8. 1. Stimulus.   2. Récepteur.   3. Neurone afférent.   4. Neurone efférent.   5. Organe effecteur.

9. 1. E ou période réfractaire.   2. B ou dépolarisation.   3. C ou polarisée.   4. F ou repolarisation.   5. A ou potentiel d'action.   6. D ou ions potassium.   7. H ou pompe à sodium et à potassium.

10. 1. A ou réflexe somatique. 2. B ou réflexe autonome. 3. A ou réflexe somatique. 4. B ou réflexe autonome. 5. A ou réflexe somatique. 6. B ou réflexe autonome. 7. B ou réflexe autonome.

11. 1. Piqûre d'épingle. 2. Muscle squelettique. 3. Deux (trois en comptant celle située dans le muscle).

Figure 7-2:

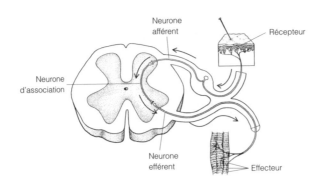

12. 1. Neurone. 2. K^+ entre dans la cellule. 3. Amyélinisé. 4. Acte volontaire. 5. Microglie. 6. Étirement. 7. Concentration élevée de Na^+. 8. Myéline.

Le système nerveux central

13. 1. Hémisphères cérébraux. 2. Tronc cérébral. 3. Cervelet. 4. Ventricules. 5. Liquide cérébro-spinal.

14. Entourez: hémisphères cérébraux, cervelet, diencéphale.

15. 1. Gyrus. 2. Superficie. 3. Corps cellulaires et de fibres amyélinisées. 4. Fibres myélinisées. 5. Noyaux basaux. 6. Cervelet. 7. Motrice.

16. Figure 7-3: 1. D. 2. L. 3. F. 4. C. 5. K. 6. B. 7. E. 8. A. 9. I. 10. H. 11. J. 12. G. Les gyrus B et C doivent être hachurés.

17. Figure 7-4: 1. J. 2. L. 3. O. 4. M. 5. B. 6. D. 7. A. 8. K. 9. G. 10. I. 11. E. 12. N. 13. F. 14. H. 15. C. Les structures 4, 6, 10 et 14 doivent être en bleu. La structure 2, la cavité entourée par le n° 15, les structures 2 et 8 et la région grise qui enveloppe le cerveau doivent être en jaune.

18. 1. Hypothalamus. 2. Pont. 3. Cervelet. 4. Thalamus. 5. Bulbe rachidien. 6. Corps calleux. 7. Aqueduc du mésencéphale. 8. Thalamus. 9. Plexus choroïde. 10. Pédoncule cérébral. 11. Hypothalamus. 12. Thalamus.

19. 1. Postcentral. 2. Temporal. 3. Frontal. 4. Broca. 5. Gauche. 6. *V.* 7. Système réticulaire. 8. *V.* 9. Active.

20. 1. Dure-mère. 2. Pie-mère. 3. Villosités arachnoïdiennes. 4. Arachnoïde. 5. Dure-mère.

21. Figure 7-5:

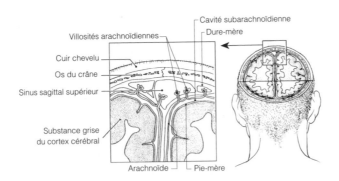

22. 1. Plexus choroïdes. 2. Ventricule. 3. Aqueduc du mésencéphale. 4. Canal central. 5. Cavité subarachnoïdienne. 6. Quatrième ventricule. 7. Hydrocéphalie.

23. 1. E ou commotion. 2. F ou contusion. 3. D ou coma. 4. G ou hémorragie intracrânienne. 5. B ou œdème cérébral. 6. C ou AVC. 7. A ou maladie d'Alzheimer. 8. H ou sclérose en plaques. 9. I ou AIT.

24. 1. Foramen magnum. 2. Lombaire. 3. Ponction lombaire. 4. 31. 5. 8. 6. 12. 7. 5. 8. 5. 9. Queue de cheval.

25. 1. D ou neurone d'association. 2. B ou efférent. 3. A ou afférent. 4. B ou efférent. 5. A ou afférent. 6. C ou afférent et efférent.

26. **Figure 7-6 :** La substance grise est au centre en forme de papillon. D, F et H en jaune.

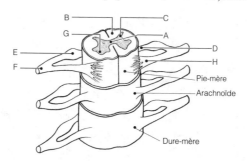

27. 1. B ou perte de la fonction sensorielle.   2. A ou perte de la fonction motrice.   3. C ou perte des fonctions motrice et sensorielle.

Système nerveux périphérique

28. **Figure 7-7 :**

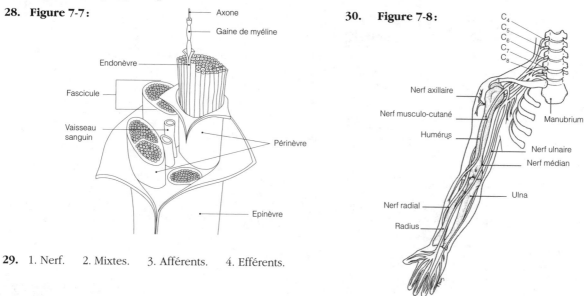

30. **Figure 7-8 :**

29. 1. Nerf.   2. Mixtes.   3. Afférents.   4. Efférents.

31. **Figure 7-9 :**

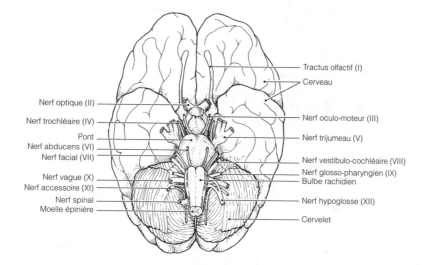

32. 1. Accessoire (XI).   2. Olfactif (I).   3. Oculo-moteur (III).   4. Vague (X).   5. Facial (VII).   6. Trijumeau (V). 7. Vestibulo-cochléaire (VIII).   8. Facial (VII).   9. III, IV, VI.   10. Trijumeau (V).   11. Optique (II).   12. I, II, VIII.

33. 1. Plexus.   2. Les membres et la partie antérolatérale du tronc.   3. Thorax.   4. Postérieure du tronc.

34. 1. Plexus cervical.   2. Nerf phrénique.   3. Nerf sciatique.   4. Nerfs fibulaire et tibial.   5. Nerf médian.   6. Nerf musculo-cutané.   7. Plexus lombaire.   8. Nerf fémoral.   9. Nerf ulnaire.

35. Figure 7-10 :

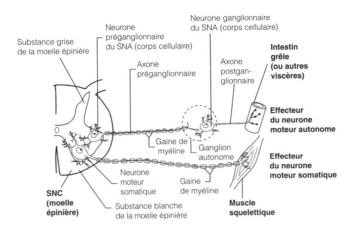

36. Partie sympathique : 1, 4, 6, 8 et 10.   Partie parasympathique : 2, 3, 5, 7, 9 et 11.

37. 1. Accélération de la fréquence respiratoire.   2. Accélération de la fréquence cardiaque et élévation de la pression artérielle.   3. Élévation de la glycémie.   4. Dilatation des pupilles, apport sanguin accru au cœur, au cerveau et aux muscles squelettiques.

Développement et vieillissement du système nerveux

38. 1. Hypothalamus.   2. Oxygène.   3. De la tête vers les orteils.   4. Globaux.   5. Pression artérielle.
6. La diminution de l'apport d'oxygène (sang) au cerveau.   7. Sénilité.   8. Accident vasculaire cérébral (AVC).

Un voyage extraordinaire

39. 1. Cervelet.   2. Bulbe rachidien.   3. Hypothalamus.   4. Souvenirs.   5. Temporal.   6. L'aire de Broca.
7. Raisonnement.   8. Frontal.   9. Nerf vague (X).   10. Dure-mère.   11. Subarachnoïdienne.   12. Quatrième.

Réflexion et application

40. La partie parasympathique.

41. Puisque les cellules nerveuses sont amitotiques, la tumeur est très vraisemblablement un gliome qui s'est formé à partir d'un des types de cellules de la névroglie.

42. Lorsque le système nerveux sympathique est activé, la médulla surrénale déverse dans le sang de grandes quantités d'adrénaline. La dégradation de l'hormone dans l'organisme prend un certain temps.

43. Les corps cellulaires des neurones dont les axones sont associés au nerf phrénique se trouvent dans les segments C_1 à C_4 de la moelle épinière. Après le sectionnement de la moelle à cette hauteur – soit C_2 dans le cas de la première victime – les influx en provenance des centres respiratoires du tronc cérébral ne parviennent plus à ces neurones moteurs, qui sont de ce fait inactivés. En conséquence, les mouvements respiratoires du diaphragme cessent, menant à une issue fatale. Le sectionnement de la moelle épinière au-dessous des segments C_1 à C_4 n'arrête pas cette voie des nerfs respiratoires ; ainsi, les nerfs phréniques restent fonctionnels et la respiration continue d'être normale.

44. L'AVC a affecté les parties de l'aire motrice pyramidale qui régissent le tronc, les hanches et les membres inférieurs. Ce sont donc ces régions qui sont paralysées et ce, du côté *gauche* du corps. (N'oubliez pas que les voie motrices sont croisées).

45. 1. Cervelet.   2. Noyaux basaux.   3. Méningite.   4. Nerf oculo-moteur (III).   5. Aires somesthésiques.
6. Aire de Broca.   7. Électroencéphalographie.   8. Tomographie par émission de positrons.

46. Marie souffre d'ataxie, ce qui indique une atteinte du cervelet.

47. Une paresthésie, car les neurofibres contenues dans la substance blanche de la région dorsale appartiennent à des tractus sensitifs.

48. La partie sympathique ; c'est la réponse de lutte ou de fuite qui a été activée.

49. L'inversion du potentiel de membrane qui se propage de lui-même à partir du point de stimulation.

50. Hypotension orthostatique. Avec l'âge, le système nerveux autonome n'agit plus aussi rapidement sur les centres vaso-constricteurs qui permettent de contrebalancer les effets de la gravitation. Cela a pour conséquence de provoquer des étourdissements, voire un évanouissement, lors d'un changement brusque de position. Ce problème est bénin et il suffit simplement de changer de position lentement.

51. Ce sont les récepteurs adrénergiques, car l'adrénaline est le neurotransmetteur libéré par le système nerveux sympathique, partie du SNA qui provoque la constriction des vaisseaux sanguins et contribue ainsi à augmenter la pression artérielle.

52. Avec l'âge, les réflexes deviennent plus lents, principalement à cause de la perte de neurones, de la diminution du nombre de synapses par neurone et du ralentissement de l'intégration nerveuse. Les nerfs périphériques ne sont perturbés que par un traumatisme ou une ischémie.

Chapitre 8   Les sens

Œil et vision

1. 1. Du bulbe de l'œil ou extrinsèques.   2. Paupières.   3. Tarsales.   4. Conjonctivite.

2. 1. n° 2.   2. n° 4.   3. n° 3.   4. n° 1.

3. **Figure 8-1 :** 1. Le muscle droit supérieur élève l'œil.   2. Le muscle droit inférieur abaisse l'œil.   3. Le muscle oblique supérieur abaisse l'œil et le tourne vers l'extérieur.   4. Le muscle droit latéral déplace l'œil vers l'extérieur. 5. Le muscle droit médial déplace l'œil vers l'intérieur.   6. Le muscle oblique inférieur élève l'œil et le tourne vers l'extérieur.

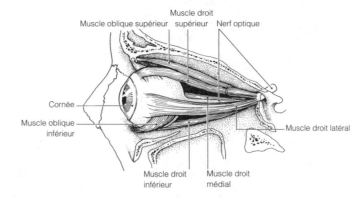

4. 1. La conjonctive sécrète du mucus.   2. Les glandes lacrymales sécrètent une solution saline (larmes) et des lysozymes. 3. Les glandes tarsales sécrètent une substance huileuse. Il faut entourer la sécrétion des glandes lacrymales.

5. 1. L ou réfraction.   2. A ou accommodation.   3. F ou emmétropie.   4. H ou hypermétropie.   5. K ou réflexe photo-pupillaire.   6. D ou cataracte.   7. I ou myopie.   8. C ou astigmatisme.   9. G ou glaucome.   10. E ou convergence.   11. B ou réflexe d'accommodation.   12. J ou cécité nocturne.

6. Le système nerveux autonome.

7. 1. Convexe.   2. Réelle.   3. L'arrière.   4. Convexes.   5. L'avant.   6. Concaves.

8. 1. E ou zone ciliaire.   2. A ou humeur aqueuse.   3. L ou sclère.   4. J ou disque du nerf optique.   5. D ou corps ciliaire.   6. C ou choroïde.   7. B ou sinus veineux de la sclère.   8. K ou rétine.   9. M ou corps vitré.   10. C ou choroïde.   11 et 12. D ou corps ciliaire, H ou iris.   13. G ou fossette centrale.   14 à 17. A ou humeur aqueuse, F ou cornée, I ou cristallin et M ou corps vitré.   18. F ou cornée.   19. H ou iris.

9. **Figure 8-2 :** Tunique externe : F et L ; tunique moyenne : C, D et H ; tunique interne : K. A et M sont en bleu.

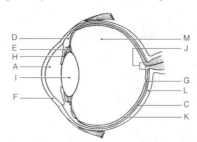

10. 1. Pour la vision éloignée, le muscle ciliaire est relâché, la convexité du cristallin est réduite, et la puissance de réfraction de la lumière est réduite.   2. Pour la vision rapprochée, le muscle ciliaire est contracté, la convexité du cristallin est accrue et la puissance de réfraction de la lumière est accrue.

11. Rétine → Nerf optique → Chiasma optique → Tractus optique → Synapse du thalamus → Radiation optique → Aire visuelle du cortex occipital.

12. 1. Trois.   2 à 4. Bleue, verte et rouge.   5. En même temps.   6. Daltonisme (dyschromatopsie).   7. Hommes.
8. Bâtonnets.

13. 1. Corps vitré.   2. Muscle droit supérieur.   3. Vision éloignée.   4. Propriocepteurs.   5. Iris.

14. 1. Opsine.   2. Rhodopsine.   3. Décoloration de la rhodopsine.   4. Jaune.   5. Incolore.   6. A.

Oreille : ouïe et équilibre

15. 1 à 3. E, I et M.   4 à 6. C, K et N.   7 à 9. A, F et L.   10 et 11. K et N.   12. B.   13. M.   14. C.   15. B.
16 et 17. K et N.   18. G.   19. D.   20. H.

16. **Figure 8-3 :** 1. I, E et M.   2. A, F et L.   3. C.   4. K et N.

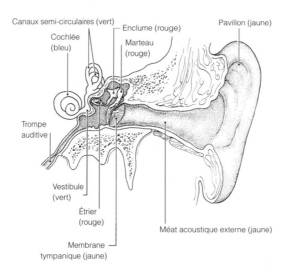

17. Tympan → Marteau → Enclume → Étrier → Fenêtre du vestibule → Périlymphe → Lame basilaire → Endolymphe → Cellules sensorielles ciliées de l'organe spiral.

18. **Figure 8-4 :**

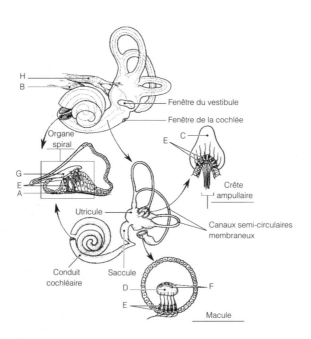

19. 1. C ou dynamique.   2. I ou canaux semi-circulaires.   3. A ou mouvement rotatoire/angulaire.
4. D ou endolymphe.   5. B ou cupule.   6. J ou statique.   7. H ou saccule.   8. K ou utricule.
9. E ou force gravitationnelle.   10 et 11. G ou proprioception, L ou vision.

20. 1. *T*.   2. *P*.   3. *P*   4. *T*.   5. *T*.   6. *T*.   7. *P*.

21. Nausées, étourdissements et chutes.

22. 1. Pavillon.   2. Membrana tectoria.   3. Ondes sonores.   4. Trompe auditive.   5. Nerf optique.

Sens chimiques : goût et odorat

23. 1 à 3. (Dans n'importe quel ordre) nerf facial (VII), nerf glosso-pharyngien (IX), nerf vague (X).
4. Olfactif.   5. Muqueuse du toit.   6. Reniflement.   7. Calicules gustatifs.   8. Circumvallées.
9. Fungiformes.   10 à 14. sucré, salé, amer, acide, umami.   15. De l'amer.   16. Odorat.
17. Sèche.   18. Des souvenirs ou des émotions.

24. Figure 8-5 :

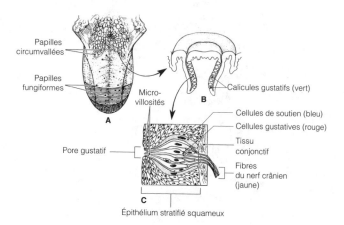

25. Figure 8-6 :

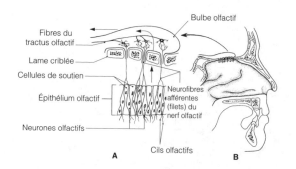

26. 1. Musqué.   2. Cellule épithéliale.   3. Neurone.   4. Nerf olfactif.   5. Quatre types de récepteurs.
6. Ions métalliques.

Développement et vieillissement des organes des sens

27. 1. Système nerveux.   2. Rubéole.   3. Cécité.   4. Vision.   5. Hypermétropes.   6. Élastique.   7. Presbyte.
8. Cataracte.   9. Presbyacousie.

Un voyage extraordinaire

28. 1. Labyrinthe osseux.   2. Périlymphe.   3. Saccule.   4. Utricule.   5. Membrane des statoconies.   6. Statoconies.
7. Macule.   8. Statique.   9. Conduit cochléaire.   10. Organe spiral.   11. Ouïe.   12. Nerf cochléaire (branche du nerf crânien VIII).   13. Canaux semi-circulaires.   14. Cupule.   15. Crête ampullaire.   16. Dynamique.

Réflexion et application

29. Le port d'un cache-œil sur l'œil sain pour renforcer les muscles affaiblis de l'autre œil.

30. Cet homme souffre de cataracte, pouvant être provoquée par des rayons UV ou le tabagisme.

31. L'albinisme affaiblit la vision, car en l'absence de pigments (dans la choroïde), la lumière se diffuse avant de converger adéquatement.

32. Cet homme est atteint de cécité nocturne ; on lui recommandera de prendre de la vitamine A ; les bâtonnets risquent d'être dégénérés.

33. C'est l'extrémité proximale, c'est-à-dire proche de la fenêtre du vestibule, qui est dysfonctionnelle. La fillette souffre de surdité de perception.

34. Le petit garçon souffre très vraisemblablement d'otite externe, trouble dû à l'exposition aux bactéries de la piscine. Ce diagnostic serait confirmé par l'inflammation du méat acoustique externe. S'il souffrait d'otite moyenne, c'est l'oreille moyenne qui serait enflammée. En cas de bombement du tympan, il pourrait être indiqué d'implanter des aérateurs.

35. Le nerf crânien I, ou nerf olfactif.

36. Il s'agit du nerf abducens, ou nerf crânien VI.

37. Cette personne souffre probablement de glaucome, dû à l'écoulement inapproprié de l'humeur aqueuse ; elle risque de devenir aveugle à cause de la compression de la rétine et du disque du nerf optique.

38. Les pigments nécessaires à la vision sont synthétisés à partir de la vitamine A et d'une protéine, appelée opsine. En l'absence de ces pigments, la lumière n'est pas captée et la personne ne peut pas voir.

39. Le zinc, car sa carence est la cause d'un tiers des cas de perte d'un sens chimique.

Chapitre 9   Le système endocrinien

Système endocrinien et fonction hormonale – caractéristiques générales

1. 1. F ou plus lents et plus durables.   2. E ou système nerveux.   3. B ou hormones.   4. D ou influx nerveux. 5. A ou système cardiovasculaire.

2. 1. I ou récepteurs.   2. N ou cellule(s) cible(s).   3. A ou modifiant l'activité.   4. L ou stimulant des activités nouvelles ou inhabituelles.   5 et 6. O ou molécules dérivées d'acides aminés, K ou stéroïdes.   7. G ou nerveux. 8. C ou hormonal.   9. D ou humoral.   10. F ou rétro-inhibition.   11. B ou adénohypophyse.   12. J ou hormones de libération.   13. E ou hypothalamus.   14. H ou neuroendocrinien.

3. Hormone stéroïde : B, C, D.   Hormone dérivée d'un acide aminé : A, E.

Principaux organes endocriniens

4. **Figure 9-1 :**

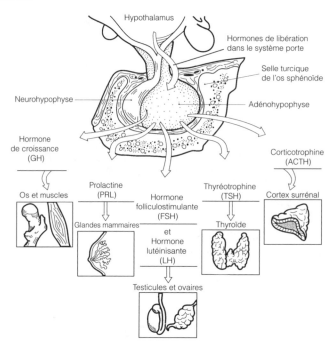

5. **Figure 9-2 :** A. Corps pinéal.   B. Neurohypophyse.   C. Adénohypophyse.   D. Glande thyroïde.   E. Thymus. F. Cortex surrénal.   G. Médulla surrénale.   H. Pancréas.   I. Ovaire.   J. Testicule.   K. Glandes parathyroïdes. L. Placenta.

6. 1. C.   2. B.   3 et 4. F.   5. G.   6. I, L.   7. C.   8. H.   9. H.   10. C.   11. A.   12. B.   13. I, L.   14. C. 15. K.   16. C.   17. J.   18. E.   19. D.   20. D.   21. C.

7. 1. Thyroxine.   2. Thymosine.   3. Parathormone (PTH).   4. Cortisol (glucocorticoïdes).   5. Adrénaline. 6. Insuline.   7 à 10. TSH, FSH, LH, ACTH.   11. Glucagon.   12. ADH.   13 et 14. FSH, LH. 15 et 16. œstrogènes, progestérone. 17. Aldostérone.   18 et 19. prolactine et ocytocine.

8. 1. Œstrogènes/testostérone.   2. PTH.   3. ADH.   4. Thyroxine.   5. Thyroxine.   6. Insuline.   7. Hormone de croissance.   8. Œstrogènes/progestérone.   9. Thyroxine.

9. 1. Hormone de croissance.   2. Thyroxine.   3. PTH.   4. Glucocorticoïdes.   5. Hormone de croissance. 6. Androgènes (testostérone).

10. 1. Polyurie – la concentration élevée de sucre dans le filtrat rénal entraîne l'émission de grandes quantités d'urine pour évacuer le glucose et les corps cétoniques.   2. Polydipsie – soif excessive, à cause de l'excrétion de grands volumes d'urine.   3. Polyphagie – faim exagérée car, bien que la glycémie soit élevée, l'organisme ne peut utiliser le glucose en tant que combustible cellulaire.

11. Figure 9-3 :

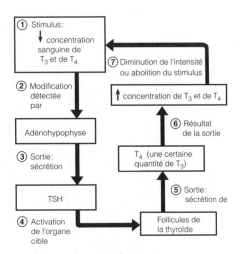

Mécanisme de rétro-inhibition

12. 1. Adénohypophyse.   2. Hormone stéroïde.   3. Cortisol.   4. Élévation des concentrations sanguines de Ca^{2+}.
5. Hormone de croissance.

Autres tissus et organes hormonopoïétiques

13.

Hormone	Composition chimique	Source	Effets
Gastrine	Peptide	Estomac	Estomac : déclenche la libération d'acide chlorhydrique (HCl).
Sécrétine	Peptide	Duodénum	Pancréas et foie : stimule la libération pancréatique de suc riche en bicarbonate (HCO_3^-) et augmente la libération hépatique de bile ; estomac : inhibe l'activité sécrétrice.
Cholécystokinine	Peptide	Duodénum	Pancréas : stimule la libération de suc riche en enzymes ; vésicule biliaire : en stimule la contraction ; muscle sphincter de l'ampoule hépato-pancréatique : en provoque le relâchement.
Érythropoïétine	Glycoprotéine	Reins, en réponse à l'hypoxie	Moelle osseuse : stimule la production d'érythrocytes.
Provitamine D_3	Stéroïde	Peau ; activation par les reins	Intestins : augmente l'absorption de calcium (après transformation en vitamine D_3).
Facteur natriurétique auriculaire (FNA)	Peptide	Cœur	Reins : inhibe la réabsorption de Na^+ ; inhibe la sécrétion d'aldostérone.
Gonadotrophine chorionique humaine (hCG)	Protéine	Placenta	Corps jaune : stimule la production d'œstrogènes et de progestérone pour empêcher la survenue des règles.
Leptine	Peptide	Tissu adipeux	Encéphale : inhibe l'appétit ; augmente la dépense énergétique.

Développement et vieillissement du système endocrinien

14. 1. Tumeur.   2. Hypersécrétion.   3. Iode.   4. Œstrogènes.   5. Ménopause.   6. Procréer.   7. Insuline.

Un voyage extraordinaire

15. 1. Insuline.   2. Pancréas.   3. Neurohypophyse (ou l'hypothalamus).   4. ADH.   5. Calcium.   6. Parathyroïdes.
7. Médulla surrénale.   8. Adrénaline.   9. Thyroxine.

Réflexion et application

16. Le nanisme hypophysaire est provoqué par une hyposécrétion d'hormone de croissance ; les enfants atteints de ce
trouble présentent en général des proportions corporelles relativement normales ; le crétinisme, dû à une hyposécrétion
de thyroxine, se manifeste aussi par une petite taille mais des proportions corporelles anormales ainsi qu'une langue et
un cou épais.

17. Cette jeune fille semble souffrir d'hypothyroïdie, due probablement à un déficit en iode (qu'on peut traiter par l'administration de suppléments) ou à l'«épuisement» des cellules de la thyroïde (qu'on peut traiter par une hormonothérapie thyroïdienne de substitution).

18. Il s'agit du cortex surrénal.

19. Dans le cas du géant, l'hypersécrétion d'hormones de croissance par l'adénohypophyse provoque le gigantisme. Dans le cas du nain, l'hyposécrétion d'hormones de croissance entraîne une petite stature, mais des proportions normales. L'obèse souffre de myxœdème; son métabolisme est ralenti à cause de la sécrétion inadéquate de T_3 et de T_4. La femme à barbe est porteuse d'une tumeur qui touche les cellules du cortex surrénal (zone sécrétrice d'androgènes), ce qui entraîne l'hirsutisme (développement exagéré du système pileux).

20. Agent stressant → Hypothalamus → CRH (hormone de libération qui pénètre dans le système porte hypophysaire) → Adénohypophyse (qui libère l'ACTH)

    L'ACTH agit sur le cortex surrénal et déclenche la sécrétion de glucocorticoïdes (comme le cortisol).

21. La prolactine.

22. L'hormone de croissance (GH).

Chapitre 10 Le sang

Composition et fonction du sang

1. 1. Tissu conjonctif. 2. Éléments figurés. 3. Plasma. 4. Coagulation. 5. Érythrocytes. 6. Hématocrite. 7. Plasma. 8 et 9. Leucocytes, plaquettes. 10. 1 (un). 11. Oxygène.

2. 1. F ou neutrophiles. 2 à 4. C ou éosinophiles, D ou basophiles, F ou neutrophiles.
   5. A ou globules rouges. 6 et 7. (Dans n'importe quel ordre) E ou monocytes, F ou neutrophiles.
   8 et 9. E ou monocytes, G ou lymphocytes. 10. B ou mégacaryocytes. 11. H ou éléments figurés.
   12. C ou éosinophiles. 13. D ou basophiles. 14. G ou lymphocytes. 15. A ou globules rouges.
   16. I ou plasma. 17. E ou monocytes. 18. D ou basophiles. 19 à 23. C ou éosinophiles, D ou basophiles, E ou monocytes, F ou neutrophiles, G ou lymphocytes.

3. **Figure 10-1:** De 100 à 120 jours.

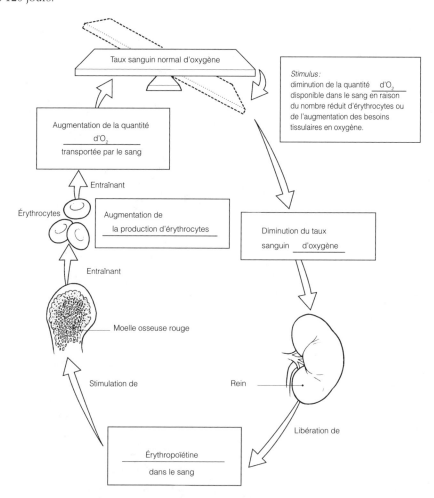

4. Figure 10-2 : A est un neutrophile.   B est un monocyte.   C est un éosinophile.   D est un lymphocyte.

5. 1. Diapédèse.   2. *V.*   3. Les reins.   4. 7,35.   5. 5,5.   6. *V.*   7. *V.*   8. 5 à 6.   9. Hématocrite.
10. Moins.   11. Monocytes.   12. Lymphocytes.

6. 1. Érythrocytes.   2. Monocytes.   3. Lymphocyte.   4. Hémostase.   5. Anévrisme.   6. Hémoglobine.
7. Lymphocyte.

7. Il faut marquer d'un crochet 1, 2 et 3.

Hémostase

8. 1. A ou rupture.   2. E ou plaquettes.   3. G ou sérotonine.   4. I ou facteur tissulaire (thromboplastine).
5. F ou prothrombine.   6. H ou thrombine.   7. D ou fibrinogène.   8. C ou fibrine.   9. B ou érythrocytes.

9. 1. 3 à 6.   2. Héparine.   3. *V.*   4. Plaquettes.   5. Extrinsèque.   6. *V.*

Groupes sanguins et transfusions

10.

Groupe sanguin	Agglutinogènes ou antigènes	Agglutinines ou anticorps du plasma	Donneur au groupe	Receveur du groupe
1. Groupe A	A	Anti-B	A, AB	A, O
2. Groupe B	B	Anti-A	B, AB	B, O
3. Groupe AB	A, B	aucun	AB	A, B, AB, O
4. Groupe O	aucun	Anti-A, anti-B	A, B, AB, O	O

11. O est donneur universel. AB est receveur universel.

12. Dans le cas d'une réaction hémolytique, les anticorps du plasma du receveur se fixent aux antigènes du donneur incompatible et entraînent la lyse des érythrocytes.

Développement et vieillissement du sang

13. 1. F.   2. Ictère.   3. Anémie à hématies falciformes ou drépanocytose.   4. Hémophilie.   5. Ferriprive.
6. Pernicieuse.   7. B_{12}.   8. Thrombus.   9. Leucémie.

Un voyage extraordinaire

14. 1. Hématopoïèse.   2. Hémostase.   3. Hémocytoblastes.   4. Neutrophile.   5. Phagocyte.   6. Érythropoïétine.
7. Érythrocytes.   8. Hémoglobine.   9. Oxygène.   10. Lymphocytes.   11. Anticorps.   12 à 15. (Dans n'importe quel ordre) : basophiles, éosinophiles, monocytes, plaquettes.   16. Endothélium.   17. Plaquettes.   18. Sérotonine.
19. Fibrine.   20. Caillot.   21. Thromboplastine.   22. Prothrombine.   23. Thrombine.   24. Fibrinogène.
25. Embole.

Réflexion et application

15. Maladie hémolytique du nouveau-né.

16. Parce que ses érythrocytes ont été détruits par les anticorps de la mère. Le sang du bébé ne transporte pas suffisamment d'oxygène.

17. Elle a probablement reçu lors d'une transfusion antérieure du sang dont le Rh était incompatible avec le sien (Rh⁺).

18. Il faudrait administrer à la mère du sérum RhoGAM, qui contient des anticorps anti-Rh, pour empêcher l'apparition d'une réponse immunitaire dans son sang.

19. On suivra de près le développement fœtal, en raison du risque de maladie hémolytique du nouveau-né ; au besoin, on procédera à des transfusions intra-utérines, tout comme à des transfusions de sang complet après la naissance.

20. Non ; A⁺.

21. Les cellules souches qui participent à l'hématopoïèse dans la moelle osseuse sont des cellules qui se divisent rapidement. Pour cette raison, elles seront ciblées (en même temps que les cellules tumorales) par les médicaments administrés dans le cadre d'une chimiothérapie.

22. Presque tous les os contiennent de la moelle rouge et des tissus hématopoïétiques fonctionnels chez le jeune enfant, mais chez l'adulte, ce ne sont que le sternum, l'ilium et l'épiphyse de quelques os longs qui peuvent produire des cellules sanguines.

23. Ce sont les érythrocytes, qui comptent pour presque la moitié du volume sanguin.

24. L'hémogramme dévoile la quantité de chaque élément figuré tandis que l'autoanalyseur SMAC fournit un profil chimique de la composition sanguine.

Chapitre 11   Le système cardiovasculaire

Système cardiovasculaire : le cœur

1.   1. Thorax.   2. Diaphragme.   3. Deuxième.   4. Aorte.   5. Oreillette droite.   6. Oreillettes.   7. Ventricules.
8. Endocarde.   9. Épicarde.   10. Friction.   11. Muscle cardiaque.

2.   1. Ventricule droit.   2. Tronc pulmonaire.   3. Artères pulmonaires.   4. Poumons.   5. Veines pulmonaires.
6. Oreillette gauche.   7. Bicuspide (mitrale).   8. Ventricule gauche.   9. De l'aorte.   10. Aorte.   11. Lits capillaires.
12. Veine cave supérieure.   13. Veine cave inférieure.

Figure 11-1 : Les régions ombrées de la figure représentent le sang pauvre en oxygène, et les régions en blanc le sang oxygéné.

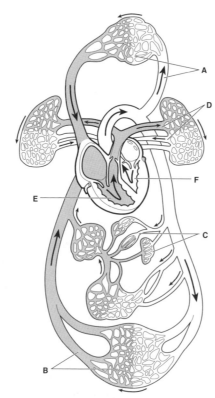

3.   Figure 11-2 : 1. Oreillette droite.   2. Oreillette gauche.   3. Ventricule droit.   4. Ventricule gauche.
5. Veine cave supérieure.   6. Veine cave inférieure.   7. Aorte.   8. Tronc pulmonaire.   9. Artère pulmonaire
gauche.   10. Artère pulmonaire droite.   11. Veines pulmonaires droites.   12. Veines pulmonaires gauches.
13. Circulation coronarienne.   14. Apex du cœur.   15. Ligament artériel (blanc). En bleu : 5, 6, 8, 9, 10 et une
des branches de 13. En rouge : 7, 11, 12 et une des branches de 13.

4.   Figure 11-3 :

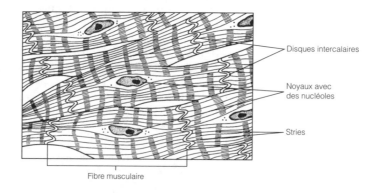

5.   1. Systole.   2. Diastole.   3. Toc-tac.   4. AV.   5. De l'aorte et du tronc pulmonaire.   6. Ventricules.
7. Oreillettes.   8. Oreillettes.   9. Ventricules.   10. Souffles.

6. **Figure 11-4 :** Il faut tracer des flèches rouges à partir de l'oreillette gauche vers le ventricule gauche et ensuite vers l'aorte. Les flèches bleues doivent partir des veines caves supérieure et inférieure vers l'oreillette droite, ensuite vers le ventricule droit et, de là, vers le tronc pulmonaire. Les flèches vertes doivent suivre les numéros 1 à 5, dans l'ordre.

1. Nœud sinusal ou nœud sinu-atrial. 2. Nœud AV. 3. Faisceau AV (faisceau de His).
4. Branches du faisceau AV. 5. Fibres de Purkinje. 6. Valve du tronc pulmonaire.
7. Valve de l'aorte. 8. Valve bicuspide (mitrale). 9. Valve tricuspide.

A et B. 6, 7. C et D. 8, 9. E. 9. F. 8. G. 1. H. 2.

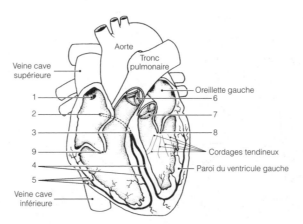

7. 1. C ou électrocardiogramme. 2. F ou onde P. 3. H ou onde T. 4. G ou complexe QRS. 5. B ou bradycardie.
6. D ou fibrillation. 7. I ou tachycardie. 8. E ou bloc cardiaque. 9. A ou angine de poitrine.

8. **Figure 11-5 :**

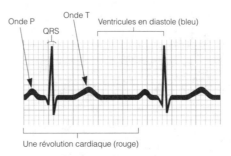

9. 1. Débit cardiaque. 2. Fréquence cardiaque. 3. Volume systolique. 4. 75 battements par minute, environ.
5. 70 mL par battement. 6. 5250 mL par minute. 7. Minute. 8. Volume systolique. 9. Étirement.
10. Sang.

10. Il faut cocher 1, 2, 4, 5, 6, 8 et 10.

11. 1. Le fœtus. 2. Fréquence des contractions. 3. Gauche. 4. *V.* 5. *V.*

12. 1. Côté gauche du cœur. 2. Onde P. 3. Valves AV ouvertes. 4. Valve de l'aorte. 5. Valve tricuspide.
6. Bloc cardiaque.

Système cardiovasculaire : les vaisseaux sanguins

13. 1. Lumière. 2. Vasoconstriction. 3. Vasodilatation. 4. Veines. 5. Artères. 6. Artérioles. 7. Veinules.

14. Les artères sont des vaisseaux à haute pression. Les veines sont des vaisseaux à basse pression. Le sang s'écoule obligatoirement des vaisseaux à haute pression vers ceux à basse pression. Les valvules des veines empêchent le reflux du sang dans les vaisseaux à basse pression.

15. L'activité des muscles squelettiques et la respiration (pompe respiratoire).

16. 1. A ou tunique intime. 2. B ou tunique moyenne. 3. A ou tunique intime. 4. A ou tunique intime.
5. C ou tunique externe. 6. B ou tunique moyenne. 7. C ou tunique externe.

Figure 11-6 : A. Artère : tunique moyenne épaisse ; lumière petite et ronde. B. Veine : tunique moyenne mince ; lumière allongée, relativement affaissée ; une valvule est présente. C. Capillaire : une seule couche endothéliale. A et B : La tunique intime est la couche la plus profonde, la tunique externe est la couche superficielle et la tunique moyenne est la couche intermédiaire.

17. Figure 11-7 :

Figure 11-8 :

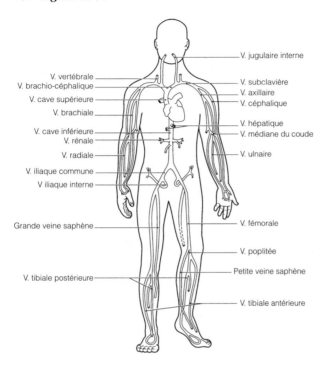

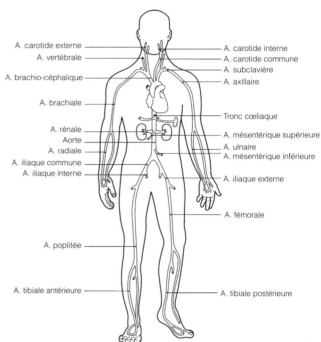

18. 1 et 2. S ou v. radiale et X ou v. ulnaire. 3. U ou v. subclavière. 4. E ou sinus coronaire. 5. T ou v. rénale. 6. Q ou v. jugulaire interne. 7. D ou v. brachio-céphaliques (droite et gauche). 8 et 9. A ou v. tibiale antérieure et R ou v. tibiale postérieure. 10. M ou veine porte hépatique. 11. F ou v. céphalique. 12. J ou v. testiculaire ou ovarique 13. B ou v. azygos. 14. O ou veine cave inférieure. 15. L ou v. hépatique. 16 à 18. I ou v. gastrique, N ou v. mésentérique inférieure et V ou v. mésentérique supérieure. 19. K ou grande veine saphène. 20. G ou v. iliaque commune. 21. H ou v. fémorale.

19. Figure 11-9 :

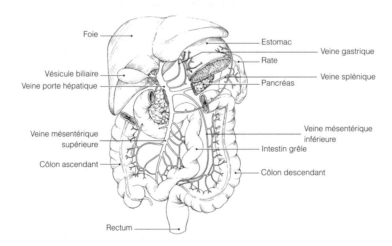

20. 1 et 2. F ou artère carotide commune et W ou artère subclavière. 3. H ou artère coronaire. 4 et 5. P ou artère carotide interne et Y ou artère vertébrale. 6. B ou aorte. 7. J ou artère dorsale du pied. 8. I ou artère profonde de la cuisse. 9. S ou artère phrénique. 10. C ou artère brachiale. 11. C ou artère brachiale. 12. N ou artère mésentérique inférieure. 13. Q ou artère iliaque interne. 14. L ou artère fémorale. 15. C ou artère brachiale. 16. X ou artère mésentérique supérieure. 17. G ou artère iliaque commune. 18. E ou tronc cœliaque. 19. K ou artère carotide externe. 20 à 22. A ou artère tibiale antérieure, R ou artère fibulaire, T ou artère tibiale postérieure. 23. U ou artère radiale. 24. B ou aorte.

21. Figure 11-10 :

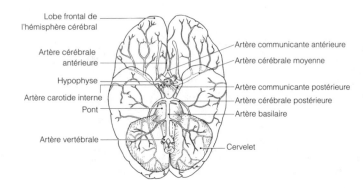

22. Figure 11-11

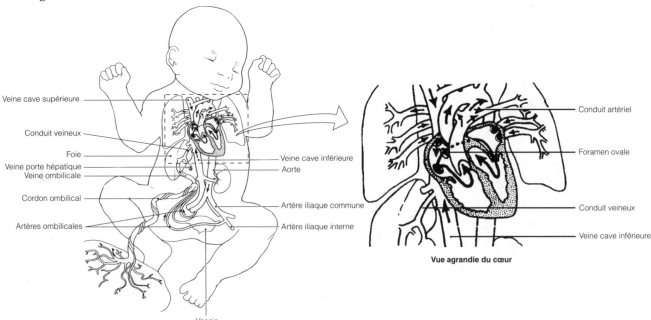

Vue agrandie du cœur

23. 1. C ou cercle artériel du cerveau.   2. J ou veine ombilicale.   3. E ou conduit veineux.   4. A ou artère cérébrale antérieure, G ou artère cérébrale moyenne.   5. B ou artère basilaire.   6. D ou conduit artériel.   7. F ou foramen ovale.

24. Les poumons du fœtus ne participent pas aux échanges gazeux et ils sont affaissés. Le placenta effectue les échanges gazeux avec le sang fœtal.

25. 1. Veine.   2. Artère carotide.   3. Vasodilatation.   4. Hypertension.   5. Vasodilatation.

26. 1. H ou pouls.   2. B ou pression artérielle.   3 et 4. C ou débit cardiaque et F ou résistance périphérique.
5. D ou constriction des artérioles.   6. J ou pression artérielle systolique.   7. E ou pression artérielle diastolique.
8. A ou artères.   9. G ou points de compression.   10. I ou bruits de Korotkoff.

27. 1. G ou liquide interstitiel.   2. C ou diffusion.   3. E ou liposolubles.   4 à 6. B ou fentes intercellulaires,
D ou fenestrations, I ou vésicules.   7. D ou fenestrations.   8 et 9. B ou fentes intercellulaires, D ou fenestrations.
10. F ou pression hydrostatique.   11. H ou pression osmotique.   12. G ou liquide interstitiel.   13. A ou sang.

28. 1. *D.*   2 à 5. *E.*   6. *D.*   7. *D.*   8. *E.*   9 à 11. *D.*   12. *E.*   13. *E.*

29. 1. Artère fémorale.   2. Artère brachiale.   3. Artère poplitée.   4. Artère faciale.   5. Artère radiale.

30. 1. Élève.   2. Orthostatique.   3. Vasoconstriction.   4. Stéthoscope.   5. Basse.   6. *V.*   7. Vasoconstricteur.
8. Hypertension.   9. *V.*

Développement et vieillissement du système cardiovasculaire

31. 1. Quatrième.   2. Poumons.   3. Conduit veineux.   4. Veine ombilicale.   5. Placenta.   6. Foie.
7. Artères ombilicales.   8. Se ferment.   9. Décès.   10. Athérosclérose.   11. Ménopause.   12. Exercice aérobique.
13. Athérosclérose.   14. Varices.   15. et 16. Jambes, pieds.

Un voyage extraordinaire

32. 1. Oreillette gauche.　2. Ventricule gauche.　3. Mitrale.　4. Cordages tendineux.　5. Diastole.　6. Systole ou contraction.　7. De l'aorte.　8. Aorte.　9. Mésentérique supérieure.　10. Endothéliales.　11. Mésentérique supérieure.　12. Splénique.　13. Nutriments.　14. Macrophagocytes (cellules de Kupffer).　15. Hépatique. 16. Veine cave inférieure.　17. Oreillette droite.　18. Tronc pulmonaire.　19. Pulmonaire.　20. Poumons. 21. Subclavière gauche.

Réflexion et application

33. Zéro ; un infarctus du myocarde. Le rameau interventriculaire postérieur alimente en grande partie le ventricule gauche, qui est la pompe systémique.

34. La bradycardie, qui est provoquée par une stimulation vagale excessive du cœur, peut être décelée en prenant le pouls.

35. Congestion périphérique entraînée par une insuffisance cardiaque droite.

36. Une thrombose et l'athérosclérose ; une anastomose artérielle (cercle artériel du cerveau), c'est-à-dire (1) de l'artère carotide interne gauche à l'artère cérébrale antérieure gauche, puis par l'artère communicante antérieure vers l'artère cérébrale antérieure droite et (2) des artères vertébrales, par l'artère basilaire, vers l'artère cérébrale postérieure droite, puis par l'artère communicante postérieure vers l'artère cérébrale moyenne droite.

37. Elle sera élevée. La polycythémie accroît la viscosité du sang (donc la résistance périphérique), ce qui élève la pression artérielle.

38. Les cuspides rigides ne peuvent plus former une barrière étanche. La valve devient dysfonctionnelle et laisse refluer le sang, ce qui crée un souffle audible à l'auscultation.

39. La thrombophlébite est due à un caillot (thrombus) qui se forme sur une veine enflammée. Si le thrombus se détache, une embolie pulmonaire, qui est une complication mortelle, risque de survenir.

40. Un ECG ne renseigne que sur des problèmes reliés à l'activité électrique du cœur. Il ne permet pas de déceler des troubles valvulaires.

41. En tout état de cause, l'exercice physique prolonge la vie en améliorant le fonctionnement des systèmes cardiovasculaire et respiratoire. La fréquence cardiaque chute et le volume systolique augmente.

42. Lorsque la température ambiante est élevée, les vaisseaux sanguins qui desservent la peau se dilatent et la plus grande partie du sang s'accumule dans les vaisseaux du derme. Lorsqu'on se met brusquement debout, initialement, il n'y a pas assez de sang dans les vaisseaux centraux, plus volumineux, qui alimentent le cerveau, d'où les étourdissements.

43. Un médicament qui bloque les canaux calciques réduit la force des contractions. Ainsi, le volume systolique diminue, car il est directement relié à la force contractile.

44. L'acétylcholine ralentit la fréquence cardiaque (c'est le neurotransmetteur libéré par le nerf vague). Puisque le temps de remplissage est plus long, le volume systolique augmentera.

Chapitre 12　Le système lymphatique et les défenses de l'organisme

Système lymphatique

1. 1. Pompe.　2. Artères.　3. Veines.　4. Valvules.　5. Lymphe.　6. 3 litres.

2. **Figure 12-1 :**

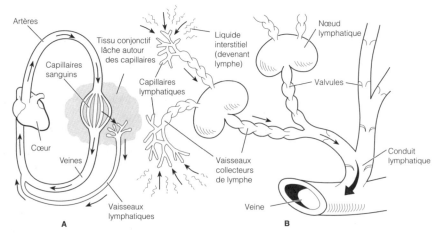

3. 1. Capillaire sanguin.　2. Abondance de vaisseaux lymphatiques.　3. Fort gradient de pression.　4. Imperméable.

4. 1. C ou rate.　2. A ou nœuds lymphatiques.　3. D ou thymus.　4. B ou plaques de Peyer, E ou amygdales. 5. C ou rate.　6. B ou plaques de Peyer.

5. Figure 12-2 : Ombrez le bras droit et la partie droite du thorax et de la tête.

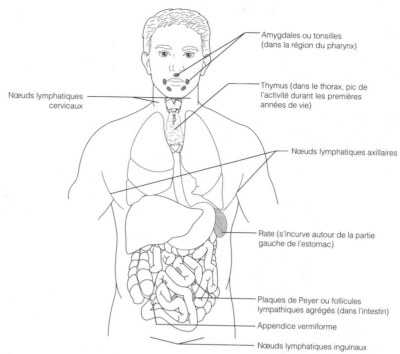

Amygdales ou tonsilles
(dans la région du pharynx)

Thymus (dans le thorax, pic de
l'activité durant les premières
années de vie)

Nœuds lymphatiques cervicaux

Nœuds lymphatiques axillaires

Rate (s'incurve autour de la partie
gauche de l'estomac)

Plaques de Peyer ou follicules
lymphatiques agrégés (dans l'intestin)

Appendice vermiforme

Nœuds lymphatiques inguinaux

6. 1. Lymphocytes B.   2. Ils élaborent et libèrent des anticorps.   3. Lymphocytes T.   4. Macrophagocytes ; phago- cytose.   5. Parce qu'ainsi l'écoulement de la lymphe par les nœuds ralentit, laissant le temps aux cellules immunitaires et aux macrophagocytes de s'attaquer aux substances étrangères qui se présentent à eux.   6. Les valvules des vaisseaux lymphatiques efférents et afférents.   7. Dans le cou, les aisselles et l'aine.   8. Les nœuds lymphatiques protègent l'organisme en éliminant les bactéries et les autres débris de la lymphe.

Figure 12-3 :

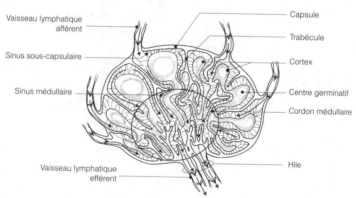

Vaisseau lymphatique afférent

Sinus sous-capsulaire

Sinus médullaire

Capsule

Trabécule

Cortex

Centre germinatif

Cordon médullaire

Vaisseau lymphatique efférent

Hile

Les défenses de l'organisme

7. 1. Barrières superficielles ; muqueuses.   2. Cellules NK.   3. Médiateurs chimiques (inflammatoires et antimicrobiens).

8. 1. Larmes ; salive.   2. Estomac ; vagin.   3. Sébacées ; peau.   4. Digestif.

9. 1. Démangeaison.   2. Cellules NK.   3. Interféron.   4. Inflammation.   5. Antibactériens.

10. 1. B ou lysozyme, F ou sébum.   2. C ou muqueuse, G ou peau.   3. A ou acide, B ou lysozyme, D ou muqueuse, E ou enzyme qui digère les protéines, F ou sébum.   4. D ou mucus.   5. A à G.

11. Les cils propulsent le mucus chargé de débris vers le pharynx, pour l'éloigner des poumons. Une fois dans la gorge, le mucus peut être avalé ou craché.

12. La phagocytose est l'ingestion et la destruction des particules par certaines cellules. Plus leur surface est irrégulière, plus les particules sont faciles à ingérer.

13. 1, 3 et 4.

14. 1. Elle prévient la propagation des agents nocifs après leur pénétration dans l'organisme.   2. Elle aide à éliminer les débris cellulaires et les microorganismes pathogènes.   3. Elle prépare la réparation tissulaire (guérison).

15. 1. F ou apport sanguin accru dans la région lésée.   2. E ou histamine.   3. G ou facteurs inducteurs. 4. A ou chimiotactisme.   5. C ou œdème.   6. H ou macrophagocytes.   7. B ou diapédèse.   8. I ou granulocytes neutrophiles.   9. D ou réseau de fibrine.

16. 1. Protéines   2. S'active.   3. Perforations ou lésions.   4. H_2O et Ca^{2+}.   5. Lyse.   6. Opsonisation.

17. L'interféron est synthétisé en réaction à l'infection d'une cellule par un virus. La cellule produit et libère des protéines, appelées interférons, qui protègent les cellules avoisinantes qui n'ont pas encore été touchées par le virus.

18. 1. Système immunitaire.   2. Protéines.   3. Haptènes.   4. Non-soi.

19. 1. A ou antigènes.   2. E ou immunité humorale.   3. D ou immunité cellulaire.   4 et 5. (Dans n'importe quel ordre) B ou lymphocytes B, I ou lymphocytes T.   6. H ou macrophagocytes.   7. C ou sang.   8. F ou lymphe. 9. G ou nœuds lymphatiques.

20.   **Figure 12-4 :**

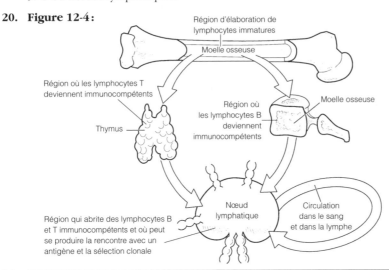

1. Lorsque des récepteurs spécifiques de l'antigène apparaissent sur la membrane du lymphocyte.   2. Durant la gestation du fœtus.   3. Ses gènes.   4. La liaison à «son» antigène.   5. Soi.

21.

Caractéristique	Lymphocytes T	Lymphocytes B
Ils sont issus de la moelle osseuse, plus précisément de cellules souches appelées hémocytoblastes.	✓	✓
Parmi leurs cellules filles, on compte les plasmocytes.		✓
Parmi leurs cellules filles, on compte des lymphocytes suppresseurs, tueurs et auxiliaires.	✓	
Parmi leurs cellules filles, on compte des cellules mémoires.	✓	✓
Ces lymphocytes attaquent directement les cellules étrangères ou celles infectées par un virus.	✓	
Ces lymphocytes produisent des anticorps qui sont libérés dans les liquides physiologiques.		✓
Ces lymphocytes sont dotés d'un récepteur de surface capable de reconnaître un antigène particulier.	✓	✓
Une fois stimulés, ces lymphocytes forment des clones.	✓	✓
Ce sont les lymphocytes circulants les plus abondants.	✓	

22. 1. Lymphokines.   2. Haptène.   3. Foie.

23.   **Figure 12-5 :**

1. Région V.   2. Région C.

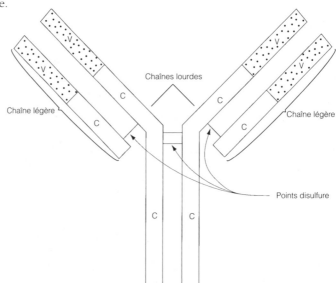

24. 1. B ou IgD.   2. D ou IgG.   3. E ou IgM.   4. D ou IgG, E ou IgM.   5. E ou IgM.   6. D ou IgG.
7. C ou IgE.   8. A ou IgA.

25. 1. Antigènes.   2. Activation du complément et la lyse.   3. Neutralisation.   4. Agglutination.   5. M.
6. Précipitation.   7. Phagocytes.

26. 1. *A.*   2 à 4. *P.*   5. *A.*   6. *A.*

27. 1. *P.*   2. *P.*   3. *S.*   4. *P.*   5. *S.*

28. 1. A ou lymphocytes T auxiliaires.   2. A ou lymphocytes T auxiliaires.   3. C ou lymphocytes T suppresseurs.
4. B ou lymphocytes T tueurs.

29. 1. G ou interféron.   2. C ou agents chimiotactiques.   3. B ou anticorps.   4. F ou inflammation.
5. E ou cytokines.   6. D ou complément.   7. I ou monokines.

30. 1. Allogreffe ; d'un individu qui appartient à la même espèce que le receveur.   2. Lymphocytes T cytotoxiques
(tueurs) et les cellules NK.   3. Pour prévenir le rejet, il faut inhiber le système immunitaire du receveur. Par
conséquent, le patient n'est plus protégé contre les antigènes étrangers, et les infections virales ou bactériennes
sont une cause courante de décès.

31. Figure 12-6 :

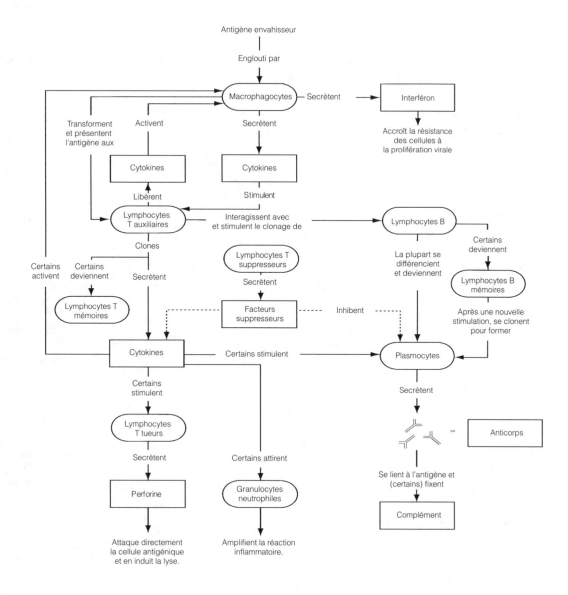

32. 1. C ou déficit immunitaire.   2. A ou allergie.   3. A ou allergie.   4. C ou déficit immunitaire.
5. B ou maladie auto-immune.   6. C ou déficit immunitaire.   7. B ou maladie auto-immune.
8. A ou allergie.   9. A ou allergie.

Développement et vieillissement du système lymphatique et des défenses de l'organisme

33. 1. Veines. 2. Thymus. 3. Rate. 4. Thymosine. 5. Foie. 6. Organes lymphatiques. 7. Naissance (ou peu après). 8. Diminue. 9 à 11. (Dans n'importe quel ordre) déficits immunitaires, maladies auto-immunes, cancer. 12. IgA.

Un voyage extraordinaire

34. 1. Protéines. 2. Nœud lymphatique. 3. Lymphocytes B. 4. Plasmocyte. 5. Anticorps. 6. Macrophagocyte. 7. Antigènes. 8. Cellules présentatrices d'antigènes. 9. T. 10. Clone. 11. Mémoire immunitaire.

Réflexion et application

35. Choc anaphylactique (l'histamine a entraîné une fuite généralisée du liquide contenu dans le sang); on lui donnera une injection d'adrénaline.

36. Eczéma ou dermatite de contact (hypersensibilité retardée) probablement dû à une réaction aux substances chimiques contenues dans le détersif ayant servi au lavage des couches.

37. Jacques est atteint du SIDA. À ce jour, cette maladie est mortelle à presque 100 %.

38. Elle présente les signes classiques de l'hypothyroïdie (probablement à cause des lésions au cou) et elle semble manifester une réaction auto-immune à des antigènes auparavant «inaccessibles» dans la substance colloïde de la thyroïde.

39. L'hémorragie, car la rate est un réservoir de sang; non, une greffe n'est pas nécessaire, car le foie, la moelle osseuse et d'autres tissus peuvent accomplir les fonctions de la rate.

40. L'acidité du vagin inhibe la croissance bactérienne. Donc, toute substance qui diminue l'acidité du vagin prédispose la femme à la prolifération des bactéries et à l'inflammation du vagin.

41. L'œdème dû à l'accumulation de lymphe dans cette région; ce trouble n'est pas permanent car, avec le temps, de nouveaux vaisseaux lymphatiques se formeront à partir des veines.

42. Il a très vraisemblablement augmenté (ou est en train d'augmenter), car les plasmocytes sont la principale source d'anticorps

Chapitre 13   Le système respiratoire

Anatomie fonctionnelle

1. 1. *D.* 2. *G.* 3. *D.*

2. 1. Narines. 2. Septum nasal. 3 à 5. réchauffer, humidifier, filtrer. 6. Sinus paranasaux. 7. Voix. 8. Pharynx. 9. Larynx. 10. Amygdales pharyngiennes. 11. Anneaux de cartilage. 12. Pression. 13. L'avant. 14. Thyroïde. 15. Cordes vocales. 16. Parler.

3. 1. Mandibulaire. 2. Alvéole. 3. Larynx. 4. Péritonite. 5. Nasopharynx. 6. Bronche principale.

4. **Figure 13-1:** Pour le choix de couleurs, le pharynx comprend le nasopharynx, l'oropharynx et le laryngopharynx. Le larynx va du laryngopharynx à la trachée, en passant par les plis vocaux. Les sinus paranasaux comprennent notamment le sinus sphénoïdal et le sinus frontal. (Le sinus ethmoïdal et le sinus maxillaire ne sont pas visibles sur cette illustration.)

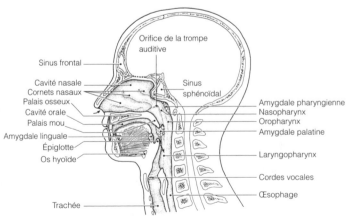

5. 1. B ou bronchiole. 2. G ou palais. 3. I ou nerf phrénique. 4. E ou œsophage. 5. D ou épiglotte. 6. K ou trachée. 7. A ou alvéole. 8. H ou plèvre pariétale. 9. L ou plèvre viscérale. 10. F ou glotte. 11. C ou cornet nasal.

6. 1. Conjonctif élastique.   2. Échanges gazeux.   3. Surfactant.   4. Réduire la tension superficielle.

7. 1. Le larynx sert de voie respiratoire perméable ; il sert d'aiguillage pour diriger les aliments en arrière vers l'œsophage ; et il abrite les cordes vocales, qui rendent possible la phonation.   2. Élastique.   3. Hyalin.   4. L'épiglotte doit être assez souple pour se plier sur la glotte lors de la déglutition. Le cartilage hyalin, plus rigide, soutient les parois du larynx.   5. Pomme d'Adam.

Figure 13-2 :

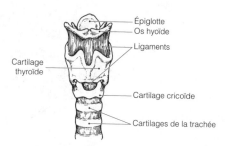

8.   Figure 13-3 :

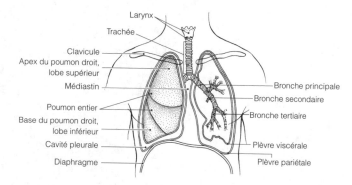

9.   Figure 13-4 : Les alvéoles entières sont les structures sphériques réunies en grappe ; il faut les colorier en jaune. Les petits vaisseaux qui forment une toile d'araignée sur la face externe des alvéoles sont des capillaires pulmonaires. Il faut inscrire le symbole O_2 à l'intérieur de l'alvéole, à côté de la flèche qui se dirige vers le capillaire ; le symbole CO_2 doit être inscrit dans le capillaire près de la flèche qui aboutit dans l'alvéole.

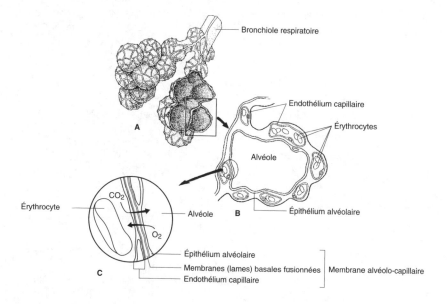

Physiologie de la respiration

10. 1. C ou pression intrapleurale.   2. A ou pression atmosphérique.   3 et 4. B ou pression intrapulmonaire.
5. C ou pression intrapleurale.   6. B ou pression intrapulmonaire.

11. Lorsque le diaphragme se contracte, le volume interne du thorax augmente, la pression intrathoracique diminue, le volume du poumon augmente et l'air entre dans le poumon. Lorsque le diaphragme se relâche, le volume interne du thorax diminue, la pression intrathoracique augmente, le volume du poumon diminue et l'air sort du poumon.

12. 1. C ou inspiration.   2. D ou respiration interne.   3. E ou ventilation.   4. A ou respiration externe.

13. 1. Élasticité.   2. Élève.   3. Intercostaux internes.

14. 1. Hoquet.   2. Toux.   3. Éternuement.   4. Bâillement.

15. 1. E ou volume courant.   2. A ou volume de l'espace mort.   3. F ou capacité vitale.   4. D ou volume résiduel.
5. B ou volume de réserve expiratoire.

16. **Figure 13-5 :**

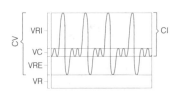

17. 1 F.   2. G.   3. H.   4. B.   5. E.   6. J.   7. D.   8. C.   9. I.

18. 1. Hémoglobine.   2. Ions bicarbonate.   3. Plasma.   4. Oxygène.

19. 1. Acidose.   2. ↑ pH.   3. Hyperventilation.   4. ↑ Oxygène.   5. ↑ CO_2 du sang.   6. ↑ P_{CO_2}.

20. 1. E ou centres respiratoires du pont.   2. C ou centre inspiratoire.   3. F ou mécanorécepteurs pulmonaires.
4. A ou chimiorécepteurs de l'aorte et des glomus carotidiens.   5. B ou intercostaux, D ou phrénique.

Maladies respiratoires

21. 1. A ou apnée.   2. F ou eupnée.   3. D ou dyspnée.   4. G ou hypoxie.   5. E ou emphysème.   6. C ou bronchite
chronique.   7. B ou asthme.   8. C ou bronchite chronique, E ou emphysème.   9. H ou cancer du poumon.
10. I ou tuberculose.

Développement et vieillissement du système respiratoire

22. 1. Syndrome de détresse respiratoire du nouveau-né.   2. Surfactant.   3. Réduire la tension superficielle de la couche
aqueuse des alvéoles.   4. Gonfler les alvéoles pour que les échanges gazeux puissent se poursuivre.

23. 1. 40.   2. 12 à 18.   3. Asthme.   4. Bronchite chronique.   5. L'emphysème ou la tuberculose.   6. Élasticité.
7. Capacité vitale.   8. Infections respiratoires, particulièrement la pneumonie.

Un voyage extraordinaire

24. 1. Cornets nasaux.   2. Amygdales (tonsilles) pharyngiennes.   3. Nasopharynx.   4. Mucus.   5. Corde vocale.
6. Larynx.   7. Digestive.   8. Épiglotte.   9. Trachée.   10. Cils.   11. Pharynx (gorge).   12. Bronches principales.
13. Gauche.   14. Bronchiole.   15. Alvéole.   16. Érythrocytes.   17. Rouge.   18. Oxygène.   19. Gaz carbonique.
20. Quinte de toux.

Réflexion et application

25. Pleurésie.

26. Michel souffre très vraisemblablement d'intoxication au monoxyde de carbone (oxycarbonisme).

27. Syndrome de mort subite du nourrisson.

28. Bronchite chronique ; chez les fumeurs, le fonctionnement des cils est entravé.

29. Atélectasie. Les poumons sont logés dans des cavités pleurales séparées ; donc, seul le poumon gauche s'est affaissé.

30. Le mucus sera anormalement épais et difficile à éliminer. Il bloquera les voies aériennes, ce qui prédisposera le garçon à
des infections respiratoires.

31. Les amygdales (tonsilles) pharyngiennes, qui se trouvent dans la partie postérieure des cavités nasales.

32. 1. L'hémoglobine, qui transporte la plus grande partie de l'oxygène sanguin, est contenue dans les érythrocytes. Si le
nombre de ces derniers diminue, la quantité d'oxygène disponible diminue également.   2. Le mucus épaissit la membrane alvéolo-capillaire, ce qui fait obstacle à la diffusion des gaz et entrave les échanges gazeux.   3. L'un des gaz
qu'on trouve dans la fumée des cigarettes est le monoxyde de carbone, qui déloge l'oxygène de ses sites de fixation à
l'hémoglobine. Chez les fumeurs, les cils sont également paralysés. De ce fait, le risque d'obstruction des voies respiratoires par le mucus et la prédisposition à l'infection sont plus élevés.

33. Les respirations superficielles font sortir l'air de l'espace mort (qui ne participe pas aux échanges gazeux). Une respiration profonde permettra plus vraisemblablement d'exhaler de l'air contenant de l'alcool, lequel est passé du sang dans
les alvéoles.

34. Thérapie hyperbare, qui permet de faire entrer de grandes quantités d'oxygène dans l'organisme. Gangrène, asphyxie ou
intoxication par le monoxyde de carbone (oxycarbonisme).

Chapitre 14 Le système digestif et le métabolisme

Anatomie du système digestif

1. 1. Cavité orale. 2. Digestion. 3. Sang. 4. Éliminés ou excrétés. 5. Fèces. 6. Canal alimentaire ou tube digestif. 7. Annexes.

2. **Figure 14-1 :** Les côlons ascendant, transverse, descendant et sigmoïde font partie du gros intestin. Les glandes parotide, sublinguale et submandibulaire sont des glandes salivaires.

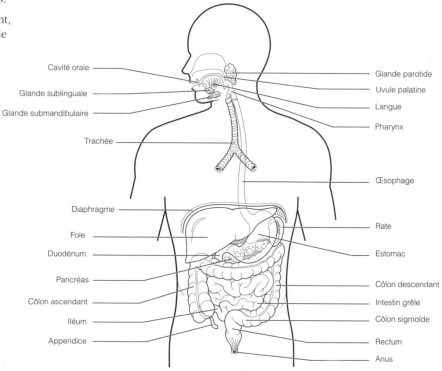

3. **Figure 14-2 :** Le frein de la langue doit être coloré en rouge, le palais mou en bleu, les amygdales palatines en jaune et la langue en rose.

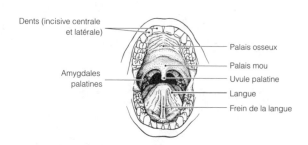

4. 1. B ou glandes duodénales (de Brunner). 2. E ou glandes salivaires. 3. D ou pancréas. 4. C ou foie. 5. A ou glandes gastriques.

5. 1. J ou mésentère. 2. X ou villosités. 3. N ou plaques de Peyer. 4. P ou plis circulaires (valvules conniventes). 5. L ou cavité orale, U ou estomac, S ou intestin grêle. 6. V ou langue. 7. O ou pharynx. 8. E ou grand omentum, I ou petit omentum, J ou mésentère. 9. D ou œsophage. 10. R ou plis gastriques. 11. G ou haustrations. 12. K ou microvillosités. 13. H ou valve iléo-cæcale. 14. S ou intestin grêle. 15. C ou côlon. 16. W ou vestibule. 17. B ou appendice vermiforme. 18. U ou estomac. 19. I ou petit omentum. 20. S ou intestin grêle. 21. Q ou sphincter pylorique. 22. T ou palais mou. 23. S ou intestin grêle. 24. M ou péritoine pariétal. 25. A ou canal anal. 26. F ou palais osseux.

6. **Figure 14-3 :** À la partie B, il faut colorier en rouge les cellules pariétales et en bleu, les cellules principales.

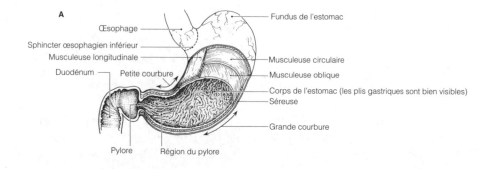

7. 1. Œsophage. 2. Plis gastriques. 3. Vésicule biliaire. 4. Cæcum. 5. Plis circulaires. 6. Frein de la langue. 7. Palatine. 8. Salive. 9. Absorption de protéines.

8. **Figure 14-4 :** 1. Muqueuse. 2. Musculeuse. 3. Sous-muqueuse. 4. Séreuse.

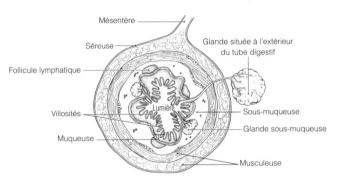

9. **Figure 14-5 :**

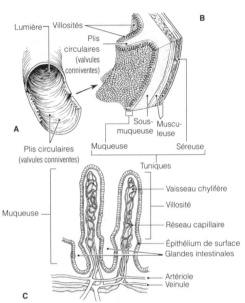

10. **Figure 14-6 :**

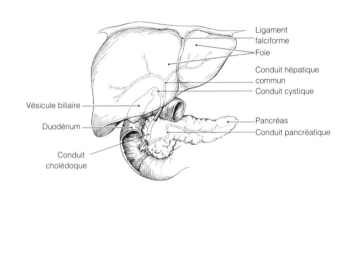

11. 1. Déciduales. 2. 6 mois. 3. 6 ans. 4. Permanentes. 5. 32. 6. 20. 7. Incisives. 8. Canine. 9. Prémolaires. 10. Molaires. 11. De sagesse.

12. **Figure 14-7 :**

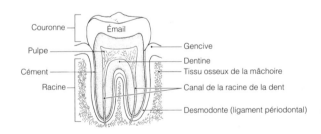

Fonctions du système digestif

13. 1. D ou introduction des aliments dans la bouche. 2. G ou déglutition, H ou segmentation et péristaltisme. 3. E ou mastication, F ou pétrissage. 4. B ou dégradation enzymatique. 5. A ou passage des nutriments de la lumière du tube digestif au sang. 6. C ou élimination des fèces.

14. 1. O ou amylase salivaire. 2. G ou stimulus hormonal. 3. M ou stimulus psychologique. 4. I ou stimulus mécanique. 5. L ou pepsine. 6. F ou HCl. 7. K ou mucus. 8. N ou plexus nerveux entériques. 9. E ou pétrissage. 10. C ou enzymes de la bordure en brosse (du limbe strié). 11. A ou suc riche en bicarbonate. 12. H ou lipases. 13. B ou bile.

15. 1. G ou péritonite.   2. E ou brûlures d'estomac.   3. F ou ictère.   4. H ou ulcère.   5. C ou diarrhée.
6. D ou calculs biliaires.   7. B ou constipation.

16. 1. A ou cholécystokinine, C ou sécrétine.   2. B ou gastrine.   3. A ou cholécystokinine.   4. C ou sécrétine.

17. 1. C ou fructose, D ou galactose, E ou glucose.   2. F ou lactose, G ou maltose, I ou sucrose.   3. A ou acides aminés.
4. B ou acides gras.   5. E ou glucose.

18. 1. P.   2. A.   3. A.   4. P.   5. A.   Entourez acides gras.

19. 1. Déglutition.   2. Orale.   3. Pharyngo-œsophagienne.   4. Langue.   5. Uvule.   6. Larynx.   7. Épiglotte.
8. Péristaltisme.   9. Sphincter œsophagien inférieur.   10. Péristaltisme.   11. Segmentation.   12. Segmentation.
13. Mouvements de masse.   14. Rectum.   15. Évacuation.   16. Vomissement.

Nutrition et métabolisme

20. 1. B ou glucides.   2. C ou lipides.   3. A ou acides aminés.   4. C ou lipides.   5. C ou lipides.   6. A ou acides aminés.

21. 1. A ou pain/pâtes, D ou fruits, H ou légumes.   2. B ou fromage/crème.   3. G ou amidon.   4. C ou cellulose.
5. B ou fromage/crème, E ou viande/poisson.   6. I ou vitamines.   7. F ou minéraux.

22. **Figure 14-8 :**

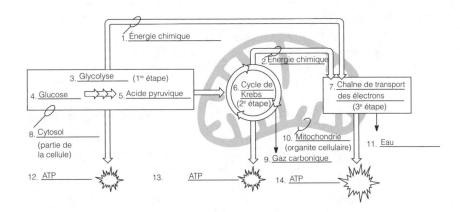

1. La glycolyse ne fait pas intervenir l'oxygène.   2. Le cycle de Krebs et la chaîne de transport des électrons font intervenir l'oxygène.   3. Sous la forme d'atomes d'hydrogène pourvus d'électrons riches en énergie.
4 et 5. La chaîne de transport des électrons.

23. 1. K ou glucose.   2. O ou oxygène.   3. R ou eau.   4. H ou gaz carbonique.   5. A ou ATP.
6. N ou monosaccharides.   7 et 8. (Dans n'importe quel ordre) C ou acide acétoacétique ; D ou acétone.
9. M ou cétose.   10. I ou essentiels.   11. F ou ammoniac.   12. Q ou urée.

24. 1. Albumine.   2. Protéines de coagulation.   3. Cholestérol.   4. Hyperglycémie.   5. Glycogène.
6. Hypoglycémie.   7. Glycogénolyse.   8. Néoglucogenèse.   9. Détoxiquer.   10. Macrophagocytes (cellules de Kupffer).   11. Lipoprotéines.   12. Insolubles.   13. LDL.   14. Membranes.   15. Hormones stéroïdes.
16. Foie.   17. Sels biliaires.   18. Athérosclérose.   19. A.   20. Fer.

25. 1. Métabolisme total.   2. ↓ Vitesse du métabolisme.   3. Enfant.   4. Lipides.   5. Vasoconstriction.

26. 1. D ou chaleur.   2. B ou constriction des vaisseaux sanguins cutanés, K ou frissons.   3. A ou sang.
4. F ou hypothalamus.   5. J ou pyrogènes.   6. C ou gelure.   7. H ou transpiration, I ou rayonnement.
8. G ou hypothermie.   9. E ou hyperthermie.

Développement et vieillissement du système digestif

27. 1. B ou canal alimentaire.   2. A ou organes annexes.   3. D ou fente palatine/bec-de-lièvre.   4. N ou fistule trachéo-œsophagienne.   5. E ou fibrose kystique (mucoviscidose).   6. H ou phénylcétonurie.   7. K ou réflexe des points cardinaux.   8. M ou estomac.   9. C ou appendicite.   10. G ou gastrite, O ou ulcères.   11. I ou périodontite (parodontite).

Un voyage extraordinaire

28. 1. Muqueuse.   2. Vestibule.   3. Langue.   4. Amylase salivaire.   5. Péristaltisme.   6. Œsophage.   7. Larynx.
8. Épiglotte.   9. Estomac.   10. Mucus.   11. Pepsine.   12. Acide chlorhydrique.   13. Pylore.   14. Lipase.
15. Pancréatique.   16. Villosités.   17. Iléo-cæcale.

Réflexion et application

29. Un grand nombre de légumes contiennent des protéines incomplètes. Sans les acides aminés essentiels, les protéines dont notre corps a besoin ne sont pas synthétisées. Il faut alors combiner légumineuses et céréales.

30. Brûlures d'estomac à cause d'une hernie hiatale ; œsophagite et ulcères de l'œsophage.

31. Épuisement dû à la chaleur. Pour combattre la déshydratation, les personnes âgées devraient boire de la limonade ou une « boisson pour sportifs » contenant des électrolytes.

32. Benoît a souffert d'un coup de chaleur. Un travail épuisant dans un milieu où la chaleur est écrasante entraîne une forte élévation de la température corporelle et l'arrêt de la thermorégulation. Il aurait fallu immerger immédiatement Benoît dans de l'eau froide pour abaisser sa température corporelle et lui éviter des lésions cérébrales.

33. Les diverticules sont de petites hernies de la muqueuse qui traversent les parois du côlon. Ce trouble porte le nom de diverticulose. On pense que les diverticules se forment chez des personnes qui consomment des aliments pauvres en fibres, ce qui rend insuffisant le volume de résidus dans le côlon. Ce dernier se rétrécit et ses muscles circulaires se renforcent, exerçant une pression accrue sur les parois. La diverticulite est une inflammation des diverticules ; c'est une affection qui provoque des douleurs intenses. Cette femme souffre de diverticulite.

34. Carence en lactase (intolérance au lactose) ; cette personne devrait ajouter des gouttes de lactase au lait, avant de le boire.

35. L'analyse du plasma ne tardera pas à révéler qu'il y a dans le sang des produits de la dégradation des lipides à des concentrations supérieures aux valeurs à jeun.

36. Des régimes draconiens à répétition ralentissent fortement la vitesse du métabolisme ; les enzymes qui débarrassent le sang des lipides (pour les stocker dans les tissus adipeux) deviennent beaucoup plus actives. De plus, si la personne ne fait pas d'exercice entre deux régimes amaigrissants, les calories excédentaires sont stockées sous forme de graisses, puisqu'elles ne contribuent pas à l'augmentation du tissu musculaire ni ne sont consommées pour répondre à l'accélération du métabolisme.

37. Cette personne devrait prendre du fer. En effet, elle souffre d'anémie à cause de l'hémorragie digestive, qui est aggravée par la carence en fer.

38. L'appendicite est due à une infection bactérienne. Si elle n'est pas traitée, la prolifération bactérienne peut provoquer la rupture de l'appendice, ce qui entraîne la contamination de la cavité péritonéale par les fèces et peut causer une péritonite d'issue fatale.

39. Des vitamines liposolubles (A, D, E, etc.), car elles sont absorbées en même temps que les produits issus de la digestion des lipides.

40. La phénylcétonurie. Ne pouvant être métabolisée en tyrosine, la phénylalanine ainsi que les produits de sa désamination s'accumulent dans le sang et sont à l'origine d'effets neurotoxiques.

Chapitre 15 Le système urinaire

1. 1. Azotés.   2. Hydrique.   3. Acidobasique.   4. Reins.   5. Uretères.   6. Péristaltisme.   7. Vessie.   8. Urètre.   9. 20.   10. 3 ou 4.

Reins

2. Figure 15-1 :

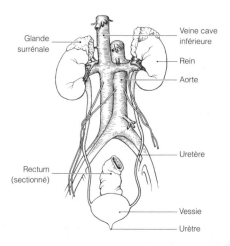

3. Figure 15-2 :

1. Capsule rénale.   2. Pelvis rénal.   3. Calice.   4. Colonne rénale.   5. Cortex rénal.   6. Pyramide rénale.

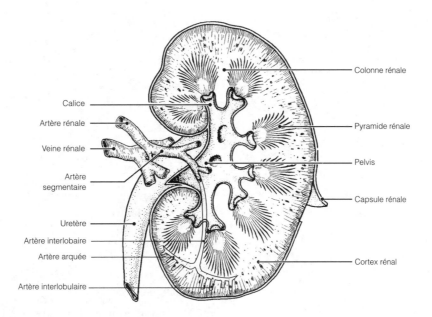

4. 1. Intrapéritonéal.   2. Urètre.   3. Glomérule.   4. Glomérule.   5. Tubule collecteur.   6. Néphron cortical.
7. Tubule collecteur.   8. Glomérule.   9. Anse du néphron.

5. Figure 15-3 : 1. Capsule glomérulaire.   2. Artériole afférente.   3. Artériole efférente.   4. Artère interlobulaire.
5. Veine interlobulaire.   6. Artère arquée.   7. Veine arquée.   8. Artère interlobaire.   9. Veine interlobaire.
10. Anse du néphron.   11. Tubule collecteur.   12. Tubule contourné distal.   13. Tubule contourné proximal.
14. Capillaires péritubulaires.   15. Glomérule.

Les structures doivent être colorées de la façon suivante : n°1 en vert ; n° 15 en rouge ; n° 14 en bleu ;
n° 11 en jaune ; n° 13 en orange.

6. Figure 15-4 :

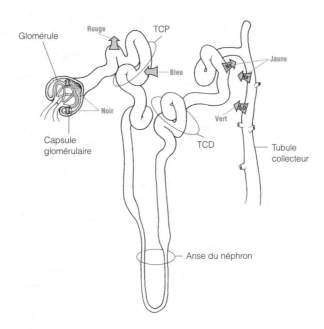

7. 1. Afférente.   2. Efférente.   3. Plasma.   4. Diffusion.   5. Transport actif.   6. Microvillosités.   7. Sécrétion.
8. Alimentation.   9 et 10. Métabolisme cellulaire, débit urinaire.   11. 1 à 1,8.   12. Urochrome (urobiline).
13 et 14. Urée, acide urique.   15. Créatinine.   16. Poumons.   17. Transpiration.   18. Diminue.   19. Dialyse.

8. 1. Aldostérone. 2. Sécrétion. 3. $\uparrow$ Réabsorption de K^+. 4. $\downarrow$ PA. 5. $\downarrow$ Rétention de K^+. 6. $\uparrow$ HCO_3^- urinaire.

9. 1. A. 2. B. 3. A. 4. A. 5. B. 6. B.

10. 1. D. 2. D. 3. A. 4. D. 5. A. 6. A.

11. 1. M. 2. G. 3. G. 4. A. 5. M. 6. A. 7. G. 8. G. 9. G. 10. A. 11. G. 12. M.

12. 1. Hématurie ; saignement des voies urinaires. 2. Cétonurie ; diabète sucré, jeûne. 3. Albuminurie ; glomérulonéphrite, grossesse. 4. Pyurie ; infection des voies urinaires. 5. Bilirubinurie ; maladie hépatique. 6. Calculs rénaux ; cristallisation des sels d'acide urique. 7. Glycosurie ; diabète sucré.

13. 1. Il est complètement réabsorbé par les cellules tubulaires. 2. Habituellement, elle ne traverse pas le filtre glomérulaire.

14. 1. Tampons chimiques ; en moins de une seconde. 2. Régulation de la fréquence et de la profondeur des respirations ; en l'espace de quelques minutes. 3. Mécanismes de régulation rénale ; en l'espace de quelques heures ou de quelques jours.

15. 1. Homme adulte. 2. Adulte maigre. 3. Liquide intracellulaire. 4. Non-électrolyte. 5. $\uparrow$ ADH. 6. $\uparrow$ réabsorption du K^+.

Uretères, vessie et urètre

16. 1. Rein. 2. Élabore l'urine. 3. Prolonge le pelvis rénal.

17. 1. B ou urètre. 2. A ou vessie. 3. A ou vessie. 4. B ou urètre. 5. B ou urètre, C ou uretère. 6. B ou urètre. 7. C ou uretère. 8. A ou vessie, C ou uretère. 9. B ou urètre.

18. 1. Miction. 2. Mécanorécepteurs. 3. Contraction. 4. Sphincter lisse de l'urètre. 5. Muscle sphincter de l'urètre. 6. Volontaire. 7. Environ 600. 8. Incontinence. 9. Enfants en bas âge. 10 et 11. Problèmes émotionnels ; troubles du système nerveux. 12. Grossesse (pression). 13. Rétention urinaire. 14. Prostate.

19. 1. A ou cystite. 2. C ou hydronéphrose. 3. F ou urémie. 4. E ou pyélonéphrite. 5. B ou diabète insipide. 6. D ou néphroptose.

Développement et vieillissement du système urinaire

20. 1. Placenta. 2. Maladie polykystique du rein. 3. Hypospadias. 4. Masculin. 5. Vessie. 6. 18. 7. Glomérulonéphrite. 8. Antigènes-anticorps. 9 et 10. Protéines ; sang. 11. Artériosclérose. 12. Tubulaires. 13. Mictions impérieuses. 14. Fréquence urinaire.

Un voyage extraordinaire

21. 1. Tubule. 2. Rénale. 3. Afférente. 4. Glomérule. 5. Capsule glomérulaire. 6. Plasma. 7. Protéines. 8. Anse du néphron. 9. Microvillosités. 10. Réabsorption. 11. Glucose. 12. Acides aminés. 13. 7,4 (7,35 – 7,45). 14. Azotés. 15. Sodium. 16. Potassium. 17. Urochrome (urobiline). 18. Antidiurétique. 19. Tubule collecteur. 20. Pelvis. 21. Ondes péristaltiques. 22. Urine. 23. Miction. 24. Urètre.

Réflexion et application

22. Anurie ; une dialyse.

23. Il se peut que le sommeil d'Eddie soit si profond qu'il ne se rend pas compte qu'il a besoin d'uriner.

24. Concentration élevée d'ions Na^+, diminution de la concentration d'ions K^+ et volume important d'urine (bien que les glucocorticoïdes puissent remplacer partiellement l'aldostérone).

25. Les maux de tête sont provoqués par l'élévation de la pression artérielle. L'aldostérone produite par le cortex surrénal a pour effet d'augmenter la réabsorption de sodium au niveau des tubules rénaux. Par conséquent, moins d'eau sera éliminée et il y aura alors une augmentation du volume sanguin qui provoquera une hausse de la pression artérielle.

26. L'alcool inhibe l'action de l'ADH, ce qui entraîne une rétention d'eau par les reins. L'eau en excès est éliminée dans l'urine.

27. Mme Bertin a fait un coma diabétique à cause d'un déficit en insuline. Le pH de son sang est acide, et son système respiratoire tente de compenser ce problème en éliminant du gaz carbonique (d'où la fréquence respiratoire élevée). Ses reins réabsorbent le bicarbonate.

28. Les analyses révèlent la présence de protéines dans l'urine, ce qui est un symptôme de maladie rénale ; mais elles servent surtout à déceler l'usage de médicaments ou de drogues.

29. Les reins n'étant pas en mesure de fonctionner à pleine capacité pendant le premier mois, le nouveau-né risque de succomber à une déshydratation et à une acidose.

Chapitre 16 – Le système génital

Anatomie du système génital de l'homme

1. Tubule séminifère → rété testis → épididyme → conduit déférent.

2. Lorsque la température corporelle ou la température de l'extérieur est élevée, les muscles du scrotum se relâchent ; les testicules s'abaissent et s'éloignent de la chaleur de la paroi corporelle ; ainsi leur température décroît. Lorsque la température de l'extérieur est basse, les muscles du scrotum se contractent, ce qui rapproche les testicules de la paroi corporelle.

3. 1. E ou pénis.   2. K ou testicules.   3. C ou conduit déférent.   4. L ou urètre.   5. A ou glandes bulbo-urétrales, G ou prostate, H ou vésicules séminales, K ou testicules.   6. I ou scrotum.   7. B ou épididyme. 8. F ou prépuce.   9. G ou prostate.   10. H ou vésicules séminales.   11. A ou glandes bulbo-urétrales. 12. J ou cordon spermatique.

4. Figure 16-1 : 1. Pénis.   2. Urètre.   3. Scrotum.   4. Prépuce.   5. Vésicules séminales.   6. Conduit déférent.

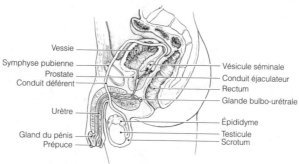

5. Figure 16-2 : 1. Tubules séminifères.   2. Épididyme.   3. Albuginée.

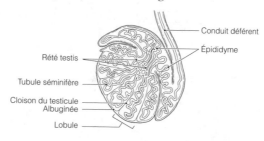

Fonctions du système génital chez l'homme

6. 1. D ou spermatogonie.   2. C ou spermatocyte de deuxième ordre, E ou spermatozoïde, F ou spermatide. 3. C ou spermatocyte de deuxième ordre.   4. F ou spermatide.   5. E ou spermatozoïde.   6. A ou hormone folliculostimulante (FSH), G ou testostérone.

Figure 16-3 :

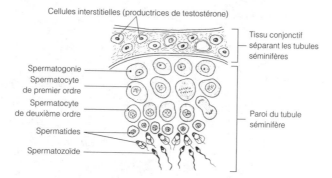

7. Figure 16-4 : 1. Noyau
2. Acrosome
3. Mitochondries

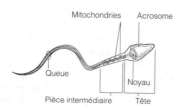

8. 1. A ou mitose. 2. B ou méiose. 3. C ou mitose et méiose. 4. A ou mitose. 5. B ou méiose. 6. A ou mitose. 7. A ou mitose. 8. B ou méiose. 9. C ou mitose et méiose. 10. B ou méiose. 11. B ou méiose.

9. Abaissement de la voix ; formation de la barbe et augmentation de la croissance pileuse sur tout le corps, particulièrement dans les régions axillaires et pubienne ; développement des muscles squelettiques ; augmentation de la densité osseuse.

Anatomie du système génital de la femme

10. 1. Utérus. 2. Vagin. 3. Trompe utérine (de Fallope). 4. Clitoris. 5. Trompe utérine. 6. Hymen. 7. Ovaire. 8. Franges de la trompe utérine.

11. Figure 16-5 : 1. Endomètre. 2. Myomètre. 3. Trompe utérine. 4. Ligament rond. 5. Ovaire.

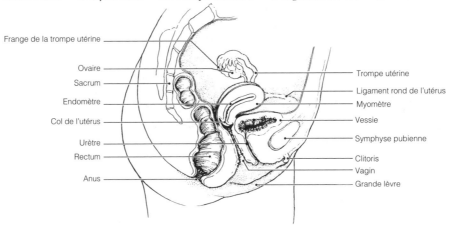

12. Figure 16-6 : Le clitoris doit être colorié en bleu et l'hymen recouvrant partiellement le vagin en jaune.

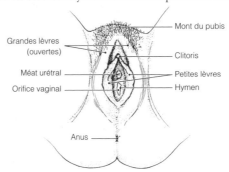

Fonctions et cycles du système génital de la femme

13. 1. B ou ovocytes de premier ordre. 2. C ou ovocytes de deuxième ordre. 3. C ou ovocytes du deuxième ordre. 4. D ou ovule.

14. Les cellules folliculaires produisent des œstrogènes ; le corps jaune produit de la progestérone ; les ovocytes sont les cellules centrales de tous les follicules. Moment A du cycle = ovulation. 1. Non. 2. Dans la cavité péritonéale. 3. Une fois qu'il a été pénétré par le spermatozoïde. 4. Follicule rompu (à la suite de l'ovulation). 5. Un ovule, trois globules polaires. 6. L'homme produit quatre spermatides qui deviennent quatre spermatozoïdes. 7. Elles dégénèrent. 8. Étant virtuellement dépourvues de cytoplasme, elles manquent de nutriments. 9. Ménopause.

Figure 16-7 :

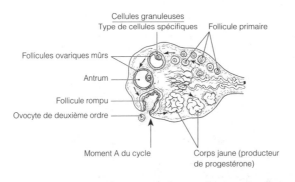

15. À cause de cette caractéristique structurale, de nombreux ovocytes tombent dans la cavité péritonéale et ne peuvent pas être fécondés. À cause d'elle aussi, les microorganismes infectieux peuvent entrer dans la cavité péritonéale et provoquer une pelvipéritonite.

16. 1. FSH (hormone folliculostimulante).   2. LH (hormone lutéinisante).   3. Œstrogènes et progestérone. 4. Œstrogènes.   5. LH.   6. LH.

17. Apparition des poils axillaires et pubiens, développement des seins, élargissement du bassin, apparition des règles.

18. 1. A ou œstrogènes, B ou progestérone.   2. B ou progestérone.   3. A ou œstrogènes.   4. B ou progestérone. 5 et 6. A ou œstrogènes.

19. **Figure 16-8 :** Partie C : de gauche à droite, les structures sont le follicule primaire, le follicule en croissance, le follicule mûr, l'ovulation et le corps jaune. Partie D : Menstruation du jour 0 au jour 4 ; phase proliférative, du jour 4 au jour 14 et phase sécrétoire, du jour 14 au jour 28.

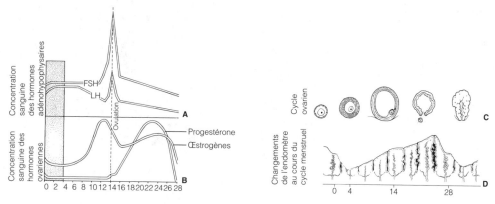

Glandes mammaires

20. **Figure 16-9 :** Les lobules (ou glandes) alvéolaires doivent être coloriés en bleu ; le reste de la partie interne du sein, à l'exclusion des conduits lactifères, doit être colorié en jaune.

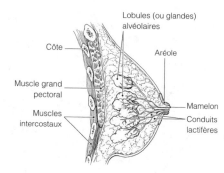

Grossesse et développement embryonnaire

21. 1. Seulement la tête (noyau).   2. La réaction acrosomiale dégrade l'acide qui lie les cellules de la corona radiata ; elle permet la pénétration du spermatozoïde dans l'ovocyte.

22. **Figure 16-10 :** 1. Fécondation (fusion des noyaux du spermatozoïde et de l'ovule).   2. Ovule fécondé (zygote). 3. Segmentation.   4. Blastocyste.   5. Implantation.   6. Le globule polaire est virtuellement dépourvu de cytoplasme ; il est donc privé des nutriments nécessaires pour atteindre l'utérus.

23. 1. H ou zygote.   2. F ou placenta.   3. B ou villosités chorioniques, C ou endomètre.   4. A ou amnios. 5. G ou cordon ombilical.   6. B ou villosités chorioniques.   7. E ou fœtus.   8. F ou placenta. 9. D ou fécondation.

24. Le blastocyste et, ensuite, le placenta sécrètent la gonadotrophine chorionique humaine (hCG), qui ressemble à la LH et qui maintient pendant un certain temps les fonctions du corps jaune.

25. 1. B ou mésoderme.   2. C ou endoderme.   3. A ou ectoderme.   4. B ou mésoderme.   5. A ou ectoderme. 6. B ou mésoderme.   7. C ou endoderme.   8. C ou endoderme.

26. Ocytocine et prostaglandines.

27. 1. Prolactine.   2. Ocytocine.

28. 1, 3, 5, 9, 10, 11, 12.

29. Faux travail (contractions utérines irrégulières et inefficaces). Ces contractions se produisent du fait que l'élévation des concentrations d'œstrogènes intensifie la réponse de l'utérus à l'ocytocine et contrecarre les effets tranquillisants de la progestérone sur le myomètre.

30. 1. Dilatation : à partir du déclenchement du travail et jusqu'à la pleine dilatation du col (environ 10 cm de diamètre) – la période la plus longue.   2. Expulsion : entre la pleine dilatation du col et l'accouchement.   3. Délivrance : décollement et retrait du placenta après la naissance du bébé.

31. **Figure 16-11 :**

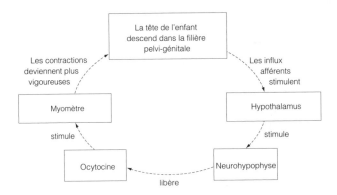

32. Chaque contraction pousse le bébé plus loin dans la filière pelvi-génitale. Le cycle prend fin à la naissance de celui-ci.

33. La réponse au stimulus intensifie ce dernier. Par exemple, plus l'enfant descend dans le bassin et étire l'utérus, plus la production d'ocytocine s'accroît et plus les contractions deviennent fortes.

Développement et vieillissement des organes génitaux

34. 1. Y.   2. X.   3. Organes génitaux masculins externes et les glandes annexes.   4. Organes génitaux féminins externes.   5. Cryptorchidie.   6 à 8. (Dans n'importe quel ordre) infections bactériennes (*E. coli*); infections transmissibles sexuellement (ITS, MTS ou maladies vénériennes); infections à levures.   9. Pelvipéritonite. 10. Infections transmissibles sexuellement (gonorrhée, syphilis, infection à *Chlamydia*, condylomes, herpès). 11. Sein.   12. Col de l'utérus.   13. Test de Papanicolaou.   14. Ménopause.   15. Bouffées de chaleur. 16. Diminue.   17. S'élèvent.   18. Œstrogènes.   19. Vaginales.   20. Prostate.   21 et 22. urinaire ; génital.

Un voyage extraordinaire

35. 1. Utérus.   2. Ovaires.   3. Franges de la trompe.   4. Ovulation.   5. Ovocyte de deuxième ordre. 6. Folliculaires.   7. Péristaltisme.   8. Cils.   9. Spermatozoïdes.   10. Acrosome.   11. Méiose. 12. Ovule.   13. Globule polaire.   14. Morte.   15. Fécondation.   16. Zygote.   17. Segmentation. 18. Endomètre.   19. Implantation.   20. Vagin.

Réflexion et application

36. Le Pitocin agit sur le placenta, stimulant la production et la libération de prostaglandines. Cet agent et les prostaglandines sont des stimulants utérins puissants. L'ocytocine provoque habituellement des contractions fréquentes et vigoureuses de la paroi utérine.

37. Les doses massives de testostérone inhibent la libération de l'hormone folliculostimulante (FSH) par l'adénohypophyse. Faute de stimulation par la FSH, la spermatogenèse ralentit.

38. À la suite de la pelvipéritonite, des cicatrices se sont probablement formées sur les trompes de Mme Constantin. Le résultat des tests d'endocrinologie et la prise quotidienne de la température basale peuvent amener un diagnostic d'anovulation.

39. Les muscles scrotaux se sont contractés pour rapprocher les testicules de la cavité abdominale et ainsi les réchauffer.

40. Étant un agent tératogène, la nicotine peut causer des anomalies congénitales graves ainsi que des problèmes respiratoires. La diminution de l'apport d'oxygène nuit à la croissance et au développement.

41. Mme Gilbert pourrait avoir un cancer du col.

42. Il y a peu de chances qu'elle ait raison. Les organes se forment au cours du premier trimestre ; ensuite, ils ne font que se développer et se différencier tout à fait.

43. Un indice de 8 confirme que le bébé est en bonne santé. Cinq caractéristiques sont examinées et on attribue une note sur 2 à chacune d'entre elles. Ces caractéristiques sont : la fréquence cardiaque, la respiration, la coloration, le tonus musculaire et la réactivité aux stimulus.

Chapitre 17   La génétique

Vocabulaire de la génétique

1.   1. Génome.   2. Allèles.   3. Autosomes.   4. Génétique.   5. Phénotype.

Sources sexuelles de variations génétiques

2.   Figure 17-1 :

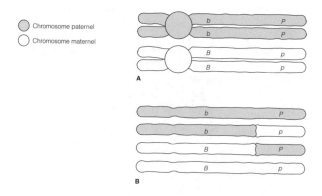

Types de transmission héréditaire

3.   A et C.

4.   1. B ou récessif.   2. A ou dominant.   3. E ou lié au sexe.   4. C ou codominant.   5. D ou multiples (et C ou codominant pour les allèles A et B).   6. B ou récessif.   7. F ou polygénique.

Hérédité non traditionnelle

5.   1. Hérédité.   2. Mendel.   3. Traditionnels.   4. Empreinte génomique.   5. Hérédité extrachromosomique. 6. Allèle.   7. Bases azotées.   8. Méthyle.   9. Gamètes.   10. Exprimé.   11. Mitochondries. 12. Pièce intermédiaire.   13. Mère.   14. Mutations ou délétions.

6.   Figure 17-2 : A. X^dY.   B. X^dX.   C. X^dX.   D. X^dX^d.   E. XY.   F. X^dY.   G. X^dX.

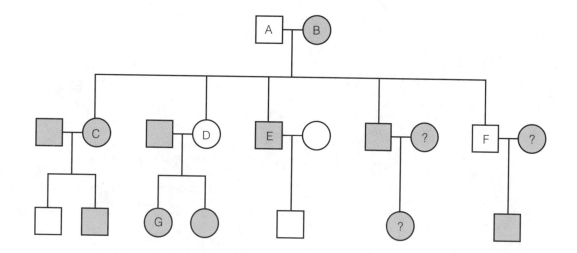

Réflexion et application

7. La ségrégation indépendante offre la possibilité de produire 2^{23} gamètes différents autant chez l'homme que chez la femme. Par ailleurs, l'enjambement, qui provoque un échange aléatoire de gènes entre les chromosomes paternels et maternels, contribue aussi à la diversité.

8. Stéphanie souffre d'anémie à hématies falciformes ; $Hb^A Hb^S$.

9. L'albinisme est causé par un gène récessif, tandis que la chorée de Huntington est due à un gène dominant et létal.

10. Le phénotype peut être modifié par des facteurs environnementaux tels que la malnutrition, les déséquilibres hormonaux, les médicaments, les agents pathogènes ou tout simplement le soleil et l'exercice physique.

11. L'amniocentèse est effectuée à la 14e semaine de la grossesse. Elle permet de déterminer si le liquide amniotique contient des enzymes ou d'autres marqueurs chimiques de maladies. Elle permet aussi d'établir le caryotype du bébé et de détecter certains marqueurs génétiques à partir des cellules fœtales. La biopsie des villosités chorioniques (BVC) est effectuée vers la 10e semaine de la grossesse. Elle permet également de dresser le caryotype du bébé.

12. On utilise des virus ou des liposomes.

Problèmes

13. **Figure 17-3 :**

ll × Ll	l	l
L	Ll 25 %	Ll 25 %
l	ll 25 %	ll 25 %

Génotype : 50 % Ll, 50 % ll.

Phénotype : 50 % des chances d'avoir des lobes séparés et 50 % d'avoir des lobes adhérents.

14. 100 % des enfants auront un orteil surnuméraire.

15. Mère : Zz ; père : Zz.

16. Si Sophie est bien de type O, sa mère peut très bien être de type A, mais il est impossible que son père soit de type AB.

Notes

Correspondance entre le manuel *Anatomie et physiologie humaines* et les exercices du cahier d'activités

Les nombres et les lettres entre parenthèses renvoient à des éléments de l'exercice.

Sections du manuel *Anatomie et physiologie humaines*	Exercices suggérés dans le cahier d'activités
Chapitre 1 – Le corps humain : introduction	
Définition générale de l'anatomie et de la physiologie	Chapitre 1 : 1(a, b), 2
Niveaux d'organisation structurale	Chapitre 1 : 1(c, d), 2, 3, 4
Maintien de la vie	Chapitre 1 : 5 à 9, 20, 21
Homéostasie	Chapitre 1 : 10, 24
Vocabulaire de l'anatomie	Chapitre 1 : 11 à 19, 22, 23
Gros plan – L'imagerie médicale	Chapitre 2 : 29
Exercices touchant plusieurs sections du chapitre 1	Chapitre 1 : 1, 2
Chapitre 2 – La chimie prend vie	
Définition des concepts de matière et d'énergie	Chapitre 2 : 1, 2, 5(2, 3, 6 et 7)
Composition de la matière : atomes et éléments	Chapitre 2 : 3, 4, 5(1, 4, 9, 11, 12), 6(1, 2, 4 à 9), 8(1 à 4, 7)
Comment la matière se combine : molécules et mélanges	Chapitre 2 : 5(8), 8(5 et 6)
Liaisons chimiques	Chapitre 2 : 5(1, 5 et 10), 6(3), 9 à 12, 13(2), 25(1 à 3)
Réactions chimiques	Chapitre 2 : 7, 13(1, 3 et 4), 25(14)
Composés inorganiques	Chapitre 2 : 14 à 16, 26, 30
Composés organiques	Chapitre 2 : 17 à 24, 25(4 à 14), 27, 28
Exercices touchant plusieurs sections du chapitre 2	Chapitre 2 : 5, 6, 8, 13, 25
Chapitre 3 – La cellule : unité fondamentale de la vie	
Principaux éléments de la théorie cellulaire	Chapitre 3 : 1(5 à 7, 8 à 12)
Membrane plasmique : structure	Chapitre 3 : 1(16), 4 à 7, 20
Membrane plasmique : fonctions	
Cytoplasme	Chapitre 3 : 2, 3, 26, 27, 32
Noyau	
Croissance et reproduction de la cellule	Chapitre 3 : 8 à 14, 29
Matériaux extracellulaires	Chapitre 3 : 15
Développement et vieillissement des cellules	Chapitre 3 : 25(1 à 4, 19, 20)
Gros plan – Identification génétique : décrypter notre «code à barres» héréditaire	Chapitre 3 : 34
Exercices touchant plusieurs sections du chapitre 3	Chapitre 3 : 1 à 7, 20, 26, 27, 32
Chapitre 4 – Les tissus : trame vivante	
Tissu épithélial	Chapitre 3 : 16 à 19, 21 à 23, 28, 33
Tissu conjonctif	Chapitre 4 : 1, 2, 24
Membranes de revêtement	Chapitre 6 : 2
Tissu nerveux	Chapitre 13 : 7
Tissu musculaire	
Réparation des tissus	Chapitre 3 : 24, 25(5 à 18), 30, 31
Développement et vieillissement des tissus	Chapitre 3 : 25(11)
Gros plan – Le cancer : l'ennemi intime	Chapitre 3 : 25(12 à 18)
	Chapitre 4 : 18
	Chapitre 10 : 21
Exercices touchant plusieurs sections du chapitre 4	Chapitre 3 : 25
	Chapitre 4 : 1, 2, 24
	Chapitre 6 : 2
	Chapitre 13 : 7

Sections du manuel *Anatomie et physiologie humaines*	Exercices suggérés dans le cahier d'activités
Chapitre 5 – Le système tégumentaire	
Peau	Chapitre 4 : 3 à 7, 10, 17, 22
Annexes cutanées	Chapitre 4 : 7 à 9, 18, 23
Fonctions du système tégumentaire	Chapitre 4 : 5, 9
Déséquilibres homéostatiques de la peau	Chapitre 4 : 11 à 15, 25
Développement et vieillissement du système tégumentaire	Chapitre 4 : 5, 16, 19 à 21
Exercices touchant plusieurs sections du chapitre 5	Chapitre 4 : 5, 7, 9
Chapitre 6 – Le tissu osseux et les os	
Cartilages	Chapitre 5 : 35(5)
Classification des os	Chapitre 5 : 2
Fonctions des os	Chapitre 5 : 35(9)
Structure des os	Chapitre 5 : 1, 3, 4(2, 5), 5 à 7, 38(2 à 12)
	Chapitre 10 : 22
Développement des os	Chapitre 5 : 35(2, 3, 4, 6, 7)
Homéostasie osseuse : remaniement et consolidation	Chapitre 5 : 4(1, 3, 4, 6, 7, 8), 29, 30
Déséquilibres homéostatiques des os	Chapitre 5 : 34(7, 8), 40
Développement et vieillissement des os : chronologie	Chapitre 5 : 35(1, 8, 10)
Liens particuliers	Chapitre 5 : 36
Exercices touchant plusieurs sections du chapitre 6	Chapitre 5 : 4, 35
Exercices portant à la fois sur les chapitres 6 et 7	Chapitre 5 : 22, 38
Exercices portant à la fois sur les chapitres 6 et 8	Chapitre 5 : 34
Chapitre 7 – Le squelette	
Tête	Chapitre 5 : 8 à 10, 24, 26, 28 39, 41
Colonne vertébrale	Chapitre 5 : 11 à 15, 24, 26, 28, 44, 45
Thorax osseux	Chapitre 5 : 16, 17, 22, 24, 26, 28
Ceinture scapulaire	Chapitre 5 : 18, 21, 22, 24, 26, 28
Membre supérieur	Chapitre 5 : 19, 20, 22, 24, 26, 28
Ceinture pelvienne	Chapitre 5 : 21, 23 à 26, 28
Membre inférieur	Chapitre 5 : 24 à 27, 28, 38(1)
Développement et vieillissement du squelette	Chapitre 5 : 37
Exercices touchant plusieurs sections du chapitre 7	Chapitre 5 : 21, 22, 24, 26, 28
Exercices portant à la fois sur les chapitres 6 et 7	Chapitre 5 : 22, 38
Chapitre 8 – Les articulations	
Classification des articulations	Chapitre 5 : 33
Articulations fibreuses	Chapitre 5 : 32
Articulations cartilagineuses	Chapitre 5 : 32
Articulations synoviales	Chapitre 5 : 31, 32
Déséquilibres homéostatiques des articulations	Chapitre 5 : 34(1 à 6), 42, 43
Développement et vieillissement des articulations	Chapitre 5 : 46
Exercices touchant plusieurs sections du chapitre 8	Chapitre 5 : 32
Exercices portant à la fois sur les chapitres 6 et 8	Chapitre 5 : 34
Chapitre 9 – Muscles et tissu musculaire	
Tissu musculaire	Chapitre 6 : 1(1, 2, 9), 3(1, 2, 5)
Muscles squelettiques	Chapitre 6 : 1(4), 3(3, 4), 4 à 13, 27(9), 28, 35
Muscles lisses	Chapitre 6 : 1(3), 34
Développement et vieillissement des muscles	Chapitre 6 : 27(tous sauf 9), 33
Exercices touchant plusieurs sections du chapitre 9	Chapitre 6 : 1, 3
Exercices portant à la fois sur les chapitres 9 et 10	Chapitre 6 : 1

Sections du manuel *Anatomie et physiologie humaines*	Exercices suggérés dans le cahier d'activités
Chapitre 10 – Le système musculaire	
Introduction	Chapitre 6 : 1(7, 8)
Interactions entre les muscles squelettiques	Chapitre 6 : 14, 16
Noms des muscles squelettiques	Chapitre 6 : 17, 18 à 23(1 à 5), 24 à 26
Mécanique musculaire	Chapitre 6 : 23(6)
Principaux muscles squelettiques	Chapitre 6 : 15, 29, 30 à 32
Exercices touchant plusieurs sections du chapitre 10	Chapitre 6 : 23
Exercices portant à la fois sur les chapitres 9 et 10	Chapitre 6 : 1
Chapitre 11 – Structure et physiologie du tissu nerveux	
Introduction	Chapitre 7 : 1
Organisation du système nerveux	Chapitre 7 : 2
Histologie du tissu nerveux	Chapitre 7 : 3, 4, 6(sauf 3 et 9), 7, 12(1, 5)
Neurophysiologie	Chapitre 7 : 6(3), 9, 12(2, 3, 7), 23(8), 49
Intégration nerveuse : concepts fondamentaux	Chapitre 7 : 8
Développement et vieillissement des neurones	Chapitre 7 : 41
Exercices touchant plusieurs sections du chapitre 11	Chapitre 7 : 6, 12
Exercices portant sur divers chapitres relatifs au système nerveux	Chapitre 7 : 6, 12, 23
Chapitre 12 – Le système nerveux central	
Encéphale	Chapitre 7 : 13 à 15(sauf 6), 16 à 18(sauf 9), 19(1 à 6), 39(1, 3, 8), 44, 45(1, 5, 6), 46
Fonctions mentales supérieures	Chapitre 7 : 19(7, 8, 9), 45(7)
Protection de l'encéphale	Chapitre 7 : 18(9), 20 à 23(sauf 8), 39(10, 11, 12), 45(2, 3)
Moelle épinière	Chapitre 7 : 24 à 27(1, 2), 39(2), 43, 47
Diagnostic d'un dysfonctionnement du SNC	Chapitre 7 : 45(8)
Développement et vieillissement du système nerveux central	Chapitre 7 : 38
Exercices touchant plusieurs sections du chapitre 12	Chapitre 7 : 18, 19, 39, 45
Exercices portant sur divers chapitres relatifs au système nerveux	Chapitre 7 : 15, 18, 23, 27, 39, 45
Chapitre 13 – Le système nerveux périphérique et l'activité réflexe	
Récepteurs sensoriels	Chapitre 7 : 5, 6(9), 12(6)
De la sensation à la perception : vue d'ensemble	Chapitre 7 : 18(12)
Nerfs et ganglions	Chapitre 7 : 28, 29
Nerfs crâniens	Chapitre 7 : 31 à 32, 45(4)
Nerfs spinaux	Chapitre 7 : 27(3), 30, 33, 34, 43
Terminaisons motrices périphériques	Chapitre 7 : 12(8)
Intégration motrice : de l'intention à l'acte	Chapitre 7 : 15(6)
Arc réflexe	Chapitre 7 : 11, 12(4)
Réflexes spinaux	Chapitre 7 : 10
Développement et vieillissement du système nerveux périphérique	Chapitre 7 : 52
Exercices touchant plusieurs sections du chapitre 13	Chapitre 7 : 12
Exercices portant sur divers chapitres relatifs au système nerveux	Chapitre 7 : 6, 12, 15, 18, 27, 45
Chapitre 14 – Le système nerveux autonome	
Introduction	Chapitre 7 : 35, 36(3, 4), 37, 48
Anatomie du SNA	Chapitre 7 : 39(9)
Physiologie du SNA	Chapitre 7 : 36(sauf 3 et 4), 40, 42
Déséquilibres homéostatiques du SNA	Chapitre 7 : 51
Développement et vieillissement du SNA	Chapitre 7 : 50

Sections du manuel *Anatomie et physiologie humaines*	Exercices suggérés dans le cahier d'activités
Exercices touchant plusieurs sections du chapitre 14	Chapitre 7: 36
Exercices portant sur divers chapitres relatifs au système nerveux	Chapitre 7: 39
Chapitre 15 – Les sens	
Sens chimiques: goût et odorat – *Calicules gustatifs et gustation*	Chapitre 8: 23(1 à 3, 7 à 17), 24, 26(1, 3, 4, 6)
Sens chimiques: goût et odorat – *Épithélium de la région olfactive et odorat*	Chapitre 8: 23(4, 5, 6, 18), 25, 26(2, 5), 35
Sens chimiques: goût et odorat – *Déséquilibres homéostatiques des sens chimiques*	Chapitre 8: 39
Exercices portant sur diverses parties de la section «Sens chimiques: goût et odorat»	Chapitre 8: 23, 26
Œil et vision – *Structures annexes de l'œil*	Chapitre 8: 1 à 4, 29, 36
Œil et vision – *Structure du bulbe de l'œil*	Chapitre 8: 5(6, 9), 6, 8(tous sauf 14 à 17), 9, 12, 13, 30, 31, 37
Œil et vision – *Physiologie de la vision*	Chapitre 8: 5(tous sauf 6 et 9), 7, 8(14 à 17), 10, 11, 14, 32, 38
Exercices portant sur diverses parties de la section «Œil et vision»	Chapitre 8: 5, 8
Oreille: ouïe et équilibre – *Structure de l'oreille*	Chapitre 8: 15(tous sauf 10 et 11), 16, 18, 22, 28(1 à 4 et 9 à 11), 34
Oreille: ouïe et équilibre – *Physiologie de l'audition*	Chapitre 8: 16 à 18, 28(6), 33
Oreille: ouïe et équilibre – *Déséquilibres homéostatiques de l'audition*	Chapitre 8: 16, 20, 21, 22
Oreille: ouïe et équilibre – *Mécanismes de l'équilibre et de l'orientation*	Chapitre 8: 15(10 et 11), 16, 18, 19, 28(5 à 8 et 13 à 16)
Exercices portant sur diverses parties de la section «Oreille: ouïe et équilibre»	Chapitre 8: 15, 28
Développement et vieillissement des organes des sens	Chapitre 8: 27
Chapitre 16 – Le système endocrinien	
Introduction	Chapitre 9: 1
Système endocrinien: caractéristiques générales	Chapitre 9: 2(13), 5(a à k), 6
Hormones	Chapitre 9: 2(1 à 12), 3, 12(2)
Principales glandes endocrines	Chapitre 9: 4, 6 à 12(1, 3 à 5), 15 à 21
	Chapitre 15: 25
Autres structures hormonopoïétiques	Chapitre 9: 5(l), 13
Développement et vieillissement du système endocrinien	Chapitre 9: 14, 22
Exercices touchant plusieurs sections du chapitre 16	Chapitre 9: 2, 5, 6, 12
Chapitre 17 – Le sang	
Introduction	Chapitre 10: 5(6)
Composition et fonctions du sang	Chapitre 10: 1, 2(16), 5(5, 9)
Plasma	Chapitre 10: 5(3), 6(6)
Éléments figurés	Chapitre 10: 2(sauf 16), 3, 4, 5(1, 2, 7, 8, 10 à 12), 6(1 à 4 et 7), 7, 13(3, 5 à 7), 14(1, 3 à 5, 10 à 15), 21, 23
Hémostase	Chapitre 10: 6(5), 8, 9, 13(4), 14(16 à 25)
Transfusion et rétablissement du volume sanguin	Chapitre 10: 10 à 12, 15 à 20
Analyses sanguines	Chapitre 10: 24
Développement et vieillissement du sang	Chapitre 10: 13(1, 2 et 8)
Exercices touchant plusieurs sections du chapitre 17	Chapitre 10: 2, 5, 6, 13, 14
Chapitre 18 – Le système cardiovasculaire: le cœur	
Anatomie du cœur	Chapitre 11: 1 à 3, 6(6 à 9, A à F), 7(9), 12(1, 6), 18(4), 25(2), 32(1 à 4, 17 à 20), 33
	Chapitre 6: 1(5)

Sections du manuel *Anatomie et physiologie humaines*	Exercices suggérés dans le cahier d'activités
Propriétés des fibres musculaires cardiaques	Chapitre 11: 4 Chapitre 6: 1(6)
Physiologie du cœur	Chapitre 11: 5, 6(1 à 5, G et H), 7(tous sauf 9), 8, 9, 10(tous sauf 8 et 9), 11, 12(2 à 5), 32(5 à 8), 33 à 35, 38, 40, 41, 44
Développement et vieillissement du cœur	Chapitre 11: 31(1, 8 et 9)
Exercices touchant plusieurs sections du chapitre 18	Chapitre 11: 6, 7, 12, 32, 33
Exercices portant à la fois sur le chapitre 18 et le chapitre 19	Chapitre 11: 10, 18, 25, 31, 32
Chapitre 19 – Le système cardiovasculaire: les vaisseaux sanguins	
Introduction	Chapitre 11: 13(4 à 7), 32(13)
Structure des parois vasculaires	Chapitre 11: 13(1 à 3), 16
Réseau artériel	Chapitre 11: 30(3)
Capillaires	Chapitre 11: 32(14)
Réseau veineux	Chapitre 11: 14, 31(14 à 16)
Anastomoses vasculaires	Chapitre 11: 30(9)
Débit sanguin, pression sanguine et résistance	Chapitre 11: 37, 42
Pression sanguine systémique	Chapitre 11: 10(8 et 9), 15, 25(3 à 5), 26(2, 6 et 7), 30(5)
Maintien de la pression artérielle	Chapitre 11: 20(11 et 23), 25(1), 26(1, 3, 4, 9 et 10), 27, 28, 29, 30(1, 2, 4 et 8), 37, 42, 43
Débit sanguin dans les tissus: irrigation des tissus	Chapitre 11: 26(5 et 8), 30(7)
Développement et vieillissement des vaisseaux sanguins	Chapitre 11: 23(2, 3, 6 et 7), 24, 39
Tableaux sur les vaisseaux sanguins	Chapitre 11: 17, 18(tous sauf 4), 19, 20(tous sauf 11, 23 et 25), 21, 23(tous sauf 2, 3, 6 et 7), 30(6), 31(2 à 6, 10 et 11), 32(10 à 12, 15, 16, 21), 36
Exercices touchant plusieurs sections du chapitre 19	Chapitre 11: 13, 20, 23, 25, 26, 30, 31, 32, 37, 42
Exercices portant à la fois sur le chapitre 18 et le chapitre 19	Chapitre 11: 10, 18, 32, 25, 31, 32
Chapitre 20 – Le système lymphatique	
Introduction	Chapitre 12: 1(5 et 6)
Vaisseaux lymphatiques	Chapitre 12: 1(1 à 4), 2, 3, 5, 6(6), 34(1 et 2), 41
Cellules et tissus lymphatiques	Chapitre 12: 34(3)
Nœuds lymphatiques	Chapitre 12: 4(2), 6(tous sauf 6)
Autres organes lymphatiques	Chapitre 12: 4(tous sauf 2), 5, 39
Développement du système lymphatique	Chapitre 12: 33(1 à 4)
Exercices touchant plusieurs sections du chapitre 20	Chapitre 12: 1, 4, 6, 34
Exercices portant à la fois sur le chapitre 20 et le chapitre 21	Chapitre 12: 33, 34
Chapitre 21 – Le système immunitaire: défenses innées et défenses adaptatives de l'organisme	
Barrières superficielles: la peau et les muqueuses	Chapitre 12: 7(1), 8, 9(4), 10, 11, 40
Défenses internes: cellules et molécules	Chapitre 12: 7(2 et 3), 9(tous sauf 4), 12 à 17
Défense adaptatives (introduction)	Chapitre 12: 19
Antigènes	Chapitre 12: 18, 22(2)
Cellules du système immunitaire adaptatif	Chapitre 12: 20, 21(1), 22(3), 34(6 et 9)
Réaction immunitaire humorale	Chapitre 12: 22(1), 23 à 27, 33(12), 34(4, 5, 10, 11), 42
Réaction immunitaire à médiation cellulaire	Chapitre 12: 21(tous sauf 1), 28 à 31
Déséquilibres homéostatiques de l'immunité	Chapitre 12: 32, 35 à 37
Développement et vieillissement du système immunitaire	Chapitre 12: 33(5 à 11)
Exercices touchant plusieurs sections du chapitre 21	Chapitre 12: 7, 9, 21, 22, 33, 34
Exercices portant à la fois sur le chapitre 20 et le chapitre 21	Chapitre 12: 33, 34

Sections du manuel *Anatomie et physiologie humaines*	Exercices suggérés dans le cahier d'activités
Chapitre 22 – Le système respiratoire	
Introduction	Chapitre 13 : 12
Anatomie fonctionnelle du système respiratoire	Chapitre 13 : 1 à 4, 5(tous sauf 4), 6 à 9, 24(tous sauf 16 à 19), 25, 31
Mécanique de la respiration	Chapitre 13 : 10 à 16, 22, 29, 33
Propriétés fondamentales des gaz	Chapitre 13 : 19(6), 34
Composition du gaz alvéolaire	Chapitre 13 : 17
Échanges gazeux entre le sang, les poumons et les tissus	Chapitre 13 : 24(16 à 19), 32
Transport des gaz respiratoires dans le sang	Chapitre 13 : 18, 26
Régulation de la respiration	Chapitre 13 : 19(1 à 4), 20, 21(12, 4)
Adaptation de la respiration	Chapitre 13 : 5(4), 19(5)
Déséquilibres homéostatiques du système respiratoire	Chapitre 13 : 21(3, 5 à 10), 28, 32
Développement et vieillissement du système respiratoire	Chapitre 13 : 23, 27, 30
Exercices touchant plusieurs sections du chapitre 22	Chapitre 13 : 5, 19, 21, 24
Chapitre 23 – Le système digestif	
Introduction	Chapitre 14 : 1(2, 3, 6, 7), 2, 27(1)
Processus digestifs	Chapitre 14 : 1(4, 5), 5(5), 13, 19(10 à 13)
Concepts fonctionnels fondamentaux	Chapitre 14 : 14(8)
Organes du système digestif : relations et organisation structurale	Chapitre 14 : 5(1, 2, 4), 8, 15(1)
Bouche, pharynx et œsophage	Chapitre 14 : 2, 3, 4(2), 5(6, 7, 8, 9, 16, 22, 26), 7(1, 7), 11, 12, 14(1, 3, 4), 15(2), 19(1 à 9), 27(11), 28(1 à 9), 30
Estomac	Chapitre 14 : 4(5), 6, 7(6, 8), 14(2, 5, 6, 7, 9), 16, 19(16, 17), 27(10), 28(14, 15), 37
Intestin grêle et structures annexes	Chapitre 14 : 4(1, 3, 4), 5(2, 3, 4, 12, 13, 14), 7(2, 3, 4), 9, 10, 15(3, 6), 16, 27(2), 28(16)
Gros intestin	Chapitre 14 : 5(11, 15, 17, 23, 25), 7(5, 9), 14(10, 11), 15(5, 7), 19(14, 15), 27(9), 28(17), 33, 38
Digestion chimique	Chapitre 14 : 14(12, 13), 17, 18, 34
Absorption	Chapitre 14 : 35, 39
Développement et vieillissement du système digestif	Chapitre 14 : 27(1 à 5, 7, 8), 33
Exercices touchant plusieurs sections du chapitre 23	Chapitre 14 : 1, 2, 4, 5, 7, 14 à 16, 19, 27, 28, 33
Exercices portant à la fois sur le chapitre 23 et le chapitre 24	Chapitre 14 : 27, 37
Chapitre 24 – Nutrition, métabolisme et thermorégulation	
Nutrition	Chapitre 14 : 20, 21, 23(10), 29, 37
Métabolisme	Chapitre 14 : 22, 23(tous sauf 10), 24
Équilibre énergétique	Chapitre 14 : 25, 26, 31, 32, 36
Nutrition et métabolisme au cours du développement et du vieillissement	Chapitre 14 : 27(6), 40
Exercices touchant plusieurs sections du chapitre 24	Chapitre 14 : 23
Exercices portant à la fois sur le chapitre 23 et le chapitre 24	Chapitre 14 : 27, 37
Chapitre 25 – Le système urinaire	
Introduction	Chapitre 15 : 1(1 à 4), 21(10)
Anatomie des reins	Chapitre 15 : 2, 3, 4(1, 3 à 9), 5, 7(1, 2, 6), 19(4, 6), 21(2 à 5, 8 à 10, 20)
Physiologie des reins : formation de l'urine	Chapitre 15 : 6, 7(3 à 5, 8 à 11, 19), 8(2, 3, 5), 10(4), 11(1, 5, 12), 13, 15(5, 6), 19(3), 21(6, 7, 11 à 19), 22, 24, 26, 28
Urine	Chapitre 15 : 7(12 à 15), 9(1, 2, 5), 11(2 à 4, 6 à 11), 12, 21(17), 28

Sections du manuel *Anatomie et physiologie humaines*	Exercices suggérés dans le cahier d'activités
Uretères	Chapitre 15 : 1(5, 6), 4(2), 17(5, 7, 8), 21(21, 22)
Vessie	Chapitre 15 : 1(7), 16(1, 2), 17(2, 3, 8),
Urètre	Chapitre 15 : 1(8 à 10), 16(3), 17(1, 4, 5, 6, 9), 19(1)
Miction	Chapitre 15 : 18, 21(23, 24)
Développement et vieillissement du système urinaire	Chapitre 15 : 19(2, 7), 20, 23
Exercices touchant plusieurs sections du chapitre 25	Chapitre 15 : 1, 4, 7, 11, 16, 17, 19, 21
Exercices portant à la fois sur le chapitre 25 et le chapitre 26	Chapitre 15 : 5, 7 à 10, 15, 21, 24
Chapitre 26 – Équilibre hydrique, électrolytique et acidobasique	
Liquides de l'organisme	Chapitre 15 : 7(3), 15(1 à 4)
Équilibre hydrique et osmolarité du liquide extracellulaire	Chapitre 15 : 7(16 à 18), 8(1, 4), 10(1 à 3, 5, 6), 15(5, 6)
Équilibre électrolytique	Chapitre 15 : 8(3, 5), 24, 25
Équilibre acidobasique	Chapitre 15 : 8(6), 9(3 à 7), 14, 21(13), 27
	Chapitre 10 : 5(4)
Équilibre hydrique, électrolytique et acidobasique au cours du développement et du vieillissement	Chapitre 15 : 29
Exercices touchant plusieurs sections du chapitre 26	Chapitre 15 : 7, 8, 15
Exercices portant à la fois sur le chapitre 25 et le chapitre 26	Chapitre 15 : 5, 7 à 10, 15, 21, 24
Chapitre 27 – Le système génital	
Anatomie du système génital de l'homme	Chapitre 16 : 1 à 5, 34(20, 21), 39
Physiologie du système génital de l'homme	Chapitre 16 : 6 à 9, 37
Anatomie du système génital de la femme	Chapitre 16 : 10 à 12, 15, 20, 34(9, 11 à 13), 35(1 à 3, 7 à 9), 38, 41
Physiologie du système génital de la femme	Chapitre 16 : 13 à 19, 22(6), 35(4 à 6)
Infections transmissibles sexuellement	Chapitre 16 : 34(6 à 8, 10)
Développement et vieillissement des organes génitaux : chronologie du développement sexuel	Chapitre 16 : 34(1 à 5, 11, 14 à 19)
Exercices touchant plusieurs sections du chapitre 27	Chapitre 16 : 34, 35
Exercices portant à la fois sur le chapitre 27 et le chapitre 28	Chapitre 16 : 22, 35
Chapitre 28 – Grossesse et développement prénatal	
De l'ovule à l'embryon	Chapitre 16 : 21, 22(1 à 5), 23, 24, 35(10 à 19)
Développement embryonnaire	Chapitre 16 : 25
	Chapitre 11 : 22, 23(2, 3, 6, 7)
Développement fœtal	Chapitre 16 : 40, 42
Effets de la grossesse chez la mère	Chapitre 16 : 28
Parturition (accouchement)	Chapitre 16 : 26, 29 à 33, 35(20), 36
Adaptation de l'enfant à la vie extra-utérine	Chapitre 16 : 43
Lactation	Chapitre 16 : 27
Exercices touchant plusieurs sections du chapitre 28	Chapitre 16 : 22, 23, 35
Exercices portant à la fois sur le chapitre 27 et le chapitre 28	Chapitre 16 : 22, 35
Chapitre 29 – La génétique	
Vocabulaire de la génétique	Chapitre 17 : 1
Sources sexuelles de variations génétiques	Chapitre 17 : 2, 7
Types de transmission héréditaire	Chapitre 17 : 3, 4, 8, 9, 13 à 16
Facteurs environnementaux et expression génique	Chapitre 17 : 10
Hérédité non traditionnelle	Chapitre 17 : 5
Dépistage des maladies héréditaires, conseil génétique et thérapie génique	Chapitre 17 : 6, 11, 12